본 도서를 구입시 드림  혜택!

출제·모의 무료동영상

출제경향분석 및
실전모의고사 무료동영상

① 출제분석에 따른 출제경향 오리엔테이션
② 실전모의고사 상세해설 1~6회 무료동영상
③ 최근 10개년 기출문제분석, 수록반영한 실전모의고사

※ 위 내용의 무료동영상 수강기간은 3개월입니다.

기출문제 무료동영상

4개년 기출문제

① 최근 4개년(21년, 20년, 19년, 18년) 기출문제를 통해
   최신출제경향 파악 강의제공
② 특히 2020년 시험부터 SI단위로 출제된 강의제공
③ 기출문제 자세하게 해설강의

※ 위 내용의 무료동영상 강좌의 수강기간은 3개월입니다.

학습내용 질의응답

한솔아카데미 홈페이지(www.inup.co.kr)

공조냉동기계(산업)기사 게시판에 질문을 하실 수 있으며 함께 공부하시는 분들의 공통적인 질의응답을 통해 보다 효과적인 학습이 되도록 합니다.

수강신청 방법

도서구매 후 뒷 표지 회원등록 인증번호 확인

홈페이지 회원가입 ▶ 마이페이지 접속 ▶ 쿠폰 등록/내역 ▶ 도서 인증번호 입력 ▶ 나의 강의실에서 수강이 가능합니다.

동영상 무료강의 수강방법

■ 교재 인증번호등록 및 강의 수강방법 안내

01 사이트 접속

인터넷 주소창에 http://engineer.inup.co.kr/ 을 입력하여 한솔아카데미 홈페이지에 접속합니다.

02 회원가입 로그인

홈페이지 우측 상단에 있는 회원가입 메뉴를 통해 **회원가입** 후, 강의를 듣고자 하는 아이디로 **로그인**을 합니다.

03 마이 페이지

로그인 후 상단에 있는 **마이페이지**로 접속하여 왼쪽 메뉴에 있는 [쿠폰/포인트관리]−[쿠폰등록/내역]을 클릭합니다.

04 쿠폰 등록

도서에 기입된 **인증번호 12자리** 입력(−표시 제외)이 완료되면 [나의강의실]에서 무료강의를 수강하실 수 있습니다.

■ 모바일 동영상 수강방법 안내

❶ QR코드 이미지를 모바일로 촬영합니다.
❷ 회원가입 및 로그인 후, 쿠폰 인증번호를 입력합니다.
❸ 인증번호 입력이 완료되면 [나의강의실]에서 강의 수강이 가능합니다.

※ QR코드를 찍을 수 있는 어플을 다운받으신 후 진행하시길 바랍니다.

공조냉동기계산업기사 교재를 펴내며...

2022년부터 새로운 출제기준 적용에 따른 일러두기!

최근의 경제 발전과 기계분야의 고도화로 공조냉동기계산업 분야는 기계화, 고급화, 스마트자동화가 급속히 진행되고 있으며, 에너지절약과 쾌적한 실내환경 조성, 냉동냉장설비의 확대로 기계분야의 대표적인 성장동력산업으로 발전하고 있습니다. 이에 발맞추어 공조냉동기계산업기사 분야의 우수한 기술인력을 배출하고자 공조냉동기계산업기사 자격 제도가 시행되고 있습니다. 특히 2022년부터 새로운 출제기준을 적용하여 그동안의 4과목에서 3과목으로 통폐합하며 새롭게 문제가 출제됩니다. 여기에 발맞추어 이 책은 공조냉동기계산업기사를 준비하는 미래 기술자들이 수험준비를 하는 데 좀 더 짧은 시간에 정확하고, 쉽게 전문지식을 습득하고 시험 준비에 만전을 기할 수 있도록 아래와 같이 새로운 출제기준에 따라 이론과 예상문제를 정리하고 기출문제를 분석, 해설하여 모의고사 형식으로 꾸며졌으며, 저자들의 강의 경험과 현장 경험을 최대한 살려서 수험생 여러분의 이해와 숙달을 돕고 자격검정 시험에 도움을 주고자 최선을 다해서 교재를 만들었습니다.

본서의 특징을 요약하면

첫째, 2022년부터 적용되는 새로운 출제기준을 분석하여 과목(4과목→3과목 축소)통합에 따라 이론과 예상문제를 추가하고 부록편에 15회분의 모의고사를 새로운 출제기준에 알맞게 편집 정리 수록하였습니다.

둘째, 기출문제와 출제 예상문제를 해설하면서 관련 내용을 함께 정리하여 문제풀이를 통하여 전체 이론내용이 정리되도록 노력하였습니다.

셋째, 각 편마다 문제 풀이에 필요한 해당 내용을 간결하고 되도록 자세하게 요약 정리하였으며, 특히 새로운 출제기준에 포함된 공조프로세스분석, 냉동냉장부하계산, 설비적산 등은 내용과 문제를 추가로 정리하였습니다.

넷째, 출제기준이 새롭게 변경되었지만 문제 출제 방향은 이전의 기출문제를 반영 할 것이기에 그동안의 기출문제를 근간으로 모의고사를 해설하면서 수험준비와 최근 공조냉동설비의 경향을 알 수 있도록 하였습니다.

다섯째, 본 교재는 10년간의 기출문제를 분야별로 정리하고 출제기준에 알맞게 편집하여 수험생들의 수험준비가 명확하고 간결하도록 하였습니다. 문제 해설에 있어서 SI단위변경 등 변경된 내용들을 현재를 기준으로 비교 설명하였습니다.

끝으로 본 교재를 통하여 공조냉동기계산업기사를 준비하는 수험생들의 목적하는 바가 성취되길 기원하며 더욱 더 노력하여 공조냉동기계 분야의 유능한 기술인이 되기를 부탁하는 바입니다. 앞으로의 시대는 실질적인 능력을 가진 자가 경쟁력 있는 인재이며 꾸준히 노력하여 자기 자신을 개발하고 창의력을 키우는 능동적이고 스마트한 사람만이 인정받고 성공할 수 있다는 냉엄한 현실을 직시하시기 바랍니다. 그리고 이 책이 나오기까지 물심양면으로 수고하여 주신 한솔아카데미 편집, 제작자 여러분께 감사의 뜻을 표합니다.

조성안, 이승원, 한영동 씀

2022 출제경향 분석 및 편집 일러두기

※ 공조냉동기계산업기사는 21년까지 4과목(공기조화, 냉동공학, 배관일반, 전기제어공학)으로 문제가 출제되어 왔으나, 22년부터는 3과목(공기조화 설비, 냉동냉장 설비, 공조냉동 설치·운영)으로 변경되어 출제됩니다. 한솔아카데미에서는 아래와 같이 새로운 수험서를 만들어서 수험생 여러분의 시험준비에 최선을 다하고자 합니다.

〈실전 모의고사 편집 일러두기〉

❶ 기존 (전기제어+배관일반)2과목이 → 공조냉동 설치운영 1과목으로 내용을 통합하고 설비적산, 냉동냉장 부하계산등 일부 내용이 추가되어 새롭게 변경되었으며 이에 알맞게 수정하여 본문과 모의고사를 구성하였습니다.

❷ 1과목, 2과목, 3과목 등에서 새롭게 추가되는 내용은 모의고사 문제를 추가 보완하였습니다.

❸ 기존 기출문제를 새로운 출제기준에 맞도록 15회분을 실전 모의고사(1~15회) 형식으로 보완 수록하여 수험 준비에 철저히 대비토록 하였습니다.

❹ 2021년 1,2,3회 기출문제는 가장 최근 출제문제로 변경 이전의 원형 그대로 수록하였으니 문제의 유형이나 난이도등을 참고하시기 바랍니다. 한솔아카데미 편집부와 저자들은 22년부터 출제기준이 변경되어 출제되는 문제도 기존문제의 유형이나 난이도면에서 크게 차이가 없을것으로 예상합니다.

❺ 저자와 출판사가 예상하기로는 22년부터 출제기준이 변경된 공조냉동기계산업기사 문제도 기존(~2021년까지) 출제방향이나 난이도면에서 크게 벗어나지 않고 각 과목 통합과 추가 부분에서 일부 문제가 출제될 것으로 예상합니다.

공조냉동기계산업기사(필기) 출제기준

직무 분야	기계	중직무 분야	기계장비 설비·설치	자격 종목	공조냉동기계 산업기사	적용 기간	2022. 1. 1 ~ 2024. 12. 31

○직무내용 : 산업현장, 건축물의 실내 환경을 최적으로 조성하고, 냉동냉장설비 및 기타공작물을 주어진 조건으로 유지하기 위해 기술기초이론 지식과 숙련기능을 바탕으로 공조냉동, 유틸리티 등 필요한 설비를 설계, 시공 및 유지관리 하는 직무이다.

필기검정방법	객관식	문제수	60	시험시간	1시간 30분

필기과목명	문제수	주요항목	세부항목	세세항목
공기조화 설비	20	1. 공기조화의 이론	1. 공기조화의 기초	1. 공기조화의 개요 2. 보건공조 및 산업공조 3. 환경 및 설계조건
			2. 공기의 성질	1. 공기의 성질 2. 습공기 선도 및 상태변화
		2. 공기조화 계획	1. 공기조화 방식	1. 공기조화방식의 개요 2. 공기조화방식 3. 열원방식
			2. 공기조화 부하	1. 부하의 개요 2. 난방부하 3. 냉방부하
			3. 클린룸	1. 클린룸 방식 2. 클린룸 구성 3. 클린룸 장치
		3. 공조기기 및 덕트	1. 공조기기	1. 공기조화기 장치 2. 송풍기 및 공기정화장치 3. 공기냉각 및 가열코일 4. 가습·감습장치 5. 열교환기
			2. 열원기기	1. 온열원기기 2. 냉열원기기
			3. 덕트 및 부속설비	1. 덕트 2. 급·환기설비

필기과목명	문제수	주요항목	세부항목	세세항목
		4. 공조프로세스 분석	1. 부하적정성 분석	1. 공조기 및 냉동기 선정
		5. 공조설비운영 관리	1. 전열교환기 점검	1. 전열교환기 종류별 특징 및 점검
			2. 공조기 관리	1. 공조기 구성 요소별 관리방법
			3. 펌프 관리	1. 펌프 종류별 특징 및 점검 2. 펌프 특성 3. 고장원인과 대책수립(추가) 4. 펌프 운전시 유의사항(추가)
			4. 공조기 필터점검	1. 필터 종류별 특성 2. 실내공기질 기초
		6. 보일러설비 운영	1. 보일러 관리	1. 보일러 종류 및 특성
			2. 부속장치 점검	1. 부속장치 종류와 기능
			3. 보일러 점검	1. 보일러 점검항목 확인
			4. 보일러 고장시 조치	1. 보일러 고장원인 파악 및 조치
냉동냉장 설비	20	1. 냉동이론	1. 냉동의 기초 및 원리	1. 단위 및 용어 2. 냉동의 원리 3. 냉매 4. 신냉매 및 천연냉매 5. 브라인 및 냉동유
			2. 냉매선도와 냉동 사이클	1. 모리엘선도와 상 변화 2. 냉동사이클
			3. 기초열역학	1. 기체상태변화 2. 열역학법칙 3. 열역학의 일반관계식
		2. 냉동장치의 구조	1. 냉동장치 구성 기기	1. 압축기 2. 응축기 3. 증발기 4. 팽창밸브 5. 장치 부속기기 6. 제어기기
		3. 냉동장치의 응용과 안전관리	1. 냉동장치의 응용	1. 제빙 및 동결장치 2. 열펌프 및 축열장치 3. 흡수식 냉동장치 4. 기타 냉동의 응용

필기과목명	문제수	주요항목	세부항목	세세항목
		4. 냉동냉장 부하계산	1. 냉동냉장부하 계산	1. 냉동냉장부하
		5. 냉동설비설치	1. 냉동설비 설치	2. 냉동·냉각설비의 개요
			2. 냉방설비 설치	3. 냉방설비 방식 및 설치
		6. 냉동설비운영	1. 냉동기 관리	4. 냉동기 유지보수
			2. 냉동기 부속장치 점검	5. 냉동기·부속장치 유지보수
			3. 냉각탑 점검	1. 냉각탑 종류 및 특성 2. 수질관리
공조냉동 설치·운영	20	1. 배관재료 및 공작	1. 배관재료	1. 관의 종류와 용도 2. 관이음 부속 및 재료 등 3. 관지지장치 4. 보온·보냉 재료 및 기타 배관용 재료
			2. 배관공작	1. 배관용 공구 및 시공 2. 관 이음방법
		2. 배관관련설비	1. 급수설비	1. 급수설비의 개요 2. 급수설비 배관
			2. 급탕설비	1. 급탕설비의 개요 2. 급탕설비 배관
			3. 배수통기설비	1. 배수통기설비의 개요 2. 배수통기설비 배관
			4. 난방설비	1. 난방설비의 개요 2. 난방설비 배관
			5. 공기조화설비	1. 공기조화설비의 개요 2. 공기조화설비 배관
			6. 가스설비	1. 가스설비의 개요 2. 가스설비 배관
			7. 냉동 및 냉각설비	1. 냉동설비의 배관 및 개요 2. 냉각설비의 배관 및 개요

필기과목명	문제수	주요항목	세부항목	세세항목
			8. 압축공기 설비	1. 압축공기설비 및 유틸리티 개요
		3. 설비적산	1. 냉동설비 적산	1. 냉동설비 자재 및 노무비 산출
			2. 공조냉난방설비 적산	1. 공조냉난방설비 자재 및 노무비 산출
			3. 급수급탕오배수설비 적산	1. 급수급탕오배수설비 자재 및 노무비 산출
			4. 기타설비 적산	1. 기타설비 자재 및 노무비 산출
		4. 공조급배수설비 설계도면작성	1. 공조, 냉난방, 급배수설비 설계도면 작성	1. 공조 · 급배수설비 설계도면 작성
		5. 공조설비점검 관리	1. 방음/방진 점검	1. 방음/방진 종류별 점검
		6. 유지보수공사 안전관리	1. 관련법규 파악	1. 고압가스안전관리법(냉동) 2. 기계설비법
			2. 안전작업	1. 산업안전보건법
		7. 교류회로	1. 교류회로의 기초	1. 정현파 교류 2. 주기와 주파수 3. 위상과 위상차 4. 실효치와 평균치
			2. 3상 교류회로	1. 3상 교류의 성질 및 접속 2. 3상 교류전력 (유효전력, 무효전력, 피상전력) 및 역률
		8. 전기기기	1. 직류기	1. 직류전동기의 종류 2. 직류전동기의 출력, 토크, 속도 3. 직류전동기의 속도제어법
			2. 변압기	1. 변압기의 구조와 원리 2. 변압기의 특성 및 변압기의 접속 3. 변압기 보수와 취급
			3. 유도기	1. 유도전동기의 종류 및 용도 2. 유도전동기의 특성 및 속도제어 3. 유도전동기의 역운전 4. 유도전동기의 설치와 보수
			4. 동기기	1. 구조와 원리 2. 특성 및 용도 3. 손실, 효율, 정격 등 4. 동기전동기의 설치와 보수

필기과목명	문제수	주요항목	세부항목	세세항목
			5. 정류기	1. 정류기의 종류 2. 정류회로의 구성 및 파형
		9. 전기계측	1. 전류, 전압, 저항의 측정	1. 전류계, 전압계, 절연저항계, 멀티메타 사용법 및 전류, 전압, 저항 측정
			2. 전력 및 전력량의 측정	1. 전력계 사용법 및 전력측정
			3. 절연저항 측정	1. 절연저항의 정의 및 절연저항계 사용법 2. 전기회로 및 전기기기의 절연저항 측정
		10. 시퀀스제어	1. 제어요소의 작동과 표현	1. 시퀀스제어계의 기본구성 2. 시퀀스제어의 제어요소 및 특징
			2. 논리회로	1. 불대수 2. 논회로
			3. 유접점회로 및 무접점회로	1. 유접점회로 및 무접점회로의 개념 2. 자기유지회로 3. 선형우선회로 4. 순차작동회로 5. 정역제어회로 6. 한시회로 등
		11. 제어기기 및 회로	1. 제어의 개념	1. 제어의 정의 및 필요성 2. 자동제어의 분류
			2. 조절기용기기	1. 조절기용기기의 종류 및 특징
			3. 조작용기기	1. 조작용기기의 종류 및 특징
			4. 검출용기기	1. 검출용기기.의 종류 및 특성

Contents

2과목 냉동냉장 설비

Contents

공조냉동기계산업기사

01

Industrial Engineer Air-Conditioning and Refrigerating Machinery

공기조화 설비

제1장
공기조화 이론

01 공기조화 기초

1 공기조화의 개요

1. 공기조화의 정의

(1) 공기조화(Air Conditioning)란, 주어진 실내의 온도, 습도, 청정도, 기류를 조절하여 실내의 사용목적에 알맞은 상태로 유지하고 거주자를 쾌적하게 하는 것을 말한다.

(2) 공기조화설비(Air Conditioning Equipment)란, 공기조화를 목적으로 사용하는 장치를 말한다. 넓은 의미로는 공기조화(Air-Conditioning)와 실내에 방열기를 설치하는 직접난방설비(Heating) 및 환기설비(Ventilation)까지 포함되므로 공기조화설비를 HVAC(Heating Ventilation and Air-Conditioning System)라고도 표현한다.

(3) 공기조화의 가장 큰 기능은 여름철에는 저온, 저습의 공기를 보내 실내 열을 제거하고 감습(냉방)하며, 겨울철에는 고온, 고습의 공기를 보내 실내를 따뜻하고 필요한 습도를 유지하는 것(난방)이다.

> 공기조화의 4요소
> 온도, 습도, 청정도, 기류

2. 공기조화의 4요소

(1) 실내공기의 온도, 습도, 청정도, 기류를 공기조화의 4요소라고 한다.

(2) 실내의 사용목적에 따라 공기의 4요소를 적합하게 조절하기 위한 실내 쾌적도가 결정되고 이를 달성하기 위한 열원설비와 공기조화 방식이 결정된다.

(3) 실제 쾌적도 평가 시에는 물리적인 외적요소(온도, 습도, 기류, 복사열)와 주관적인 내적요소(착의량, 활동량 등)를 종합하여 온열환경지표(불쾌지수, 유효온도, 수정유효온도 등)와 청정도, 소음, 진동 등을 복합적으로 검토한다.

> 쾌적도 평가요소
> – 물리적인 외적요소
> (온도, 습도, 기류, 복사열)
> – 주관적인 내적요소
> (착의량, 활동량 등)
>
> 온열환경지표
> 불쾌지수, 유효온도(ET),
> 수정유효온도(CET), 작용온도

---

01 예제문제

인체의 열감각에 영향을 미치는 요소로서 인체 주변, 즉 환경적 요소에 해당하는 것은?

① 온도, 습도, 복사열, 기류속도 　② 온도, 습도, 청정도, 기류속도

③ 온도, 습도, 기압, 복사열　　　 ④ 온도, 청정도, 복사열, 기류속도

해설
인체 열환경 지표는 인체 주변 환경적 요소(물리적조건)와 인체적인 내적조건이 있으며 환경적 요소는 온도, 습도, 복사열, 기류속도이고 내적 조건은 착의(clo), 활동량(met), 성격 등이다. 여기서 온도, 습도, 청정도, 기류속도는 공기조화의 대상 4요소이다. 　답 ①

3. 공기조화설비의 구성

공기조화설비는 열원설비, 공기조화기, 열수송설비, 자동제어설비로 구성된다.

(1) 열원설비 : 공기조화의 원동력인 열원은 온·냉열원설비로 구분되며 온열원장 비는 보일러나 냉온수기가 사용되며 열원설비에서 만들어진 온수와 증기를 공기조화기(AHU; Air Handling Unit)내의 가열코일로 공급하여 온풍을 만 든다. 냉열원장비는 냉동기가 사용되며 냉동기에서 만들어진 냉수를 냉각코 일에 공급하여 냉풍을 만들어 덕트설비로 실내에 공급하여 공조한다. 부속설 비에는 냉각탑, 냉각수 펌프, 보일러 급수펌프, 부속배관 등이 있다.

(2) 공기조화기 : 공기조화기(공조기)설비는 실내로 공급되는 적합한 공기를 만드는 설비로 열원설비에서 냉온열원을 공급받아 공조기내에서 가열코일, 냉각코일, 가습기, 공기여과기(에어 필터)등을 통하여 공기를 조화한다.

(3) 열수송설비 : 공조기에서 만들어진 공기를 공조대상 실내 공간에 공기를 순 환시키거나 또는 외기를 도입하기 위한 송풍기와 덕트계통, 열원설비와 공 조기 사이에서 냉온수를 순환시키는 냉온수 펌프와 배관계통, 실내에 설치 된 유닛(팬코일유닛)에 냉온수를 공급하는 설비 등을 열수송설비라 한다.

(4) 자동제어설비 : 위 공조설비를 적합하게 운전하고 실내공기의 상태를 자동적 으로 유지하고 운전하기 위한 제어설비로 주로 디지털제어방식(DDC제어)이 적용되며 공기조화설비 전체의 운전, 감시 등의 중앙관제설비도 포함한다.

공기조화설비의 4대 구성요소
열원설비, 공기조화기,
열수송설비, 자동제어설비

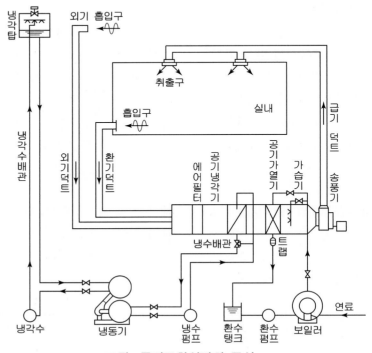

그림. 공기조화설비의 구성

2 보건공조 및 산업공조

공조는 보건공조와 산업공조로 나누어진다.

(1) **보건공조** : 쾌적용 공기조화(Comfort Air conditioning)를 말하며 인간의 생활을 대상으로 주로 보건, 활동성, 쾌적성이 목적이며 주택, 사무소 등의 일반 건축물에 해당된다.

> **보건용공기조화**
> 인간의 생활을 대상으로 하는 쾌적용 공기조화

(2) **산업공조** : 산업의 제조공정 및 원료, 제품의 저장, 포장, 수송 등의 생산관리를 대상으로 제품의 품질향상, 생산량의 증가, 원가절감을 목적으로 하는 공기조화를 말하며 클린룸, 냉동창고, 섬유공장 등 제품이나 공정을 대상으로 한 공조를 말한다.

> **산업용 공기조화**
> 산업의 제조공정 및 원료, 제품을 대상

---

02 예제문제

10℃의 냉풍을 급기하는 덕트가 건구온도 30℃, 상대습도 70%인 실내에 설치되어 있다. 이때 덕트의 표면에 결로가 발생하지 않도록 하려면 보온재의 두께는 최소 몇 mm 이상이어야 하는가? (단, 30℃, 70%의 노점온도는 24℃, 보온재 열전도율 = 0.035W/mK, 내표면 열전달률 = 46W/m²K, 외표면 열전달률 = 9W/m²K, 보온재 이외의 열저항은 무시한다.)

① 5mm   ② 8mm

③ 16mm   ④ 20mm

해설

결로는 덕트 외표면에서 발생하며 덕트 관류열량과 외표면 열전달량 사이에 열평형식을 세우면 $q = KA\Delta t = \alpha_o A\Delta t_s$ 에서 덕트 외표면 온도는 노점온도보다 높아야하므로 24℃로 잡으면 $\Delta t_s = 30 - 24 = 6℃$ 가 된다. 위 열평형식을 정리하면

$$K = \frac{\alpha_o \Delta t_s}{\Delta t} = \frac{9(30-24)}{(30-10)} = 2.7 \ \ (W/m^2K)$$

벽체 열관류율을 2.7(W/m²K)로 하기위한 보온재 두께는 열관류율 공식에서

$$\frac{1}{K} = \frac{1}{\alpha_1} + \frac{L_1}{\lambda_1} + \frac{1}{\alpha_2} \ \ \text{각각 수치를 대입하여 정리하면}$$

$$\frac{1}{2.7} = \frac{1}{9} + \frac{L_1}{0.035} + \frac{1}{46} \quad L_1 = 0.0083m = 8mm$$

답 ②

3 환경 및 설계조건

1. 실내 환경

인체의 신진대사는 섭취한 음식물에 의한 에너지 공급과 외부로의 에너지 소비가 평형을 이룬다. 또한 사람은 일정한 체온을 유지할 때 가장 편안하므로 열의 방산이 알맞도록 해주는 것이 냉방과 난방의 목적이다.

(1) 인체의 쾌적 조건

사람에게 가장 쾌적한 상태란 체내 생산 열량과 방산 열량이 평형을 이룰 때이므로 착의상태, 심리상태 등의 특성에 따라 쾌적영역이 달라진다. 이 쾌적도를 지표화 시킨 것에 불쾌지수, 유효 온도, 수정유효 온도, 신유효 온도 들이 있다. 일반적으로 공조에서 사용하는 실내조건은 쾌적성과 경제성을 종합하여 결정하는데 최근에는 에너지절약을 중시하는 경제적 조건을 많이 고려하는 편이다. 일반적으로 여름철에는 26~28℃ DB, 50~60% RH, 겨울철에는 18~20℃ DB, 40~50% RH 정도를 적용한다.

(2) 중앙식 공기조화설비의 실내 환경 기준

부유 분진량	공기 $1\,m^3$에 대하여 0.15mg 이하
일산화탄소의 함유율	백만분의 10 이하 (10ppm 이하)
탄산가스의 함유율	백만분의 1,000 이하 (1,000ppm 이하)
온도	17℃ 이상 28℃ 이하
상대습도	40% 이상 70% 이하
기류	0.5m/s 이하

2. 온열환경지표(쾌적지수)

> 불쾌지수는 건구 온도와 습구 온도에 의하여 구한다.

(1) 불쾌지수(DI - Discomfort Index)

불쾌지수는 열환경에 의한 영향만 고려한 것으로 건구 온도와 습구 온도에 의하여 구한다.

$$DI = 0.72(t + t') + 40.6$$

DI 86 이상 : 대부분 불쾌감을 느낌
DI 75 이상 : 반수 이상 불쾌
DI 70 이상 : 불쾌감 느끼기 시작
DI 68 이상 : 쾌적
    t : 건구 온도, t' : 습구 온도

불쾌지수 값은 개인적 특성에 따라 달라지며 위의 수치는 미국인 평균치이다.

(2) 유효 온도(ET – Effective Temperature)

유효 온도는 체감 온도라고도 하며 건구온도, 습도, 기류의 3요소가 인체에 미치는 영향을 100%RH, 풍속 0m/s인 상태의 건구 온도로 환산한 온도(유효온도)이다. 유효온도 선도를 일명 야글로우(Yaglou) 선도라고도 하며 건구 온도와 습구온도를 잡고 연결선 상의 기류와 교차점의 유효 온도를 읽는다.

---

03 예제문제

유효온도(Effective Temperature)에 대한 설명 중 옳은 것은?

① 온도, 습도를 하나로 조합한 상태의 측정온도이다.

② 각기 다른 실내온도에서 습도 및 기류에 따라 실내 환경을 평가하는 척도로 사용된다.

③ 실내 환경요소가 인체에 미치는 영향을 같은 감각으로 얻을 수 있는 기류가 정지된 포화상태의 공기온도로 표시한다.

④ 유효온도 선도는 복사영향을 무시하여 건구온도 대신에 글로브 온도계의 온도를 사용한다.

해설
유효온도(ET)는 온도, 습도, 기류를 하나로 조합한 상태의 온도감각을 정지된(풍속 0m/s) 포화상태(상대습도 100%)일 때 느껴지는 온도감각으로 표시한 것이다. 유효온도 선도는 복사영향을 고려하여 건구온도 대신에 흑구 온도계의 온도를 사용한다.

답 ③

---

(3) 수정 유효 온도(CET – Corrected Effective Temperature)

유효 온도에는 벽체로부터의 열복사를 고려하지 않는 값이므로 유효온도에 흑구 온도계를 이용하여 복사열에 대한 영향을 고려한 지표를 수정 유효 온도라 한다. 그러므로 수정유효온도의 4요소는 건구온도, 습도, 기류, 복사열이다.

(4) 신 유효 온도(ET*)

미국 공조협회(ASHRAE)에서 제안한 것으로 물리적 조건과 인체적 조건을 고려한 쾌적지표로 습공기 선도 상에 복사 온도는 기온과 같게 잡고 근육 운동을 하지 않는, 착의상태 clo 0.6, 상대습도 50%, 기류는 0.25m/s 이하로 한 경우 쾌적도를 나타낸 것이다.

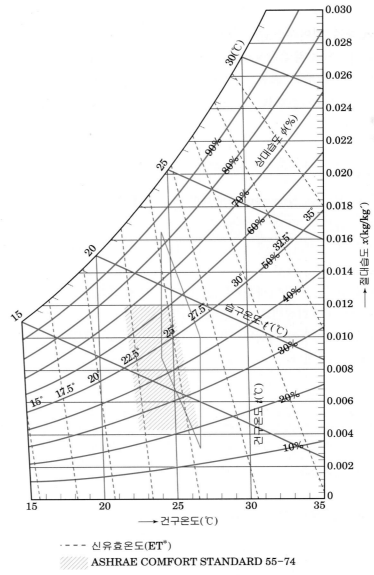

· · · · 신유효온도(ET*)
ASHRAE COMFORT STANDARD 55-74

그림. 신 유효 온도(ET*)

위 그림에서 빗금 표시영역 이(ASHRAE) 추천하는 쾌적 영역이다.

효과 온도(작용 온도) 3요소
온도, 기류, 복사열

(5) 효과 온도(작용 온도 : OT : Operative Temperature)
   습도의 영향이 무시되고 온도, 기류, 복사열의 영향을 종합한 온도이다.
   복사 냉난방의 열환경 지표로 주로 이용된다.

3. 공기조화 계획

공기조화에 있어서 대상건물의 특성, 경제사정, 입지조건, 에너지조건 등을 고려하여 가장 알맞은 공조시스템을 결정해야 한다. 특히 공조계획은 건축계획의 초기 단계에서부터 구조, 의장과 함께 설비 계획도 포함시켜 효율적인 건축물이 되도록 한다.

표. 공기조화 계획의 순서

기 획 ⇨	기 본 계 획 ⇨	기 본 설 계 ⇨	실 시 설 계
• 건물의 목적 기능, 규모 • 구 조 • 예 산 • 공 기	• 공조 범위 • 실내 환경의 정도 • 공조 방식의 검토 • 공조의 개략 예산 • 자료 수집 • 기계실의 위치 • 덕트 • 배관 layout • 기본계획도 • 개략 사양 • 예산서	• 공조방식의 검토와 결정 • 열원방식의 검토와 결정 • 개략 부하 계산 • 각 장치의 배치계획 • 단열, 보의 관통, 방음 • 건축 계획과 조화 • 실시 계획도 • 개략 사양서 • 개략 예산서	• 부하계산 • 풍량산출 • 장치부하산출 • 기기선정 • 덕트 배관설계 • 제도 • 사양서 • 실시 예산서

04 예제문제

두께 5 cm, 면적 10 m^{2}인 어떤 콘크리트 벽의 외측이 40℃, 내측이 20℃라 할 때, 10시간 동안 이 벽을 통하여 전도되는 열량은? (단, 콘크리트의 열전도율은 1.3 W/m · K로 한다.)

① 5.2kWh   ② 52kWh

③ 7.8kWh   ④ 78kWh

해설

벽체 전도열량은 $q = \dfrac{\lambda}{L} \times A(\Delta t)$ 에서 조건을 대입하면

$q = \dfrac{\lambda}{L} \times A(\Delta t) = \dfrac{1.3}{0.05} \times 10(40-20) = 5200\,\text{W}$

5200W 로 1시간동안 열량은 5200Wh 이며 10시간 동안은 52000Wh = 52kWh이다.

별해

5200W 란 5200J/s 의미이며 10시간 동안 전도열량은

5200J/s × 10h = 5200J/s × 10 × 3600s = 187.2MJ 이며

1kWh = 3600kJ = 3.6MJ 이므로 187.2MJ = (187.2/3.6)kWh = 52kWh   답 ②

01 종합예상문제

[14년 1회, 11년 2회]

01 인체에 작용하는 실내 온열 환경 4대 요소가 아닌 것은?

① 청정도
② 습도
③ 기류속도
④ 공기온도

> 인체에 작용하는 실내 온열 환경 4대 요소는 공기온도, 습도, 기류속도, 복사온도 등이며 청정도는 온열 환경 요소는 아니다.

[10년 1회]

02 다음 설명 중 맞지 않는 것은?

① 공기조화란 온도, 습도조정, 청정도, 실내기류 등 항목을 만족시키는 처리과정이다.
② 전자계산실의 공기조화는 산업공조이다.
③ 보건용 공조는 실내인원에 대한 쾌적 환경을 만드는 것을 목적으로 한다.
④ 공조장치에 여유를 두어 여름에 외부 온도차를 크게 하여 실내를 시원하게 해준다.

> 공조장치에 여유를 두고 여름에 외부 온도차가 커지면 냉방부하 증가로 에너지 낭비가 커져서 비경제적이다. 그러므로 TAC 온도를 적용하여 온도차를 작게 하고 경제적인 설비와 효율적인 운전이 되게 한다.

[10년 1회, 06년 3회]

03 쾌감의 지표로 나타내는 불쾌지수(UI)와 관계가 있는 공기의 상태량은?

① 상대습도와 습구온도
② 현열비와 열수분비
③ 절대습도와 건구온도
④ 건구온도와 습구온도

> 불쾌지수(UI)란 공기의 건구온도와 습구온도를 이용하여 실내 쾌적도를 나타내는 지표(UI : Uncomfort Index)이다.
> $UI = 0.72 \times (t + t') + 40.6$
> 여기서, t : 건구온도, t' : 습구온도

[09년 3회, 09년 1회]

04 인체 활동시의 대사량을 나타내는 단위는?

① clo
② MRT
③ met
④ CET

> • met : 인체 활동 시 대사량 단위(1met : 사람이 의자에 앉아 평온한 상태에서 안정을 취하고 있을 때 인체 대사량)
> • clo : 착의 정도로 겨울철의 두꺼운 신사복은 약 1clo, 여름철의 얇은 신사복은 약 0.6clo 정도이다.
> • MRT : 평균복사온도
> • CET : 수정유효온도

[07년 3회]

05 조용히 앉아 있는 성인 남자의 신체 표면적 $1m^2$에서 1시간 동안에 발산하는 평균 열량으로 대사량을 나타내는 단위는?

① clo
② MRT
③ met
④ CET

> met란 조용히 앉아 있는 성인 남자의 신체 표면적 $1m^2$에서 1시간 동안에 발산하는 평균 열량으로 1met는 쾌적한 상태에서 의자에 앉아 안정을 취하고 있을 때의 활동량으로 1met $= 58.2W/m^2$이다.

[06년 2회]

06 공기조화에서 다루어야 할 요소가 아닌 것은?

① 습도
② 온도
③ 순환
④ 압력

> 공기조화의 4요소는 온도, 습도, 기류(순환), 청정도이다.

[14년 1회]

07 실내의 기류분포에 관한 설명으로 옳은 것은?

① 소비되는 열량이 많아져서 추위를 느끼게 되는 현상 또는 인체에 불쾌한 냉감을 느끼게 되는 것을 유효 드래프트라고 한다.

② 실내의 각 점에 대한 EDT를 구하고 전체 점수에 대한 쾌적한 점수의 비율을 T/L비라고 한다.

③ 일반사무실 취출구의 허용풍속은 1.5~2.5m/s이다.

④ 1차 공기와 전 공기의 비를 유인비라 한다.

> 실내의 각 점에 대한 EDT(유효 드래프트 온도)를 구하고 전체 점수에 대한 쾌적한 점수의 비율을 ADPI(공기확산성능계수)라고 한다. 일반사무실 취출구의 허용풍속은 2.5~4m/s정도이고 사람에게 접촉되는 기류는 0.25m/s 이내로 한다. 전 공기와 1차 공기의 비를 유인비(R=전공기/1차공기)라 한다.

[09년 2회]

08 창고의 공기조화에서 온습도 설정 시 고려할 사항이 아닌 것은?

① 식품의 변질이나 건조에 의한 감량

② 금속의 녹방지

③ 제품의 가격변동

④ 곰팡이나 해충의 발생방지

> 공기조화에서 온도, 습도 조절과 제품의 가격변동과는 관련성이 없다.

[09년 2회]

09 공조계획의 조닝(Zoning)에 있어서 내부 존에 해당되지 않는 것은?

① 관리별 조닝

② 부하변동별 조닝

③ 용도별 조닝

④ 방위별 조닝

> 방위별 조닝이나 층별 조닝은 외부 존에 대한 조닝계획이다.

[12년 3회]

10 효과적인 공기조화 설비를 계획하기 위해서는 조닝(Zoning)을 실시한다. 이때 고려해야 할 요소로 가장 거리가 먼 것은?

① 실의 방위

② 실의 사용시간

③ 실의 밝기

④ 실의 형태

> 조닝 시 고려사항은 실의 방위, 실의 사용시간, 실의 형태, 실의 용도, 부하변동 등이며 실의 밝기는 조닝과 관계없다.

[13년 3회]

11 기류 및 주위 벽면에서의 복사열은 무시하고 온도와 습도만으로 쾌적도를 나타내는 지표를 무엇이라고 부르는가?

① 쾌적 건강지표

② 불쾌지수

③ 유효온도지수

④ 청정지표

> 온도와 습도만으로 쾌적도를 나타내는 지표는 불쾌지수이고 기류 및 주위 벽면에서의 복사열까지 고려하는 지표는 수정 유효온도(CET)이다.

[10년 2회, 08년 2회]

12 다음 중 여름철 냉방에 가장 중요한 것은?

① 온도 변화

② 압력 변화

③ 탄산가스량 변화

④ 비체적 변화

> 냉방 시(공기조화) 가장 중요한 변수는 부하계산과 설비 용량 계산인데 이들은 실내외 온도변화의 함수이다.

정답 07 ① 08 ③ 09 ④ 10 ③ 11 ② 12 ①

[08년 1회]

13 다음 중 냉난방시 인체에 적당한 공기의 속도는?

① 냉방 : 0.10 ~ 0.25m/sec
　 난방 : 0.13 ~ 0.18m/sec
② 냉방 : 1.12 ~ 1.18m/sec
　 난방 : 1.18 ~ 1.25m/sec
③ 냉방 : 0.10 ~ 0.25m/min
　 난방 : 0.13 ~ 0.18m/min
④ 냉방 : 1.12 ~ 1.18m/min
　 난방 : 1.18 ~ 1.25m/min

> 냉난방시 인체 주변의 적당한 공기속도는
> 냉방 : 0.10 ~ 0.25(m/s),
> 난방 : 0.13 ~ 0.18(m/s) 정도이다.

[13년 2회]

14 공기조화의 분류에서 산업용 공기조화의 적용 범위에 해당하지 않는 것은?

① 반도체 공장에서 제품의 품질 향상을 위한 공조
② 실험실의 실험조건을 위한 공조
③ 양조장에서 술의 숙성온도를 위한 공조
④ 호텔에서 근무하는 근로자의 근무환경 개선을 위한 공조

> 호텔에서 근무하는 근로자의 근무환경 개선은 사람을 대상으로 한 공조이므로 보건용 공기조화에 속한다.

[08년 3회]

15 다음의 산업용 공기조화에서 상대습도가 가장 낮은 분야는 어느 것인가?

① 담배 원료가공실
② 렌즈 연마실
③ 전기 정류기실
④ 도장 분무실

> 전기 정류기실은 전기 감전, 부식 방지를 위해 상대습도가 낮아야 한다.

[09년 1회]

16 다음 중 산업용 공기조화의 범위라고 볼 수 없는 것은?

① 필름 저장실의 공조　　② 맥주 발효실의 공조
③ 초콜릿 포장실의 공조　④ 업무용 사무실의 공조

> 업무용 사무실은 거주자의 쾌적용 공기조화로 보건 공조에 해당한다.

[12년 2회 08년 2회]

17 일반적으로 상대습도(%)가 가장 낮은 사업장은?

① 렌즈 연마실　　　　　② 빵 발효 식품 공장
③ 담배 원료 가공 공장　④ 반도체 공장

> 반도체 공장은 공정상 일반적으로 상대습도를 가장 낮게 유지한다.

[09년 3회]

18 병원 수술실, 제약공장에서 공기조화 시 가장 중요시 해야 할 사항은?

① 온도, 압력조건　　　② 공기의 청정도
③ 기류 속도　　　　　④ 공조 소음

> 병원 수술실이나 제약 공장은 공기의 청정도가 중요하며 클린룸 설비가 적용된다.

[09년 2회]

19 다음 설명 중에서 틀리게 표현된 것은?

① 벽이나 유리창을 통해 들어오는 전도열은 현열뿐이다.
② 여름철 실내에서 인체로부터 발생하는 열은 잠열뿐이다.
③ 실내의 기구로부터 발생열은 잠열과 감열이다.
④ 건축물의 틈새로부터 침입하는 공기가 갖고 들어오는 열은 잠열과 감열이다.

> 여름철 인체부하는 현열과 잠열이 발생된다.

[11년 3회]

20 결로를 방지하기 위한 방법으로 옳지 않은 것은?

① 벽면을 가열시킨다.
② 벽면을 단열시킨다.
③ 바닥온도를 낮게 해 준다.
④ 강제로 온풍을 공급해 준다.

바닥온도가 낮으면 주변온도가 낮아지고 노점온도에 근접하면 결로 발생이 증가한다.

[12년 1회]

21 구조체의 결로방지에 관한 설명이다. 옳지 않은 것은?

① 표면결로를 방지하기 위해서는 다습한 외기를 도입하지 않는다.
② 내부결로를 방지하기 위해서는 실내 측보다 실외 측에 방습막을 부착하는 것이 바람직하다.
③ 유리창의 경유는 공기층이 밀폐된 2중 유리를 사용한다.
④ 공기와의 접촉면 온도를 노점온도 이상으로 유지한다.

내부 결로를 방지하려면 절대습도가 높은 쪽 즉 증기압이 높은 쪽(실내)에 방습막을 설치한다.

[06년 1회]

22 다음 중 공기조화 설비와 관계가 없는 것은?

① 냉각탑　　② 보일러
③ 냉동기　　④ 압력탱크

압력탱크는 기체를 저장하는 압력용기 및 가스용 탱크로 사용된다.

 **공기의 성질**

1 습공기의 성질

1. 공기의 성질

(1) 공기의 성분

지구상에 분포하는 공기는 질소와 산소, 아르곤 수증기를 주성분으로 한다. 수증기를 제외한 청정한 상태의 표준 공기(건 공기)는 다음과 같은 성분으로 구성된다.

구분/성분	질소(N_2)	산소(O_2)	아르곤 (Ar)	이산화탄소 (CO_2)	수소(H_2)	네온(Ne)	헬륨(He)	기타
체적(%)	78.03	20.99	0.933	0.03	0.01	0.0018	0.0005	−
중량	75.47	23.2	1.28	0.046	0.001	0.0012	0.00007	−

(2) 건공기와 습공기

① 건공기 : 공기의 성분은 N_2, O_2, Ar, CO_2, H_2, Ne, He, Kr, Xe 등과 같은 여러 가지의 gas가 혼합되어 있다. 수증기를 함유하지 않은 공기를 건공기(Dry Air)라고 한다.

② 습공기 : 건공기에서 수증기 이외의 성분은 지구상에서 거의 일정한 비율을 유지하나, 수증기는 계절과 기후에 따라 심하게 변화한다. 이와 같이 자연상태의 수증기를 함유한 공기를 습공기(Moist Air, Humid Air)라고 한다.

(3) 동일한 체적의 건공기와 수증기를 혼합하면 동일한 체적의 습공기가 되는데 이때, 습공기의 압력과 중량은 다음과 같다. 1기압 표준 상태에서 공기 $1\,\mathrm{m}^3 = 1.2\,\mathrm{kg}$으로 간주한다.

2. 노점온도와 포화공기

(1) 노점온도 : 습공기가 냉각될 때 어느 온도에서 공기 중의 수증기가 물방울로 응축 변화 된다. 이때의 온도를 노점온도(Dew Point Temp)라고 한다.

(2) 포화공기 : 습공기 중에 수증기가 점차 증가하여 더 이상 수증기를 포함시킬 수 없을 때의 공기를 포화공기(Saturated Air)라고 한다.

(3) 안개공기 : 포화공기에 계속해서 수증기를 가하면 그 여분의 수증기는 미세한 물방울(안개)로 공기 중에 분산하는데 이를 안개(Fogged Air)라고 한다.

3. 상대습도(Relative Humidity, R.H.)와 절대습도

습공기의 수증기량을 표현할 때 상대습도와 절대습도를 이용한다.

(1) 상대습도 : 어떤 공기의 수증기 분압(p_v)과 그 온도에 있어서의 포화공기의 수증기 분압(Ps) %비를 상대습도라 하며 일상생활에서 주로 사용한다.

Φ(상대습도)$= p_v/p_s \times 100(\%)$

(2) 절대습도 (Absolute Humidity) : 습공기 중에 함유되어 있는 수증기의 중량으로 건공기 1(kg)중에 포함된 수분질량을 절대습도라고 한다.

(3) 상대습도(ϕ)와 절대습도(x) 관계식

$$x = 0.622 \frac{p_v}{p_a} = 0.622 \frac{p_v}{p_o - p_v} = 0.622 \frac{\phi p_s}{p_o - \phi p_s}$$

x : 절대습도

p_o : 대기압

p_a : 건공기분압

p_v : 수증기 분압

p_s : 포화수증기압

ϕ : 상대습도

4. 습공기의 엔탈피 (습공기가 가지는 열량을 엔탈피라 한다.)

습공기의 엔탈피 = 건공기의 엔탈피 + 수증기의 엔탈피

절대습도 x(kg/kg')인 습공기의 엔탈피 h(kcal/kg)는 건공기 엔탈피(ha)와 수증기 엔탈피(h_v)를 합하여 표현한다. 이때 수증기 엔탈피는 절대습도 x kg에 대하여 계산한다.

(1) 공학단위(공조 냉동기계 시험에서 2019년부터 공학단위는 사용하지 않지만 현장에서는 아직 사용하고 있으므로 참고로만 하세요)

$h = ha + x(h_v)$

$\quad = C_{pa} \times t + x(\gamma + C_{pv} \times t)$

$\quad = 0.24 \times t + x(597.5 + 0.441t)$ kcal/kg

(2) SI단위

$h = ha + x(h_v)$

$\quad = C_{pa} \times t + x(\gamma + C_{pv} \times t)$

$\quad = 1.01 \times t + x(2501 + 1.85t)$ kJ/kg

01 예제문제

습공기의 상태변화에 관한 설명으로 틀린 것은?

① 습공기를 가열하면 건구온도와 상대습도가 상승한다.
② 습공기를 냉각하면 건구온도와 습구온도가 내려간다.
③ 습공기를 노점온도 이하로 냉각하면 절대습도가 내려간다.
④ 냉방할 때 실내로 송풍되는 공기는 일반적으로 실내공기보다 냉각 감습 되어 있다.

해설
습공기를 가열하면 건구온도 증가, 습구온도 증가, 상대습도 감소, 노점온도 불변, 절대습도 불변, 엔탈피 증가한다.

답 ①

02 예제문제

습공기의 상태변화에 대한 설명이다. 옳은 것은?

① 현열비를 알면 이 부하를 감당하기 위한 송풍 온도 및 습도를 결정할 수 있다.
② 가습과정에서 열수분비의 값으로 공기상태가 변화되는 방향을 예측할 수 없다.
③ 냉각코일의 표면온도가 코일을 통과하는 공기의 노점보다 높은 경우 제습이 이루어진다.
④ 냉각 제습과정에서는 열평형식만으로 에너지 불변의 법칙을 만족한다.

해설
① 송풍공기는 실내 현열비 선상에 위치한다. 그러므로 현열비를 알면 송풍 온도 및 습도를 결정할 수 있다.
② 가습과정에서 열수분비의 값으로 공기상태가 변화되는 방향을 예측할 수 있다.
③ 냉각코일의 표면온도가 코일을 통과하는 공기의 노점보다 낮은 경우 제습이 이루어진다.
④ 냉각 제습과정에서는 온도와 습도가 동시에 제어되므로 열평형식과 엔탈피 관계식을 종합해서 에너지 불변의 법칙을 만족한다.

답 ①

2 습공기 선도 및 상태변화

1. 습공기 선도

일반적으로 $h-x$(엔탈피–절대습도) 선도, $t-x$(건구온도–절대습도) 선도 등이 있으며 $h-x$ 선도를 주로 이용한다.

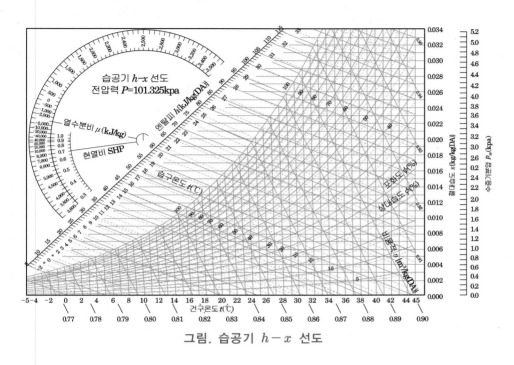

그림. 습공기 $h-x$ 선도

2. 습공기 선도 구성요소

(1) 건구온도 : 일반온도계로 측정한 온도

(2) 습구온도 : 감온부를 물에 적신 헝겊으로 적셔 증발할 때 잠열에 의한 냉각 온도

(3) 노점온도 : 일정한 수분을 함유한 습공기의 온도를 낮추면 어떤 온도에서 포화상태가 되는 온도(일명 : 이슬점 온도)

(4) 상대습도 : 공기 중의 수분량을 포화수증기량에 대한 비율로 표시한 값

$$상대습도(\varPhi) = \frac{온도의 \ 수증기압}{그 \ 온도의 \ 포화수증기압} \times 100\%$$

$$습공기 \ 전압력 = 건공기 \ 압력 + 수증기압력$$

(5) 절대습도(kg/kg′) : 건공기 $1\,kg′$ 중에 함유된 수증기 중량(kg)

$$절대습도(x) = \frac{수증기중량}{건공기중량}$$

습공기 선도 구성요소
• 건구온도
• 습구온도
• 노점온도
• 상대습도
• 절대습도
• 엔탈피
• 비체적
• 현열비
• 수증기분압
• 열수분비

03 예제문제

단열된 용기에 물을 넣고 건구온도와 상대습도가 일정한 실내에 방치해 두면 실내는 포화 상태에 도달하게 된다. 이때 물의 온도는 결국 공기의 어떤 상태에 가까워지는 변화를 하는가?

① 건구온도   ② 습구온도

③ 노점온도   ④ 절대온도

해설

단열용기에 물을 넣고 건구온도와 상대습도가 일정한 실내에 방치하면 포화상태에서 물의 온도는 습구온도와 같아지며, 냉각탑의 출구수온도 입구공기 습구온도에 근접한다.   **답 ②**

04 예제문제

표준대기압(101.325 kPa)에서 25℃인 포화공기의 절대습도 x_s(kg/kg′)는 약 얼마인가? (단, 25℃의 포화수증기 분압 Ps는 3.1660 kPa이다.)

① 0.0188   ② 0.0201

③ 0.6522   ④ 0.6543

해설

$$절대습도(x) = 0.622\left(\frac{수증기분압}{건공기분압}\right) = 0.622 \times \frac{P_w}{P_o - P_w}$$

$$= 0.622 \times \frac{3.1660}{101.325 - 3.1660} = 0.0201 \, kg/kg'$$

    답 ②

> 습공기의 엔탈피
> = 건공기의 엔탈피 + 수증기의 엔탈피
> h = Cpa×t + x(γ + Cpv×t)
> = 1.01×t + x(2501+1.85t)kJ/kg

(6) 엔탈피 : 건공기와 수증기의 전열량을 말한다.

습공기의 엔탈피(kJ/kg)

= 건공기의 엔탈피(kJ/kg) + 절대습도(x) × 수증기의 엔탈피(kJ/kg)

= 건공기정압비열·습공기온도 + 절대습도(2501 + 수증기정압비열·습공기온도)

$$= C_p T + x(\gamma + C_v T) = 1.01T + x(2501 + 1.85t) \, (kJ/kg)$$

C_p : 건공기 비열(1.01 kJ/kgK)

C_v : 수증기 비열(1.85 kJ/kgK)

2501(kJ/kg) : 0℃에서 수증기 증발잠열

(7) 비체적 : 공기 1kg의 체적, 표준상태에서 $0.83 \, m^3/kg$

(8) 현열비(Sensible Heat Factor) : 어느 실내의 취득 열량 중 현열의 전열에 대한 비를 현열비(SHF)라 한다.

(9) **수증기분압(Pv)** : 습공기 중의 수증기 분압(kPa)으로 습도를 나타낸다.

(10) **열수분비** : 공기 중의 증가 수분량에 대한 증가 열량의 비를 열수분비(μ)라 한다.

3. 습공기 선도에서 공기의 상태 변화

가열, 냉각, 가습, 감습, 냉각감습, 가열가습, 단열혼합 등이 있다.

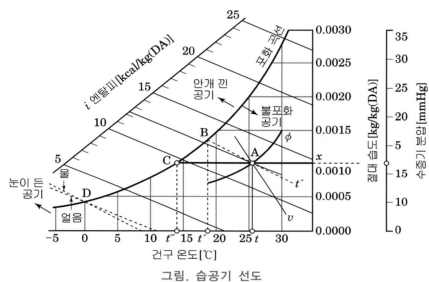

그림. 습공기 선도

(1) **가열** : 온도 증가, 절대습도 일정, 상대습도 감소, 엔탈피 증가
(2) **냉각** : 온도 감소, 절대습도 일정(노점온도 이하 : 감소), 상대습도증가, 엔 탈피 감소
(3) **가열가습** : 온도 증가, 절대습도 증가, 상대습도 증가, 엔탈피 증가
(4) **냉각감습** : 온도 감소, 절대습도 감소, 상대습도 감소, 엔탈피 감소

---

05 예제문제

건구온도 15℃의 습공기 300m³/h를 20℃까지 가열하는 데 필요한 열량은 약 몇 kJ/h인 가? (단 공기비열1.01kJ/kgK, 밀도 1.2kg/m³)

① 435kJ/h   ② 948kJ/h
③ 1818kJ/h   ④ 2123kJ/h

해설
$q = mC\Delta t = 300 \times 1.2 \times 1.01(20-15) = 1818\,\text{kJ/h}$ **답 ③**

4. 공기의 상태변화 관계식

(1) 가열

$$q = m(h_2 - h_1) = m[C_{Pa}(t_2 - t_1) + x \cdot C_{Pv}(t_2 - t_1)]$$

q : 가열량(kJ/h) m : 공기량(kg/h)

C_{Pa} : 건공기 비열(1.01 kJ/kg·K) C_{Pv} : 수증기 비열(1.85 kJ/kg·K)

h_2 : 가열 후 엔탈피 h_1 : 가열 전 엔탈피

t_2 : 가열 후 온도(℃) t_1 : 가열 전 온도(℃)

x : 절대습도

(2) 냉각(현열)

$$q = m(h_1 - h_2) = m[C_{Pa}(t_1 - t_2) + x \cdot C_{Pv}(t_1 - t_2)]$$

(3) 가습

$$L = m(x_2 - x_1)$$

L : 가습량(kg/h), m : 공기량(kg/h),

x_2 : 가습 후 절대습도, x_1 : 가습 전 절대습도

(4) 냉각 감습

냉각 코일 제거 열량 $q = m(h_1 - h_2) - L_w \cdot h_w$

h_w : 응축수 엔탈피,

응축수량 $L_w = m(x_1 - x_2)$

(5) 가열 가습 과정

가열 열량 $q = m(h_2 - h_1) + L_w \cdot h_w$

h_w : 가습 엔탈피,

가습수량 $L_w = m(x_2 - x_1)$

(6) 단열 혼합

$$m_1 \cdot h_1 + m_2 \cdot h_2 = (m_1 + m_2)h_3$$

$$m_1(h_3 - h_1) = m_2(h_2 - h_3)$$

$$\therefore \frac{m_1}{m_2} = \frac{(h_2 - h_3)}{(h_3 - h_1)}$$

(7) 단열 변화(순환수 분무)

순환수를 계속 분무하면 수온은 입구 공기의 습구 온도와 같아지고 이 수온의 물을 단열 분무(순환수 분무)한다면 냉각, 가습이 이루어진다.

가열량

$q = m(h_2 - h_1)$

$= m[C_{Pa}(t_2 - t_1)$

$+ x \cdot C_{Pv}(t_2 - t_1)]$

냉각(현열)열량

$q = m(h_1 - h_2)$

$= m[C_{Pa}(t_1 - t_2)$

$+ x \cdot C_{Pv}(t_1 - t_2)]$

가습량

$L = m(x_2 - x_1)$

냉각 감습 시 제거 열량

$q = m(h_1 - h_2) - L_w \cdot h_w$

(8) 현열비(Sensible Heat Factor)

어느 실내의 취득 열량 중 현열의 전열에 대한 비를 현열비(SHF)라 한다.

$$SHF = \frac{q_s}{q_s + q_L} = \frac{q_s}{q_T}$$

q_s : 현열 , q_L : 잠열 , q_T : 전열

> 현열비
> 현열의 전열에 대한 비(SHF)
> $$SHF = \frac{q_s}{q_s + q_L} = \frac{q_s}{q_T}$$

---

06 예제문제

다음 선도에서 습공기를 상태 1에서 2로 변화시킬 때 현열비(SHF)의 표현으로 옳은 것은?

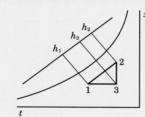

① $\dfrac{h_2 - h_3}{h_2 - h_1}$
② $\dfrac{h_3 - h_1}{h_2 - h_1}$
③ $\dfrac{h_3 - h_1}{h_2 - h_3}$
④ $\dfrac{h_2 - h_1}{h_2 - h_3}$

해설

현열비 $= \dfrac{현열}{전열} = \dfrac{h_3 - h_1}{h_2 - h_1}$

답 ②

---

(9) 열수분비

실내의 증가 수분량에 대한 증가 열량의 비를 열수분비(μ)라 한다.

$$\mu = \frac{m(h_2 - h_1)}{m(x_2 - x_1)} = \frac{\Delta h}{\Delta x}$$ 열량 : $\Delta h(\mathrm{kJ/kg})$, 수분량 : $\Delta x(\mathrm{kg/kg})$

(10) 바이패스 계수(BF)와 콘택트 계수(CF)

코일에 의해 공기를 조화(가열, 냉각)하는 경우 코일에 접촉하지 않고 통과하는 공기의 비율을 말하며 이것은 비효율(1−효율)과 같은 의미이다.
공기를 냉각하는 경우 ①의 공기를 ②의 노점온도를 갖는 냉각코일에 통과시킬 때 ③의 출구 공기를 얻었다면 $\mathrm{BF} = \dfrac{②③}{①②}$

※ 콘택트 계수(CF)는 접촉하는 비율로 $\mathrm{BF} + \mathrm{CF} = 1$

그러므로 위에서 $\mathrm{CF} = \dfrac{①③}{①②}$

> 바이패스 계수(BF)
> 코일에 의해 공기를 조화(가열, 냉각)하는 경우 코일에 접촉하지 않고 통과하는 공기의 비율
> $$BF = \frac{②③}{①②}$$
> 입구공기: ①   코일온도: ②
> 출구공기: ③

07 예제문제

매시 1,500m³의 공기(건구온도 12℃, 상대습도 60%)를 20℃까지 가열하는 데 필요로 하는 열량은 약 얼마(kJ/h)인가? (단, 처음 공기의 비체적은 v=0.815m³/kg, 가열 전후의 엔탈피 h_1=24.0kJ/kg, h_2=32.0kJ/kg이다.)

① 25,767 kJ/h   ② 24,000 kJ/h

③ 14,724 kJ/h   ④ 12,324 kJ/h

해설

$$q = m \Delta h = \frac{Q}{v}(\Delta h) = \frac{1500}{0.815}(32-24) = 14724\,\mathrm{kJ/h}$$

답 ③

02 종합예상문제

출제유형분석에 따른 ——————

[과년도 문제에서 공학단위(kcal)는 SI단위(kJ)로 변환하여 문제를 편집하였습니다.]

[14년 2회]
01 습공기의 성질에 관한 설명 중 틀린 것은?

① 단열가습하면 절대습도와 습구온도가 높아진다.
② 건구온도가 높을수록 포화 수증기량이 많아진다.
③ 동일한 상대습도에서 건구온도가 증가할수록 절대습도 또한 증가한다.
④ 동일한 건구온도에서 절대습도가 증가할수록 상대습도 또한 증가한다.

습공기를 단열가습하면 엔탈피선을 따라 가습되며 습구온도는 거의 일정하고 절대습도는 증가하며 건구온도는 감소한다.

[07년 1회]
02 일정한 건구온도에서 습공기 성질의 변화에 대한 설명 중 잘못된 것은?

① 비체적은 절대습도가 높아질수록 증가한다.
② 절대습도가 높아질수록 노점온도는 높아진다.
③ 상대습도가 높아지면 절대습도는 높아진다.
④ 상대습도가 높아지면 엔탈피는 감소한다.

일정한 건구온도에서 상대습도가 높아지면 엔탈피도 증가한다.

[10년 2회]
03 습공기선도 상의 습구온도에 대한 설명으로 틀린 것은?

① 단열 포화 온도와 같다.
② 습구에 닿는 풍속이 3~5m/s 정도 이다.
③ 아스만 습도계로 측정한 값이다.
④ 모발 습도계로 측정한 값이다.

모발 습도계는 모발의 신축을 이용해서 상대습도를 간단하게 측정하나 정밀도는 낮다.

[13년 1회]
04 습공기의 상태를 나타내는 요소에 대한 설명 중 맞는 것은?

① 상대습도는 공기 중에 포함된 수분의 양을 계산하는 데 사용한다.
② 수증기 분압에서 습공기가 가진 압력(보통 대기압)은 그 혼합성분인 건공기와 수증기가 가진 분압의 합과 같다.
③ 습구온도는 주위공기가 포화증기에 가까우면 건구온도와의 차는 커진다.
④ 엔탈피는 0℃ 건공기의 값을 593kJ/kg으로 기준하여 사용한다.

절대습도는 공기 중에 포함된 수분의 양을 계산하는 데 사용한다.
습구온도는 주위공기가 포화증기에 가까우면 건구온도와 같아진다. 엔탈피는 0℃ 건공기의 값을 0kJ/kg으로 기준하여 사용한다.

[13년 3회, 10년 3회, 06년 1회]
05 대기의 절대습도가 일정할 때 하루 동안의 상대습도 변화를 설명한 것 중 올바른 것은?

① 절대습도가 일정하므로 상대습도의 변화는 없다.
② 낮에는 상대습도가 높아지고 밤에는 상대습도가 낮아진다.
③ 낮에는 상대습도가 낮아지고 밤에는 상대습도가 높아진다.
④ 낮에는 상대습도가 정해지면 하루 종일 그 상태로 일정하다.

공기의 절대습도가 일정할 때 낮에는 온도가 높으므로 상대습도가 낮고 밤에는 온도가 낮으므로 상대습도가 높아진다.

정답 01 ① 02 ④ 03 ④ 04 ② 05 ③

[15년 2회]

06 습공기를 냉각하게 되면 상태가 변화한다. 이때 증가하는 상태 값은?

① 건구온도   ② 습구온도
③ 상대습도   ④ 엔탈피

> 습공기를 냉각하면 상대습도는 증가하고 건구온도, 습구온도, 엔탈피는 감소한다.

[08년 1회]

07 다음 용어 중에서 습공기선도와 관계가 없는 것은?

① 비체적   ② 열용량
③ 노점온도   ④ 엔탈피

> 습공기 선도는 엔탈피, 절대습도, 건구온도, 습구온도, 노점온도, 상대습도, 비체적, 수증기 분압, 현열비, 열수분비 등으로 구성된다.

[14년 1회]

08 습공기선도 상에 나타나 있는 것이 아닌 것은?

① 상대습도   ② 건구온도
③ 절대습도   ④ 엔트로피

> 습공기 선도는 엔탈피, 절대습도, 건구온도, 습구온도, 노점온도, 상대습도, 비체적, 수증기 분압, 현열비, 열수분비 등으로 구성된다.

[15년 2회, 09년 3회]

09 습공기선도 상에서 확인할 수 있는 사항이 아닌 것은?

① 노점온도   ② 습공기의 엔탈피
③ 효과온도   ④ 수증기 분압

> 습공기선도는 엔탈피, 절대습도, 건구온도, 습구온도, 노점온도, 상대습도, 비체적, 수증기 분압, 현열비, 열수분비 등으로 구성된다.

[14년 1회]

10 공기 중의 수증기 분압을 포화압력으로 하는 온도를 무엇이라 하는가?

① 건구온도   ② 습구온도
③ 노점온도   ④ 글로브(Globe) 온도

> 공기 중의 수증기 분압을 포화압력(상대습도 100%)으로 하는 온도는 노점온도이다.

[14년 3회]

11 건공기 중에 포함되어 있는 수증기의 중량으로 습도를 표시한 것은?

① 비교습도   ② 포화도
③ 상대습도   ④ 절대습도

> 절대습도는 건공기 중에 포함되어 있는 수증기의 중량(kg/kg')으로 습도를 표시하고 상대습도는 그 온도의 포화 수증기압에 대한 수증기압의 비(%)로 표시한다.

[13년 3회]

12 실내에 존재하는 습공기의 전열량에 대한 현열량의 비율을 나타내는 것은?

① 현열비(SHF)   ② 잠열비
③ 바이패스비(BF)   ④ 열수분비(U)

> $$현열비(SHF) = \frac{현열}{전열} = \frac{현열}{현열+잠열}$$

[12년 1회]

13 다음 중 용어와 단위가 잘못 연결된 것은?

① 열수분비 : %   ② 음의 강도 : $watt/m^2$
③ 비열 : kJ/kgK ④ 일사강도 : W/m^2

> **열수분비(μ)**
> $$\mu = \frac{열}{수분} = \frac{엔탈피\ 변화량(\Delta h)}{수분의\ 변화량(\Delta x)}\ (= kJ/kg)$$
> (SI단위) 비열 : kJ/kgK, 일사강도 : W/m^2

정답   06 ③   07 ②   08 ④   09 ③   10 ③   11 ④   12 ①   13 ①

[15년 2회]

14 다음 중 습공기의 엔탈피 단위는?

① kJ/kgK
② kJ/kg
③ W/m^2K
④ W/mK

비열 : kJ/kgK
엔탈피 : kJ/kg
열관류율 : $W/m^2 K$
열전도율 : W/mK

[06년 2회]

15 공기를 가열했을 때 감소하는 것은?

① 엔탈피
② 절대습도
③ 상대습도
④ 비체적

공기를 가열하면 엔탈피는 증가하고, 상대습도는 감소하며, 절대습도는 일정하다.

[11년 2회]

16 수증기 분압 p_w(mmhg)와 절대습도 x(kg/kg)와의 관계식으로 맞는 것은? (단, p : 습공기의 전압(mmHg)이다.)

① $x = 0.622 \dfrac{p_w}{p - p_w}$

② $x = 0.622 \dfrac{p}{p_w}$

③ $x = 0.622 \dfrac{p - p_w}{p_w}$

④ $x = 0.622 \dfrac{p_w}{p}$

절대습도$(x) = 0.622 \times \dfrac{수증기분압}{건공기분압}$

$= 0.622 \times \dfrac{수증기분압}{습공기전압-수증기분압}$

$= 0.622 \times \dfrac{p_w}{p - p_w} (kg/kg')$

[15년 1회, 08년 3회]

17 다음 중 수증기의 분압 표시로 옳은 것은? (단, P_w : 습공기 중의 수증기 분압, P_s : 동일온도 포화수증기의 분압, ϕ : 상대습도)

① $P_w = \phi - P_s$
② $P_w = \phi P_s$
③ $P_w = \dfrac{\phi}{P_s}$
④ $P_w = \phi + P_s$

상대습도$(\phi) = \dfrac{수증기분압(P_w)}{포화수증기분압(P_S)}$

수증기 분압$(P_w) = \phi \times P_s$

[07년 3회]

18 비엔탈피 변화와 절대습도 변화의 비율을 무엇이라고 하는가?

① 현열비
② 포화비
③ 열분수비
④ 절대비

열분수비(μ)란 비엔탈피 변화와 절대습도 변화의 비율이다.

$\mu = \dfrac{열}{수분} = \dfrac{엔탈피 변화량(\Delta h)}{수분의 변화량(\Delta x)} kJ/kg$

[12년 2회]

19 열수분비에 대한 설명 중 옳은 것은?

① 상대습도의 변화량에 대한 전열량의 변화량의 비율
② 상대습도의 변화량에 대한 절대습도의 변화량의 비율
③ 절대습도의 변화량에 대한 전열량의 변화량의 비율
④ 절대습도의 변화량에 대한 상대습도의 변화량의 비율

열분수비(μ)란 절대습도의 변화량에 대한 전열량의 변화량의 비율이다.

$\mu = \dfrac{열}{수분} = \dfrac{전열량(엔탈피) 변화량(\Delta h)}{절대습도의 변화량(\Delta x)} kJ/kg$

[06년 2회]

20 다음 중 절대 습도를 나타내는 데 관계가 없는 것은?
(단, 습공기를 이상기체로 가정한다.)

① 수증기 분압 ② 수증기 비열
③ 습공기의 전압 ④ 기체상수

아래 절대습도 관계식에서 0.622는 공기(0.287)와 수증기 (0.462)의 기체상수비이다.

$$절대습도(x) = 0.622 \times \frac{수증기분압}{건공기분압}$$

$$= 0.622 \times \frac{수증기분압}{습공기전압 - 수증기분압}$$

[06년 3회]

21 공기 중의 수증기가 응축하기 시작할 때의 온도 즉, 포화상태로 될 때의 온도는?

① 노점온도 ② 관계습도
③ 습구온도 ④ 건구온도

노점온도는 공기 중의 수증기가 응축하기 시작할 때의 온도 이다.

[14년 3회]

22 온도 $t℃$ 의 다량의 물(또는 얼음)과 어떤 상태의 습윤 공기가 단열된 용기 속에 있다. 습윤공기 속에 물이 증발 하면서 소요되는 열량과 공기로부터 물에 부여되는 열량 이 같아지면서 열적 평형을 이루게 되는 이때의 온도를 무엇이라 하는가?

① 열역학적 온도 ② 단열포화온도
③ 건구온도 ④ 유효온도

단열 용기 내에서 습공기 속으로 물이 증발하면서 열적 평형 을 이루게 되는 포화온도를 단열 포화 온도라 하며 실제로는 순환수 분무를 무한히 긴 에어와셔를 통과 시킬 때 가능하다.

[15년 2회]

23 전열량의 변화와 절대습도 변화의 비율을 무엇이라고 하는가?

① 현열비 ② 포화비
③ 열수분비 ④ 절대비

$$열수분비(\mu) = \frac{전열량의 변화}{절대습도} = \frac{\triangle h}{\triangle x}$$

[06년 3회]

24 다음에서 현열비를 바르게 표시한 것은?

① 현열량 / 전열량 ② 잠열량 / 전열량
③ 잠열량 / 현열량 ④ 현열량 / 잠열량

$$현열비(SHF) = \frac{현열량}{전열량} = \frac{현열}{현열+잠열}$$

[09년 1회]

25 우리의 생활주변에 있는 습공기의 성분비를 용적률로 옳게 나타낸 것은?

① 질소 : 78%, 산소 : 21%, 기타 : 1%
② 질소 : 68%, 산소 : 28%, 기타 : 4%
③ 질소 : 52%, 산소 : 41%, 기타 : 7%
④ 질소 : 78%, 산소 : 15%, 기타 : 7%

습공기 성분(체적비) : 질소(78%), 산소(21%), 기타(1%)

[14년 3회]

26 26℃ 인 공기 200kg과 32℃ 인 공기 300kg을 혼합 하면 최종온도는?

① 28.0℃ ② 24.8℃
③ 29.0℃ ④ 29.6℃

혼합평균온도
$$= \frac{m_1 t_1 + m_2 t_2}{m_1 + m_2} = \frac{26 \times 200 + 32 \times 300}{200 + 300} = 29.6℃$$

정답 ▶ 20 ② 21 ① 22 ② 23 ③ 24 ① 25 ① 26 ④

[06년 2회]

27 건구온도 $t_1 = 27℃$, 절대습도 $x_1 = 0.012kg/kg'$인 실내공기와 건구온도 $t_2 = 25℃$, 절대습도 $x_2 = 0.002kg/kg'$인 외기를 외기:환기 = 1:2의 비율로 혼합할 때 혼합 후의 공기의 건구온도 $t_3(℃)$는 얼마인가?

① 27.3   ② 26.3
③ 25.6   ④ 24.3

혼합공기온도(t_3)
$$t_3 = \frac{m_1 t_1 + m_2 t_2}{m_1 + m_2} = \frac{25 \times 1 + 27 \times 2}{1+2} = 26.3℃$$

[12년 1회]

28 온도 30℃ 습공기의 절대습도는 $0.00104kg/kg$이다. 엔탈피(kJ/kg)는 약 얼마인가?

① 40.2   ② 38.4
③ 34.8   ④ 33.0

습공기 엔탈피(h_w)
$$h_w = 1.01t + x(2501 + 1.85t)$$
$$= 1.01 \times 30 + 0.00104 \times (2501 + 1.85 \times 30) = 32.96$$
$$= 33.0kJ/kg$$

[08년 3회]

29 온도 30℃, 절대습도 $x = 0.0271kg/kg'$인 습공기의 엔탈피 값(kJ/kg)은 약 얼마인가?

① 89.58   ② 92.88
③ 99.58   ④ 105.98

습공기 엔탈피(h)
$$h_w = 1.01t + x(2501 + 1.85t)$$
$$= 1.01 \times 30 + 0.0271 \times (2501 + 1.85 \times 30)$$
$$= 99.58kJ/kg$$

[11년 1회]

30 실내의 현열부하를 q_s, 잠열부하를 q_L이라고 할 때 실내의 현열비 계산식으로 올바른 것은?

① $\dfrac{q_L}{q_s + q_L}$ ② $\dfrac{q_s}{q_s + q_L}$
③ $\dfrac{q_s + q_L}{q_s}$ ④ $\dfrac{q_s + q_L}{q_L}$

$$현열비 = \frac{현열}{현열+잠열} = \frac{q_s}{q_s + q_L}$$

[11년 2회]

31 실내의 냉방부하 중에서 현열부하는 2,326W, 잠열부하는 407W일 때 현열비는 약 얼마인가?

① 0.15   ② 0.74
③ 0.85   ④ 6.71

$$현열비 = \frac{현열}{현열+잠열} = \frac{2,326}{2,326+407} = 0.85$$

[12년 3회, 07년 1회]

32 상대습도 50%, 냉방의 현열부하가 7,500 W, 잠열부하가 2,500 W일 때 현열비(SHF)는 얼마인가?

① 0.25   ② 0.65
③ 0.75   ④ 0.85

$$현열비 = \frac{현열부하}{현열부하+잠열부하} = \frac{7,500}{7,500+2,500} = 0.75$$

[15년 1회]

33 엔탈피 $15.25kJ/kg$인 $300m^3/h$의 공기를 엔탈피 $10.5kJ/kg$의 공기로 냉각시킬 때 제거 열량은? (단, 공기의 밀도는 $1.2kg/m^3$이다.)

① 1710kJ/h   ② 1820kJ/h
③ 1930kJ/h   ④ 2010kJ/h

제거열량 $= m\triangle h = 300 \times 1.2 \times (15.25 - 10.5) = 1,710kJ/h$
냉각 전후의 온도를 준다면 제거열량은 $mC\triangle t$로 구한다.

정답 27 ② 28 ④ 29 ③ 30 ② 31 ③ 32 ③ 33 ①

[07년 2회]

34 대기압 760mmHg의 상태에서 어떤 실내공기의 온도가 30℃ 이다. 이 공기의 수증기 분압이 40.08mmHg일 때 건공기의 분압은 얼마인가?

① 760mmHg
② 719.92mmHg
③ 727.46mmHg
④ 717.82mmHg

> 습증기 전압 = 건공기 분압 + 수증기 분압에서
> 건공기분압 = 대기압(습증기전압) − 수증기분압
> = 760 − 40.08 = 719.92mmHg

[10년 3회]

35 건구온도 30℃, 상대습도 60%인 습공기에 있어서 건공기의 분압은 약 얼마인가? (단, 대기압은 760mmHg 포화수증기압은 27.65mmHg 이다.)

① 27.65mmHg
② 376mmHg
③ 743mmHg
④ 700mmHg

> 상대습도 = $\dfrac{수증기분압}{포화수증기압}$ 에서
> 수증기분압 = 포화수증기압 × 상대습도
> = 27.65 × 0.6 = 16.59mmHg
> ∴ 건공기분압 = 대기압 − 수증기분압
> = 760 − 16.59 = 743.41mmHg

[11년 3회, 10년 1회, 06년 3회]

36 1기압, 100℃의 포화수 5kg을 100℃의 건포화증기로 만들기 위해서는 약 몇 kJ의 열량이 필요한가?

① 11,285
② 14,295
③ 15,700
④ 17,800

> 100℃ 포화수를 포화증기로 만드는 데는 증발잠열이 필요하다.
> 100℃ 포화수 증발잠열 : 2257kJ/kg
> ∴ 소요열량(Q) = 5kg × 2257kJ/kg = 11285kJ

[09년 2회]

37 건구온도 $t_1 = 10℃$, 절대습도 $x = 0.0062\,kg/kg'$인 1,000 kg/h의 공기를 건구온도 $t_2 = 30℃$까지 가열할 때 가열량은? (단, $h_1 = 25.2\,kJ/kg$, $h_2 = 45.4\,kJ/kg$, $C_P = 1.01\,kJ/kgK$이다.)

① 8800[kJ/h]
② 10200[kJ/h]
③ 20200[kJ/h]
④ 30600[kJ/h]

> 공기 가열량은 온도차와 엔탈피차로 구할 수 있다.
> 가열량(Q) = $m × C_p × \Delta t$ = 1,000 × 1.01 × (30 − 10)
> = 20200kJ/h
> 가열량(Q) = $m × \Delta h$ = 1,000 × (45.4 − 25.2) = 20200kJ/h

[11년 3회]

38 건구온도 32℃, 절대습도 0.02 kg/kg의 공기 5,000 CMH와 건구온도 25℃, 절대습도 0.002 kg/kg의 공기 10,000 CMH가 혼합되었을 때 건구온도는 약 몇 ℃인가?

① 25.6℃
② 27.3℃
③ 28.3℃
④ 29.6℃

> 혼합온도(t) = $\dfrac{(32 × 5,000) + (25 × 10,000)}{5,000 + 10,000}$ = 27.3℃

[10년 1회, 07년 1회]

39 습공기 선도에서 상태점 A의 노점온도를 읽는 방법으로 맞는 것은?

①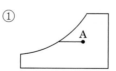
②
③
④

> ①은 습공기의 노점온도이며 ②는 습공기의 습구온도,
> ③은 습공기의 건구온도, ④는 습공기의 절대습도이다.

[06년 3회]

40 아래 조건과 같은 외기와 실내공기를 1 : 4의 비율로 혼합했을 때 혼합공기의 상태는?

| 외　기 : 건구온도(t) -10℃ , 절대습도(X) 0.001kg/kg′ |
| 실내공기 : 건구온도(t) 20℃ , 절대습도(X) 0.008kg/kg′ |

① $t = 14$℃ , $X = 0.0066$kg/kg′
② $t = 16$℃ , $X = 0.055$kg/kg′
③ $t = 18$℃ , $X = 0.045$kg/kg′
④ $t = 18$℃ , $X = 0.055$kg/kg′

혼합 공기온도(t) $= \dfrac{1 \times (-10) + 20 \times 4}{1+4} = 14$℃

혼합 절대습도(X) $= \dfrac{(0.001 \times 1) + (0.008 \times 4)}{1+4}$
$= 0.0066$kg/kg′

[12년 3회]

41 다음의 공기선도 상태에서 상태점 A의 노점온도는 몇 ℃ 인가?

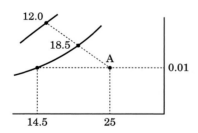

① 12
② 14.5
③ 18.5
④ 25

A습공기의 건구온도 : 25℃, 습구온도 18.5℃,
노점온도 : 14.5℃, 엔탈피 : 12kJ/kg

[13년 1회]

42 A 상태에서 B 상태로 가는 냉방과정에서 현열비는?

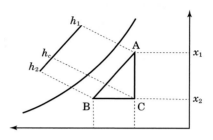

① $\dfrac{h_1 - h_2}{t_1 - t_2}$
② $\dfrac{h_1 - h_c}{h_1 - h_2}$
③ $\dfrac{x_1 - x_2}{t_1 - t_2}$
④ $\dfrac{h_c - h_2}{h_1 - h_2}$

냉방과정 현열비 $= \dfrac{현열}{전열} = \dfrac{h_c - h_2}{h_1 - h_2}$

[08년 2회]

43 다음 습공기 선도에서 습공기의 상태가 1 지점에서 1′ 지점을 거쳐 2 지점으로 이동하였다. 이 습공기는 어떤 과정인가? (단, $h_1 = h_1′$ 이다.)

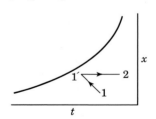

① 냉각 감습 – 가열
② 냉각 – 제습제를 이용한 제습
③ 순환수 가습 –가열
④ 온수 감습 – 냉각

1→1′(순환수가습)　1′→2 (가열)

정답　40 ①　41 ②　42 ④　43 ③

[06년 1회]
44 다음 공기선도 상에서와 같이 온도와 습도가 동시에 변하는 경우 관계식이 알맞은 것은? (단, q_s = 현열, q_L = 잠열, i = 엔탈피, t = 건구온도, C_p = 정압비열)

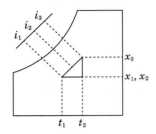

① $q_s = i_3 - i_1$ ② $q_L = i_3 - i_2$

③ $q_L = C_p(t_2 - t_1)$ ④ $q_L = C_p(x_2 - x_1)$

$q_s = i_2 - i_1$: 현열은 2점과1점의 엔탈피차이다.
$q_T = i_3 - i_1$: 3점과1점의 엔탈피 차는 전열이다
$q_S = C_p(t_2 - t_1)$: $C_p(t_2 - t_1)$ 는 현열이며
잠열은 $q_L = \gamma(x_2 - x_1) = i_3 - i_2$이다.

[13년 2회]
45 다음의 습공기 선도에서 현재의 상태를 A라고 할 때 건구온도, 습구온도, 노점온도, 절대습도 그리고 엔탈피를 그림의 각 점과 대응시키면 어느 것인가?

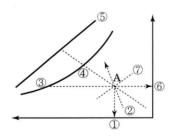

① [④, ③, ①, ⑥, ⑤]
② [③, ①, ④, ⑦, ②]
③ [①, ④, ③, ⑥, ⑤]
④ [②, ③, ①, ⑦, ⑤]

①: 건구온도, ④: 습구온도, ③: 노점온도,
⑥: 절대습도, ⑤: 엔탈피

[15년 2회]
46 다음의 습공기 선도 상에서 E – F는 무엇을 나타내는 것인가?

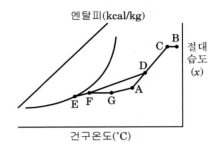

① 가습
② 재열
③ CF(Contact Factor)
④ BF(By-pass Factor)

D 혼합공기를 F코일에 통과 시킬 때 BF/DF 를 바이패스 팩터(By-pass Factor)라 하며 DB/DF를 전공기에 비해 코일과 접촉한 비율로 콘택트 팩터(Contact Factor)라 한다.

[09년 2회]
47 아래 그림은 환기(RA)와 외기(OA)를 혼합한 후 가습하고 이 공기를 다시 가열하는 과정을 공기선도 상에 표시한 것이다. 가습과정은?

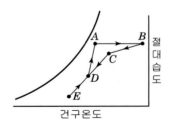

① $\overline{ED}$ ② $\overline{DC}$
③ $\overline{DA}$ ④ $\overline{CB}$

$A{\to}B$는 가열과정이고, $D{\to}A$는 증기 가습이며 $\overline{CB}$ 기울기는 실내 현열비이다.

[08년 3회]

48 다음 그림(가) – (라)는 습공기선도 상에 나타낸 공기 조화 과정의 기본형이다. 다음의 보기를 그림의 상태와 맞추어 연결한 것은?

【보 기】

① 가열   ② 가습   ③ 가열, 가습   ④ 냉각, 가습

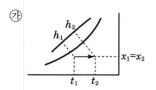
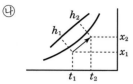
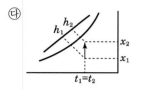
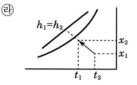

① (가) – ①, (나) – ②, (다) – ③, (라) – ④
② (가) – ①, (나) – ③, (다) – ②, (라) – ④
③ (가) – ④, (나) – ③, (다) – ②, (라) – ①
④ (가) – ②, (나) – ③, (다) – ②, (라) – ①

> (가) : 가열, (나) : 가열, 가습,
> (다) : 가습, (라) : 냉각, 가습(순환수 분무)

[09년 2회]

49 건구온도 $t_1 = 10℃$ ℃, 절대습도 $x = 0.0062\text{kg}/\text{kg}'$인 $1,000\text{kg}/\text{h}$의 공기를 건구온도 $t_2 = 30℃$ 까지 가열할 때 가열량(kJ/h)은? (단, $h_1 = 24.8\text{kJ/kg}$, $h_2 = 45\text{kJ/kg}$, 정압비열 $C_P = 1.01\text{kJ/kg K}$)

① $16,260[\text{kJ/h}]$ ② $20,200[\text{kJ/h}]$
③ $48,220[\text{kJ/h}]$ ④ $71,220[\text{kJ/h}]$

> 공기 가열량은 온도차와 엔탈피차로 구할 수 있다.
> 가열량(Q) = $m \times C_p \times \Delta t = 1,000 \times 1.01 \times (30-10)$
> $\quad = 20,200[\text{kJ/h}]$
> 가열량(Q) = $m \times \Delta h = 1,000 \times (45 - 24.8) = 20,200[\text{kJ/h}]$

[09년 1회]

50 다음 그림에 표시된 장치로서 공기조화를 행하는 경우 습공기선도에서의 $\overrightarrow{④⑤}$와 $\dfrac{③④}{③④'}$ 는 무엇을 나타내는가?

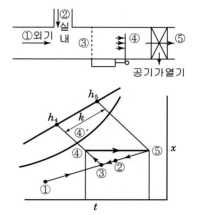

① $\overrightarrow{④⑤}$: 히터 가열량, $\dfrac{③④}{③④'}$: BF(Bypass Factor)

② $\overrightarrow{④⑤}$: 가습량, $\dfrac{③④}{③④'}$: BF(Bypass Factor)

③ $\overrightarrow{④⑤}$: 히터 가열량, $\dfrac{③④}{③④'}$: CF(Contact Factor)

④ $\overrightarrow{④⑤}$: 가습량, $\dfrac{③④}{③④'}$: CF(Contact Factor)

> 선도는 난방시스템으로 환기(②)와 외기(①)를 혼합(③)하여 순환수 가습한 후(④)가열하여 송풍공기(⑤)를 얻는 것으로 $\overrightarrow{④⑤}$는 히터 가열량이고, $\dfrac{③④}{③④'}$ 는 가습기의 콘택트 팩터 (CF)이다.

PARAT 01 공기조화 설비

[09년 2회]

51 다음 장치도 및 $t-x$ 선도와 같이 공기를 혼합하여 냉각, 재열한 후 실내로 보낸다. 여기서 외기부하를 나타내는 식은? (단, 혼합공기량은 $G\,\text{kg/h}$ 이다.)

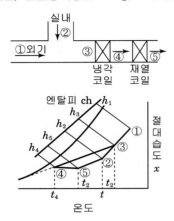

① $q = G(h_3 - h_4)$

② $q = G(h_1 - h_3)$

③ $q = G(h_5 - h_4)$

④ $q = G(h_3 - h_2)$

외기부하는 외기량이 G_O 일 때 $q = G_O(h_1 - h_2)$ 로 표현하지만 혼합공기량(G)을 주어질 때는 $q = G(h_3 - h_2)$ 로 외기부하를 표현한다. 또한 $q = G(h_3 - h_4)$ 는 냉각코일부하이고, $q = G(h_5 - h_4)$ 는 재열코일부하이다.

제2장
공기조화 계획

01 공기조화 방식

1 공기조화방식의 개요

1. 공기설비의 구성

(1) 공조장치의 구성은 다음과 같다.

① 열원장치 : 보일러, 냉동기

② 공기조화기 : 에어필터, 가열기, 냉각코일, 에어와셔 등

③ 운반, 분배장치 : 팬, 덕트, 배관, 펌프, 취출구 등

④ 자동제어 장치 : 실내조건을 유지하기 위해 공조설비를 자동으로 조절

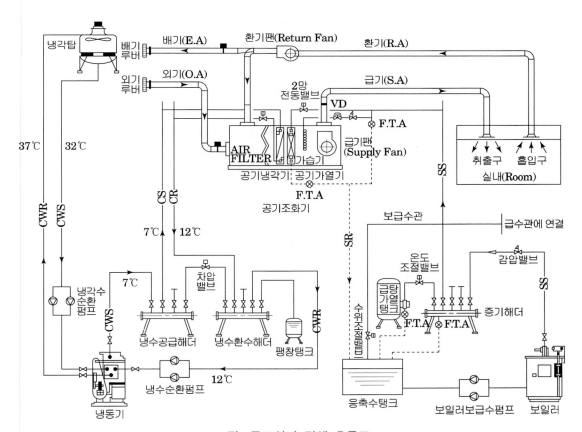

그림. 공조설비 전체 흐름도

2. 공기조화 방식의 분류

공조방식은 열원설비(기계실)에서 각 공조대상실(실내)로 열을 공급하는 열매 종류에 따라 전공기식, 전수식, 수공기식(물공기식)으로 나눈다.

```
┌ 중앙식 ┬ 전공기식 : 단일덕트식, 이중덕트식, 멀티존 유닛식
│        ├ 수공기식 : 각층 유닛식, FCU(덕트병용),
│        │            유인유닛식, 복사패널식(덕트)
│        └ 전수식 : 팬코일유닛식(FCU)
└ 개별식 : 패키지방식(냉매 방식)
```

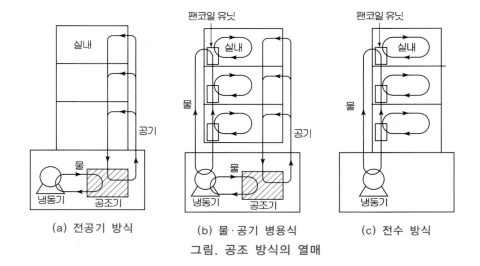

(a) 전공기 방식　　　(b) 물·공기 병용식　　　(c) 전수 방식

그림. 공조 방식의 열매

---

01 예제문제

각 공조방식과 열 운반 매체의 연결이 잘못된 것은?

① 단일덕트 방식-공기　　　② 이중덕트 방식-물, 공기

③ 2관식 팬코일 유닛방식-물　　　④ 패키지 유닛방식-냉매

해설
이중덕트 방식은 전공기방식에 속한다.　　　　　　　　　　　　**답 ②**

---

2 각 공조방식의 특징

1. 전공기식의 특징

(1) 열운반 소요공간이 크다.

공기에 의한 열운반이므로 물에 비해 부피가 크고(비중량, 비열이 작기 때문) 따라서 공급경로(덕트)가 커진다. 고층건물인 경우 각 층의 층고가 증가(천정에 덕트를 통과시켜야 하므로)하여 건축비가 증가한다.

(2) 열운반 동력비 증가

공기는 물보다 중량이 절댓값은 작으나 동일열량에 대한 상대적 부피가 커서 전체적으로 보면 동력비가 증가한다.

(3) 실내 청정도가 양호하다.

외기를 자유로이 도입할 수 있고 중앙기계실에서 고도로 정화된(고성능 필터) 공기를 공급할 수 있으므로 실내 기류분포와 공기 질이 양호하다.

(4) 관리가 용이하다.

전수식은 각 실마다 유닛이 설치되어 관리가 어렵지만 전공기식은 중앙기계실에 공조기가 집중되므로 관리가 용이하다.

(5) 실 이용 효율이 증가한다.

전수식은 각 실마다 유닛을 설치하여 공간을 소비하지만 전공기식은 천장에 취출구, 흡입구만 설치한다.

(6) 외기냉방이 가능하다.

환절기 외기온도가 실내온도보다 낮은 경우 다량의 외기를 도입하여 냉동기 운전 없이 냉방이 가능하다.

(7) 전수식은 외기도입이 곤란하므로 창문과 접해 자연환기가 가능한 건물(외부 존)에만 가능하나 전공기식은 내부 존에 유리하다.

(8) 한랭지에서 동파 등의 위험이 없다.

(9) 공조기에서 고급 필터(여과기)를 사용할 수 있다.

PARAT 01

공기조화 설비

> **전공기식의 특징**
> 열운반 소요공간이 크다, 열운반 동력비 증가, 실내 청정도가 양호하다. 관리가 용이하다. 실이용 효율이 증가한다. 외기냉방이 가능하다. 내부 존에 유리하다. 고급 필터(여과기)를 사용할 수 있다.

02 예제문제

다음 중 전공기 방식의 특징이 아닌 것은?

① 송풍량이 충분하여 실내오염이 적다.

② 환기용 팬(Fan)을 설치하면 외기냉방이 가능하다.

③ 실내에 노출되는 기기가 없어 마감이 깨끗하다.

④ 천장의 여유 공간이 작을 때 적합하다.

해설
전공기방식은 덕트 공간으로 천장의 여유 공간이 클 때 적합하며 건물 층고가 높아지는 원인이 된다. 　　　　　　　　　　　　　　　　　　　　　　　　　　　　　　　**답 ④**

전수식의 특징
덕트 스페이스가 필요없고, 반송동력이 작다. 실내청정도가 떨어지고, 유닛마다 수배관으로 인하여 누수 우려, 실내에 동력공급 필요. 유지보수관리가 어렵다.

2. 전수식의 특징

전수식은 기본적으로 전공기식과 반대의 특징을 갖는다.

(1) 덕트 스페이스가 필요없고 배관 공간만 요구되며 반송동력이 작다.

(2) 공기 공급이 없어서 실내청정도가 떨어지고, 실내 각 유닛마다 수배관으로 인하여 유지보수관리가 곤란하다.

(3) 바닥유효면적이 감소하며 실내에서 누수 우려, 동력공급 등이 필요

3. 수공기식의 특징

수공기식은 전공기식과 전수식의 장점을 조합한 시스템으로 열 공급은 수배관이 담당하고 청정도를 위한 공기공급은 덕트설비(공기)가 담당하도록 2종류의 열매를 동시에 사용한다. 단점은 2종류 열매를 동시에 이용하므로 시스템이 복잡해진다.

3 공기조화방식

정풍량 방식(CAV 방식)특징
전공기식 특징, 다수실보다는 1개 대형실에 적합, 변풍량 방식에 비하여 에너지 소비가 많다. 각실 개별 제어 곤란

1. 단일덕트 정풍량 방식(CAV 방식)특징

(1) 공조기가 기계실에 있어 운전 보수가 용이하다.

(2) 고성능의 여과기를 설치할 수 있어 공기 청정도가 높다.

(3) 송풍량이 크므로 환기가 용이하다.

(4) 환절기에 외기 냉방이 가능하다.

(5) 각 실마다의 부하 변동에 대응할 수 없어 다수실보다는 1개 대형실에 적합한 공조이다.

(6) 실이 많은 경우 각 실마다 온도차가 크다.

(7) 변풍량 방식에 비하여 에너지 소비가 많다.

(8) 변풍량 방식에 비하여 연간 송풍동력이 크다.

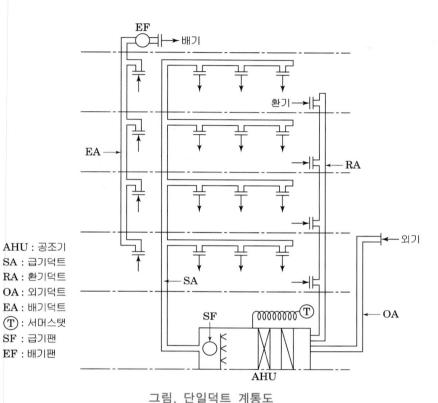

AHU : 공조기
SA : 급기덕트
RA : 환기덕트
OA : 외기덕트
EA : 배기덕트
Ⓣ : 서머스탯
SF : 급기팬
EF : 배기팬

그림. 단일덕트 계통도

---

03 예제문제

단일덕트 정풍량 방식의 장점 중에서 옳지 않은 것은?

① 각 실의 실온을 개별적으로 제어할 수가 있다.

② 공조기가 기계실에 있으므로 운전, 보수가 용이하고 진동, 소음의 전달 염려가 적다.

③ 외기의 도입이 용이하여 환기팬 등을 이용하면 외기냉방이 가능하고 전열 교환기의 설치도 가능하다.

④ 존의 수가 적을 때는 설비비가 다른 방식에 비해서 적게 든다.

해설
단일덕트 정풍량 방식은 각 실의 실온을 개별적으로 제어하기 어려워서 실이 많은 건물에는 부적합하고 단일실(극장 체육관등)에 적합하다.   답 ①

2. 터미널 리히트 방식(terminal reheated CAV 방식)특징

(1) 정풍량 방식에서 일정한 온도의 공기를 일정 풍량을 공급하므로 시각에 따라 부하변동이 생기면 대처할 수 없다.

(2) 이를 조정하기 위해 취출구 말단에 온수 가열 장치(말단 재열기)를 설치하여 온도를 조절하는 방식을 터미널 리히트 방식(단일덕트 재열 방식)이라 한다.

(3) 설비비는 일반적으로 단일덕트보다 높고 2중덕트보다 작다.

(4) 운전비는 재열하는 열량만큼 많이 소요된다.

(5) 실내 쾌감도가 단일덕트 정풍량 방식보다 우수하다.

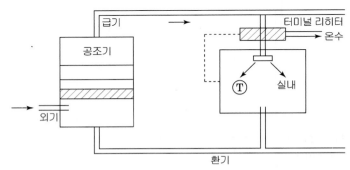

그림. 터미널 리히트 방식 계통도

3. 단일덕트 변풍량 방식(VAV 방식)

실내의 부하변동에 따라 서모스탯에 의하여 전동 댐퍼를 작동시켜 송풍량을 조절한다.

1) 현열부하 q_s 단위가 W 일 때

송풍량 $Q = \dfrac{q_s \times 3.6}{1.01 \times 1.2 \times \Delta t}$

Q : 송풍량($\mathrm{m^3/h}$)

q_s : 실내 현열 부하(W)

Δt : 취출온도차(송풍공기−실내공기)

(현열부하 W를 kJ/h로 환산하려면 $3600 \div 1000 = 3.6$을 곱한다.

2) 현열부하 q_s 단위가 kJ/h 일 때

송풍량 $Q = \dfrac{q_s}{1.2 \times 1.01 \times \Delta t} [\mathrm{m^3/h}]$

q_s : 실내 현열 부하(kJ/h)

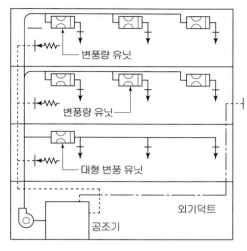

그림. VAV 방식 계통도

- 특징
  - 각 실 또는 존별 개별제어가 가능하다.
  - 에너지 절약 효과가 크다.
  - 대규모인 경우 정풍량 방식에 비하여 송풍량이 적어져서 실내 청정도가 불량해진다.
  - 각종 풍량 제어설비로 설비비가 정풍량식에 비하여 비싸다.
  - 송풍량이 적어 여과 장치가 정풍량식에 비하여 불량하다.
  - 장치가 복잡하여 유지 관리가 어렵다.

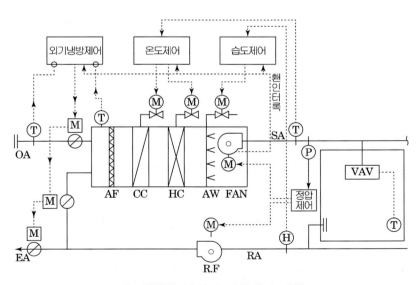

그림. 변풍량 방식의 자동제어 계통도

04 예제문제

다음 중 에너지 절약에 가장 효과적인 공기조화 방식은?(단, 설비비는 고려하지 않는다.)

① 각층 유닛 방식　　　　　　② 이중덕트 방식
③ 멀티 존 유닛 방식　　　　　④ 가변 풍량 방식

<u>해설</u>
운전 시 에너지 절약에 가장 효과적인 공조방식은 가변 풍량 방식(VAV)이며 풍량 조절장치
(VAV 유닛 등)로 인하여 설비비는 증가한다.　　　　　　　　　　　　　　　　**답 ④**

---

4. 이중덕트 방식

> **이중덕트 방식**
> 냉풍과 온풍을 동시에 공급하여 혼합상자에서 혼합급기, 냉난방이 자유롭고 개별제어가 양호하다. 덕트 스페이스가 크다. 설비비와 운전비가 고가이다.

(1) 작동 원리 : 아래와 같이 가열코일, 냉각코일을 별도로 두고 냉풍과 온풍을 만들어 A_1실은 F_1의 혼합공기를 취출하고 A_2실은 F_2의 혼합공기를 취출한다.

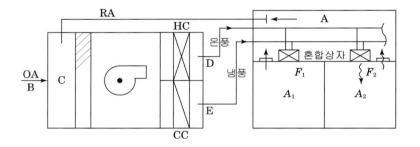

(2) 이중덕트 방식의 특징

냉풍과 온풍을 동시에 공급하기 위해 4계절 냉·온 열원설비를 가동하는 이중덕트 방식의 특징은 아래와 같다.

- 냉난방이 자유롭고 개별제어가 양호하다.
- 전공기 방식이므로 배관, 전기설비 등이 불필요하다.
- 설비비 운전비가 고가이다.
- 덕트 스페이스가 크다.
- 온풍과 냉풍의 리턴 시 혼합에 의한 열손실이 크다.

5. 덕트 병용 FCU 방식

대형 건축물에서 외부 존에 FCU를 배치하고 내부 존에 덕트 방식을 적용하여 Skin Load는 FCU가 담당하도록 하고 내부부하와 환기는 덕트시스템이 담당하도록 한 것으로 사무소 건물에서 일반적으로 채택된다. 특징은

- 각실 FCU는 실내 센서에 의해 자동조절되며 개별제어가 양호하다.

- 콜드 드래프트 현상을 줄일 수 있다.
- 전공기 방식에 비하여 경제적 이점이 크다.(시설비, 유지비 등)
- 실내에 설치된 각 유닛의 누수우려, 환기부족, 필터청소, 팬 소음 등의 문제점도 있다.

6. 유인 유닛방식(IDU)

중앙 공조기에서 외기를 조화시켜 고속덕트를 통해 각실 유인 유닛에 공급하면 유닛 내부의 노즐을 통해 분출될 때 유인작용으로 실내공기를 유인 혼합하여 분출되며 흡입구 뒤에 설치된 냉각코일(가열)에 의해 냉각 가열된다.

> **유인 유닛방식(IDU)**
> 중앙 공조기에서 고속덕트를 통해 1차공기로 각실 유인 유닛에 공급하면 유인작용으로 실내공기를 혼합 냉각 가열한다.

- 유닛 내부에 FAN이 없어 고장의 우려가 적다.(개별제어 양호)
- 노즐은 소음 단열된 챔버에 부착한 것으로써 고속덕트에 의한 공기분출로 소음이 큰 편이다.
- 유인 유닛은 주로 외부 존을 커버하므로 내부 존이 깊은 대형건물에서는 내부 존은 별도 단일덕트 방식을 겸용할 수 있다.

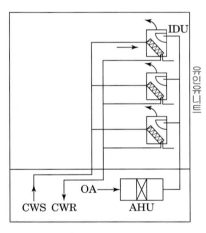

그림. 덕트병용 FCU 방식   그림. IDU 방식

7. FCU(팬코일 유닛)-전수식

(1) 전수식은 공조방식 중에서 가장 경제적인 시스템으로 평가된다. 물을 이용하기 때문에 열 운반능력이 우수하고 스페이스(공조 공간)가 적게 요구된다.
(2) 공조 스페이스가 작고 열공급 수량이 상대적으로 적어 반송동력이 작다.
(3) 실내청정도가 떨어지고, 보수관리가 곤란하다.
(4) 바닥유효면적이 감소하며 실내에서 누수 우려, 동력공급 등이 필요.
(5) 주로 자연환기가 가능한 중급의 건물(중소규모 건물, 학교, 콘도미니엄, 간단한 숙박시설 등)이나 외주부에 적용한다.

> **FCU(팬코일 유닛)**
> 가장 경제적인 시스템이다. 공조 스페이스가 작고 반송동력이 작다. 실내 청정도가 떨어지고, 보수관리가 곤란하다.

05 예제문제

팬코일유닛(FCU) 방식과 유인유닛(IDU) 방식은 실내에 설치하는 유닛 외에도 1차 공조기를 사용하여 덕트 방식을 채용할 수도 있다. 이 방식들을 비교한 설명 중 올바르지 못한 것은?

① FCU는 IDU에 비해 운전 중의 소음이 적고, 동일 능력일 때에는 단가가 싸다.

② IDU에는 전용의 덕트계통이 필요하다.

③ FCU에는 내부에 팬(Fan)을 가지고 있어 보수할 필요가 있다.

④ IDU에는 내부 존(Zone)을 합하더라도 하나의 덕트 계통만으로 처리가 가능하다.

해설
유인유닛(IDU)식은 노즐로부터 분출하는 1차 공기의 유인작용과 수배관이 필요하다.　답 ④

복사 패널, 덕트 병용양식
(panel air system)
복사열과 덕트를 통하여 공기를 공급하는 방식 쾌감도가 높다. 바닥 이용도가 높다. 천정이 높은 방에서도 난방효과 우수

8. 복사 패널, 덕트 병용양식(panel air system)

(1) 작동원리

이 방식은 벽·천정 등에 코일을 배치하여 냉·온수를 통과시켜 복사열을 이용하고 중앙기계실에서 조화된 공기를 덕트를 통하여 공급하는 방식이다. 실내 잠열 부하는 1차 공기(덕트 송풍 공기)로 처리하고 현열 부하는 패널로 처리한다.

(2) 복사 패널방식의 특징

- 쾌감도가 높다.
- 실내에 유닛이 노출되지 않아 미관상 좋고 바닥 이용도가 높다.
- 천정이 높은 방에서도 온도 구배가 작다.
- 현열 부하가 큰 스튜디오나 고급사무실에 적합하다.
- 설비비가 많이 든다.
- 실내 물배관이 필요하며 결로의 우려가 있다.
- 중간기에 냉동기 운전이 필요하다.

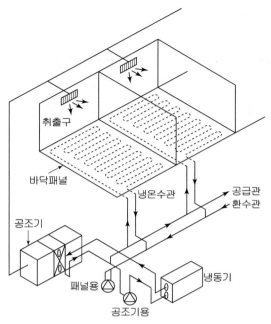

취출구

바닥패널

공조기

냉온수관

공급관
환수관

패널용

공조기용

냉동기

그림. 덕트병용 복사 패널 방식

---

06 예제문제

공기-수 방식에 의한 공기조화의 설명으로 옳지 않은 것은?

① 유닛 1대로써 구획(Zone)을 구성하므로 개별제어가 가능하다.

② 장치 내 필터의 성능이 나빠 정기적으로 청소할 필요가 있다.

③ 전공기 방식에 비해 반송동력이 크다.

④ 부하가 큰 구획(Zone)에 대해서도 덕트 스페이스가 작다.

해설

공기-수 방식은 열부하는 배관을 통한 물로 제거하고 환기에 필요한 공기를 공급하므로 상대적으로 공기량이 적어서 전공기방식에 비해 반송동력이 작다. 동일한 열량의 냉·온풍의 운반에 필요한 송풍기 소요동력이 냉-온수를 운반하는 펌프 동력보다 크다. **답 ③**

패키지 유닛 방식
추가 현장설치가 용이하고, 공기 단축,
시설비가 절감된다.
국부 공조에 적합하나 소음이 크다.

9. 덕트병용 패키지 유닛 방식(packaged unit system)

(1) 작동원리

패키지형 소형 공조기를 실내 혹은 실외에 설치, 덕트 병용 방식이 있으며 근래에는 원가절감, 시공 간편 등의 요인에 의하여 점차 대형 건물에도 EHP, GHP 형태로 다양하게 응용되고 있는 추세이다.

(2) 특징

- 현장설치가 용이하고, 공기 단축, 시설비가 절감된다.
- 국부 공조에 적합하나 소음이 크다.
- 대규모인 경우 공조기 수가 많아지므로 설비비가 고가, 유지관리가 곤란하다.
- 덕트가 길어지면 송풍이 곤란하다.

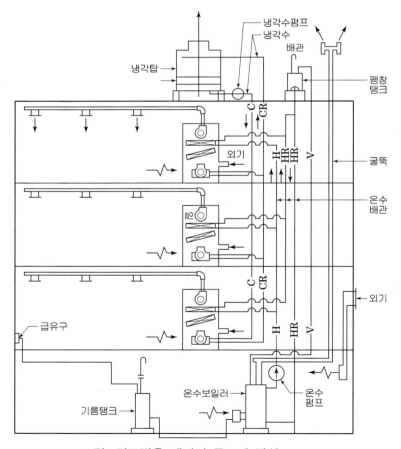

그림. 덕트병용 패키지 공조기 방식

10. 패키지형 공기조화기(개별식)

(1) 각 실마다 패키지형 공기조화기(PAC)를 설치하는 방식으로 소규모 건물에 주로 적용한다.

(2) **공기조화기(PAC)구성항목**

압축기, 송풍기, 냉각기, 가열기 및 공기여과기 등을 내장한 공기조화기로써 패키지형 공기조화기 구성항목은 다음과 같다.

- 압축기
- 송풍기 및 전동기
- 공기냉각코일
- 공기가열코일(별도지시가 있을 때)
- 공기여과기
- 가습기(별도지시가 있을 때)
- 냉매배관
- 조작반, 안전장치

4 열원방식

1. 개별공조의 특징

개별공조방식은 흔히 패케이지 방식이라 하며 각 실마다 유닛형 냉방기를 설치하는 것으로 독립 존, 소형실에 적용한다.

(1) 각 실마다 냉방기를 설치하므로 중앙식에 비하여 기계실면적이 적다.

(2) 각 실마다 독립적이어서 증축, 개보수가 용이하다.

(3) 시공이 용이하여 공기 단축효과와 개별제어가 용이하다.

(4) 배관, 덕트 스페이스가 적다. 각 실마다 유닛 설치공간이 필요하다.

(5) 전체부하에 대한 동시사용률(100%)이 커서 열원장비총량이 크다.

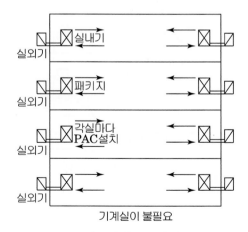

그림. 개별공조방식

07 예제문제

각종 공기조화방식 중에서 개별방식의 특징은?

① 수명은 대형기기에 비하여 짧다.

② 외기냉방이 어느 정도 가능하다.

③ 실 건축구조 변경이 어렵다.

④ 냉동기를 내장하고 있으므로 일반적으로 소음이 작다.

해설

개별공조방식은 기기 수명이 짧은 편이고, 외기냉방은 곤란하며, 실 건축구조 변경이 쉽고, 일반적으로 소음이 크다.

답 ①

2. 중앙공조의 특징 : 개별공조의 반대특성을 갖는다.

(1) 열원장비 용량이 커서 열효율이 크다. 중앙 기계실에 대규모 장비를 설치하고 기술 인력이 상주하여 운전하므로 수명이 길다.

(2) 각 실에서 유닛 설치가 필요없어 유효면적이 크다.

(3) 실내 공기 청정도가 양호하다.

(4) 덕트·배관에서의 열손실이 크다.

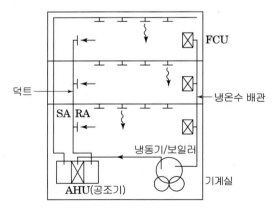

그림. 중앙공조방식

3. 히트펌프(Heat Pump)

히트 펌프란 냉동기의 응축기 방열을 난방열로 활용하는 것을 말한다. 여름철에는 증발기의 냉각열을 이용하고(냉동기) 겨울철에는 응축기의 온열을 이용하는 시스템을 히트펌프라 한다. 4방밸브를 절환시켜 냉난방을 실시한다.

히트펌프 성적계수

$$E_h = \frac{방열량}{압축일} = \frac{h_2 - h_3}{h_2 - h_1}$$

$$= \frac{h_2 - h_1}{h_2 - h_1} + \frac{h_1 - h_3}{h_2 - h_1}$$

$$= 1 + E$$

냉동기 성적계수 $= E$

(1) 작동원리

증발기에서의 채열과 압축일을 합한 만큼 응축기에서 방열하므로 증발기에서 열의 흡수(채열원)가 용이한 구조라야 한다.

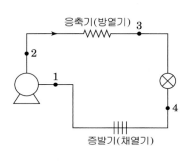

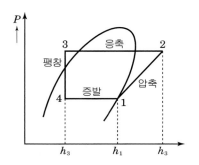

히트펌프 성적계수 $E_h = \dfrac{방열량}{압축일} = \dfrac{h_2 - h_1}{h_2 - h_1} + \dfrac{h_1 - h_3}{h_2 - h_1} = 1 + E$

그러므로 히트펌프 성적계수는 냉동기 성적계수(E)보다 1 큰 수가 된다.

(2) 채열원 : 증발기에서 채열원으로 주로 이용되는 것은 물(지하수, 하천수, 호수 등), 공기(외기, 각종배기) 지열, 태양열, 온배수 등이며 열효율은 물이 우수하나 채취가 용이한 것은 공기로써 남부지방과 같이 겨울철 외기온도가 비교적 높은 곳은 공기열원 히트펌프를 검토할 수 있다.

(3) 히트펌프의 열원 시스템

• 공기-공기방식

공기 열원 히트펌프 방식으로 냉매 밸브만으로 냉난방 절환이 용이하여 최근의 소용량 히트펌프(냉난방겸용 PAC)에 주로 적용한다.

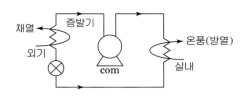

• 공기-물 방식

축열조를 이용하여 방열기에서 물을 가열하고 온수를 실내 유닛에 순환시켜 난방하는 시스템으로 고효율운전이 가능하고 축열기능을 갖는다.

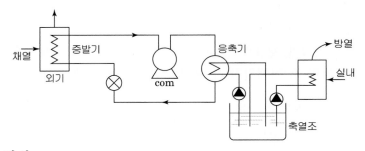

• 물-공기 방식

수열원 히트펌프로 장치가 간단하고 중·소형에 알맞다.

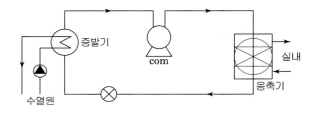

• 물-물 방식

수열원과 수축열(방열측)을 이용하므로 열용량이 커서 대용량에도 적용 가능하며 기기가 콤팩트화 된다.

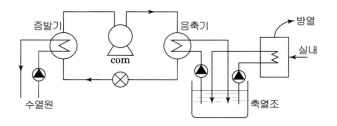

(4) 히트펌프 설계 시 주의사항

냉방, 난방부하 시간대별 부하변화를 충분히 고려하고 특히 공기열원 히트펌프 용량 산정 시 단순한 피크부하시만 설정하지 말고 외기온도 변동에 따른 성적계수 변동을 동시에 고려하여 용량결정을 해야 한다.

08 예제문제

개별 유닛 방식 중의 하나인 열펌프 유닛 방식의 특징을 설명한 것으로 틀린 것은?

① 냉난방부하가 동시에 발생하는 건물에서는 열 회수가 가능하다.

② 습도제어가 쉽고 필터 효율이 좋다.

③ 증설, 간벽 변경 등에 대한 대응이 용이하고 공조방식에 융통성이 있다.

④ 난방목적으로 사용할 때의 성적계수는 냉방시의 경우에 비해 1만큼 더 크다.

해설
열펌프 유닛(히트펌프)방식은 습도제어가 어렵고, 송풍 저항으로 얇은 필터를 사용하므로 필터 효율이 저감된다.   답 ②

[13년 2회]

01 공조방식에 관한 특징으로 옳지 못한 것은?

① 전공기방식은 높은 청정도와 정압을 요구하는 병원 수술실, 극장 등에 많이 사용된다.
② 수-공기방식은 부하가 큰 방에서도 덕트의 치수를 적게 할 수 있다.
③ 개별식 유닛을 분산시켜 개별제어 할 때 외기냉방에 효과적이다.
④ 전수방식은 유닛에 물을 공급하여 실내공기를 가열·냉각하는 방식으로 극간풍이 많은 곳에 유리하다.

> 개별식 유닛을 분산시켜 개별 제어하는 개별식은 외기량이 부족하여 외기냉방에는 효과가 적다.

[06년 3회]

02 다음은 공조방식의 사용 설명이다. 적합하지 않은 것은?

① 잠열부하가 많고 현열비가 적은 식당 등에는 단열 덕트 재열방식이 사용된다.
② 냉난방의 부하분포가 복잡한 건물에서는 이중덕트 방식이 사용된다.
③ 온습도 조건이 엄격하고 저소음 레벨의 요구시설에는 팬코일 유닛방식이 사용된다.
④ 환기횟수가 많고 고성능 필터를 사용하는 클린룸 등에는 정풍량 단일덕트 방식을 사용한다.

> 팬코일 유닛방식은 덕트를 병용하지 않는 경우 습도제어가 어렵고 실내에 설치되는 팬 소음으로 저소음레벨에는 부적합하다.

[15년 3회]

03 중앙식(전공기) 공기조화방식의 특징에 관한 설명으로 틀린 것은?

① 중앙집중식이므로 운전, 보수 관리를 집중화할 수 있다.
② 대형 건물에 적합하며 외기냉방이 가능하다.
③ 덕트가 대형이고 개별식에 비해 설치 공간이 크다.
④ 송풍동력이 적고 겨울철 가습하기가 어렵다.

> 전공기 방식은 동일 부하일 때 공기량이 많아서 열매체인 냉·온풍의 운반에 필요한 팬의 소요동력이 냉·온수를 운반하는 펌프동력보다 크고, 중앙 공조기에서 겨울철 가습이 쉽다.

[11년 1회]

04 다음 사항 중 공조방식의 분류가 맞게 연결된 것은?

① 단일덕트-전공기 방식
② 2중덕트방식-수 방식
③ 유인 유닛방식-개별제어 방식
④ 팬코일 유닛방식-수공기방식

> 2중덕트(전공기 방식), 유인 유닛방식(수공기 방식), 팬코일 유닛방식(전수식)

[14년 2회]

05 중앙집중식 공조방식과 비교하여 덕트 병용 패키지 공조방식의 특징이 아닌 것은?

① 기계실 공간이 적다.
② 고장이 적고, 수명이 길다.
③ 설비비가 저렴하다.
④ 운전의 전문기술자가 필요 없다.

> 덕트 병용 패키지 방식은 각 층에 있는 패키지 공조기(PAC)를 설치하여 덕트를 통해 각 실로 송풍한다. 따라서 각 층에 분산 설치된 패키지형 공조기가 고장이 자주 나며, 수명이 짧은 편이다.

[07년 2회]

06 다음의 공기조화 방식 중에 에너지가 가장 많이 소모 되는 것은?

① 패키지 유닛 방식
② 가변풍량방식(VAV)
③ 단일덕트 방식
④ 2중덕트 방식

2중덕트 방식은 냉·온풍을 동시에 공급하여 혼합손실로 에너지 손실이 크다.

[13년 1회, 08년 3회]

07 인텔리전트 빌딩과 같이 냉방부하가 큰 건물이나 백화점과 같이 잠열부하가 큰 건물에서 송풍량과 덕트 크기를 크게 늘리지 않고자 할 때, 공조방식으로 적합한 것은?

① 바닥취출 공조방식
② 저온공조방식
③ 팬코일 유닛방식
④ 재열코일방식

냉방부하가 큰 건물이나 백화점과 같이 사람이 많아서 잠열부하가 큰 건물에서 저온공조방식을 채택하면 취출온도차가 커져서 송풍량이 감소하고 덕트 면적과 설치공간이 감소한다.

[08년 2회]

08 다음 중 개별 공조방식의 특징이 아닌 것은?

① 외기냉방이 용이하다.
② 실내공기 청정도가 나빠지고 소음이 크다.
③ 개별 실내 제어에 적합하다.
④ 기존 설치된 건물에 비교적 용이하게 설치할 수 있다.

개별 공조방식은 외기를 도입할 덕트가 없어서 외기냉방이 불가능하다.

[07년 3회]

09 중간 계절의 외기냉방은 에너지 절약에 효과적이다. 다음 중 외기냉난방에 가장 불리한 공기조화 방식은?

① 2중덕트 방식
② 가변 풍량 방식
③ 각층 유닛 방식
④ 팬코일 유닛 방식

외기냉방은 외기를 도입하기위한 큰 덕트가 필요하며 팬코일 유닛 방식은 전수방식이므로 외기를 도입하기에 부적합하다.

[14년 3회, 10년 1회]

10 에너지 손실이 가장 큰 공조방식은?

① 2중덕트 방식
② 각층 유닛 방식
③ 팬코일 유닛방식
④ 유인 유닛 방식

2중덕트 방식은 냉·온풍을 동시에 공급하고 리턴은 혼합하는 방식으로 에너지 손실이 크다. 전수식인 팬코일 유닛방식이 에너지가 적게 든다.

[07년 3회]

11 개별 공조방식의 특징으로 적당하지 않은 것은?

① 개별제어가 쉽다.
② 실내에 유닛의 설치면적을 차지한다.
③ 취급이 간단하고 운전이 용이하다.
④ 외기냉방을 할 수 있다.

개별 공조방식은 외기냉방이 불가능하다.

[14년 2회]

12 겨울철 중간기에 건물 내의 난방을 필요로 하는 부분이 생길 때 발열을 효과적으로 회수해서 난방용으로 이용하는 방법을 열회수방식이라고 한다. 다음 중 열회수의 방법이 아닌 것은?

① 고온공기를 직접 난방부분으로 송풍하는 방식
② 런 어라운드(Run Around) 방식
③ 열펌프 방식
④ 축열조 방식

축열조 방식은 심야전기등을 이용하여 열을 저장한 후 기타 시간에 이용하는 것으로 열회수 방식은 아니다.

정답 06 ④   07 ②   08 ①   09 ④   10 ①   11 ④   12 ④

[07년 1회]

13 다음 설명 중 옳은 것은?

① 각 층 유닛 방식은 대규모 건물이며, 다층 건물에 적합하다.
② 멀티존 유닛 방식은 에너지 절약상 유효하다.
③ 이중 덕트 방식은 실내 온습도 제어에 불리하다.
④ 유인 유닛 방식은 덕트 스페이스가 불필요하다.

멀티존 유닛 방식은 에너지 절약상 이중덕트 다음으로 불리하며, 이중 덕트 방식은 실내 온습도 제어에 유리하다. 유인 유닛 방식은 1차 공기를 실내에 공급하기위해 덕트 스페이스가 필요하다.

[15년 1회]

14 지하상가의 공조방식 결정 시 고려해야 할 내용으로 틀린 것은?

① 취기를 발하는 점포는 확산되지 않도록 한다.
② 각 점포마다 어느 정도의 온도 조절을 할 수 있게 한다.
③ 음식점에서는 배기가 필요하므로 풍량 밸런스를 고려하여 채용한다.
④ 공공지하보도 부분과 점포 부분은 동일 계통으로 한다.

지하상가의 공조방식 결정 시 공공지하보도 부분과 점포 부분은 다른 계통으로 하는 것이 일반적이다.

[13년 2회]

15 공기조화방식의 열매체에 의한 분류 중 냉매방식의 특징으로 옳지 않은 것은?

① 유닛에 냉동기를 내장하므로 사용시간에만 냉동기가 작동하여 에너지 절약이 되고, 또 잔업 시의 운전 등 국소적인 운전이 자유롭게 된다.
② 온도조절기를 내장하고 있어 개별제어가 가능하다.
③ 대형의 공조실을 필요로 한다.
④ 취급이 간단하고 대형의 것도 쉽게 운전할 수 있다.

냉매방식은 개별식으로 각 실에 유닛을 설치하여 별도의 공조실은 두지 않는다.

[06년 1회]

16 온열매를 사용하는 공조방식에 대한 설명 중 틀린 것은?

① 증기 - 보일러의 물을 가열시켜 증발 잠열을 이용하는 방법으로서, 배관을 통해 열교환기 또는 공조기에 수송되어 방열된 후에 응축·환수된다.
② 고온수 - 보일러에 1차측 온수인 고온수를 만들어 열교환기에서 2차측 온수인 중온수로 열교환하여 사용하는 것으로, 대단위 플랜트에 많이 이용된다.
③ 중온수 - 보일러에서 생산된 1차측 온수인 중온수와 유닛을 순환하는 2차측 온수인 저온수를 부하에 따라 혼합하여 순환시키는 것으로, 중규모의 아파트 단지 등에서 많이 이용된다.
④ 저온수 - 순환수의 온도를 60℃ 전후로 유지하여 순환시키는 방법으로 다른 열매에 비해 예열부하 및 예열손실이 적다는 장점으로 소규모 건물이나 개인주택의 난방에 많이 이용된다.

고온수 난방에서 2차측 온수는 저온수로 열교환하여 사용한다.

[15년 1회, 08년 1회]

17 전공기 방식의 특징에 관한 설명으로 틀린 것은?

① 송풍량이 충분하므로 실내공기의 오염이 적다.
② 리턴 팬을 설치하면 외기냉방이 가능하다.
③ 중앙집중식이므로 운전, 보수 관리를 집중화할 수 있다.
④ 큰 부하의 실에 대해서도 덕트가 작게 되어 설치공간이 작다.

전공기 방식(단일덕트방식, 2중덕트방식 등)은 큰 부하의 실에서 송풍량이 증가하여 덕트가 크게 되어 설치공간이 커지며, 팬의 소요동력이 커서 전수식이나 수공기식에 비하여 경제적이지 못하다.

정답 13 ① 14 ④ 15 ③ 16 ② 17 ④

[15년 2회]

18 전공기식 공기조화에 관한 설명으로 틀린 것은?

① 덕트가 소형으로 되므로 스페이스가 작게 된다.
② 송풍량이 충분하므로 실내공기의 오염이 적다.
③ 중앙집중식이므로 운전, 보수 관리를 집중화할 수 있다.
④ 병원의 수술실과 같이 높은 공기의 청정도를 요구하는 곳에 적합하다.

전공기 방식은 송풍량이 많아서 덕트가 크게 되어 설치 공간(스페이스)이 커진다.

[12년 3회]

19 전공기 방식의 특징에 속하는 것은?

① 외기냉방이 가능하다.
② 공조기계실이 적어도 된다.
③ 부하가 큰 실에 대해서도 덕트 크기가 작아진다.
④ 공기—수 방식에 비해 반송동력이 적게 된다.

전공기 방식은 풍량이 많아 중간기에 외기냉방이 가능하며, 공조 기계실은 큰 편이고, 부하가 클수록 덕트 크기는 커지며, 동일한 부하일 때 송풍량이 크게 되어 공기—수 방식에 비해 반송동력도 크게 된다.

[11년 1회]

20 다음 중에서 전공기방식이라고 볼 수 없는 것은?

① 정풍량 단일덕트 방식
② 변풍량 단일덕트 방식
③ 이중덕트 방식
④ 팬코일 유닛 방식

팬코일 유닛 방식은 전수식이며 냉수 또는 온수를 실내 FCU에 공급하여 실내공기를 가열 냉각하여 공조한다.

[15년 2회, 13년 1회, 11년 3회]

21 공기조화방식 분류 중 전공기방식이 아닌 것은?

① 멀티존 유닛방식   ② 변풍량 재열식
③ 유인유닛방식   ④ 정풍량식

유인 유닛 방식은 수공기 방식으로 기계실에서 실내에 설치된 유닛에 1차 공기와 냉온수를 공급하며, 1차 공기(고속덕트)에 의한 유인작용으로 유닛에 공기가 순환되면 코일에서 냉각 가열하여 공기를 조화시킨다.

[08년 3회]

22 공기조화방식 분류 중 전공기방식이 아닌 것은?

① 멀티존 유닛 방식   ② 변풍량 2중덕트 방식
③ 유인 유닛 방식   ④ 각층 유닛 방식

유인 유닛 방식은 수공기 방식이며 덕트 병용 팬코일 유닛방식, 복사 냉난방(덕트 병용)방식도 여기에 속한다.

[10년 3회]

23 공기조화 방식 중에서 덕트 방식이 아닌 것은?

① 팬코일유닛 방식   ② 멀티존 방식
③ 각층유닛 방식   ④ 유인유닛 방식

팬코일유닛 방식은 전수식으로 냉수 또는 온수를 각 실에 있는 FCU에 공급하여 실내 공기를 조화 시킨다.

[13년 1회]

24 다음은 단일덕트방식에 대한 것이다. 틀린 것은?

① 단일덕트 정풍량방식은 개별제어에 적합하다.
② 중앙기계실에 설치한 공기조화기에서 조화한 공기를 주 덕트를 통해 각 실내로 분배한다.
③ 단일덕트 정풍량방식에서는 재열을 필요로 할 때도 있다.
④ 단일덕트방식에서는 큰 덕트 스페이스를 필요로 한다.

단일덕트 정풍량방식은 중앙식 공조 방식으로 대형 단일실(공연장, 체육관등)에 적합하며 개별제어에는 부적합하다.

정답 18 ①   19 ①   20 ④   21 ③   22 ③   23 ①   24 ①

[09년 3회, 06년 1회]

25 단일덕트 정풍량 공조방식에서 존에 해당하는 각 실의 부하변동에 대응하기 위하여 취출온도를 변경시켜 희망하는 설정치로 유지하기 위해 설치하는 것은?

① 댐퍼　　　　　　② 공기여과기
③ 팬코일 유닛　　　④ 말단재열기

> 단일덕트 정풍량 방식은 각 실마다 개별제어가 곤란하므로 말단재열기(terminal reheat)를 설치하여 실내온도를 희망 설정치로 유지시킬 수 있는데 이 방식을 단일덕트 재열방식이라 한다.

[15년 3회]

26 가변 풍량(VAV) 방식에 관한 설명으로 틀린 것은?

① 각 방의 온도를 개별적으로 제어할 수 있다.
② 연간 송풍동력이 정풍량 방식보다 적다.
③ 부하의 증가에 대해서 유연성이 있다.
④ 동시 부하율을 고려하여 용량을 결정하기 때문에 설비용량이 크다.

> 가변풍량(변풍량) 방식은 동시 부하율을 적용하여 용량을 결정하기 때문에 설비 용량이 작다.

[07년 2회]

27 변풍량 방식에서 변풍량 유닛을 설명한 것으로 틀린 것은?

① 바이패스형은 송풍공기 중 취출구를 통해 실내에 취출되고 남은 공기를 천장 내를 통하여 환기 덕트로 되돌려 보낸다.
② 유인형은 실내공기인 2차 공기의 분출에 의해 공조기에서 오는 1차 공기를 유인하여 취출한다.
③ 슬롯형은 부하의 감소에 따라 교축기구에 의해 풍량을 조절한다.
④ 슬롯형은 덕트의 정압변화에 대응할 수 있는 정압제어가 필요하다.

> 유인형 변풍량 유닛은 중앙 공조기에서 오는 1차 공기의 분출에 의해 실내공기인 2차 공기를 유인하여 취출한다. 이때
>
> $$유인비(R) = \frac{1차 + 2차공기}{1차공기}$$

[12년 1회]

28 변풍량 단일덕트 방식(VAV 방식)에 대한 설명 중 틀린 것은?

① Zone 또는 각 방마다 설치한 변풍량 유닛에 의해 실내기류에 따라 송풍량을 조절하는 방식이다.
② 동시 사용률을 고려하여 기기용량을 결정할 수 있으므로 설비용량을 적게 할 수 있다.
③ 칸막이 변경이나 부하 증감에 대하여 적응성이 좋다.
④ 부분부하 시 송풍기 동력을 절감할 수 있다.

> 변풍량 방식은 각 방마다 설치한 변풍량 유닛에 서모스탯(온도조절기)이 연결되어 실내온도에 따라 취출풍량을 제어한다.

[10년 3회]

29 가변풍량방식에 관한 설명으로 맞는 것은?

① 실내온도제어에서는 부하변동에 따른 송풍온도를 변화시켜 제어한다.
② 송풍기는 동력절감을 위해 리밋로드 팬을 사용하는 것이 좋다.
③ 동시 사용률을 적용할 수 없으므로 설비용량을 줄일 수 없다.
④ 시운전시 토출구의 풍량조정이 복잡하다.

> 실내온도제어는 부하변동에 따른 송풍량을 변화시켜 제어하며, 송풍기는 풍량변화 시 동력절감을 위해 리밋로드 팬을 사용하는 것이 좋고, 동시 사용률을 적용하여 설비용량을 줄일 수 있다. 유닛이 조정되며 풍량을 조절하므로 시운전 시 토출구의 풍량조정은 간단한 편이다.

[07년 1회]

30 단일덕트 변풍량 방식에서는 VAV 유닛을 사용하여 실내를 제어하는 데 VAV 유닛을 채용하는 가장 큰 이유는?

① 에너지 절약　　　　② 소음제거
③ 취출공기 온도제어　④ 냉풍과 온풍의 혼합

> 단일덕트 변풍량 방식에서 VAV 유닛은 취출 공기량을 제어하여 필요한 공기량만 실내에 공급하므로 정풍량 방식에 비하여 에너지가 절약된다.

정답 25 ④　26 ④　27 ②　28 ①　29 ②　30 ①

[11년 3회]

31 공기조화방식에서 변풍량방식에 사용되는 유닛(VAV Unit) 중 풍량제어 방식에 따라 구분할 때 공조기에서 오는 1차 공기의 분출에 의해 실내공기인 2차 공기를 취출하는 방식은?

① 바이패스형　　　　② 유인형
③ 슬롯형　　　　　　④ 교축형

> 유인형은 1차 공기의 분출에 의해 실내공기인 2차 공기를 유인하여 취출하는 방식이다.

[09년 2회]

32 2중 덕트 방식의 특징 중 옳지 않은 것은?

① 실내부하에 따라 개별제어가 가능하다.
② 2중덕트이므로 덕트 스페이스는 적게 된다.
③ 실내온도의 완전한 제어가 어렵다.
④ 냉풍 및 온풍이 열매체이므로 실내온도 변화에 대한 응답이 빠르다.

> 2중덕트 방식은 냉풍과 온풍을 별도로 급기하므로 덕트 스페이스가 크게 된다.

[09년 1회]

33 멀티존 유닛 공조방식에 대한 설명이다. 이 중 옳은 것은?

① 이중덕트 방식의 덕트 공간을 천장 속에 확보할 수 없는 경우 적합하다.
② 멀티존 방식은 비교적 존 수가 대규모인 건물에 적합하다.
③ 각 실의 부하변동이 심해도 각 실에 대한 송풍량의 균형을 쉽게 맞춘다.
④ 냉풍과 온풍의 혼합 시 댐퍼의 조정은 실내 압력에 의해 제어한다.

> 멀티존 유닛방식은 이중덕트 보다 덕트 공간을 절약할 수 있다. 비교적 존 수가 적은(3-5존) 소규모인 건물에 적합하며, 냉온풍의 혼합비는 조절이 쉬우나 풍량 조절은 어려워서 각 실의 부하변동이 심하면 송풍량의 균형을 맞추기는 어렵다. 냉풍과 온풍의 혼합시 댐퍼의 조정은 실내 온도에 의해 제어한다.

[14년 3회]

34 냉방 시 공조기의 송풍량을 산출하는 데 가장 밀접한 부하는?

① 재열부하　　　　　② 외기부하
③ 펌프·배관부하　　④ 실내취득열량

> 송풍량 산출은 일반적으로 실내 취득 현열량과 취출온도차로 계산한다.
>
> $$Q = \frac{q_s}{\gamma C \Delta t} [\text{m}^3/\text{h}]$$
>
> q_s : 실내취득현열량[kJ/h]　　γ : 공기밀도[1.2kg/m³]
> C : 공기비열[1.01kJ/kgK]　　Δt : 취출온도차

[10년 2회]

35 공기조화 방식 중 유인 유닛 방식에 대한 설명이다. 부적당한 것은?

① 다른 방식에 비해 덕트 스페이스가 적게 소요된다.
② 비교적 높은 운전비로서 개별실 제어가 불가능하다.
③ 각 유닛마다 수배관을 해야 하므로 누수의 염려가 있다.
④ 송풍량이 적어서 외기 냉방효과가 낮다.

> 유인 유닛 방식은 FCU처럼 각 실에 유닛이 설치되므로 개별실 제어가 가능하다.

[10년 1회]

36 공조방식 중 각층 유닛 방식의 특징에 속하지 않는 것은?

① 송풍 덕트의 길이가 짧게 되고 설치가 용이하다.
② 사무실과 병원 등의 각층에 대하여 시간차 운전에 유리하다.
③ 각층 슬래브의 관통 덕트가 없게 되므로 방재상 유리하다.
④ 각 층에 수배관을 하지 않으므로 누수의 염려가 없다.

> 각층 유닛 방식은 각 층에 공조실과 유닛을 설치하고 중앙기계실에서 수배관을 통해 냉온수를 공급하므로 각층 공조실에서 누수의 염려가 있다.

정답 31 ②　32 ②　33 ①　34 ④　35 ②　36 ④

[15년 2회]

37 유인 유닛 공조방식에 대한 설명으로 옳은 것은?

① 실내 환경 변화에 대응이 어렵다.
② 덕트 공간이 비교적 크다.
③ 각 실의 제어가 어렵다.
④ 회전부분이 없어 동력(전기) 배선이 필요 없다.

> 유인 유닛 방식은 실내에 유닛이 설치되므로 실내 환경 변화에 대응이 쉽고 각 실의 제어가 쉽다. 전공기 방식에 비하여 덕트 공간이 비교적 작으며, 유닛에 모터가 없어 동력(전기) 배선이 필요 없다. FCU는 팬 가동을 위한 동력 배선이 필요하다.

[06년 1회]

38 유인 유닛 방식의 특징 중 적합하지 않은 것은?

① 중앙공조기는 1차 공기만을 처리한다.
② 전 공기식에 비해 덕트 면적이 적다.
③ 각 유닛마다 조절할 수 있으므로 각 실 조절에 적합하다.
④ 동시에 냉방, 난방이 곤란하다.

> 유인 유닛은 3관식이나 4관식을 통해 동시에 냉난방도 가능하다.

[13년 3회, 06년 3회]

39 유인 유닛(IDU) 방식에 대한 설명 중 틀린 것은?

① 각 유닛마다 제어가 가능하므로 개별실 제어가 가능하다.
② 송풍량이 많아서 외기 냉방효과가 크다.
③ 냉각, 가열을 동시에 하는 경우 혼합손실이 발생한다.
④ 유인 유닛에는 동력배선이 필요 없다.

> 유인 유닛방식(공기 – 수방식)은 1차 공기량이 적어서 외기 냉방의 효과는 적다.

[06년 1회]

40 유인 유닛 공조방식 특징이 아닌 것은?

① 각실 제어가 용이하다.
② 유닛의 여과기가 막히기 쉽다.
③ 유닛이 실내의 유효공간을 감소시킨다.
④ 덕트 공간이 비교적 크다.

> 유인 유닛은 1차 공기를 고속덕트로 공급하므로 덕트 공간이 비교적 적은 편이다.

[14년 1회]

41 공기조화 방식의 분류 중 공기-물 방식이 아닌 것은?

① 유인 유닛방식
② 덕트병용 팬코일 유닛방식
③ 복사 냉난방 방식(패널에어 방식)
④ 멀티존 유닛방식

> 멀티존 유닛방식은 전공기 방식이다.

[09년 2회]

42 공기 – 물 공기조화 방식에 해당하는 것은?

① 2중덕트 방식
② 패키지 유닛 방식
③ 복사 냉난방 방식
④ 정풍량 단일덕트 방식

> 복사 냉난방 방식(덕트 병용)은 공기수 방식이고, 패키지 유닛 방식은 냉매방식이며, 2중덕트 방식과 정풍량 단일덕트 방식은 전공기방식이다.

[06년 3회]

43 다음 공조방식 중에서 공기 – 물 방식이 아닌 것은?

① 복사 냉난방 방식
② 유인 유닛 방식
③ 멀티 유닛 방식
④ 팬코일 유닛 방식(덕트 병용)

> 멀티 유닛 방식은 냉매방식이며 패키지 유닛 방식, 분리형 패키지 유닛 방식 등이 여기에 속한다.

정답 37 ④ 38 ④ 39 ② 40 ④ 41 ④ 42 ③ 43 ③

[09년 1회, 07년 2회]

44 공기조화 방식의 특징 중 수-공기방식에 해당하는 것은?

① 환기팬을 설치하면 외기냉방이 불가능하다.
② 유닛 1대로서 1개의 소규모 존(Zone)을 구성하므로 조닝이 용이하다.
③ 덕트가 없으므로 덕트 스페이스가 필요하지 않다.
④ 냉동기를 내장하고 있으므로 일반적으로 소음, 진동이 크다.

수-공기방식은 실내 설치된 유닛 1대로서 1개의 존을 담당하므로 조닝이 용이하다. 환기팬을 설치하면 외기냉방도 어느 정도 가능하다.

[12년 3회]

45 공기조화 방식의 특징 중 공기-물 방식(유닛 병용식)의 특징에 해당하는 것은?

① 유닛의 소음이 발생하지 않는다.
② 유닛 1대로써 1개의 소규모 존을 구성하므로 조닝이 용이하다.
③ 덕트가 없으므로 덕트 스페이스가 필요하지 않는다.
④ 개별식이므로 부분운전 및 시간차 운전에 적합하다.

유닛 병용식은 유닛의 소음이 발생하며 덕트가 필요하며 중앙식으로 부분운전 및 시간차 운전에 부적합하다.

[06년 2회]

46 각층 유닛방식은 각 층에 1대 또는 여러 대의 공조기를 배치하는 방법인데, 이 방식을 응용할 수 없는 공조방식은?

① 단일덕트 정풍량 방식
② 단일덕트 변풍량 방식
③ 2중덕트 방식
④ 패키지 방식

각층 유닛방식은 중앙식인데 비하여 패키지 방식은 개별방식으로 응용하기가 곤란하다.

[15년 3회]

47 덕트 병용 팬코일 유닛(Fan Coil Unit)방식의 특징이 아닌 것은?

① 열부하가 큰 실에 대해서도 열부하의 대부분을 수배관으로 처리할 수 있으므로 덕트치수가 적게 된다.
② 각 실 부하 변동을 용이하게 처리할 수 있다.
③ 각 유닛의 수동제어가 가능하다.
④ 청정구역에 많이 사용된다.

덕트 병용 팬코일 유닛방식은 각 실로 공급되는 송풍량이 적어서 청정구역(클린룸)에는 부적합하다.

[11년 3회]

48 공기조화방식 중 복사냉난방식의 설명으로 옳지 않은 것은?

① 다른 방식에 비하여 실내 쾌감도가 높다.
② 잠열부하가 많은 곳에 적당하다.
③ 중간기에 냉동기의 운전이 필요하다.
④ 덕트 스페이스 및 열운반 동력을 줄일 수 있다.

복사냉난방식은 여름철 잠열부하가 많은 실에 적용할 경우 바닥면에 결로 발생으로 부적합하다.

[08년 2회]

49 다음은 팬코일 유닛 방식의 배관방법에 따른 장단점 및 특징을 기술한 내용이다. 틀린 것은? (단, 2관식, 3관식, 4관식을 비교)

① 3관식에서는 손실열량이 타 방식에 비하여 거의 없다.
② 2관식에서는 냉·난방의 동시운전이 불가능하다.
③ 4관식이 설비비면에서 가장 불리하다.
④ 4관식은 동시에 냉·난방운전이 가능하다.

3관식은 냉온수가 각각 공급되므로 동시에 냉난방 운전이 가능하나 냉온수가 혼합되어 환수되므로 혼합손실이 발생하여 2관식이나 4관식에 비하여 손실열량이 있다.

정답 44 ② 45 ② 46 ④ 47 ④ 48 ② 49 ①

[10년 2회]

50 팬코일 유닛에 대한 설명 중 맞는 것은?

① 고속덕트로 보내져온 1차 공기를 노즐에 분출시켜 주위의 공기를 유인하여 팬코일로 송풍하는 공기조화기이다.
② 송풍기, 냉온수 코일, 에어필터 등을 케이싱 내에 수납할 소형의 실내용 공기조화기이다.
③ 송풍기, 냉동기, 냉온수코일 등을 기내에 조립한 공기조화기이다.
④ 송풍기, 냉동기, 냉온수코일, 에어필터 등을 케이싱 내에 수납한 소형의 실내용 공기조화기이다.

> ① - 유인유닛식이며, ② - 팬코일 유닛(FCU)은 팬과 코일을 케이싱에 내장한 소형 공기조화기이다. ③, ④ - 패키지 유닛의 특징이다.

[12년 2회]

51 개방식 냉각탑의 설계에 관한 설명으로 맞는 것은?

① 압축식 냉동기 1RT당 냉각열량은 11760kJ/h로 한다.
② 압축식 냉동기 1RT당 풍량은 역류식은 $600m^3/h$ 정도, 직교류식에서는 $400m^3/h$ 정도로 한다.
③ 압축식 냉동기 1RT당 수량은 외기습구온도 27℃일 때 8L/min 정도로 한다.
④ 흡수식 냉동기를 사용할 때 열량은 일반적으로 압축식 냉동기의 약 1.7~2.0배 정도로 한다.

> ① 압축식 냉동기 1RT당 냉각열량은 16380kJ/h로 하며, 압축식 냉동기 1RT당 수량은 외기습구온도 27℃일 때 13L/min 정도로 한다. 흡수식 냉동기 냉각탑의 크기는 압축식의 1.7~2.0배 정도로 한다.

[15년 2회, 12년 2회]

52 펌프를 작동원리에 따라 분류할 때 왕복펌프에 해당하지 않는 것은?

① 피스톤 펌프 ② 베인 펌프
③ 다이어프램 펌프 ④ 플런저 펌프

> 베인(편심) 펌프는 회전펌프에 속하며 기어 펌프, 나사 펌프도 여기에 속한다.

[08년 1회]

53 다음 공조방식 중 팬, 펌프 등 동력비가 가장 큰 것은?

① FC 유닛 방식(덕트 병용)
② 멀티존 방식
③ 유인 유닛 방식
④ 패키지 방식

> 공조방식에서 운송 동력비가 큰 것은 전공기방식으로 멀티존 방식이나 단일덕트 이중덕트식이 팬이나 펌프 등 동력비가 가장 크다.

[07년 1회]

54 배관의 직관부에서 압력손실이 적어질 수 있는 조건은?

① 관의 마찰계수가 클 때
② 관 길이가 길 때
③ 관 지름이 클 때
④ 유속이 클 때

> 압력손실은 배관의 지름이 크면 유속이 작아져서 압력손실이 적어진다.

[06년 1회]

55 유량 1,500[m³/h], 양정이 12[m]인 펌프의 축동력 [kW]은 얼마인가? (단, 물의 비중량 1,000[kg/m³], 펌프 효율 $\eta = 0.7$이다.)

① 14.2kW

② 12.1kW

③ 38.5kW

④ 70.1kW

$$\text{펌프의 축동력[kW]} = \frac{Q \times H}{102 \times \eta} = \frac{1,500 \times 1,000 \times 12}{102 \times 3,600 \times 0.7} = 70.1[\text{kW}]$$

[13년 3회]

56 냉각수는 배관 내를 통하게 하고 배관 외부에 물을 살수하여 살수된 물의 증발에 의해 배관내 냉각수를 냉각시키는 방식으로 대기오염이 심한 곳 등에서 많이 적용되는 냉각탑 방식은?

① 밀폐식 냉각탑

② 대기식 냉각탑

③ 자연통풍식 냉각탑

④ 강제통풍식 냉각탑

밀폐식 냉각탑은 냉각수는 배관 내를 통하게 하고 배관 외부에 물을 살수하여 살수된 물의 증발에 의해 배관 내 냉각수를 냉각시키며 대기오염이 심한 곳에 적합하다.

[13년 1회]

57 직교류형 냉각탑과 대향류형 냉각탑을 비교하였다. 직교류형 냉각탑의 특징으로 틀린 것은?

① 물과 공기의 흐름이 직각으로 교차한다.

② 냉각탑 설치 면적은 크고, 높이는 낮다.

③ 대향류형에 비해 효율이 좋다.

④ 냉각탑 중심부로 갈수록 온도가 높아진다.

직교류형은 높이가 낮아 미관은 우수하나 공기와 물의 접촉 시간이 짧아 대향류형에 비해 효율이 낮다.

02 공기조화 부하

1 부하의 개요

1. 벽체 열관류율

공조부하 계산 시 기본적인 열부하는 벽체 열관류량이며 이때 열관류율이 부하계산의 기초가 된다. 최근에는 에너지 절약을 위해서 벽체 열관류율을 최소화하기 위해 보온재를 강화하는 추세이다.

(1) 열관류율(K) 계산식

$$\frac{1}{K} = \frac{1}{\alpha_0} + \frac{L_1}{\lambda_1} + \frac{L_2}{\lambda_2} + ... + \frac{1}{\alpha_i} + \frac{1}{C}$$

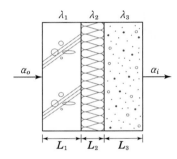

K(열관류율)–W/m²K

λ_1, λ_2(벽체재료의 열전도율)–W/mK

L_1, L_2(벽체 재료의 두께)–m

a_o, a_i(실내, 실외측 표면 열전달률)–W/m²K

C(공기층의 열전달률)–W/m²K

(2) 열관류저항(R)은 열관류율(K)의 역수이다.

$$R = \frac{1}{K} \ (\text{m}^2\text{K/W})$$

(3) 벽체에서 열관류율은 작을수록 유리하고 열관류저항은 클수록 유리하다.

(4) 벽체 관류열량과 용어 정의

어떤 벽체를 통한 열손실량(Q)은

$$Q = K \cdot A \cdot \Delta t$$

여기서, Q : 관류열량(K), K : 열관류율(W/m²K),

A : 벽체 면적(m²), Δt : 벽체 내외 온도차(℃)

• 열전달 : 고체표면과 이에 접촉하는 유체사이의 대류에 의한 열이용(W/m²K)

• 열전도 : 고체내부에서의 열이동(W/mK)

• 열관류 : 고체벽을 사이에 둔 양 유체 사이의 열이동, 열전달과 열전도의 조합(W/m²K)

• 열복사 : 중간 매체 없이 열전자의 직접 이동에 의한 열이동

• 열관류저항 : 열관류율 값의 역수(W/m²K)

01 예제문제

다음은 건물의 공조부하를 줄이기 위한 방법이다. 옳지 않은 것은?

① 실내의 조명기구 용량을 최소화한다.

② 외벽 등에 좋은 성능의 단열재를 삽입한다.

③ 유리창과 벽면의 면적비인 창면적비를 최대로 한다.

④ 창은 이중창으로 한다.

해설

일반적으로 유리창은 벽체보다 열관류율이 크므로 공조부하를 줄이기 위해서는 유리창 면적을 적게 하여 창면적비를 최소로 한다. **답 ③**

2. 설계조건(실내외 온도설정)

부하계산에서 선결되어야 할 문제가 실내·외 온도 설정 문제이다. 실내 온도는 실의 사용 목적에 따라 적합하게 적용되며 외기온도는 기상데이터를 근거로 설정한다.

(1) 공조부하 계산용 표준 실내 온·습도 조건

구 분	일반조건		에너지절약 조건	
	온도(℃)	습도(%)	온도(℃)	습도(%)
냉방	26	50	28	50-60
난방	20	50	18	40-50

(2) 실내 온습도 조건(여름)

구 분	적용건물	이상적		일반적	
		℃	%	℃	%
보통	주택, 사무실, 병원, 학교	23~24.5	50~45	25~26	50~45
단시간 체류	은행, 백화점	24.5~25.5	50~45	25.5~27	50~45
SHF가 작은 경우	극장 교회, 식당	24.5~25.5	55~50	25.5~27	60~50
공장	공장	25~27	55~45	27~29.5	60~50

(3) 실내 온습도 조건(겨울)

종 류	온 도	종 류	온 도
주택거실	16~24	병원일반	21~23
침 실	14~18	수술실	21~35
학교교실	20~23	신생아실	24~37
극 장	20~22	호 텔	21~24
기계공장	15~18	주물공장	10~15

(4) TAC 온도

TAC 온도란 외기 온도 설정방법으로 경제적인 용량 선정법이다.
TAC 위험률을 크게 잡을수록 부하는 감소하여 설비용량은 감소하고 경제적이나 부하가 증가할 때 위험률은 증가한다.

외기 온도는 TAC 위험률을 몇 %로 잡느냐에 따라 달라진다. 아래 표는 일반적 실내 온도와 TAC 위험률 1–5%의 설계 외기 조건이다.

(TAC 온도 1970~1979)

지방	TAC(%)	겨 울		여 름		
		온도	상대습도	온도	상대습도	엔탈피
서울	1	−14.1		34.2	54.2	
	2.5	−12.7	65.1	33.5	57.0	19.5
	5	−11.7		32.6	59.8	
대전	1	−14.1		33.8	54.5	
	2.5	−12.6	71.6	33.3	57.0	19.3
	5	−11.5		32.9	60.0	
대구	1	−11.7		36.2	38.4	
	2.5	−10.6	59.5	35.8	39.3	17.5
	5	−9.3		32.4	42.0	
부산	1	−8.5		32.2	62.2	
	2.5	−7.1	55.3	31.6	62.7	18.9
	5	−6.0		31.1	64.7	
제주	1	−2.5		33.8	56.3	
	2.5	−1.5	73.2	33.2	58.1	19.7
	5	−0.8		32.4	61.5	

02 예제문제

다음은 냉난방 부하에 대한 설명이다. 이 중 옳지 않은 것은?

① 열부하 계산은 실내부하의 상태, 송풍 공기량과 온도, 냉수 및 온수 또는 증기, 냉각수 소요량, 설비기기의 용량, 덕트나 배관의 크기를 구하기 위한 기초가 된다.

② TAC 온도란 외기 설정온도가 실제 외기온도 밖으로 벗어날 위험률을 의미하며, 부하계산 시 열원 기기의 용량을 늘리고, 에너지 절약 차원에서 사용한다.

③ 최대 난방 부하랑 실내에서 발생되는 부하가 1일 중에서 가장 큰 값으로 시각의 부하로서 주로 새벽에 발생된다.

④ 공조설비 계획 단계에서 개략 견적을 낼 때 건축 구조도 모르는 경우에는 바닥 면적으로만 열원기기의 용량을 추정할 경우에 열부하의 계산 값(단위 면적당 열부하계수)을 사용하면 유용하다.

해설

TAC 온도를 적용하여 부하계산 시 열원 기기의 용량은 감소하며 운전효율은 증가하여 에너지 절약이 가능하다. 일반적으로 2.5% TAC온도를 적용한다.　　　**답 ②**

2 난방부하

공조시스템(온도 습도제어)의 난방부하는 벽체 전열손실, 틈새부하, 외기부하, 가습부하로 구성되며 방열기(온도제어)에 의한 난방부하는 벽체 전열손실, 틈새부하로 구성된다.

1. 난방부하

벽체 전열손실부하(q)	현열부하	공조, 난방
틈새바람부하	현열, 잠열부하	공조, 난방
외기부하	현열, 잠열부하	공조
가습부하	잠열부하	공조

2. 벽체 전열손실부하(q)

손실열량 $q = K$(열관류율)$\times A$(면적)$\cdot \triangle t$(실내외온도차)$\cdot k$(방위계수) (W)

3. 틈새바람부하

난방부하 계산 시 잠열을 무시하는 경우가 많다.

a) q_S(현열)$= 1.2 \times 1.01 \times Q \times (t_0 - t_1)$(kJ/h)　　　(공기비열 $= 1.01$ kJ/kg·K)

b) q_L(잠열)$= 1.2 \times 2501 \times Q \times (x_0 - x_1)$(kJ/h)

　　Q : 극간풍량(m³/h)　　(0℃ 증발잠열 2501 kJ/kg)

---

03 예제문제

극간풍(틈새바람)에 의한 침입 외기량이 3,000L/s일 때, 현열부하와 잠열부하는 얼마인가? (단, 실내온도 25℃, 절대습도 0.0179kg/kg$_{DA}$, 외기온도 32℃, 절대습도 0.0209kg/kg$_{DA}$, 건공기 정압비열 1.005kJ/kg · K, 0℃ 물의 증발잠열 2,501kJ/kg, 공기밀도 1.2kg/m³ 이다.)

① 현열부하 19.9kW, 잠열부하 20.9kW

② 현열부하 21.1kW, 잠열부하 22.5kW

③ 현열부하 23.3kW, 잠열부하 25.4kW

④ 현열부하 25.3kW, 잠열부하 27.0kW

해설

송풍량$= 3,000 L/S \times 3,600 \times \dfrac{1}{1,000} = 10,800 \, \text{m}^3/\text{h} = 10800 \times 1.2 = 12,960 \, \text{kg/h}$

현열부하$= m C \Delta t = 12,960 \times 1.005(32 - 25) = 91.174 \, \text{kJ/h} = 25.3 \, \text{kW}$

잠열부하$= \gamma m \Delta x = 2,501 \times 12,960 \times (0.0209 - 0.0179) = 97239 \, \text{kJ/h} = 27.0 \, \text{kW}$

답 ④

4. 외기부하

외기부하는 실내청정도를 유지하기 위해 외기를 도입할 때 발생하며 틈새부하와 계산식이 같다.

Q_F(외기부하)$= Q_{FS}$(현열외기부하)$+ Q_{FL}$(잠열외기부하)

$Q_{FS} = 1.01 \times 1.2 \times Q(\text{m}^3/\text{h}) \times \Delta te$(온도차)$(\text{kJ/h})$

$Q_{FL} = 2501 \times 1.2 \times Q(\text{m}^3/\text{h}) \times \Delta x$(절대습도차)$(\text{kJ/h})$

5. 가습부하

실내습도를 일정하게 유지하기 위한 가습으로 증기가습과 수 분무(순환수, 온수)가 있다.

a) 가습량 $L = \{$도입외기량$+$틈새바람$(\text{m}^3/\text{h})\} \times 1.2 \times \Delta x(\text{kg/h})$

Δx(실내외 절대습도차 : kg/kg)

b) 가습부하(증기가습)$= L \times 2686(\text{kJ/h})$

(100℃ 증기 엔탈피 $2686(\text{kJ/kg})$와 100℃에서 증기 증발잠열 $2257(\text{kJ/kg})$은 구별해야 합니다. 증기가습에서 가습부하는 증기엔탈피를 적용한다.)

6. 난방도일(HDD)

난방도일은 기간부하 표시법으로 어느 지방의 추운정도를 표시하는 지표로 건물 에너지 해석이나 난방 기간 동안 연료 소비량을 추정하는 데 사용된다.

연료사용량$(G) = \dfrac{24 \cdot Q \cdot \text{HDD}}{\Delta t \cdot F \cdot \eta}$

(HDD : 난방도일, F : 연료저위발열량, η : 보일러 효율, Q : 손실열량)

7. 취출공기온도, 송풍량 계산법

난방은 덕트를 이용하는 공조시스템(VAC)과 방열기에 의한 실내온도 조절을 목적으로 하는 난방(Heating)으로 나누고 이를 합하여 HVAC이라 한다.

(1) 공조설비에 의한 난방 시 취출공기온도 결정

실내 송풍량은 현열부하와 취출온도차로 구하는 방법과 전열부하와 엔탈피차로 구하는 방법이 있으며 송풍량은 보통 온도차법으로 구한다.

공조 시스템 난방 시 취출공기온도(td) 구하는 식

$$m = \frac{q_s}{1.01 \times \Delta t}(\text{kg/h})\text{에서}$$

$$\Delta t = \frac{q_s}{1.01 \times m}$$

$$\therefore\ td = tr + \frac{q_s}{1.01m}$$

$$tr\ :\ \text{실내온도}$$

(2) 공조설비에 의한 난방 시 실내송풍량 결정

실내송풍량은 실내 난방 현열부하와 취출온도차로 구한다.

a) $m = \dfrac{q_s}{1.01 \times \Delta t}$ (kg/h)

m : 실내 취출공기량(kg/h)

q_s : 실내 현열 부하(kJ/h)

Δt : 취출온도차=취출온도−실내온도

b) $m = \dfrac{q_s}{1.01 \times \Delta t}$ (kg/s)

m : 실내 취출공기량(kg/s)

q_s : 실내 현열 부하(kW)

Δt : 취출온도차 = 취출온도 − 실내온도

c) $Q = \dfrac{q_s}{1.01 \times 1.2 \times \Delta t}$ (m³/h)

Q : 실내 취출공기량(m³/h)

공기 밀도 : 1.2 kg/m³(표준상태에서 공기밀도는 1.2를 적용한다)

---

04 예제문제

여름철 외기온도가 30℃일 때 실내의 전열부하가 7,000W, SHF = 0.83인 방을 26℃로 냉방하고자 한다. 이때의 실내 송풍량은 약 몇 m³/h인가? (단, 송풍기의 취출온도는 15℃, 건공기의 정압비열 1.01kJ/kg K, 비중량 1.2kg/m³, 덕트에 의한 열취득은 무시한다.)

① 1,153 m³/h   ② 1,389 m³/h

③ 1,569 m³/h   ④ 1,894 m³/h

해설

$Q = \dfrac{q_s}{\gamma\, C\, \Delta t} = \dfrac{q_t \times SHF}{\gamma\, C\, \Delta t} = \dfrac{7,000 \times 0.83 \times 3.6}{1.2 \times 1.01\,(26-15)} = 1,569\,\mathrm{m}^3/\mathrm{h}$

답 ③

d) 실내송풍량은 실내 난방 전열부하와 취출 엔탈피차로 구할 수 있다.

$$m = \frac{q_t}{\Delta h}(\text{kg/h})$$

m : 실내 취출공기량(kg/h)

q_t : 실내 전열 부하(kJ/h)

Δh : 취출엔탈피차 = 취출엔탈피 − 실내엔탈피

e) $Q = \dfrac{q_t}{1.2 \times \Delta h}(\text{m}^3/\text{h})$

Q : 실내 취출공기량(m³/h)

공기 밀도 : $1.2\,\text{kg/m}^3$ (표준상태에서 공기밀도는 1.2를 적용한다.)

---

05 예제문제

다음 중 일반적으로 난방부하계산에 포함되지 않는 것은?

① 벽체의 열손실　　　　　② 유리면의 열손실

③ 극간풍에 의한 열손실　　④ 조명기구의 발열

해설

조명기구나 인체의 발열은 난방부하에서 무시한다.　　　　　답 ④

---

3 냉방부하

1. 냉방부하의 종류

(1) **실내취득열량** : 벽체, 유리, 극간풍, 인체, 기구 등의 취득열량

(2) **공조기기 부하** : 송풍기, 덕트에 의한 취득열량

(3) **재열부하** : 가열코일에 의한 부하

(4) **도입외기부하** : 외기도입 부하

냉방부하의 종류
① 실내취득열량 : 벽체, 유리, 극간풍, 인체, 기구 등의 취득열량
② 공조기기 부하 : 송풍기, 덕트에 의한 취득열량
③ 재열부하 : 가열코일에 의한 부하
④ 외기부하 : 외기도입 부하

2. 냉방부하와 구성요소

열 종류 분류는 부하요소를 현열과 잠열로 구분하되 수증기가 관련된 틈새바람(극간풍), 외기부하, 인체부하 등은 잠열부하가 있다.

3. 부하계산과 장비용량 결정 순서도

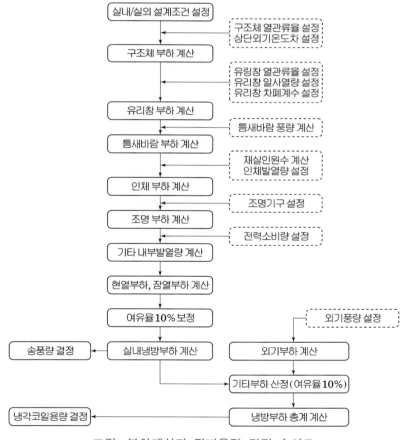

그림. 부하계산과 장비용량 결정 순서도

4 공조부하 계산법

공조부하 계산법에는 시간최대부하 계산법과 기간부하 계산법으로 나누어지며 공조설비 용량을 결정하는 데는 시간최대부하 계산법이 적용되고 기간부하 계산법은 에너지 소비량 해석에 이용된다.

1. 시간최대부하 계산법

난방부하든 냉방부하든 최대부하시를 계산(설비용량 및 송풍량 산정 때 이용)하는 것으로 상당온도차법, CLTD법, TETD법 등 일반적인 냉방부하를 말한다. 이 최대부하 산출 값은 송풍량 및 공조 설비 용량을 산정할 때 이용된다.

2. 기간부하 계산법

일정기간 동안의 부하를 계산하는 것으로 계산방법이 까다롭다. 간단한 계산법으로 난방도일법 등이 있으며 이 계산법은 연료소비량 및 운전비용 등을 산출하는데 이용되며 다음과 같은 방법이 있다.

(1) **동적 열부하계산법** : 건물의 열부하를 계산할 때 시시각각 변화하는 외기조건을 정상상태로 가정하는 것으로는 실내에서 발생하는 열부하를 정확히 파악하기 어렵다. 즉, 실제로 건물의 실내외 조건은 수시로 변화하는 비정상상태이기 때문에 정확한 열부하를 계산하기 위하여 구조체의 축열 성능까지 고려한 정밀한 기간부하계산법으로 모든 변동하는 요소를 대입하여 컴퓨터에 의해 계산한다.

(2) **냉난방도일법** : 건물의 공조 온도차와 공조시간의 곱으로 나타낸다.

(3) **확장도일법** : 냉난방도일법을 일반화시킨 것으로서, 도일법의 개념을 갖고 있으면서 건물이 난방이나 냉방을 요구하지 않는 평균외기온도로 정의한 평형점온도를 기준으로 한 도일을 계산에 넣는 방식이다.

(4) **표준빈(bin) 법** : 이 방법은 여러 가지 외기 기상 상태에서 일어나는 순간 열부하를 계산한 후, 그 결과를 외기조건을 포함하는 이른바 「빈(bin)」으로 불리는 일정한 시간간격의 빈도수(time frequency)에 따라 열부하를 가중 계산하는 방식이다.

(5) **수정빈법** : 종래의 표준빈법에 평균부하 또는 다변부하(diversified load)의 개념을 도입하여 태양열 취득과 내부 발생 열을 기상조건과 발생 정도에 맞도록 가중 계산된 평균값을 적용하여 각각의 빈에서 계산하는 방식이다.

3. 간헐부하계산법

24시간 연속 운전되지 아니한다고 가정하고 계산하는 것으로 벽체 축열효과를 고려한 예열부하, 여열부하 등을 적용하는 것으로 현실적인 부하계산법이다.

> 시간최대부하 계산법(설비용량 및 송풍량 산정 때 이용): 상당온도차법, CLTD법, TETD법
>
> 기간부하 계산법(연료소비량 및 운전비용 등 산출):동적 열부하계산법, 냉난방도일법, 확장도일법, 표준빈(bin)법, 수정빈법등

[11년 1회, 09년 1회]

01 열관류율을 계산하는 데 필요하지 않은 것은?

① 벽체의 두께 ② 벽체의 열전도율
③ 벽체표면의 열전달률 ④ 벽체의 함수율

열관류율(K)식에서
$$\frac{1}{K} = \frac{1}{a_1} + \frac{l_1}{\lambda_1} + \frac{l_2}{\lambda_2} + \frac{1}{a_2}$$
벽체두께, 열전도율, 열전달률을 이용하여 열관류율을 구한다.

[06년 1회]

02 열부하 계산 시 적용되는 열관류율(K)에 대한 설명 중 틀리는 것은?

① 열전도와 대류 열전달이 조합된 열전달을 열관류라 한다.
② 단위는 W/m^2K 이다.
③ 열관류율이 커지면 열부하는 감소한다.
④ 고체벽을 사이에 두고 한쪽 유체에서 반대쪽 유체로 이동하는 열량의 척도로 볼 수 있다.

열관류율(K)이 커지면 열부하(q)가 증가한다. ($q = KA\triangle t$)

[11년 1회]

03 상당외기온도차를 구하기 위한 요소로서 해당되지 않는 것은?

① 흡수율
② 열전도율
③ 직달 일사량($kcal/m^2h$)
④ 외기온도(℃)

$$t_e = t_o + \frac{I \times \lambda}{\alpha}$$
t_e : 상당외기온도, t_o : 외기온도, I : 일사량,
λ : 일사흡수율, α : 열전달률

[15년 2회]

04 다음 중 현열부하에만 영향을 주는 것은?

① 건구온도 ② 절대습도
③ 비체적 ④ 상대습도

습공기에서 온도변화(건구온도)에 관여한 열을 현열이라 하며 수증기변화에 관여한 열을 잠열이라 한다. 이 2가지가 관여한 열을 전열(엔탈피)이라 한다.

[14년 1회]

05 공기조화 부하계산을 할 때 고려하지 않아도 되는 것은?

① 열원방식
② 실내 온·습도의 설정조건
③ 지붕재료 및 치수
④ 실내 발열기구의 사용시간 및 발열량

부하계산은 벽체 종류(열관류율), 면적, 실내외 온도차, 인체 발열량, 기구발열량 등이다.

[11년 1회]

06 다음 설명 중에서 틀리게 표현된 것은?

① 벽이나 유리창을 통해 들어오는 전도열은 감열뿐이다.
② 여름철 실내에서 인체로부터 발생하는 열은 잠열뿐이다.
③ 실내의 기구로부터 발생열은 잠열과 감열이다.
④ 건축물의 틈새로부터 침입하는 공기가 갖고 들어오는 열은 잠열과 감열이다.

인체 발생열은 현열과 잠열이 있다. 실내가 더울수록 잠열부하는 증가한다.

정답 01 ④ 02 ③ 03 ② 04 ① 05 ② 06 ②

[06년 2회]

07 다음 중 송풍량 결정에 관계없는 부하는?

① 벽체로부터 취득 부하
② 극간풍에 의한 부하
③ 기구로부터의 발생부하
④ 재열기기의 부하

> 송풍량은 실내 취득 현열량과 취출온도차로 구하며 재열부하
> 는 직접적인 관계가 없다.

[15년 3회]

08 실내 냉난방 부하 계산에 관한 내용으로 설명이 부적
당한 것은?

① 열부하 구성 요소 중 실내 부하는 유리면 부하, 구조
체 부하, 틈새바람 부하, 내부 칸막이 부하 및 실내
발열부하로 구성된다.
② 열부하 계산의 목적은 실내 부하의 상태, 덕트나 배
관의 크기 등을 구하기 위한 기초가 된다.
③ 최대 난방부하란 실내에서 발생되는 부하가 1일 중 가
장 크게 되는 시각의 부하로서 주로 저녁에 발생한다.
④ 냉방 부하란 쾌적한 실내 환경을 유지하기 위하여 여
름철 실내 공기를 냉각, 감습시켜 제거하여야 할 열
량을 의미한다.

> 최대 난방부하란 외부로의 손실열량으로 부하가 1일 중 가장
> 크게 되는 시각의 부하로서 주로 밤에 발생한다.

[13년 1회, 10년 3회]

09 구조체에서의 손실부하 계산 시 내벽이나 중간층 바
닥의 손실부하를 구하고자 할 때 적용하는 온도차를 구
하는 공식은? (단, t_r : 실내의 온도, t_0 : 실외의 온도)

① $\Delta t = \left(t_r - \dfrac{t_r - t_0}{2}\right)$ ② $\Delta t = \left(t_r + \dfrac{t_r - t_0}{2}\right)$

③ $\Delta t = \left(\dfrac{t_r - t_0}{2}\right)$ ④ $\Delta t = \left(t_r - \dfrac{t_r + t_0}{2}\right)$

> 내벽이나 중간층(실)즉 비난방실 손실부하 계산 시 중간실 온
> 도는 실내외 중간온도를 적용하며 온도차 공식(Δt)
>
> $$\Delta t = \left(t_r - \frac{t_r + t_0}{2}\right)$$

[10년 1회]

10 다음 구조체를 통한 손실열량을 구하는 식에서 Rt는
무엇을 나타내는가? (단, H_t : 손실열량, A : 면적,
t_r, t_o : 실내외 온도)

$$H_t = \frac{1}{Rt} \times (t_r - t_o)[\mathrm{kJ/h}]$$

① 열관류율 ② 열통과 저항
③ 열전도계수 ④ 열복사율

> Rt : 열통과 저항[m²h℃/kcal, m²K/W],
> 열관류(통과)율 $K = \dfrac{1}{Rt}$

[10년 2회]

11 다음과 같은 조건인 벽체의 열관류율은 얼마인가?
(단, 콜타르 1[cm], 열전도율 1.4[W/mK],
콘크리트 15[cm], 열전도율 1.6[W/mK], 암면 5[cm],
열전도율 0.044[W/mK], 하드텍스 0.6[cm],
열전도율 0.14[W/mK], 내표면 열전달률 $a_1 =$
9.3[W/m²K], 외표면의 열전달률 $a_0 = 23.3$[W/m²K])

① 0.475W/m²K
② 0.574W/m²K
③ 0.699W/m²K
④ 0.754W/m²K

> 열관류율(K) = $\dfrac{1}{\dfrac{1}{\alpha_1} + \dfrac{\ell_1}{\lambda_1} + \dfrac{\ell_2}{\lambda_2} + \dfrac{\ell_3}{\lambda_3} + \dfrac{\ell_4}{\lambda_4} + \dfrac{1}{\alpha_2}}$
>
> = $\dfrac{1}{\dfrac{1}{23.3} + \dfrac{0.01}{1.4} + \dfrac{0.15}{1.6} + \dfrac{0.05}{0.044} + \dfrac{0.006}{0.14} + \dfrac{1}{9.3}}$
>
> = 0.699W/m²K

정답 ▶ 07 ④ 08 ③ 09 ④ 10 ② 11 ③

[08년 1회]

12 다음과 같은 벽체의 열관류율 K값은 몇 $[W/m^2K]$인가?

내표면 열전달률 $8W/m^2K$
외표면 열전달률 $30W/m^2K$

번호	재료명	두께 [m]	열전도율 [W/mK]
①	벽돌	0.1	1.2
②	단열재	0.05	0.03
③	콘크리트	0.15	1.40

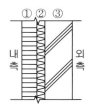

① 0.248   ② 0.363
③ 0.496   ④ 0.521

> 열관류율(K) $= \dfrac{1}{\dfrac{1}{\alpha_1} + \dfrac{\ell}{\lambda} + \dfrac{1}{\alpha_2}}$
>
> $= \dfrac{1}{\dfrac{1}{8} + \dfrac{0.1}{1.2} + \dfrac{0.05}{0.03} + \dfrac{0.15}{1.4} + \dfrac{1}{30}}$
>
> $= 0.496W/m^2K$

[08년 3회]

13 두께 150[mm], 면적 10[m^2]인 콘크리트 내벽의 외부 온도가 30℃, 내부온도가 20℃일 때 8시간 동안 전달되는 열량은 약 얼마인가? (단, 콘크리트 내벽의 열전도율은 1.3[W/mK]이다.)

① 866.7kcal   ② 1,733.3kcal
③ 2,600kcal   ④ 6,933.3kcal

> 벽체의 통과열량은 각 구간의 전달열량과 같다.
>
> 전달열량(Q) $= \dfrac{\lambda}{l} \times A(t_2 - t_1) = \dfrac{1.3}{0.15} \times 10(30-20)$
>
> $= 866.7kJ/h$
>
> 8시간 동안 전달열량 $= 866.7 \times 8 = 6933kcal$

[15년 2회]

14 다음의 표시된 벽체의 열관류율은?

(단, 내표면의 열전달률 $\alpha_1 = 8W/m^2K$,
외표면의 열전달률 $\alpha_0 = 20\,W/m^2K$,
벽돌의 열전도율 $\lambda_a = 0.5\,W/mK$,
단열재의 열전도율 $\lambda_a = 0.03\,W/mK$,
모르타르의 열전도율 $\lambda_c = 0.62W/mK$ 이다.)

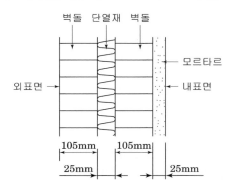

① $0.685W/m^2K$ ② $0.778W/m^2K$
③ $0.813W/m^2K$ ④ $1.460W/m^2K$

> 열관류율(K) $= \dfrac{1}{\dfrac{1}{\alpha_1} + \dfrac{\ell_1}{\lambda_1} + \dfrac{\ell_2}{\lambda_2} + \dfrac{\ell_3}{\lambda_3} + \dfrac{\ell_4}{\lambda_4} + \dfrac{1}{\alpha_2}}$
>
> $= \dfrac{1}{\dfrac{1}{20} + \dfrac{0.105}{0.5} + \dfrac{0.025}{0.03} + \dfrac{0.105}{0.5} + \dfrac{0.02}{0.62} + \dfrac{1}{8}}$
>
> $= 0.685W/m^2K$

[14년 1회]

15 도서관의 체적이 630[m^3]이고 공기가 1시간에 2회 비율로 틈새바람에 의해 자연 환기될 때 풍량[m^3/min]은 약 얼마인가?

① 12   ② 21
③ 44   ④ 57

> 환기횟수 2회 일 때 환기 총 풍량
>
> (V) $= NV = 2 \times 630 = 1260m^3/h$
>
> 분당 환기량 $= 1260 \div 60 = 21m^3/min$

[11년 2회]

16 용량 10[kW]의 전동기에 의해 작동되는 기계가 있다. 전동기는 실외, 기계는 실내에 있는 경우 장치로부터 취득되는 열량은 얼마인가?(단, 전동기의 부하율은 0.85, 전동기의 가동률은 0.7, 전동기의 효율은 0.8이다.)

① 1.279kJ/h ② 5.117kJ/h
③ 6.396kJ/h ④ 8.600kJ/h

전동기는 실외, 기계는 실내에 있는 경우 장치로부터 취득되는 열량은 기계로 공급된 에너지 이므로 전동기 장치 취득열량(Q) = $10 \times 0.85 \times 0.7 = 5.95$kW $= 5.95 \times 860 = 5117$kJ/h

[11년 3회]

17 5,000[W]의 열을 발산하는 기계실의 온도를 26℃로 유지하기 위한 환기량은 약 얼마인가?(단, 외기온도 12℃, 공기 정압비열 1.01[kJ/kg℃], 밀도 1.2[kg/m³]이다.)

① 294.67m³/h ② 353.6m³/h
③ 1,060.82m³/h ④ 1,272.98m³/h

환기량 $= \dfrac{q}{\rho \times C \triangle t} = \dfrac{5000/1000}{1.2 \times 1.01 \times (26-12)}$
$= 0.2947$m³/s $= 1060.8$m³/h

[12년 2회]

18 어떤 실내의 현열량이 12600[kJ/h], 실내온도 25℃, 송풍기 출구온도 15℃일 때 실내 송풍량은 약 얼마인가? (단, 공기의 비열 1.01[kJ/kgK], 공기의 비중량 1.2[kg/m³]으로 한다.)

① 1010m³/h ② 1020m³/h
③ 1030m³/h ④ 1040m³/h

송풍량 $= \dfrac{q_s}{\rho \times C \triangle t} = \dfrac{12600}{1.2 \times 1.01 \times (25-15)} = 1040$m³/h

[12년 3회]

19 어떤 실내공간의 냉방 설계 온습도 조건이 26℃ DB, 50% RH이고, 냉방부하 중 현열부하 $q_s = 12600$[kJ/h], 잠열부하 $q_L = 4200$[kJ/h]였다면 공급해야 할 송풍량은 약 얼마인가? (단, 냉풍의 취출온도 16℃, 공기의 정압비열 Cp=1.01[kJ/kgK], 공기의 밀도 $r = [1.2$kg/m³]이다.)

① 694m³/h ② 1,040m³/h
③ 1,389m³/h ④ 1,426m³/h

송풍량 $= \dfrac{q_s}{\rho \times C \triangle t} = \dfrac{12600}{1.2 \times 1.01 \times (26-16)} = 1040$m³/h
송풍량계산은 현열부하와 취출온도차(실내-취출온도)로 구하므로 잠열부하는 관계없다.

[15년 3회]

20 지하철 터널환기의 열부하에 대한 종류로 가장 거리가 먼 것은?

① 열차주행에 의한 발열 ② 열차 제동 발생 열량
③ 보조기에 의한 발열 ④ 열차 냉방기에 의한 발열

지하철 터널환기의 열부하 종류에서 열차 제동은 전기식 발전 제동장치로 열부하가 가장 적다.

[11년 1회]

21 외기온도 −11℃, 실내온도 18℃, 실내습도 70%(노점온도 12.5℃)일 때 외벽의 내면에 이슬이 생기지 않도록 하려면 외벽의 열통과율을 얼마로 해야 하는가? (단, 내면의 열전달률은 11.6[W/m²K]이다.)

① 2.5W/m²K 이하 ② 2.5W/m²K 이상
③ 2.2W/m²K 이하 ④ 2.2W/m²K 이상

벽체 열통과량과 내면 열전달량 사이에 열평형식을 세우면
$KA \triangle t = \alpha_i A \triangle t_s$ 에서
$K = \dfrac{\alpha_i \triangle t_s}{\triangle t} = \dfrac{11.6(18-12.5)}{18-(-11)} = 2.2$
열관류율 K = 2.2W/m²K 이하

PARAT 01

공기조화 설비

[13년 3회, 10년 3회, 07년 2회]

22 실내취득 냉방부하가 아닌 것은?

① 재열부하
② 벽체의 축열부하
③ 극간풍에 의한 부하
④ 유리창의 복사열에 의한 부하

재열부하는 공조기에서 재열 시 취득열량이다.

[12년 3회]

23 공기조화 부하 중 실내 취득 열량이 아닌 것은?

① 인체 발생 열량
② 벽체로부터의 열량
③ 덕트로부터의 열량
④ 기구 발생 열량

덕트로부터의 열량은 공조하기 위해서 설치한 장치 부하의 일종이다.

[11년 3회]

24 냉방부하 종류 중 실내부하에 해당되지 않는 것은?

① 배관에서의 손실열
② 유리를 통과하는 전도열
③ 지붕을 통과하는 복사열
④ 인체에서의 발생열

배관, 덕트, 펌프, 팬부하는 공조하기 위해서 설치한 장치부하(공조기기 부하)의 일종이며 배관 손실열은 난방부하의 일종이고 배관 취득열이 냉방부하의 일종이다.

[12년 1회]

25 다음 중 실내 발열부하가 아닌 것은?

① 펌프부하
② 조명부하
③ 인체부하
④ 기구부하

펌프부하는 공조하기 위해서 설치한 장치부하(공조기기 부하)의 일종이다.

[15년 3회, 13년 1회, 10년 1회]

26 냉방부하 종류 중 현열로만 이루어진 부하는?

① 조명에서의 발생 열
② 인체에서의 발생 열
③ 문틈에서의 틈새 바람
④ 실내기구에서의 발생 열

현열부하는 수증기와 관계없는 부하로서 조명기구(백열등, 형광등), 유리창부하, 공조기기부하 등이다.

[13년 3회]

27 냉방부하의 종류 중 현열만 존재하는 것은?

① 외기를 실내 온습도로 냉각, 감습시키는 열량
② 유리를 통과하는 전도열
③ 문틈에서의 틈새바람
④ 인체에서의 발생열

유리를 통과하는 전도열은 수증기와 무관한 현열부하이다.

[12년 1회]

28 냉방부하에 관한 설명이다. 옳은 것은?

① 조명에서 발생하는 열량은 잠열에서 외기부하에 해당된다.
② 상당외기온도는 방위, 시각 및 벽체 재료 등에 따라 값이 정해진다.
③ 유리창을 통해 들어오는 부하는 태양복사열만 계산한다.
④ 극간풍에 의한 부하는 실내외 온도차에 의한 현열만을 계산한다.

조명 부하는 실내취득열량이다.
유리창부하는 열관류와 일사(복사열)의 합이다.
극간풍(틈새바람) 부하는 현열과 잠열의 합이다.

정답 22 ① 23 ③ 24 ① 25 ① 26 ① 27 ② 28 ②

[15년 1회, 11년 2회]
29 공기조화 부하의 종류 중 실내부하와 장치부하에 해당되지 않는 것은?

① 사무기기나 인체를 통해 실내에서 발생하는 열
② 외부의 고온 기류 중 실내로 들어오는 열
③ 덕트에서의 손실열
④ 펌프동력에서의 취득열

> 펌프동력에서의 취득열은 냉각코일에 순환하는 냉수로 부터의 부하로 냉동기 용량에 관계한다.

[07년 2회]
30 다음의 냉방부하 중에서 현열부하와 잠열부하를 모두 포함하고 있는 것은?

① 벽체로부터의 취득열량
② 송풍기로부터의 취득열량
③ 재열기의 취득열량
④ 극간풍에 의한 취득열량

> 극간풍은 공기 중의 수증기로 인하여 현열부하와 잠열부하를 모두 갖고 있다.

[07년 1회]
31 다음 중 현열부하에만 영향을 주는 것은?

① 건구온도
② 절대습도
③ 비체적
④ 상대습도

> 건구온도는 현열부하에 영향을 준다.

[06년 3회]
32 다음 취득 열량 중 잠열이 포함되지 않는 것은?

① 인체의 발열
② 조명기구의 발열
③ 외기의 취득열
④ 증기 소독기의 발생열

> 조명기구는 수증기 발생이 없어 현열 부하만 발생한다.

[06년 2회]
33 다음 중 현열부하 및 잠열부하를 가지고 있는 것은?

① 유리창을 통한 일사량
② 외벽의 손실열량
③ 인체부하
④ 형광등 발열부하

> 인체부하는 현열부하와 잠열부하를 모두 포함한다.

[14년 1회, 07년 3회]
34 우리나라에서 오전 중에 냉방 부하가 최대가 되는 존(Zone)은 어느 방향인가?

① 동쪽 방향
② 서쪽 방향
③ 남쪽 방향
④ 북쪽 방향

> 오전 중 냉방부하 최대 방위는 동쪽 방향, 오후는 서쪽이다.

[11년 1회]
35 냉방부하 계산 시 상당외기온도차를 이용하는 경우는?

① 유리창의 취득열량
② 외벽의 취득열량
③ 내벽의 취득열량
④ 침입외기 취득열량

> 상당외기온도차란 일사를 받는 외벽체의 일사에 의한 취득열량을 외기온도로 환산하여 계산하는 것이다.
>
> 상당외기온도
> $$= \frac{\text{벽체표면의 일사흡수율}}{\text{표면열전달률}} \times \text{벽체표면 일사량} + \text{외기온도}$$

[14년 3회]
36 냉방부하의 경감방법으로 틀린 것은?

① 건물의 단열강화로 열전도에 의한 침입을 방지한다.
② 건물의 외피면적에 대한 창면적비를 적게 하여 일사 등, 창을 통한 열의 침입을 최소화한다.
③ 실내조명을 되도록 밝게 하여 시원한 가을 느끼게 한다.
④ 건물은 되도록 기밀을 유지하고 사람 출입이 많은 주 출입구는 회전문을 채용한다.

> 실내조명을 밝게 하면 조명기구에 의하여 냉방부하가 증가한다.

정답 29 ④ 30 ④ 31 ① 32 ② 33 ③ 34 ① 35 ② 36 ③

[12년 2회]

37 냉방 시 유리를 통한 일사 취득열량을 줄이기 위한 방법으로 옳지 않은 것은?

① 유리창의 입사각을 적게 한다.
② 투과율을 적게 한다.
③ 반사율을 크게 한다.
④ 차폐계수를 적게 한다.

> 유리창의 입사각을 적게 하면(0°) 일사가 유리창에 수직(90°)으로 작용하므로 취득열량은 증가한다.

[13년 1회]

38 냉방 시 침입외기가 200[m³/h]일 때 침입외기에 의한 냉방부하는 약 얼마인가?
(단, 외기는 32[℃ DB], 0.018[kg/kg DA], 실내는 27[℃ DB], 0.013[kg/kg DA]이며, 침입외기 밀도 1.2[kg/m³], 건공기 정압비열 1.01[kJ/kgK]이다.)

① 3,001kJ/h
② 1,215kJ/h
③ 4,213kJ/h
④ 5,655kJ/h

> 침입외기열량 $= 200 \times 1.2 = 240$kg/h
> 현열부하 $= mC\triangle t = 240 \times 1.01 \times (32-27) = 1,212$kJ/h
> 잠열부하 $= \gamma m \triangle x = 2501 \times 240 \times (0.018-0.013)$
> $= 3,001$kJ/h
> ∴냉방부하 $= 1,212 + 3,001 = 4,213$kJ/h

[12년 1회]

39 실내취득열량 중 현열이 105000kJ/h일 때, 실내온도를 26℃로 유지하기 위해 14℃의 공기를 송풍하고자 한다. 송풍량은 약 얼마[m³/min])인가?
(단, 공기의 비열은 [1.01kJ/kgK], 공기의 비중량은 [1.2kg/m³]로 한다.)

① 7220
② 1042
③ 173.6
④ 120.3

> 실내 송풍량 계산(Q)는 $q_s = \rho Q C \triangle t$에서 $Q = \dfrac{q_s}{\rho C \triangle t}$
> $$Q = \frac{105000}{1.2 \times 1.01 \times (26-14)} = 7219.5\text{m}^3/\text{h} = 120.3\text{m}^3/\text{min}$$

[연습문제]

40 실내취득열량 중 현열이 30,000W일 때, 실내온도를 26℃로 유지하기 위해 14℃의 공기를 송풍하고자 한다. 송풍량은 약 얼마(m³/min)인가? (단, 공기의 비열은 1.01kJ/kgK, 공기의 밀도는 1.2kg/m³로 한다.)

① 7.28
② 10.46
③ 73.6
④ 123.8

> 실내 송풍량 계산(Q)는 $q_s = \rho Q C \triangle t$에서 $Q = \dfrac{q_s}{\rho C \triangle t}$
> $$Q = \frac{30,000/1000}{1.2 \times 1.01 \times (26-14)} = 2.063\text{m}^3/\text{s} = 123.8\text{m}^3/\text{min}$$
> 30,000W를 kW로 환산하기 위해 1,000으로 나눈다.

[10년 2회]

41 공기조화를 하고자 하는 어떤 실의 냉방부하를 계산한 결과 현열부하 $q_s = 4070$W, 잠열부하 $q_L = 594$W였다. 이때 취출공기의 온도를 17℃, 실내 기온을 26℃로 하면 취출풍량은 약 얼마인가?
(단, 습공기의 정압비열 $C_{pa} = 1.01$kJ/kgK 이다.)

① 1314(kg/h)
② 1530(kg/h)
③ 1612(kg/h)
④ 1851(kg/h)

> 실내 송풍량 계산(m)는 $q_s = m C \triangle t$에서 $m = \dfrac{q_s}{C \triangle t}$
> $$m = \frac{4070 \times 3600}{1000 \times 1.01 \times (26-17)} = 1612\text{kg/h}$$
> (3600을 곱하는 이유는 W를 J/h로 고치고 1000으로 나누면 kJ/h가 된다)

[09년 1회]

42 어떤 방의 냉방 시 현열 $q_s = 50,000$ kJ/h, 잠열 $q_L = 20,000$ kJ/h 이고 취출온도와 실내 온도차가 10℃일 때 취출풍량을 구하면 얼마인가? (단, 공기의 비열 1.01kJ/kgK, 비중량 1.2kg/m³ 이다.)

① 4950kg/h
② 4200kg/h
③ 3800kg/h
④ 3520kg/h

> 실내 송풍량 계산(m)는 $q_s = m C \triangle t$에서 $m = \dfrac{q_s}{C \triangle t}$
> $$m = \frac{50,000}{1.01 \times 10} = 4950\text{kg/h}$$

정답 37 ① 38 ③ 39 ④ 40 ④ 41 ③ 42 ①

[09년 3회, 07년 3회]

43 어떤 방의 취득 현열량이 23280W로 산출되었다. 실내온도 25℃로 유지하기 위해서 15℃의 공기를 취출한다면 실내로의 송풍량은 약 몇 m³/h인가?
(단, 공기의 비중량은 1.2kg/m³, 정압비열은 1.01kJ/kgK로 한다.)

① 4,164   ② 4,673

③ 6,121   ④ 6,915

실내 송풍량 계산(Q)는 $q_s = \rho Q C \Delta t$에서 $Q = \dfrac{q_s}{\rho C \Delta t}$

$Q = \dfrac{23280}{1000 \times 1.01 \times (25-15)} = 2,3054\text{kg/h} = 8298\text{kg/h}$

$= 6915\text{m}^3/\text{h}$(W를 1000으로 나누어 kW=kJ=s=kg/s로 환산)

[15년 3회, 06년 1회]

44 실내의 현열부하가 31500kJ/h, 실내와 말단장치(Diffuser)의 온도가 각각 27℃, 17℃일 때 송풍량은?

① 3,119kg/h   ② 2,586kg/h

③ 2,325kg/h   ④ 2,186kg/h

실내 송풍량 계산(m)는 $q_s = m C \Delta t$에서 $m = \dfrac{q_s}{C \Delta t}$

$m = \dfrac{31500}{1.01 \times (27-17)} = 3,119\text{kg/h}$

[14년 3회]

45 8,000W의 열을 발산하는 기계실의 온도를 외기 냉방하여 26℃로 유지하기 위한 외기도입량은? (단, 밀도 1.2kg/m³, 공기 정압비열 1.0kJ/kg℃, 외기온도 11℃이다.)

① 약 600m³/h   ② 약 1,584m³/h

③ 약 1,851m³/h   ④ 약 2,160m³/h

$8,000\text{W} = 8\text{kW}$

실내 송풍량 계산(Q)는 $q_s = \rho Q C \Delta t$에서 $Q = \dfrac{q_s}{\rho C \Delta t}$

$Q = \dfrac{8}{1.2 \times 1.01 \times (26-11)} = 0.44\text{m}^3/\text{s} = 1584\text{m}^3/\text{h}$

[11년 3회, 08년 1회, 06년 3회]

46 40W 짜리 형광등 10개를 조명용으로 사용하는 사무실이 있다. 이때 조명기구로부터의 취득 열량은 약 얼마인가?(단, 안정기의 부하는 20%로 한다.)

① 1128kJ/h   ② 1428kJ/h

③ 1728kJ/h   ④ 1928kJ/h

조명기구 취득열량 $= 40\text{W} \times 10 \times (1+0.2) = 480\text{W}$
$= 480\text{J/s} = 1728\text{kJ/h}$

[15년 3회]

47 실내온도가 25℃이고, 실내 절대습도가 0.0165kg/kg의 조건에서 틈새바람에 의한 침입 외기량이 200L/s일 때 현열부하와 잠열부하는?(단, 실외온도35℃, 실외 절대습도 0.0321kg/kg, 공기의 비열 1.01kJ/kg·K, 물의 증발잠열 2,501kJ/kg이다.)

① 현열부하 2.42kW, 잠열부하 7.803kW

② 현열부하 2.42kW, 잠열부하 9.364kW

③ 현열부하 2.828kW, 잠열부하 10.144kW

④ 현열부하 2.828kW, 잠열부하 10.924kW

외기량 $200\text{L/s} = 0.2\text{m}^3/\text{s} = 720\text{m}^3/\text{h} = 864\text{kg/h}$
현열부하$= mC\Delta t = 864 \times 1.01 \times (35-25)$
$= 8,726.4\text{kJ/h} = 2.424\text{kW}$
잠열부하$= \gamma m \Delta x = 2,501 \times 864(0.0321 - 0.0165)$
$= 33,709\text{kJ/h} = 9.364\text{kW}$

[06년 1회]

48 실내온도 26℃의 사무실에서 일반사무에 종사하고 있는 사람의 발열량으로 가장 적당한 것은 어느 것인가?

	현열	잠열
①	40W	100W
②	20W	90W
③	58W	70W
④	90W	30W

26℃ 사무실(사람의 발열량) : 현열(58W), 잠열(70W) 정도이다.

[09년 3회, 08년 2회]

49 공조 부하 계산에서 백열등 1kW당 방열량은?

① 1kJ/h　　　　　　② 600kJ/h

③ 3,600kJ/h　　　　④ 10,000kJ/h

> $1kW = 1kJ/s = 3600kJ/h = 3600 \div 4.186 = 860kcal/h$
> $(1kcal = 4.186kJ)$

[11년 3회]

50 실내 온습도 조건이 26℃, 50%인 어떤 방의 냉방부하를 계산한 결과 현열부하 $q_s = 3,000\,kJ/h$, 잠열부하 $q_L = 1,000\,kJ/h$였다면 이때 현열비는 얼마인가?

① 0.65　　　　　　② 0.68

③ 0.75　　　　　　④ 0.80

> 현열비(SHF) $= \dfrac{\text{현열}}{\text{현열+잠열}} = \dfrac{3,000}{1,000+3,000} = 0.75$

[08년 2회]

51 어떤 실내의 전체 취득열량이 7,600W, 잠열량이 2,100W이다. 이때 실내를 26℃, 50%(RH)로 유지시키기 위해 취출 온도차를 10℃로 일정하게 하여 송풍한다면 실내 현열비는 약 얼마인가?

① 0.28　　　　　　② 0.68

③ 0.72　　　　　　④ 0.88

> 실내 현열량 $= 7,600 - 2,100 = 5,500W$
> $\therefore$ 현열비(SHF) $= \dfrac{\text{현열}}{\text{전열}} = \dfrac{5,500}{7,600} = 0.72$

[12년 1회]

52 지붕 구조체의 열관류율 0.48 W/m²℃, 면적 200 m², 냉방부하온도차(CLTD) 34℃, 실내온도 26℃일 때 관류에 의한 냉방부하는 얼마인가?

① 768W　　　　　　② 2,496W

③ 2,880W　　　　　④ 3,264W

> 열관류량$(Q) = K \times A \times \Delta t = 0.48 \times 200 \times 34 = 3,264$ W

[08년 3회]

53 일사의 영향을 받는 외벽 지붕을 통한 취득열량(qw)을 구하는 식으로 맞는 것은? (단, 시간에 제약받지 않으며 K는 열관류율(W/m²K), A는 벽체의 면적(m²), te는 상당외기온도(℃), tr은 실내온도(℃)이다.)

① $qw = K \cdot A \cdot (te - tr)$

② $qw = \dfrac{K \cdot A}{te - tr}$

③ $qw = \dfrac{te - tr}{K \cdot A}$

④ 취득열량 $(qw) = K \cdot A (tr - te)$

> 상당온도차를 적용할 때 $\Delta t =$ 상당외기온도−실내온도로 한다.
> $qw = K \times A \times \Delta t = K \times A(te - tr)$

[08년 1회]

54 크기가 15m×5m, 천장고가 2.4m인 어느 실의 틈새 바람에 의한 전열부하(kJ/h)는 약 얼마인가?

【 조 건 】

구분	건구온도 (℃)	상대습도 (%)	엔탈피 (kJ/kg)
실내	26	50	53
외기	31	67	82
환기횟수	2회/h		
공기성질	• 비중량 : 1.2 kg/m³ • 비 열 : 1.01kJ/kgK		

① 약 9860　　　　　② 약 12528

③ 약 14746　　　　④ 약 19496

> 실체적(V) $= 15 \times 5 \times 2.4 = 180m^3$,
> 틈새바람양은 2회 이므로 $2 \times 180m^3/h$이고
> 전열부하 $= m\Delta h = 2 \times 180 \times 1.2(82 - 53) = 12528kJ/h$

[09년 3회]

55 난방부하계산에서 손실부하에 해당되지 않는 것은?

① 외벽, 유리창, 지붕에서의 부하
② 조명기구, 재실자의부하
③ 틈새바람에 의한 부하
④ 내벽, 바닥에서의 부하

조명기구, 재실자의 부하는 난방부하에서는 감소 요인이며 일반적으로 무시한다.

[11년 2회]

56 난방설계조건에서 실내온도 결정 시 고려해야 할 사항이 아닌 것은?

① 건물의 구조
② 건물의 용도
③ 재실자의 연령, 체질, 활동상태 등의 특성
④ 관련 법정기준(에너지 절약 설계기준 등)

난방에서 실내온도 결정 시 건물의 구조는 고려사항이 아니다.

[14년 2회, 11년 3회]

57 난방부하 계산 시 온도 측정방법에 대한 설명 중 틀린 것은?

① 외기온도 : 기상대의 통계에 의한 그 지방의 매일 최저 온도의 평균값 보다 다소 높은 온도
② 실내온도 : 바닥 위 1m의 높이에서 외벽으로부터 1m 이내 지점의 온도
③ 지중온도 : 지하실의 난방부하의 계산에서 지표면 10m 아래까지의 온도
④ 천장 높이에 따른 온도 : 천장의 높이가 3m 이상이 되면 직접난방법에 의해서 난방 할 때 방의 윗부분과 밑면과의 평균 온도

난방부하 계산 시 실내온도는 바닥 위 1.5m 높이 외벽에서 1m 이상의 지점에서 측정한다.

[15년 2회]

58 극간풍의 풍량을 계산하는 방법으로 틀린 것은?

① 환기 횟수에 의한 방법
② 극간 길이에 의한 방법
③ 창 면적에 의한 방법
④ 재실 인원수에 의한 방법

극간풍의 풍량 계산방법에 재실자 인원수에 의한 방법은 없으며 도입 외기량을 결정할 때는 재실자 인원을 고려한다.

[12년 2회, 07년 3회]

59 극간풍량을 구하는 방법으로 옳지 않은 것은?

① 환기횟수법
② 창문 길이법
③ DOP법
④ 이용 빈도수에 의한 풍량

DOP법은 고성능 필터 성능 측정방법이다.

[11년 2회, 08년 2회]

60 공기조화를 하고 있는 건축물의 출입구로부터 들어오는 틈새바람을 줄이기 위한 가장 효과적인 방법은?

① 출입구에 자동 개폐되는 문을 사용한다.
② 출입구에 회전문을 사용한다.
③ 출입구에 플로어 힌지를 부착한 자재문을 사용한다.
④ 출입구에 수동문을 사용한다.

출입구에 설치되는 회전문은 건축물의 틈새바람을 줄이는 데 가장 효과적이다.

[15년 3회, 06년 2회]

61 콜드 드래프트(Cold Draft) 현상이 가중되는 원인으로 가장 거리가 먼 것은?

① 인체 주위의 공기온도가 너무 낮을 때
② 인체 주위의 기류속도가 작을 때
③ 주위 공기의 습도가 낮을 때
④ 주위 공기의 온도가 낮을 때

정답 55 ② 56 ① 57 ② 58 ④ 59 ③ 60 ② 61 ②

인체 주위의 기류속도가 클수록 콜드 드래프트(Cold Draft) 현상이 심해진다.

[14년 2회]

62 직접 난방부하 계산에서 고려하지 않은 부하는 어느 것인가?

① 외기도입에 의한 열손실
② 벽체를 통한 열손실
③ 유리창을 통한 열손실
④ 틈새바람에 의한 열손실

직접 난방이란 외기도입을 고려하지 않으므로 외기도입에 의한 열손실은 무시한다.

[12년 1회]

63 일반적인 난방부하 계산 시 포함하지 않는 난방부하 경감요인에 해당하는 것은?

① 침입외기 영향
② 일사영향
③ 외기도입 영향
④ 벽체의 관류영향

난방 시 외부에서 창을 통해 들어오는 일사의 영향은 난방부하 감소요인이나 일반적으로 무시한다.

[10년 2회]

64 난방부하를 줄일 수 있는 요인이 아닌 것은?

① 극간풍에 의한 잠열
② 태양열에 의한 복사열
③ 인체의 발생열
④ 기계의 발생열

태양 복사열이나 실내 발열량(인체, 기계)은 난방부하를 감소시키나 극간풍의 현열이나 잠열은 난방부하를 증가시킨다.

[15년 1회]

65 난방부하 계산 시 침입외기에 의한 열손실로 가장 거리가 먼 것은?

① 공조장치의 공기냉각기
② 공조장치의 공기가열기
③ 공조장치의 수액기
④ 열원설비의 냉각탑

열원설비의 냉각탑과 침입외기는 관계가 없다.

[14년 2회, 06년 2회]

66 겨울철 침입외기(틈새바람)에 의한 잠열 부하(kJ/h)는? (단, Q는 극간풍량(m^3/h)이며, t_0, t_r은 각각 외기, 실내온도($\degree C$), x_0, x_r은 각각 실외, 실내의 절대습도(kg/kg)이다.)

① $q_L = 0.24 \cdot Q \cdot (t_0 - t_r)$
② $q_L = 717 \cdot Q \cdot (t_0 - t_r)$
③ $q_L = 539 \cdot Q \cdot (x_0 - x_r)$
④ $q_L = 3001 \cdot Q \cdot (x_0 - x_r)$

$$잠열(q_L) = \gamma \cdot m(x_0 - x_r) = 2501 \times 1.2 Q_1 \cdot (x_0 - x_r)$$
$$= 3001 Q_1 \cdot (x_0 - x_r)(0\degree C \text{ 증발잠열 } 2501 kJ/kg)$$

[14년 3회]

67 다음은 난방부하에 대한 설명이다. ( )에 들어 갈 적당한 용어로서 옳은 것은?

> 겨울철 실내는 일정한 온도 및 습도를 유지하여야 한다. 이때 실내에서 손실된 (㉮)이나 (㉯)를(을) 보충하여야 하며, 이때의 난방부하는 냉방부하 계산보다 (㉰)하게 된다.

① ㉮ 수분, ㉯ 공기, ㉰ 간단
② ㉮ 열량, ㉯ 공기, ㉰ 복잡
③ ㉮ 수분, ㉯ 열량, ㉰ 복잡
④ ㉮ 열량, ㉯ 수분, ㉰ 간단

난방시 현열(열량)과 잠열(수분)을 공급해야 하며 난방부하 계산은 냉방부하보다 간단하다.

정답 62 ① 63 ② 64 ① 65 ④ 66 ④ 67 ④

[14년 3회, 13년 1회]

68 외기의 온도가 −10℃이고 실내온도가 20℃이며 벽 면적이 25m²일 때, 실내의 열손실량은?(단, 벽체의 열관류율 10W/m²·K, 방위계수는 북향으로 1.2이다.)

① 7kW
② 8kW
③ 9kW
④ 10kW

손실열량$(Q) = K \times A \times (t_2 - t_1) \times k$
$\qquad = 10 \times 25 \times (20 - (-10)) \times 1.2 = 9,000W = 9kW$

[14년 3회, 13년 1회]

69 외기온도 −5℃, 실내온도 20℃, 벽면적 20m²인 실내의 열손실량은 얼마인가? (단, 벽체의 열관류율 9W/m²K, 벽체두께 20cm, 방위계수는 1.2이다.)

① 5400W
② 5040W
③ 3900W
④ 2980W

손실열량$(Q) = K \times A \times (t_2 - t_1) \times k$
$\qquad = 9 \times 20 \times (20 - (-5)) \times 1.2 = 5400W$

[08년 3회]

70 인접실, 복도, 상층, 하층이 공조되지 않는 일반 사무실의 남쪽 내벽만의 손실 열량은 얼마인가? (단, 설계조건은 실내온도 20℃, 실외온도 0℃, 내벽 $k = 1.86W/m²K$으로 한다.)

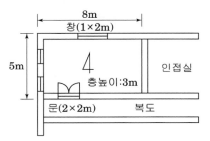

① 1339kJ/h
② 1560kJ/h
③ 2080kJ/h
④ 3050kJ/h

남쪽 벽체 면적 $= (3 \times 8) - (2 \times 2) = 20m²$
인접실 온도는 실내외 중간온도 $= (0 + 20)/2 = 10$
손실열량
$q = KA\triangle t = 1.86 \times 20(20 - 10) = 372W = 1339kJ/h$

[15년 2회, 13년 1회]

71 다음 장치도 및 $t - x$ 선도와 같이 공기를 혼합하여 냉각, 재열한 후 실내로 보낸다. 여기서 외기부하를 나타내는 식은? (단, 혼합공기량은 $G(kg/h)$이다.)

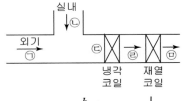

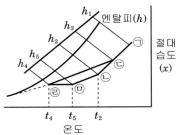

① $q = G(h_3 - h_4)$
② $q = G(h_1 - h_3)$
③ $q = G(h_5 - h_4)$
④ $q = G(h_3 - h_2)$

외기부하는 외기량(G_o)과 실내외 엔탈피차로 구하며 또는 혼합공기량(G)과 혼합 엔탈피차로도 구한다.
$q = G_o(h_1 - h_2) = G(h_3 - h_2)$

난방설비

1 난방설비 분류

1. 난방의 분류

개별난방	직접난방, 복사난방		히트펌프, 온풍로, 개별보일러
중앙난방		직접난방	증기난방, 온수난방
		간접난방	온풍난방
		복사난방	복사난방

2. 난방방식별 특징

(1) **직접난방** : 증기, 온수난방 등으로 방열기에 열매를 공급하여 실내공기를 직접 가열하여 난방(온도조절 가능, 습도조절 불가능)

(2) **간접난방** : 일정장소에서 외부 공기를 가열하여 덕트를 통해 실내에 공급하여 난방

(3) **복사난방** : 실내의 벽 및 바닥, 천장에 코일파이프를 배관하여 열매공급(쾌감도가 좋음)

(4) **지역난방** : 다량의 고압증기 또는 고온수를 이용하여 어느 한 일정지역을 공급하는 방식

---

01 예제문제

간접난방과 직접난방을 비교한 다음 사항 중 옳지 않은 것은?

① 간접난방은 중앙 공조기에 의해서 공기를 가열해 실내로 공급하는 방식이다.

② 직접난방은 방열기에 의해서 실내공기를 가열하는 방식이다.

③ 간접난방방식은 방열형식에 따라 대류난방과 복사난방으로 나눌 수 있다.

④ 설비비는 일반적으로 직접난방방식이 간접난방방식보다 고가이다.

해설
직접난방방식은 실내공기를 가열하는 방열형식에 따라 대류난방과 복사난방으로 나눌 수 있다.

답 ③

3. 난방방식 비교

(1) **쾌감도** : 복사난방 > 온수난방 > 증기난방

(2) **열용량** : 복사난방 > 온수난방 > 증기난방

(3) **설비비** : 복사난방 > 온수난방 > 증기난방

(4) **제어성** : 온수난방은 비례제어성이 있지만 증기난방은 ON-OFF 제어만 가능

2 중앙난방

1. 증기난방

(1) **장점**
- 잠열을 이용하므로 열의 운반 능력이 크다.
- 예열 시간이 짧고 증기 순환이 빠르다.
- 설비비가 싸다.
- 방열 면적과 관경이 작아도 된다.

(2) **단점**
- 쾌감도가 나쁘다.
- 스팀소음(스팀 해머)가 많이 난다.
- 부하 변동에 대응이 곤란하다.
- 보일러 취급 시 기술자(자격 소유자)를 요한다.

(3) **증기 난방의 설계 순서**

난방부하계산 ⇒ 필요방열면적산출 ⇒ 각실 방열기 배치(layout) ⇒ 배관 관경결정 ⇒ 보일러 용량산출 ⇒ 응축수 펌프 등 부속기기 용량 결정

(4) **응축수 환수 방식에 의한 분류**

방열기 또는 설비에서 증기트랩을 통해 배출된 응축수를 환수하는 방식에 따라 중력환수식, 기계환수식, 진공환수식으로 구분할 수 있다.
- 중력환수식 : 방열기로부터 배출된 응축수를 환수하는 응축수 환수관에 1/100정도의 기울기를 주어 보일러로 직접 환수하거나 보일러실에 위치한 탱크 (또는 급수탱크)로 환수하는 방식을 말한다.
- 기계환수식 : 중력환수식 중 응축수를 보일러실의 서비스탱크(급수탱크)로 환수한 후, 별도의 급수펌프를 통해 기계적으로 보일러에 급수하는 방식을 기계 환수 방식이라 한다.

증기난방 특징
잠열을 이용 열의 운반 능력이 크다. 예열 시간이 짧고 증기 순환이 빠르다. 설비비가 싸다. 쾌감도가 나쁘다. 스팀소음(스팀 해머)가 많이 난다.

응축수 환수 방식에 의한 증기난방 분류
중력환수식, 기계환수식, 진공환수식

• 진공환수식 : 환수 주관의 밑단부에 진공펌프를 연결하고 증기트랩 이후의 환수관 내의 압력을 진공으로 만들어 응축수를 강제적으로 신속하게 환수하는 방식이다. 따라서 관 지름을 작게 할 수 있으며 경사도가 적어도 되고 입상배관에는 리프트 피팅을 사용할 수도 있다.

(5) 증기압력에 의한 분류

• 저압증기 난방 0.1MPa 이하(일반적 15~35kPa)
• 고압증기 난방 0.1MPa 이상

증기압력에 의한 증기난방 분류
저압증기 난방 0.1MPa 이하
(일반적 15~35kPa)
고압증기 난방 0.1MPa 이상

(6) 배관법

1개관에서 증기 공급과 응축수 환수가 병행되는 단관식(선상향구배)과 증기관과 응축수관이 2개로 구성된 복관식이 있으며 복관식에서는 증기관 말단에 증기 트랩이 설치되고 증기트랩은 응축수만을 통과 시킨다.

---

02 예제문제

보일러에서 방열기까지 보내는 증기관과 환수관을 따로 배관하는 방식으로서 증기와 응축수가 유동하는 데 서로 방해가 되지 않도록 증기트랩을 설치하는 증기난방 방식은?

① 트랩식　　　　　　　　② 상향급기관
③ 건식환수법　　　　　　④ 복관식

해설
증기관과 응축수 환수관을 별도로 설치하는 복관식 증기난방은 단관식에 비하여 증기 유동이 균등하고 원활하다.　　　　　　　　　　　　　　답 ④

---

(7) 보일러 성능 및 효율

• 상당 증발량 : 보일러 발생 열량을 표준상태(100℃ 증기)로 계산하여 발생 증기량(kgh)으로 환산한 값

$$G_e = \frac{G_a(h_2 - h_1)}{2257}$$

G_e : 상당 증발량(kg/h), 100℃ 증기잠열 : 2257(kJ/kg)

G_a : 실제 증발량(kg/h)

h_2 : 발생 증기 엔탈피(kJ/kg)

h_1 : 급수 엔탈피(kJ/kg)

보일러 상당 증발량
보일러 발생 열량을 표준상태(100℃ 증기)로 계산하여 발생 증기량(kgh)으로 환산한 값
$$G_e = \frac{G_a(h_2 - h_1)}{2257}$$
(100℃ 증발잠열 2257kJ/kg)

03 예제문제

다음 중 증기 보일러의 상당(환산)증발량(G_e)은? (단, G_s는 실제증발량, G_W는 보일러의 보급수량, h_1은 급수의 엔탈피(kJ/kg), h_2는 발생증기의 엔탈피(kJ/kg)이다.)

① $G_e = \dfrac{G_s h_2 - G_s h_1}{2257}$　　　　② $G_e = \dfrac{G_W h_1 - G_s h_2}{2257}$

③ $G_e = \dfrac{G_s h_2 - G_W h_1}{2257}$　　　　④ $G_e = \dfrac{G_s h_1 - G_W h_2}{2501}$

해설

100℃ 증발잠열은 2257kJ/kg이다.

$$환산증발량(G_e) = \frac{보일러출력}{표준증발잠열} = \frac{G_s h_2 - G_s h_1}{2257} \,(kg/h)$$

여기서, 보일러 출력은 실제증발량에 급수 엔탈피와 증기엔탈피를 적용한다. 보급수량은 발생증기의 부족분을 채워주는 것으로 상당증발량 계산과 무관하다.　　　　**답 ①**

상당방열 면적
보일러의 능력을 방열기 방열 면적으로 환산한 값(증기)

$$EDR = \frac{G_e \times 2257}{3600 \times 0.756}$$

보일러 효율

$$E = \frac{G_a(h_2 - h_1)}{G_f \cdot H_l} = \frac{G_e \cdot 2257}{G_f \cdot H_l}$$

- **상당방열 면적(EDR)** : 보일러의 능력을 방열기 방열 면적으로 환산한 값(증기)

$$EDR = \frac{G_e \times 2257}{3600 \times 0.756}$$

　　증기방열기 표준방열량 : $0.756 \, kW/m^2$

- **보일러 효율**

$$E = \frac{G_a(h_2 - h_1)}{G_f \cdot H_l} = \frac{G_e \cdot 2257}{G_f \cdot H_l}$$

　　G_f : 연료 소비량(kg/h),　　　H_l : 저위발생량(kJ/kg)

상용출력
=난방부하+급탕부하+배관부하

정격출력
=상용출력+예열부하
　(예열부하계수 : β)
=난방부하+급탕부하+배관부하+
　예열부하
=상용출력×$(1+\beta)$

- **상용출력** : 운전 중 보일러 출력
　상용출력 = 난방부하 + 급탕부하 + 배관부하

- **정격출력** : 기동 시 보일러 출력
　정격출력 = 상용출력 + 예열부하(예열부하계수 : β)
　　　　= 난방부하 + 급탕부하 + 배관부하 + 예열부하 = 상용출력×$(1+\beta)$

04 예제문제

간이계산법에 의한 건평 150m²에 소요되는 보일러의 출력은 얼마인가? (단, 건물의 열손실은 900W/m², 급탕량은 100kg/h, 급수 및 급탕온도는 30℃, 70℃이다. 배관부하는 무시한다. 물의 비열은 4.2kJ/kgK이다.)

① 4.7kW   ② 89.7kW

③ 123.7kW   ④ 139.7kW

해설

이 문제는 건물의 열손실(난방부하)과 급탕부하를 합하여 출력을 구한다.

난방부하 $q = 150 \times 900 = 135000W = 135kW$

급탕부하 $q = WC\triangle t = 100 \times 4.2(70-30) = 16800kJ/h = 4.7kW$

보일러 출력 $= 135 + 4.7 = 139.7kW$

답 ④

(8) 증기 주관의 관말 트랩 배관

증기 주관의 관 끝에서 응축수를 제거하기위해 관말트랩을 설치하는데 이때 증기 주관에서부터 트랩에 이르는 냉각 레그(cooling leg)는 완전한 응축수를 트랩에 보내는 관계로 보온 피복을 하지 않으며, 또 냉각 면적을 넓히기 위해 그 길이도 1.5m 이상으로 한다.

(9) 보일러 주변의 배관 (하트포드(hartford) 배관)

저압증기 난방장치에 있어서 환수주관을 보일러 하단에 직접 접속하면 보일러 내의 증기 압력에 의해 보일러 내의 수면이 안전수위 이하로 내려간다. 이런 위험을 막기 위하여 밸런스 관을 달고 안전 저수면보다 높은 위치에 환수관을 접속하는데 이런 배관법을 하트포드(hartford) 접속법이라고 한다.

(10) 리프트 피팅 배관

진공 환수식 난방 장치에 있어서 부득이 방열기보다 높은 곳에 환수관을 배관하지 않으면 안 될 때 또는 환수 주관보다 높은 위치에 진공 펌프를 설치할 때는 리프트 이음(lift fittings)을 사용하면 환수관의 응축수를 끌어올릴 수 있다. 이 수직관은 주관보다 한 치수 가느다란 관으로 하는 것이 보통이며, 빨아올리는 높이는 1.5m 이내이고, 또 2단, 3단 직렬 연속으로 접속하여 빨아올리는 경우도 있다. 드레인은 난방을 정지했을 때 동결을 방지하는 역할을 하기도 한다.

냉각 레그(cooling leg)
증기 주관의 관말 트랩에 냉각된 응축수를 보내기 위해 길이 1.5m 이상 설치

하트포드(hartford) 배관
저압 증기 난방장치의 보일러 주변 배관으로 수면이 안전수위 이하로 내려가지 않도록 막는 밸런스 관

리프트 피팅 배관
진공 환수식 증기배관에서 하부의 응축수를 끌어올리는 입상배관으로 높이는 1.5m 이내

(11) 방열기 주변 배관

방열기의 설치 위치는 열손실이 가장 많은 곳에 설치하되 실내 장치로서의 미관에도 유의하여 설치할 것이며, 벽면과의 거리는 보통 5~6cm 정도가 가장 적합하다. 이 배관법의 요점을 들면 다음과 같다.

① 열팽창에 의한 배관의 신축이 방열기에 미치지 않도록 스위블 이음으로 하는 것이 좋다.
② 증기의 유입과 응축수의 유출이 잘되게 배관 구배를 정한다.
③ 방열기의 방열 작용이 잘 되도록 배관해야 하며 진공 환수식을 제외하고는 공기빼기 밸브를 부착해야 한다.
④ 방열기는 적당한 경사를 주어 응축수 유출이 용이하게 이루어지게 하며 적당한 크기의 트랩을 단다.

(12) 증기관 도중의 밸브 종류

증기 배관의 도중에 밸브를 다는 경우 글로브 밸브는 응축수가 고이게 되므로 슬루스 밸브를 사용한다. 글로브 밸브를 달 때에는 밸브축을 수평으로 하여 응축수가 흐르기 쉽게 해야 한다. 한랭지에서는 동파를 막기 위해 이중 서비스 밸브를 설치한다.

(13) 증발 탱크(flash tank) 주변 배관

고압증기의 응축수는 그대로 대기에 개방하거나, 저압 환수 탱크에 보내면 압력강하 때문에 일부가 재증발하여 저압 환수관 내의 압력을 올려, 증기 트랩의 배압을 상승시킴으로써 트랩 능력을 감소시키게 된다. 이것을 방지하기 위하여 고압 환수를 증발 탱크로 끌어 들여 저압 하에서 재증발시켜, 발생한 증기는 그대로 이용하고 탱크 내에 남은 저압 응축수만을 환수관에 송수하기 위한 장치를 말하는 것으로, 그 주변 배관은 그림과 같다.

(14) 스팀 헤더(steam header)

보일러에서 발생한 증기를 각 계통으로 분배할 때는 일단 이 스팀 헤더에 보일러로부터 증기를 모은 다음 각 계통별로 분배한다. 스팀 헤더의 관경은 그것에 접속하는 증기관 단면적 합계의 2배 이상의 단면적을 갖게 하여야 한다. 또 스팀 헤더에는 압력계, 드레인 포켓, 트랩장치 등을 함께 부착시킨다. 스팀 헤더의 접속관에 설치하는 밸브류는 조작하기 좋도록 바닥 위 1.5 m 정도의 위치에 설치하는 것이 좋다.

(15) 배관 기울기

증기난방의 배관 기울기는 응축수 환수에 지장이 없도록 하며 또한 지관의 기울기는 주관의 신축에 의하여 기울기가 변화하여 지장이 생기지 않도록 충분한 기울기를 둔다.

표. 증기 난방의 배관 기울기

증기관	앞내림배관(선하향) 1/250 이상, 앞올림배관(선상향) 1/50 이상
환수관	앞내림배관 1/250 이상

(16) 감압 밸브 주변 배관

증기는 고압을 저압으로 감압하기 위하여 감압 밸브를 설치하는데 감압 밸브 선정 시는 1차측과 2차측의 압력차에 특히 주의해야 한다. 왜냐하면 감압 밸브의 유량은 저압측 압력이 고압측의 약 50% 이상이 되면 밸브 통과 속도가 최대치가 되어 일정 유량 이상은 흐를 수 없게 되기 때문이다. 압력차가 클 경우는 2개의 감압 밸브를 직렬 접속하여 2단 감압한다. 그리고 여름과 겨울처럼 감압 밸브 유량을 크게 다르게 사용하고자 할 때에는 대·소 2개의 감압밸브를 병렬 접속하여 전환 사용한다.

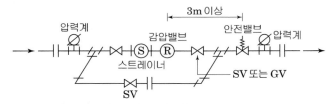

(a) 밸런스 파이프를 필요로 하지 않은 감압장치

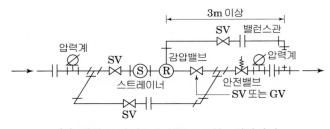

(b) 밸런스 파이프를 필요로 하는 감압장치

※ 주) 바이패스의 관경은 1차측의 관경보다 1~2사이즈 적게 한다.
    SV : 글로브 밸브, GV : 게이트 밸브

(17) 감압밸브의 주변 배관 시공 시 주의 사항

① 감압밸브는 본체에 표시된 화살표 방향과 유체 방향이 일치하도록 설치한다.

② 위아래에 충분한 공간을 취해 분해 수리 시 무리가 없도록 한다.

③ 바이패스관은 1차측 관보다 한 치수 작은 관을 사용한다.

④ 리듀서는 편심 리듀서를 사용하여 바닥에 찌꺼기가 고이지 않게 한다.

⑤ 시운전 시에는 바이패스 관으로 찌꺼기를 먼저 없앤 다음 감압 밸브를 사용한다.

---

05 예제문제

진공환수식 증기난방에 대한 설명으로 틀린 것은?

① 중력환수식, 기계환수식보다 환수관경을 작게 할 수 있다.

② 방열량을 광범위하게 조정할 수 있다.

③ 환수관 도중 입상부를 만들 수 있다.

④ 증기의 순환이 다른 방식에 비해 느리다.

해설

진공환수식 증기난방은 보일러 쪽 환수관 말단에서 진공 펌프로 흡입하여 응축수를 환수하므로 순환이 매우 빠르고 배관경도 작아진다.

답 ④

---

2. 온수난방

온수난방은 방열기에서의 온수의 온도강하 즉 현열에 의한 난방이므로 쾌감도가 좋다.

온수난방 특징
- 부하 변동에 따라 온수 온도와 수량을 조절가능, 난방을 정지하여도 여열이 오래 간다.
- 방열기 표면 온도가 낮아 쾌감도가 좋다. 방열 면적과 관경이 커져서 설비비가 비싸다.

(1) 장점

① 부하 변동에 따라 온수 온도와 수량을 조절할 수 있다.

② 난방을 정지하여도 여열이 오래 간다.

③ 방열기 표면 온도가 낮아 쾌감도가 좋다.

(2) 단점

① 예열 시간이 길어 임대 사무실 등에 부적합하다.

② 방열 면적과 관경이 커져서 설비비가 비싸다.

③ 한랭지에서 난방 정지 시 동결 우려가 있다.

④ 대규모 빌딩에서는 수압 때문에 주철제 온수 보일러인 경우, 수두 50m로 제한하고 있다.

(3) 온수난방 설계순서

① 난방 부하를 구한다.

② 강제식, 중력식 중 선택한다.

(120 m² 이하 소규모 주택에만 중력식 사용)

③ 방열기 입출구 수온 결정, 온수 순환량을 구한다.

④ 방열기 배치 및 합리적인 배관 계획

⑤ 압력 강하 R을 구해 표에 의해 관경 결정

⑥ 검산하여 일치하지 않으면 오리피스 등을 삽입하여 저항을 맞춘다.

⑦ 보일러 용량결정, 부속기기 결정

---

06 예제문제

온수난방에 대한 설명으로 틀린 것은?

① 온수의 체적팽창을 고려하여 팽창탱크를 설치한다.

② 보일러가 정지하여도 실내온도의 급격한 강하가 적다.

③ 밀폐식일 경우 배관의 부식이 많아 수명이 짧다.

④ 방열기에 공급되는 온수 온도와 유량 조절이 용이하다.

해설
밀폐식일 경우 공기와의 접촉이 적어 배관의 부식이 적다. 밀폐식에서는 팽창탱크가 필요하다.

답 ③

---

(4) 온수순환방식에 의한 분류

• 중력환수식 : 보일러에서 가열된 온수는 방열기에서 냉각되며 이때 온도차에 따른 현열을 이용하여 난방하는데 온도차에 의한 밀도차를 이용하여 온수를 순환시키는 방식을 중력순환(자연순환)방식이라 하며 보일러가 방열기 하부에 설치되어야한다. 중력순환식은 순환펌프가 없고 순환력이 적어 관경이 커진다.

• 기계환수식 : 온수 순환을 순환 펌프를 이용하는 방식으로 순환력이 크고 관경이 작아진다. 방열기 설치 위치에 제한이 없으며 대부분의 온수난방이 기계순환방식을 채택한다.

온수순환방식에 의한 분류
중력환수식(소규모)
기계환수식(대규모)

(5) 온수 온도에 따른 분류
- 보통온수식 : 100℃ 이하(60 – 80℃)온수를 사용하고 팽창탱크가 필요하다.
- 고온수식 : 100℃ 이상(120 – 180℃)고온수를 사용하고 밀폐형 팽창탱크가 필요하다.

(6) 배관방식에 의한 분류
- 단관식 : 온수공급과 환수가 1개 관으로 구성되며 온수 순환이 불규칙하다.
- 복관식 : 공급관과 환수관이 독립적이며 온수 순환이 원활하다. 배관 방식에 직접환수식과 역환수식(리버스 리턴방식)이 있다. 배관 설비비는 역환수식이 증가하나 온수순환이 균등하여 대규모인 경우 적용이 바람직하다.

(7) 팽창탱크

온수난방은 온도차에 따른 물의 팽창을 흡수하기 위한 팽창탱크가 필요하며 개방식과 밀폐식이 있으며 최근에는 주로 밀폐형을 적용한다.

- 온수팽창량(ΔV)

$$\Delta V = \left(\frac{1}{\rho_2} - \frac{1}{\rho_1}\right)\cdot V$$

V : 전수량(L)
ρ_1 : 가열 전 물의 밀도
ρ_2 : 가열 후 물의 밀도

- 개방형 팽창탱크 용량 : $V = (1.5 \sim 2.0)\cdot \Delta V$
- 밀폐형 팽창탱크 용량 : 탱크용량 $V = \dfrac{\Delta V}{1 - (P_o/P_m)}$

P_o : 팽창탱크 최저 절대압력(MPa)
P_m : 최고사용 절대압력(MPa)

3. 복사난방

복사난방은 코일을 벽 천정 등에 매입시켜 복사열을 내는 코일식과 반사판을 이용하여 직접 복사열을 만드는 패널식 두 가지가 있다.

(1) 장점
① 실내 온도 분포가 균등하여 쾌감도가 좋다.
② 방을 개방 상태로 하여도 난방 효과가 좋은 편이다.
③ 바닥 이용도가 높다.
④ 실온이 낮기 때문에 열손실이 적다.
⑤ 천정이 높은 실에서도 난방 효과가 좋다.

(2) 단점

    ① 열용량이 크기 때문에 예열 시간이 길다.

    ② 코일 매입 시공이 어려워 설비비가 고가이다.

    ③ 고장 시 발견이 어렵고 수리가 곤란하다.

    ④ 열손실을 막기 위해 단열층이 필요하다.

(3) 패널의 종류

    바닥패널(30℃ 이내), 천정패널(50 ~ 100℃까지 가능), 벽패널

(4) 코일배관방식

    밴드식(유량균일, 온도차 커짐), 그리드식(유량불균형, 온도차 균일)

(5) 평균복사온도(MRT) : 복사면의 평균온도를 말하며 복사면의 면적과 표면온도로 가중평균으로 구한다.

$$MRT = \frac{\Sigma A \cdot t}{\Sigma A}$$

---

07 예제문제

다음 복사난방에 대한 내용이다. 잘못된 것은?

① 실내 높이에 따른 온도 분포가 균등하고 쾌적하다.

② 대류가 적어서 바닥면의 먼지가 상승하지 않고 실내 바닥 면적의 이용도가 높다.

③ 천장이 높을 경우에 유효하며 개방된 방에서도 난방효과가 있다.

④ 동일 방열량에 대해 손실열량이 크다.

해설

복사난방은 대류난방에 비해 실내온도가 낮으므로 손실열량이 적다.   **답 ④**

---

4. 지역냉난방

    지역냉난방이란 중앙식 냉난방의 일종으로 일정한 장소의 기계실에서 넓은 지역 내의 여러 건물에 증기나 고온수 혹은 냉수를 공급하여 냉난방을 하는 방식이다.

(1) **장점** : 경제적이다. 각 건물별로 냉난방 시설을 할 때보다 적은 용량으로 고효율을 운전이 가능하여 에너지 비용이 절감한다. 공해 방지가 용이하다. 각 건물의 유효 면적이 증가한다.

(2) **단점** : 배관의 길이가 길기 때문에 배관 열손실이 크다. 초기 시설 투자비가 높다. 열의 사용량이 적으면 기본요금이 높아진다.

08 예제문제

중앙식 난방법의 하나로서, 각 건물마다 보일러 시설 없이 일정 장소에서 여러 건물에 증기 또는 고온수 등을 보내서 난방하는 방식은?

① 복사난방　　　　　　　　② 지역난방
③ 개별난방　　　　　　　　④ 온풍난방

해설

지역난방이란 대규모 중앙식 난방법으로 일정 지역이나 도시에서 증기 또는 고온수 등을 보내서 난방하는 방식이다.　　　　　　　　**답 ②**

5. 방열기

(1) 방열기 종류

- 주형방열기 : 2주, 3주, 3세주, 5세주형
- 벽걸이형 방열기 : 세로형, 가로형
- 길드방열기 : 휜 튜브를 붙인 것으로 전열면적 확대
- 대류방열기(컨벡터) : 대류작용을 촉진시키기 위해 상자 속에 방열기를 넣은 구조
- 베이스보드형 : 컨벡터를 무릎 높이로 낮게 설치한 것으로 의자로 사용이 가능하다.
- 관방열기 : 파이프를 연결하여 현장 등에 사용하는 것으로 고압에도 잘 견디나 효율은 낮다.

(2) 표준방열량

표준방열량
방열기 1m²에서 방열량을 표준 방열량이라 하며
- 증기난방
  (증기온도 102℃ 실온 18.5℃)일 때
  756 W/m²(650kcal/m²h)
- 온수난방(온수온도 80℃
  실온 18.5℃)일 때
  523 W/m²(450kcal/m²h)

- 증기난방(증기온도 102℃ 실온 18.5℃)일 때 증기 방열기 1m²에서 방열량을 표준 방열량이라 하며 756 W/m²(650 kcal/h)이다.
- 온수난방(온수온도 80℃ 실온 18.5℃)일 때 온수 방열기 1m²에서 방열량을 표준 방열량이라 하며 523 W/m²(450 kcal/h)이다.

열매 종류	표준 방열량 Q_c (kW/m²)	표준 상태에서의 온도(℃)	
		열매온도	실내온도
증기	0.756	102	18.5
온수	0.523	80	18.5

상당방열면적(EDR, m²)
방열량(손실열량)을 표준상태의 방열기 면적으로 환산한 값이다.
- 증기난방 EDR
  =손실열량(kW) ÷0.756
- 온수난방 EDR
  =손실열량(kW) ÷0.523

(3) 상당방열면적(EDR, m²) : 방열량(손실열량)을 표준상태의 방열기 면적으로 환산한 값이다.

- 증기난방 EDR = 손실열량 (kW) ÷ 0.756
- 온수난방 EDR = 손실열량 (kW) ÷ 0.523

(4) 증기방열기 응축수량 $Q(\mathrm{kg/h})$

    Q = 방열기 방열량$(\mathrm{kJ/h}) \div$ 증기증발잠열$(2257\,\mathrm{kJ/kg})$

(5) 주형 방열기 섹션(쪽)수

- 증기난방

$$N = \frac{q}{3600 \times 0.756 \times a}$$

    N : 섹션 수(절수),

    q : 난방부하$(\mathrm{kJ/h})$,

       $(\mathrm{kJ/h}$를 3600으로 나누면 kW가 된다.$)$

    a : 방열기 섹션당 방열면적(m^2)

- 온수난방

$$N = \frac{q}{3600 \times 0.523 \times a}$$

(6) 방열기 설치

방열기는 틈새바람이 많은 창문 아래에 설치하여 콜드드래프트를 방지하고 대류작용을 이용 실내온도를 균일하게 한다.(벽과 5 ~ 6cm 이격)

(7) 방열기 호칭법

3주형 방열기, 높이 650mm,
섹션 수 15,
유입관과 유출관의 관경 3/4인치

    3주형 : Ⅲ
    3세주 : 3
    5세주 : 5

벽걸이 세로형 방열기, 섹션 수 3,
유입관과 유출관의 관경 1/2인치

    벽걸이 : W
    세로 : V(Vertical)
    가로 : H(Horizontal)

(8) 신축이음

배관의 신축을 흡수하는 이음쇠의 종류에는 슬리브형, 벨로스형, 신축곡관, 스위블조인트, 볼조인트가 있고 시공 시 잡아당겨 연결하는 콜드스프링법이 있다. 누수 여부의 크기 순서는 스위블조인트 > 슬리브형 > 벨로스형 > 신축곡관이며 일반적으로 냉온수관에서 강관은 30m마다 동관은 20m마다 신축이음쇠 1개씩 설치한다.

방열기 설치
방열기는 틈새바람이 많은 창문 아래에 설치하여 콜드드래프트를 방지하고 벽과 5~6cm 이격

방열기 호칭법

신축이음종류
슬리브형, 벨로스형, 신축곡관, 스위블조인트, 볼조인트
냉온수관에서 강관은 30m마다 동관은 20m마다 신축이음쇠를 설치한다.

PARAT 01   공기조화 설비

3 개별난방

1. 온풍로 난방

(1) 온풍로 난방은 개별식과 중앙식으로 나누어지며 중앙식은 덕트를 이용한 온풍난방이고 개별식은 실내에 온풍기를 설치하여 실내공기를 직접 가열하는 방식이다. 최근의 히트펌프 방식도 일종의 온풍로이다. 공기를 채열원으로 하며 가열장치가 히트펌프인 것이다.

(2) 온풍로 난방의 특징
- 예열시간이 필요없고 송풍온도가 높아 덕트관경이 작아진다.
- 신선공기를 공급할 수 있고 설비비가 싸다.
- 시공이 간편하며 열효율이 높고 누수동결 우려가 없다.
- 온도분포가 균등하지 않고 쾌감도가 나쁘며 소음이 많다.

2. 열펌프(Heat pump)

(1) 원리 : 냉동기의 응축기에서 방열하는 열량을 난방으로 이용하는 것으로 냉 · 난방에 대한 설비비를 절감할 수 있다.

(2) 채열원(난방 시 증발기 흡수열원) : 공기, 지하수, 하천수, 태양열, 온배수, 폐열원 등이 있다.

(3) 히트펌프성적계수(e_h)

$$e_h = \frac{응축열}{압축일} = \frac{압축일+증발잠열}{압축일} = 1 + e\,(냉동기성적계수)$$

3. 자연형(Passive) 태양열 시스템과 설비형(Active) 태양열 시스템

(1) 자연형(Passive) 태양열 시스템의 기본원리

자연형 태양열시스템은 주로 건물의 구조물을 이용해서 태양열을 집열 및 축열해서 이용하는 방법으로 중소 규모 건물에 직 간접적으로 이용되고 있다.

- 직접 획득형(Direct Gain Type) : 급탕, 난방용으로 직접 열을 채취하는 방식이다.
- 간접 획득형(Indirect Gain Type) : 축열벽이나 온실 등을 이용하여 간접적으로 열을 얻는 방식으로 열 취득 방식에 따라 축열벽 방식, 물벽 방식, 온실 방식, 축열지붕 방식이 있다.
- 분리 획득형(isolated gain type) : 자연대류 방식을 이용하여 열을 얻는다.

자연형(Passive) 태양열 시스템
건축적인 방법을 이용한 태양열 시스템

설비형(Active) 태양열 시스템
집열기와 배관설비를 이용한 설비적인 방법을 이용한 태양열 시스템

(2) 설비형(Active) 태양열 시스템의 기본 원리

설비형 태양열시스템은 태양열 집열기를 이용하여 태양복사에너지를 열에
너지로 변환하여 변환된 열에너지를 직접 이용하거나 별도의 축열장치에
저장하였다가 필요시 사용하는 시스템으로 최근에 온수급탕용이나 난방용
으로 널리 보급되고 있다.

• 설비형 액체 방식 : 주로 물 등의 액체를 열매체를 이용하므로 운송효
율이 높다.

• 설비형 공기 방식 : 덕트를 통한 공기를 열매체로 이용한다.

[10년 2회]
01 난방설비에 관한 설명으로 적당한 것은?

① 소규모 건물에서는 증기난방보다 온수난방이 흔히 사용된다.
② 증기난방은 실내 상하 온도차가 적어 유리하다.
③ 복사난방은 급격한 외기 온도의 변화에 대한 방열량 조절이 우수하다.
④ 온수난방은 온수의 증발 잠열을 이용한 것이다.

> 소규모 건물에서는 온수난방이 유리하며, 증기난방은 실내 상하 온도차가 크고, 복사난방은 외기 온도의 변화에 대한 방열량 조절이 곤란하며, 온수난방은 온수의 현열을 이용한다.

[08년 2회]
02 다음은 난방설비에 관한 설명이다. 옳은 것은?

① 온수난방은 온수의 현열과 잠열을 이용한 것이다.
② 온풍난방은 온풍의 현열과 잠열을 이용한 것이다.
③ 증기난방은 증기의 현열을 이용한 대류 난방이다.
④ 복사난방은 열원에서 나오는 복사 에너지를 이용한 것이다.

> 온수난방은 현열을 이용하고, 온풍난방도 현열을 이용, 증기난방은 잠열 이용, 복사난방은 복사에너지 이용.

[09년 2회]
03 난방방식에 관한 설명 중 옳은 것은?

① 증기난방은 복사 열전달이 주로 이용된다.
② 온수난방은 간접난방이다.
③ 직접난방은 대류난방의 한 가지 형식이다.
④ 복사난방은 다른 난방방식에 비교하여 쾌감도가 좋다.

> 증기난방은 직접 대류난방, 온수난방은 직접 대류난방, 대류난방은 직접난방의 한 가지 형식, 복사난방은 쾌감도가 좋다.

[12년 3회]
04 증기난방에 비해 온수난방에 대한 특징을 설명한 것으로 틀린 것은?

① 난방부하에 따라 열량조절이 용이하다.
② 예열시간이 길지만 가열 후에 냉각시간도 길다.
③ 수격작용이 심하다.
④ 현열을 이용한 난방으로 쾌감도가 높다.

> 증기난방에 비해 온수난방은 수격작용(워터해머)이 발생하지 않는다.

[06년 2회]
05 다음 중 연결이 적절치 못한 것은?

① 온수난방 : 방열기
② 증기난방 : 팽창탱크
③ 온풍난방 : 송풍기
④ 복사난방 : 그리드 코일(Grid Coil)

> 증기난방에서 증기는 압축성 기체이므로 팽창탱크가 필요 없으며 온수난방에서 온수는 비압축성 유체로서 팽창탱크를 설치한다. 복사난방에서 코일 매립 방식에 그리드 코일식과 밴드코일 방식이 있다.

[12년 1회]
06 다음 중 용어와 난방방식의 조합이 틀린 것은?

① 리버스 리턴 : 온수난방
② MRT : 복사난방
③ 온도조절식 트랩 : 증기난방
④ 팽창탱크 : 증기난방

> 증기난방에 팽창탱크는 불필요하다.

정답 ▶ 01 ①   02 ④   03 ④   04 ③   05 ②   06 ④

[11년 2회]

07 난방방식의 분류가 잘못된 것은?

① 복사난방-온돌난방
② 직접난방-증기난방
③ 간접난방-온수난방
④ 지역난방-고온수난방

간접난방은 온풍난방이나 공기조화처럼 외부의 가열된 공기가 실내로 공급되는 형식이며, 온수난방은 직접 난방으로 실내의 공기를 직접 가열하는 것이다.

[14년 3회, 07년 1회]

08 온수난방과 비교한 증기난방 방식의 장점으로 가장 거리가 먼 것은?

① 방열면적이 작다.
② 설비비가 저렴하다.
③ 방열량 조절이 용이하다.
④ 예열시간이 짧다.

증기난방은 방열량이 조절이 곤란하다.

[07년 3회]

09 천장높이가 높은 건물의 난방에 적합한 방식은?

① 온풍난방
② 복사난방
③ 온수난방
④ 증기난방

복사난방은 대류 난방에 비하여 천장높이가 높은 건물의 난방에 적합하다.

[07년 3회]

10 다음 난방방식 중 자연환기가 많이 일어나도 비교적 난방효율이 좋은 것은?

① 온수난방
② 증기난방
③ 온풍난방
④ 복사난방

복사난방은 자연환기가 많은 장소나 천정이 높은 곳에서 비교적 난방효율이 좋다.

[13년 1회, 10년 1회, 06년 1회]

11 난방방식 중 낮은 실온에서도 균등한 쾌적감을 얻을 수 있는 방식은?

① 복사난방
② 대류난방
③ 증기난방
④ 온풍로난방

복사난방(패널난방)은 실내 공기를 가열하지 않고 복사열을 이용하기 때문에 낮은 실온에서도 균등한 쾌적감을 얻을 수 있는 난방 방식이다.

[10년 1회]

12 중력환수식 온수난방의 자연 순환수두(H : mmAq)를 올바르게 나타낸 것은? (단, γ_o, γ_i : 방열기 출구, 입구 온수의 비중량[kg/m^3], h : 보일러 중심에서 최고위 방열기까지의 높이[m])

① $H = 1,000\,(\gamma_o - \gamma_i)h$
② $H = 1,000\,(\gamma_i + \gamma_o)h$
③ $H = (\gamma_o - \gamma_i)h$
④ $H = (\gamma_i + \gamma_o)h$

온수난방 자연순환수두는 방열기 높이와 비중량차에 비례한다.
$(H) = (\gamma_o - \gamma_i)h$ (mmAq)

[14년 2회, 11년 2회, 11년 1회]

13 온수난방의 특징으로 옳지 않은 것은?

① 증기난방보다 상하온도 차가 적고 쾌감도가 크다.
② 온도조절이 용이하고 취급이 간단하다.
③ 예열시간이 짧다.
④ 보일러 정지 후에도 예열에 의한 실내난방이 어느 정도 지속된다.

온수난방은 열용량(질량×비열)이 커서 예열 시간과 여열시간이 길어진다. 그러므로 간헐난방에 부적합하다.

정답 07 ③ 08 ③ 09 ② 10 ④ 11 ① 12 ③ 13 ③

[15년 3회]

14 온수난방에 대한 설명으로 옳지 않은 것은?

① 온수난방의 주 이용 열은 잠열이다.
② 열용량이 커서 예열시간이 길다.
③ 증기난방에 비해 비교적 높은 쾌감도를 얻을 수 있다.
④ 온수의 온도에 따라 저온수식과 고온수식으로 분류한다.

> 온수난방은 현열 이용, 증기난방은 증기 잠열 이용

[06년 3회]

15 온수난방 방식에 대한 설명 중 옳은 것은?

① 중력순환식은 방열기를 보일러보다 낮은 곳에 설치해야 하므로 주택 등과 같이 소형 거물에 적당하다.
② 역환수식은 2관식으로 각 방열기를 거치는 급수관과 환수관의 총길이가 대체로 동일하도록 배관한다.
③ 2관식 배관방식은 순환력이 극히 좋지 않아서 근래에는 사용되지 않는다.
④ 강제순환식은 온수의 밀도차에 의해 대류작용으로 자연순환하며, 소규모 건물에 대부분 적용된다.

> 중력순환식은 방열기가 보일러보다 높은 곳에 설치되며, 2관식 배관방식은 대부분 순환펌프에 의한 강제 순환식으로 순환력이 좋아서 대규모 건물에 적용된다.

[14년 1회, 10년 2회]

16 온수배관의 시공시 주의할 사항으로 적합한 것은?

① 각 방열기에는 필요시만 공기배출기를 부착한다.
② 배관 최저부에는 배수밸브를 설치하며, 하향 구배로 설치한다.
③ 팽창관에는 안전을 위해 반드시 밸브를 설치한다.
④ 배관 도중에 관 지름을 바꿀 때에는 편심이음쇠를 사용하지 않는다.

> 방열기에는 반드시 공기배출기를 부착하고, 팽창관에는 밸브설치를 금지하며, 배관의 관 지름을 바꿀 때에는 편심이음쇠를 사용하여 배관 상부를 수평으로 하여 공기가 고이지 않도록 한다.

[08년 2회]

17 다음의 온수난방에 관한 설명 중 옳지 않은 것은?

① 밀폐식일 경우에는 배관의 부식이 적고 수명이 길다.
② 각 방열기기에 공급되는 온수가 균일하고 양호하게 순환되도록 한다.
③ 온수순환으로 인한 소음이나 진동 등의 장애가 일어나지 않도록 한다.
④ 팽창 탱크의 팽창관에는 밸브를 부착하여 유량을 조절할 수 있도록 한다.

> 팽창관에는 밸브 부착을 제한한다. 그 이유는 밸브가 잠기거나 막힐 경우 시스템의 압력상승으로 피해를 입게 된다.

[07년 3회]

18 온수난방 배관시의 고려할 사항 중 틀린 것은?

① 배관의 최저점에는 필요에 따라 배관중의 물을 완전히 배수할 수 있도록 배수 밸브를 설치한다.
② 배관 내의 발생되는 기포를 배출시킬 수 있는 장치를 한다.
③ 팽창관 도중에는 밸브를 설치하지 않는다.
④ 증기배관과는 달리 신축이음은 설치하지 않아야 한다.

> 온수난방에서 증기배관과 같이 신축이음을 반드시 설치한다.

[07년 3회]

19 온수난방에서 공기분리기의 부착요령으로 맞는 것은?

① 보일러의 입구측에 부착한다.
② 수평배관에 부착한다.
③ 일반적으로 보일러의 하부배관에 부착한다.
④ 수직배관의 높은 곳이나 굴곡부 상부에 부착한다.

> 공기빼기장치는 수직배관의 최상부나 굴곡부 상부(∩)에 부착한다.

정답 14 ① 15 ② 16 ② 17 ④ 18 ④ 19 ④

[12년 1회]

20 온수난방의 배관방식이 아닌 것은?

① 역환수식   ② 진공환수식

③ 단관식   ④ 복관식

> 진공환수식은 증기난방에서 낮은 곳의 응축수를 환수하는 방식이다.

[07년 1회]

21 온수 순환량이 560[kg/h]인 난방설비에서 방열기의 입구온도가 80℃, 출구온도가 72℃라고 하면 이때 실내에 발산하는 현열량은 얼마인가?

① 12,350 kJ/h   ② 15,666 kJ/h

③ 17,424 kJ/h   ④ 18,816 kJ/h

> 온수난방에서 실내 현열량은 방열기 입출구 온도차에 비례한다.
> $q = mC(t_1 - t_2) = 560 \times 4.2 \times (80 - 72) = 18,816\,kJ/h$

[예상문제]

22 온수 순환량이 560[kg/h]인 난방설비에서 방열기의 입구온도가 80℃, 출구온도가 72℃라고 하면 이때 실내에 발산하는 현열량은 약 얼마인가?

① 4.520 W   ② 4,250 W

③ 5.425 W   ④ 5,214 W

> 온수난방에서 실내 현열량은 방열기 입출구 온도차에 비례한다.
> $q = mC(t_1 - t_2) = 560 \times 4.19 \times (80 - 72)$
> $\quad = 18,771\,kJ/h = 5,214\,W$

[12년 2회]

23 온수난방을 시설한 건물의 설계 열손실이 100,000[kJ/h]이고 도중 배관손실이 10,000[kJ/h]이다. 보일러 출구 및 환수온도를 각각 85℃, 70℃로 하여 펌프에 의한 강제순환을 할 때 펌프 용량은 약 얼마인가?

① 3.65 L/s   ② 2.76 L/s

③ 1.46 L/s   ④ 1.25 L/s

> $q = WC\triangle t$ 에서
> $W = \dfrac{q}{C\triangle t} = \dfrac{100,000 + 10,000}{4.2 \times (85 - 70)} = 5,238\,L/h = 1.46\,L/s$

[예상문제]

24 온수난방을 시설한 건물의 설계 열손실이 100,000[W]이고 도중 배관손실이 10,000[W]이다. 보일러 출구 및 환수온도를 각각 85℃, 70℃로 하여 펌프에 의한 강제순환을 할 때 펌프 용량은 약 얼마인가? (단, 물 비열은 4.19[kJ/kgK])

① 0.65 L/s   ② 1.75 L/s

③ 2.75 L/s   ④ 3.65 L/s

> $q = WC\triangle t$ 에서
> $W = \dfrac{q}{C\triangle t} = \dfrac{(100,000 + 10,000)/1000}{4.19 \times (85 - 70)} = 1.75\,L/s$
> 분자 열손실 단위 W를 1000으로 나누어 kW로 고치면 유량은 L/s가 된다.

[13년 1회]

25 증기난방의 장점으로 틀린 것은?

① 열의 운반능력이 크고, 예열시간이 짧다.

② 한랭지에서 동결의 우려가 적다.

③ 환수관의 내부 부식이 지연되어 강관의 수명이 길다.

④ 온수난방에 비하여 방열기의 방열면적이 작아진다.

> 증기난방은 배관 내 공기와의 접촉으로 부식이 심하고 강관의 수명이 짧다.

[14년 1회]

26 증기난방에 관한 설명으로 옳지 않은 것은?

① 열매온도가 높아 방열면적이 작아진다.

② 예열시간이 짧다.

③ 부하연동에 따른 방열량의 제어가 곤란하다.

④ 증기의 증발현열을 이용한다.

> 증기난방은 증기의 응축잠열 이용하고 온수난방은 온수의 현열을 이용한다.

[09년 1회]
27 증기난방 방식을 분류하는 방법이 아닌 것은?

① 사용 증기압력　　② 증기 배관방식
③ 증기 공급방향　　④ 사용 열매종류

증기난방의 사용 열매는 증기뿐이다.

[08년 1회]
28 다음 중 공급방식에 의한 분류에 해당되는 증기난방 방식은?

① 고압식 증기난방 방식
② 하향 급기식 증기난방 방식
③ 중력식 증기난방 방식
④ 습식 증기난방 방식

증기난방은 공급방식에 따라 하향 급기방식과 상향 급기방식으로 나눈다.

[11년 3회]
29 증기난방방식의 분류로 적당하지 않은 것은?

① 고압식, 저압식
② 단관식, 복관식
③ 건식환수식, 습식환수식
④ 개방식, 밀폐식

증기난방에서 개방식, 밀폐식 구분은 없으며 온수난방에서 팽창탱크를 개방식과 밀폐식으로 나눈다.

[10년 3회]
30 증기난방과 관련이 없는 장치는?

① 팽창탱크　　② 트랩
③ 응축수 탱크　　④ 감압밸브

증기난방에서 팽창탱크는 불필요하며 온수난방에서 사용한다.

[08년 3회, 06년 2회]
31 증기난방의 표준상태에 있어서 상당방열 면적 1[m²]의 표준방열량은?

① 0.523kW　　② 0.756kW
③ 523kW　　④ 756kW

표준 방열량 : 증기난방(0.756kW/m²)
　　　　　　 온수난방(0.523kW/m²)

[예상문제]
32 증기난방의 표준상태에 있어서 상당방열 면적 1[m²]의 표준방열량은?

① 523W/m²　　② 253W/m²
③ 567W/m²　　④ 756W/m²

상당방열면적(EDR) 증기 : 756W/m²
　　　　　　　　　 온수 : 523W/m²

[12년 3회]
33 증기난방 설비를 설계할 때 필요 방열면적(s)의 산출식으로 옳은 것은?

① s = 손실열량(W)/756
② s = (650 × 손실열량)/539
③ s = 손실열량(W)/539
④ s = 손실열량(W)/450

(SI단위) 증기난방 방열면적 $S = \dfrac{손실열량(W)}{756} \, m^2$

[09년 1회]
34 방열기의 설치위치로 적당한 곳은?

① 실내의 중앙 부분
② 실내의 가장 높은 곳
③ 외기에 접하는 창문 반대쪽
④ 외기에 접하는 창문 아래쪽

방열기 설치 위치는 외기에 접하는 창문 아래에 설치하여 창문의 극간풍을 조절하여 실내온도를 균등히 하고 콜드드래프트를 방지한다.

정답 27 ④　28 ②　29 ④　30 ①　31 ②　32 ④　33 ①　34 ④

[08년 1회]

35 다음 중 방열기기의 종류가 아닌 것은?

① 주철제 방열기   ② 강판제 방열기
③ 컨벡터   ④ 직화 방열기

> 방열기 분류에서 직화 방열기는 없다.

[09년 3회]

36 다음 방열기 종류 중 자연 대류식이 아닌 것은?

① 컨벡터   ② 핀 튜브
③ 유닛 히터   ④ 베이스 보드

> 유닛히터는 증기나 온수코일이 송풍기와 일체화된 난방장치 로서 강제 대류식 난방장치이다.

[14년 2회, 06년 2회]

37 다음 난방에 이용되는 주형 방열기의 종류가 아닌 것은?

① 2주형   ② 2세주형
③ 3주형   ④ 3세주형

> 주형 방열기에는 2주형(II), 3주형(III), 3세주형(3), 5세주형(5) 이 있다.

[06년 3회]

38 주철제 방열기의 표준 방열량에 대한 증기 응축수량은 약 얼마인가? (단, 증기의 증발잠열은 2,257[kJ/kg]이다.)

① $0.8\text{kg/m}^2 \cdot \text{h}$ ② $1.0\text{kg/m}^2 \cdot \text{h}$
③ $1.2\text{kg/m}^2 \cdot \text{h}$ ④ $1.4\text{kg/m}^2 \cdot \text{h}$

> 증기 표준 방열량(0.756kW)에 대한
> 응축수량 $= \dfrac{0.756 \times 3600}{2,257} = 1.21\,\text{kg/m}^2\text{h}$

[13년 3회]

39 상당방열면적(EDR)에 대한 설명으로 맞는 것은?

① 표준상태 방열기의 전 방열량을 연료 연소에 따른 방 열면적으로 나눈 값
② 표준상태 방열기의 전 방열량을 보일러 수관의 방열 면적으로 나눈 값
③ 표준상태 방열기의 전 방열량을 표준 방열량으로 나 눈 값
④ 표준상태 방열기의 전 방열량을 실내 벽체에서 방열 되는 면적으로 나눈 값

> 상당방열면적(EDR)이란 방열기의 방열량을 면적으로 환산하 기 위해 표준방열량으로 나눈다.
> $$EDR = \frac{\text{표준상태방열기의 방열량(W)}}{\text{표준방열량 523(증기는 756)W}} \; (\text{m}^2)$$

[09년 3회]

40 방열기에 $0.5[\text{kg/cm}^2]$, $80.8℃$ 포화증기를 사용했을 때 $1[\text{m}^2]$당 방열량은? (단, 실온은 $18℃$, 대류형 방열기의 표준 방열량은 $756[\text{W/m}^2]$, 보정지수 $n = 1.4$)

① 507W/m^2 ② 532W/m^2
③ 650W/m^2 ④ 756W/m^2

> 증기 표준상태는 증기 102℃, 실내 18.5℃에서 표준 방열량 은 756W/m²
> $$C = \left(\frac{\text{표준 } t_s - t_r}{\text{실제 } t_s - t_r}\right)^n = \left(\frac{102 - 18.5}{80.8 - 18}\right)^{1.4} = 1.49$$
> 방열기 방열량 $(q) = \dfrac{756}{C} = \dfrac{756}{1.49} = 507\,\text{W/m}^2$
> 방열기계산에서 증기온도(80.8℃)가 표준온도(102℃)보다 낮 기 때문에 표준방열량(756W)보다 작아야 한다.

정답   35 ④   36 ③   37 ②   38 ③   39 ③   40 ①

[10년 3회]

41 어느 실내에 설치된 온수 방열기의 방열면적이 $10[\text{m}^2]$ EDR일 때의 방열량은 몇 [W]인가?

① 6,200

② 1,240

③ 7,560

④ 5,230

온수난방 표준방열량은 방열면적이
$1\text{m}^2 \ \text{EDR} = 523\text{W}$이므로
방열량 $= 10 \times 523 = 5,230\text{W}$

[15년 3회, 13년 1회]

42 다음 그림의 방열기 도시기호 중 '$W\text{-}H$'가 나타내는 의미는 무엇인가?

① 방열기 쪽수

② 방열기 높이

③ 방열기 종류(형식)

④ 연결배관의 종류

10
$W\text{-}H$
15×15

방열기 도시기호에서 방열기 형식 종류
(W : 벽걸이, H : 수평형), 10(방열기 쪽수 = 절수),
15×15 = 방열기 입구 출구관경

[11년 2회]

43 다음 방열기 기호에서 중간단에 표시된 내용(5-950)으로 맞는 것은?

① 유입관의 크기

② 유출관의 크기

③ 절(Section) 수

④ 방열기의 종류와 높이

20
5-950
25×15

방열기 기호에서에서 상단(20 : 절수), 중간(5-950 : 방열기 형식 5세주, 높이 950mm), 하단(25×15 : 유입, 유출관경)

[15년 1회, 12년 1회]

44 각 실마다 전기스토브나 기름난로 등을 설치하여 난방을 하는 방식은?

① 온돌난방

② 중앙난방

③ 지역난방

④ 개별난방

각 실마다 방열기나 방열장치(전기스토브, 난로)등을 설치하여 난방하는 것을 직접난방, 개별난방이라 한다.

[15년 2회, 10년 3회]

45 다음과 같은 사무실에서 방열기의 설치위치로 가장 적당한 곳은?

① [ⓞ, ⓛ]

② [ⓛ, ⓜ]

③ [ⓒ, ⓔ]

④ [ⓔ, ⓗ]

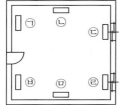

난방 시 콜드드래프트를 방지하기위해 방열기는 창문 아래에 설치하는 것이 이상적이므로 ⓒ, ⓔ의 창문 하부가 적당하다.

[07년 1회]

46 온풍로 난방의 특징이 아닌 것은?

① 방열기는 배관 등의 시설이 필요 없으므로 설비비가 저렴하다.

② 열용량이 크므로 예열시간이 많이 걸린다.

③ 토출 공기온도가 높으므로 쾌적도에서는 떨어진다.

④ 보수 취급이 간단하다.

온풍난방은 공기를 직접 가열하므로 열용량이 적어서 예열시간이 적게 걸리며 간헐 난방에 적합하다.

[07년 3회]

47 다음 기술 내용 중 온풍로 난방의 특징이 아닌 것은?

① 실내온도분포가 좋지 않아 쾌적성이 떨어진다.

② 보수, 취급이 간단하고, 취급에 자격자를 필요로 하지 않는다.

③ 설치 면적이 적어서 설치장소에 제한이 없다.

④ 열용량이 크므로 착화 즉시 난방이 어렵다.

온풍로 난방은 공기를 가열하여 난방하므로 열용량이 적어서 착화 즉시 난방이 용이한 간헐 난방에 적합하다.

[08년 3회]

48 온풍로 방식 난방의 특징을 설명한 것으로 옳지 않은 것은?

① 예열부하가 거의 없으므로 기동시간이 아주 짧다.
② 연소장치, 송풍장치 등이 일체로 되어 있어 설치가 간단하다.
③ 실내 온도 분포가 고르다.
④ 습도조절장치를 구비하면 습도 조정이 가능하다.

> 온풍로 난방 방식은 강제 대류 작용을 이용하므로 실내 기류 분포가 나쁘고 온도 분포가 고르지 못한 것이 단점이다.

[13년 3회]

49 복사 냉난방 방식에 대한 설명으로 틀린 것은?

① 비교적 쾌감도가 높다.
② 패널 표면온도가 실내 노점온도보다 높으면 결로하게 된다.
③ 배관배설을 위한 시설비가 많이 들며 보수 및 수리가 어렵다.
④ 방열기가 필요치 않아 바닥면의 이용도가 높다.

> 복사 냉난방 방식 중 여름철 패널 표면온도가 실내 노점온도보다 낮으면 결로가 발생하기 쉬워서 잠열부하가 큰 곳에는 부적합하다.

[09년 1회]

50 다음 중 자연환기가 많이 일어나도 비교적 난방 효율이 좋은 것은?

① 온수난방
② 증기난방
③ 온풍난방
④ 복사난방

> 대류난방이 실내공기를 가열하는 방식이라면 복사난방은 복사열을 이용하므로 자연환기가 많이 일어나도 비교적 난방효율이 좋다.

[14년 3회]

51 패널복사난방에 관한 설명 중 옳은 것은?

① 천장고가 낮고 외기 침입이 없을 때 난방효과를 얻을 수 있다.
② 실내온도 분포가 균등하고 쾌감도가 높다.
③ 증발잠열(기화열)을 이용하므로 열의 운반능력이 크다.
④ 대류난방에 비해 방열면적이 작다.

> 패널복사난방은 복사열을 이용하므로 천장고가 높은 곳에서도 난방효과가 우수하며 실내온도 분포가 균등하고 쾌감도가 높다.

[14년 3회]

52 다음 복사난방에 관한 설명 중 옳은 것은?

① 고온식 복사난방은 강판제 패널 표면의 온도를 100℃ 이상으로 유지하는 방법이다.
② 파이프 코일의 매설 깊이는 균등한 온도분포를 위해 코일 외경의 3배 정도로 한다.
③ 온수의 공급 및 환수 온도차는 가열면의 균일한 온도분포를 위해 10℃ 이상으로 한다.
④ 방이 개방상태에서도 난방효과가 있으나 동일 방열량에 대해 손실량이 비교적 크다.

> 파이프 코일의 매설 깊이는 코일 외경의 1.5~2배 정도로 하며, 온수의 공급 및 환수 온도차는 10℃ 이내로 한다. 복사난방은 개방상태에서도 난방효과가 좋으며 동일 방열량에서 실내온도가 낮아서 열손실량이 비교적 작다.

[12년 2회, 09년 2회]

53 복사난방의 특징을 설명한 것 중 맞지 않는 것은?

① 외기온도 변화에 따라 실내의 온도 및 습도조절이 쉽다.
② 방열기가 불필요하므로 가구배치가 용이하다.
③ 실내의 온도분포가 균등하다.
④ 복사열에 의한 난방이므로 쾌감도가 크다.

> 복사난방은 구조체를 가열하여 난방하는 시스템으로 열용량이 커서 외기온도 변화에 따라 실내의 온도 및 습도조절이 어렵다.

정답 48 ③ 49 ② 50 ④ 51 ② 52 ① 53 ①

[10년 3회, 07년 3회]

54 복사난방에 대한 내용으로 옳지 않은 것은?

① 구조체의 예열시간이 길어져 일시적으로 쓰는 방에는 부적합하다.
② 건물의 축열을 기대할 수 없다.
③ 높이에 따른 온도 분포가 균등하고 난방효과가 쾌적하다.
④ 바닥에 기기를 배치하지 않아도 되므로 이용공간이 넓다.

복사난방은 구조체의 축열을 이용하여 난방하는 방식으로 여열시간이 길다.

[08년 1회, 06년 3회]

55 다음 중 복사난방의 특징이 아닌 것은?

① 낮은 온도에서도 쾌적성이 높다.
② 실내 온도가 균일하다.
③ 설비비가 많이 든다.
④ 간헐난방에 적합하다.

복사난방은 구조체의 축열을 이용하여 난방하는 방식으로 예열시간과 여열시간이 길어져서 간헐난방에는 부적합하다.

[07년 1회]

56 다음 중 복사난방의 장점이 아닌 것은?

① 쾌적성이 좋다.
② 방열기나 배관이 작다.
③ 실내의 상하 온도차이가 작다.
④ 바닥에 기기를 배치하지 않아도 되므로 이용공간이 넓다.

복사난방은 방열기는 필요 없으나 패널을 가열하기 위한 배관의 길이는 길어진다.

[07년 2회]

57 다음 복사난방 중 시공이 쉬워 널리 사용되지만 표면 온도를 30℃ 이상 올리기 곤란하므로 면적을 크게 하는 것은?

① 천장 패널
② 바닥 패널
③ 벽 패널
④ 코일 패널

바닥 패널은 복사난방 중 시공이 쉬워 널리 사용되지만 우리나라의 좌식 문화에서 표면 온도를 30℃ 이상 올리기 곤란하므로 면적을 크게 하여야 한다.

[09년 3회]

58 패널(Panel)형은 복사난방의 특징이 아닌 것은?

① 쾌감도가 좋다
② 바닥이나 벽면을 유용하게 이용할 수 있다.
③ 실내 상하의 온도차가 크다.
④ 외기침입이 있는 곳에도 난방감을 얻을 수 있다.

패널(Panel)형 복사난방은 실내 상하의 온도차가 적어 고천장에 적합하고 쾌감도가 좋다.

[10년 2회, 07년 2회]

59 지역난방의 특징 설명으로 잘못된 것은?

① 연료비는 절감되나 열효율이 낮고 인건비가 증가된다.
② 개별 건물의 보일러실 및 굴뚝이 불필요하므로 건물 이용의 효율이 높다.
③ 설비의 합리화로 대기오염이 적다.
④ 대규모 열원기기를 이용하므로 에너지를 효율적으로 이용할 수 있다.

지역난방은 대규모 열원기기를 이용하므로 연료비는 절감되고, 열효율이 높으며, 인건비가 절감된다.

[14년 3회]

60 지역난방에 관한 설명으로 틀린 것은?

① 열매체로 온수 사용 시 일반적으로 100℃ 이상의 고온수를 사용한다.
② 어떤 일정지역 내 한 장소에 보일러실을 설치하여 증기 또는 온수를 공급하여 난방하는 방식이다.
③ 열매체로 온수 사용 시 지형이 고저가 있어도 순환펌프에 의하여 순환이 된다.
④ 열매체로 증기 사용 시 게이지 압력으로 15~30MPa의 증기를 사용한다.

> 지역난방에서 증기압력은 0.1 ~ 1.5MPa 압력을 일반적으로 사용한다.

[13년 1회]

61 열동식 증기 트랩에 대한 설명 중 옳은 것은?

① 방열기에 생긴 응축수를 증기와 분리하여 보일러에 환수시키는 역할을 한다.
② 방열기 내에 머무르는 공기만을 분리하여 제거하는 역할을 한다.
③ 열동식 트랩은 열역학적 트랩의 일종이다.
④ 방열기에서 발생하는 응축수는 분리하여 방열기에 오랫동안 머무르게 하고 증기를 배출하는 역할을 한다.

> 열동식 증기트랩(벨로스형, 바이메탈형)은 온도조절식 트랩으로 방열기 등에서 생긴 응축수를 증기와 분리하여 응축수는 보일러로 환수시키고, 증기는 방열기에 머물도록 제어한다.

[15년 1회]

62 가스난방에 있어서 실의 총 손실열량이 300,000[kJ/h], 가스의 방열량 25,200[kJ/m³], 가스소요량이 17[m³/h]일 때 가스스토브의 효율은?

① 약 70%
② 약 80%
③ 약 85%
④ 약 90%

> $\therefore$ 보일러효율$= \dfrac{보일러출력}{가스공급열량} \times 100 = \dfrac{실손실열량}{가스공급열량} \times 100$
> $= \dfrac{300,000}{6000 \times 17} \times 100 = 70\%$

[예상문제]

63 가스난방에 있어서 실의 총 손실열량이 100,000[W], 가스의 방열량이 6,000[kJ/m³], 가스소요량이 70[m³/h]일 때 가스스토브의 효율은?

① 약 71%
② 약 80%
③ 약 86%
④ 약 90%

> $\therefore$ 보일러효율$= \dfrac{보일러출력}{가스공급열량} \times 100 = \dfrac{실손실열량}{가스공급열량} \times 100$
> $= \dfrac{100,000 \times 3.6}{6000 \times 70} \times 100 = 86\%$
> 위 계산식에서 분자에 3.6을 곱한 것은
> 100,000W × 3.6 = 360,000kJ/h로 단위 환산을 위해서이다.
> (1W = 1J/s = 3600J/h = 3.6kJ/h)

[13년 2회]

64 증기트랩에 대한 설명으로 옳지 않은 것은?

① 바이메탈트랩은 내부에 열팽창계수가 다른 두 개의 금속이 접합된 바이메탈로 구성되며, 워터해머에 안전하고, 과열증기에도 사용 가능하다.
② 벨로스트랩은 금속제의 벨로스 속에 휘발성 액체가 봉입되어 있어 주위에 증기가 있으면 팽창되며, 증기가 응축되면 온도에 의해 수축하는 원리를 이용한 트랩이다.
③ 플로트트랩은 응축수의 온도차를 이용하여 플로트가 상하로 움직이며 밸브를 개폐한다.
④ 버킷트랩은 응축수의 부력을 이용하여 밸브를 개폐하며 상향식과 하향식이 있다.

> 플로트트랩은 응축수의 수위에 따라 볼탭이 작동하는 기계식 트랩이다.

정답 60 ④ 61 ① 62 ① 63 ③ 64 ③

클린룸설비

1 클린룸 방식

1. 클린룸의 정의 및 분류

(1) **클린룸의 정의** : 클린룸(clean room)이란 분진 입자의 크기에 따라 분진수를 측정하여 청정도를 등급별로 체계화한 공간을 말한다.

(2) **클린룸의 분류**

- 산업용 클린룸 (ICR : industrial clean room) : 공기 중의 미세 먼지, 유해 가스, 미생물 등의 오염 물질까지도 극소로 만든 클린룸으로 반도체산업, 디스플레이 산업, 정밀 측정, 필름 공업 분야에 적용되며, 주로 미세 먼지를 청정 대상으로 한다.

- 바이오 클린룸(BCR : bio clean room) : 미세 먼지 미립자뿐만 아니라 세균, 곰팡이, 바이러스 등도 극소로 제한하는 클린룸으로 병원의 수술실 등 무균 병실, 동물 실험실, 제약 공장, 유전 공학 등에 적용되고 있다.

2. 공기 청정도의 등급

(1) 클린룸의 청정도는 공간 내의 부유 입자 농도에 따른 청정도 클래스에 의해 나타낸다.

(2) 클린룸 청정도 등급은 Class라는 단위를 사용하는데 전통적인 미국단위(FS)와 영국단위(BS), 한국단위(KS), 국제단위(ISO)가 있다. 미국단위만 (개/ft^3)를 사용하고 나머지는 (개/m^3) 단위를 사용한다.

(3) **각종 청정도 등급 표기법**

- 미국단위(FS) : class 1 – 100,000 등급으로 표현하며 예를 들어 클린룸 class 100은 0.5μm 먼지 입자가 100개/ft^3 이하라는 의미이다.

- 영국단위(BS) : 분진 개/m^3 단위를 사용하며 ISO 1 – 9 등급으로 표현한다.

- 국제단위(ISO) : 분진 개/m^3 단위를 사용하며 Class 1–Class 9 등급으로 표현한다.

- 한국단위(KS) : 분진 개/m^3 단위를 사용하며 Class M1– Class M10^{7}으로 표기한다.

01 예제문제

클린룸에 대한 설명 중 잘못된 것은?

① 클린룸이란 분진 입자의 질량에 따라 분진수를 측정하여 청정도를 등급별로 체계화한 공간을 말한다.

② 산업용 클린룸은 공기 중의 미세 먼지, 유해 가스, 미생물 등의 오염 물질까지도 극소로 만든 클린룸으로 반도체산업, 디스플레이 산업, 정밀 측정등에 주로 적용된다.

③ 바이오 클린룸은 실내의 세균, 곰팡이, 바이러스 등도 극소로 제한하는 클린룸으로 병원의 수술실 등 무균 병실 등에 적용되고 있다.

④ 우리나라의 클린룸 등급은 한국단위(KS) Class M1–Class M10^{7}으로 표기한다.

해설
클린룸이란 분진 입자의 크기에 따라 분진수를 측정하여 청정도를 등급별로 체계화한 공간을 말한다.   답 ①

3. 클린룸 방식

(1) 기류 방식에 따른 분류

- 비단일 방향류 방식(난류방식(Conventional Flow Type)) : 가장 폭넓게 사용하는 기본방식 실내에 신선한 공기를 넣어 먼지를 희석시켜 실내 청정도를 유지한다. 일반 공조 취출구에 헤파필터(HEPA)를 부착하여 송풍하므로 신선한 공기를 증가시켜 청정도를 높일 수 있다. Class 1,000 정도의 클린룸에 적용한다.

- 수평 단일 방향류 방식(수평 층류(Cross Flow Type)) : 공기흐름의 상부에서는 Class100 정도가 유지되나 하부에선 사람과 먼지 발생으로 인해 Class100 유지가 어렵다.
  일반적으로 바이오 클린룸방식에 적용되며 전제적으로 Class100 이하의 청정도가 요구되는 클린룸에 이용된다.

- 수직 단일 방향류 방식(수직 층류(Down Flow Type)) : 클린룸 전체를 고청정실로 유지하는 방식으로 먼지가 발생하면 하향기류로 제거하여 인접실에 영향이 적다. 고청정실은 발생된 먼지가 상승기류에 의해 실내로 부유되는 현상을 억제 높은 청정도 유지 유리 에너지 소비율이 높다.

> 기류 방식에 따른 클린룸 방식
> 난류방식, 수평 층류방식, 수직층류방식, 터널방식, 오픈베이방식, 팬필터 유닛식

- 터널방식(Tunnel Type) : 클린 터널 모듈(Clean tunnel module)방식으로 작업에 필요 한 최소한의 공간만을 국부적으로 고청정도로 유지하는 방식으로 에너지 및 공간의 절감에 유리하다. 작업공간과 주변 구역이 구분되므로 장비교체에 따른 대응성은 타 방식에 비해 불리하다.

- 오픈베이 방식(Open Bay Type) : 전면 수직 층류방식과 터널방식의 단점을 개선한 복합 형태로서 청정 실내의 일정한 온도분포를 얻을 수 있다. 반도체 연구시설이나 양산 공정에 적용한다. 에너지 절약 및 대응성을 동시에 해결할 수 있는 방식이다.

- 팬 필터 유닛(FFU : Fan Filter Unit)방식 : 초고성능필터(ULPA), 또는 고성능 필터(HEPA)와 소형순환팬(FAN)을 조합한 FFU가 다수 천장면에 설치되어 공기를 순환시키는 방식으로 기계실 면적이 축소되나 팬 수량의 증가로 유지관리비가 증가하고 실내부(LAY-OUT)변경이 용이하여 설비 확장성이 우수하다. CLASS 1000 이하에 적용

---

02 예제문제

클린룸설비에서 기류 방식에 따른 분류 중 초 고성능 필터(ULPA), 또는 고성능 필터(HEPA)와 소형 순환팬(FAN)을 조합한 FFU가 다수 천장면에 설치되어 공기를 순환시키는 방식은 무엇인가?

① 난류방식(Conventional Flow Type)
② 수평 층류(Cross Flow Type)
③ 수직 층류(Down Flow Type)
④ 팬 필터 유닛(FFU : Fan Filter Unit)방식

해설
팬 필터 유닛(FFU : Fan Filter Unit)방식은 초고성능필터(ULPA), 또는 고성능 필터(HEPA)와 소형순환팬(FAN)을 조합한 FFU가 다수(여러개) 천장면에 설치되어 공기를 순환시키는 방식으로 기계실 면적이 축소되나 팬 수량의 증가로 유지관리비가 증가하고 실내부(LAY-OUT)변경이 용이하여 설비 확장성이 우수하며 CLASS 1000 이하에 적용하기 적합하다. **답 ④**

2 클린룸 설비의 구성

1. 클린룸 에어 필터

(1) 에어 필터의 포집 효과
- 관성 충돌 효과
- 확산 효과
- 차단 효과

(2) 에어 필터의 기능 : 에어 필터란 어떠한 유체 (공기, 기름, 연료, 물, 기타)를 일정한 시간 내에 일정한 용량을 일정한 크기의 입자로 통과시키는 기기를 말하며, 대기 중에 존재하는 분진을 제거하여 필요에 맞는 청정한 공기를 만들어낸다.

(3) 에어 필터의 구조 : 외곽 틀, 여과재, 밀봉재, 분리판, 개스킷 등으로 구성된다.

(4) 에어 필터의 종류
- 저성능 필터(PRE-Filter) : 중량법(AFI)에 의한 포집효율 85%, 전자부품, 병원, 식품제조 생산라인의 전처리용으로 적용
- 중성능 필터(Midium Filter) : 비색법(NBS)에 의한 효율 65~95% 가 주로 사용되며 전처리 또는 헤파필터(Hepa Filter) 보호용으로 사용
- 고성능 필터(HEPA Filter) : 계수법(DOP)에 의한 포집효율($0.3\mu m$ 기준 99.97%) 클린룸 Class : 100 ~ 10,000에 적용
- 초고성능 필터(ULPA Filter) : 계수법(DOP)에 의한 포집효율($0.12{\sim}0.17\mu m$ 기준 99.9999%) Class 1~10 이하에 적용
- 전기 집진식 : Pre-filter에서 굵은 먼지가 제거된 후 이온화부에 도달한 공기중의 미세분진은 전리부에서(+)로 대전되어 집진 극판중의 (−)극판에 전기적 인력으로 흡착된다.
- 케미컬필터(Chemical Filter), 카본필터(Carbon Filter) : 초미량 가스에 대한 고효율 제거 가능(1 ~ 3ppb)

> **에어 필터의 종류**
> 저성능 필터(PRE-Filter)
> 중성능 필터(Midium Filter)
> 고성능 필터(HEPA Filter)
> 초고성능 필터(ULPA Filter)
> 케미컬필터(Chemical Filter)
> 카본필터(Carbon Filter)

2. 산업용 클린룸 (ICR) 계획

(1) 평면 계획
- 클린룸 내부는 생산 공정에 따라 여러 개로 세분되고, 그 외 영역은 작업 영역, 생산 장치 영역, 보수 영역, 통로, 비품 수납장 등 용도별로 분류하여 칸막이 등으로 구획한다.
- 청정도가 높은 순서 : 고청정도 영역 → 저청정도 영역 → 전실 → 일반실의 순서로 압력차를 만든다.

- 전실·준비실 : 클린룸을 사용함과 동시에 일반실에서 입실과 퇴실, 제품, 부품, 생산
- 감시실·견학자 통로 : 클린룸의 상태(청정도, 온습도, 압력, 생산 장치 가동 상황 등)을 파악하기 위해 감시실을 설치한다. 견학자가 실외에서 클린룸을 견학할 수 있도록 견학자용 통로를 설치하기도 한다.
- 기타 용도실 : 기계실, 전기실, 물리 처리 영역 외 각종 유틸리티 작업장이 필요하다.

(2) 단면 계획
- 클린룸 단면은 기본적으로 하부 플리넘(plenum), 클린룸, 상부 플리넘의 3층 구조로 이루어진다.
- 하부 플리넘 : 순환 공기의 반송 경로, 생산 장치 보조 기기의 설치, 각종 유틸리티, 덕트, 배관의 부설 공간으로 사용
- 클린룸(실내)은 단면 구성상 가장 고청정인 공간으로 생산 장치나 보조 기기의 설치 공간이며 생산 프로세스나 사용 용도에 따라 필요한 청정도를 설정하고 유지해야 한다.
  클린룸의 높이는 보통 반도체 제조 공정에서는 3.5m 이상, 웨이퍼 공정에서는 5.0m 이상인 경우도 있다.
- 상부 플리넘 : 순환 공기의 반송 경로, 공조, 유틸리티, 덕트 부설 공간으로 사용

3. 바이오 클린룸(BCR) 계획

(1) 바이오 클린룸(biological clean room)의 공기 청정도가 ISO 등급 5(Class 100, 입자경 $0.5\mu m$)일 때 3,500개/m^3, 공기 중의 부유균은 3.5 CFU/m^3 (CFU : colony forming unit)가 나타내듯이 공기 중 부유균의 수는 입자에 비해 1/1,000로 극히 작고, 일반적으로 이 클래스 방을 무균실이라고 한다.

(2) 바이오 클린룸을 필요로 하는 분야는 의료계, 식품 산업, 의약품 제조, 동물 사육 시설 분야 등이고, 여기에서 무균실이 필요한 곳은 적은 미생물 오염이라도 생명과 건강에 큰 피해를 줄 우려가 있는 생산 프로세스나 작업 공간으로 한정된다.

3 클린룸 장치

클린룸 설비는 클린룸과 부속 장치, 그리고 각종 공조기기들로 구성된다.

1. 클린룸의 부속장치

(1) **에어 샤워(Air Shower)** : 클린룸에 가지고 들어가는 물품에 부착되어 있는 먼지와 세균 등이 들어가지 못하도록 입구에서 깨끗한 AIR를 분사하여 먼지와 세균을 제거하여 청정도를 유지하는 장비. 대인용과 대물용이 있다.

(2) **패스 박스(PASS BOX)** : 클린룸의 벽면에 설치하고 클린룸 안으로 물품 반입 시 물품만을 통과시켜서 사람의 이동이나 출입을 가능한 적게 하기 위한 것이다. 표준형, AIR SHOWER 부착형, 살균등 부착형, 로라콘베어 부착형 등이 있다.

(3) **헤파 박스 유닛(HEPA Box Unit)** : DUCT 접속형으로 별도 설치된 송풍기 또는 공기조화기로부터 공기를 도입하는 장치이며 FILTER BOX 내부에 ULPA, HEPA FILTER를 사용한다.

(4) **팬 필터 유닛(Fan Filter Unit: FFU)** : 클린룸의 천장에 설치하여 팬(Fan)과 필터(Filter)를 내장한 공기를 정화 공급하는 역할을 하고, 외부의 공기통로(Duct)와 연결하는 방식과 공기를 자체순환 시키는 방식이 있다.

(5) **블로어 필터 유닛(Blower Filter Unit)** : FFU와 같은 기능을 하며 소형 Blower가 부착되어 있어 자체적으로 청정한 공기를 공급할 수 있다.

(6) **차압 댐퍼** : 클린룸설비는 청정도가 서로 다른 여러 개의 실로 구성되는데 각각의 적합한 실내 압력의 유지가 중요하다. 미세 차압 조정기능을 가진 차압댐퍼를 설치함으로써 문을 개폐할 때 실내 압력을 일정하게 유지한다.

(7) **클린 벤치(CLEAN BENCH)** : 국부적으로 완전 청정한 환경에 이르게 하는 장치로 실내전체를 제어하는 클린룸에 비교해 저렴한 시공비로 청정 환경을 만들 수 있다.

(8) **클린 부스(CLEAN BOOTH)** : 본체의 주변에 비닐 커튼을 씌우고 상부에는 HEPA FILTER를 취부하여 청정공기의 흐름을 DOWN FLOW형으로 만든 간이형 클린룸이다.

2. 각종 공조 기기의 선정

(1) **외조기** : 외조기는 도입하는 외기에 포함된 입자의 제거, 들어오는 외기의 열부하 제거, 들어오는 외기의 노점 제어 등을 위해 설계 조건이나 환경 조건에 알맞게 선정한다.

> **클린룸의 부속장치**
> 에어 샤워(Air Shower), 패스 박스(PASS BOX), 헤파박스유닛(HEPA Box Unit), 팬 필터 유닛(Fan Filter Unit: FFU), 블로어 필터유닛(Blower Filter Unit), 차압 댐퍼, 클린 벤치(CLEAN BENCH), 클린 부스(CLEAN BOOTH)

(2) **순환용 공조기** : 순환용 공조기의 큰 목적은, 환기와 외기를 혼합 처리하여 실내 환경 조건에 대응하여 공급공기를 만드는 것이다.

(3) **순환 송풍기** : 순환 송풍기의 선정 방법은 공조기용 송풍기와 동일하다.

(4) **생산 기기 배기용 팬** : 배기에 포함된 가스 성분에 따라서는 부식이나 폭발 등을 고려하여 팬의 재질이나 사양 변경을 결정한다.

(5) **열원 기기** : 열원 기기의 부속 설비로는 냉동기, 냉각탑, 냉각수 펌프, 보일러, 오일 탱크, 팽창 탱크, 저탕조, 열 교환기 등이 있다.

(6) **냉동기의 선정** : 냉동기를 선정할 때의 조건으로는 냉동기 부하, 냉수 및 냉각수 출입구 온도, 필요 냉수량, 냉동기 동력원 등을 고려한다.

(7) **보일러의 선정** : 보일러를 선정할 때의 조건으로는 난방 및 급탕 부하, 온수 출입구 온도 및 증기 압력, 연료 종류(중유, 등유, 그 외) 등이 있다.

(8) **자동 제어 방식** : 클린룸에 있어서의 자동 제어의 목적은 환경 조건의 효율적인 유지 보전 및 합리적인 에너지 이용, 에너지 절약, 자원 절약이다.

(9) **에너지 절약 대책** : 클린룸의 냉방 부하는 실내 기기 발열량, 외기 도입량(= 기기 배기량), 공기 반송 동력 등이 크기 때문에 일반 오피스 빌딩의 5~10배나 된다. 또 24시간 운전할 경우가 많기 때문에, 전력 소비가 큰 에너지 다소비형 시설의 특징을 가지므로 에너지 절약 을 충분히 검토한다.

(10) 클린룸의 구체적인 에너지 소비는 열원에 관한 것과 반송계에 관한 것이 대부분이다. 송풍기와 펌프 등 반송계통의 에너지 절약을 위한 대수제어, 회전수제어방식 등을 충분히 검토하고 적용한다.

04 출제유형분석에 따른 — 종합예상문제

[12년 1회]

01 클린룸 설비에 있어 실내기류에 따른 방식에 해당되지 않는 것은?

① 수직 층류방식
② 수평 층류방식
③ 비층류방식
④ 직교류 층류방식

클린룸(Clean Room)설비는 실내기류에 따라 수직층류, 수평층류, 비층류(난류)방식으로 나눈다.

[13년 2회]

02 클린룸(Clean Room)에 대한 등급을 나타내는 방법으로 미연방규격을 준용하여, $1\,\mathrm{ft}^3$의 체적 내에 들어 있는 불순 미립자의 수를 Class 등급으로 나타내는 방법이 있다. 예를 들어 Class 100 이라고 함은 입경이 얼마인 불순 미립자의 수를 100으로 제한한다는 의미인가?

① $0.1\,\mu m$
② $0.2\,\mu m$
③ $0.3\,\mu m$
④ $0.5\,\mu m$

클린룸 Class 100이란 $0.5\mu m$ 미립자의 수를 $1\mathrm{ft}^3$ 공기 안에 100개 이하로 제한한다.

[예상문제]

03 에어 필터의 분류에서 냄새 등 가스상태의 오염물질을 제거할 수 있는 필터는 무엇인가?

① 건식필터
② 카본필터(Carbon Filter)
③ 고성능 공기필터(HEPA)
④ 초고성능필터(ULPA Filter)

카본필터(Carbon Filter)는 흡착작용으로 가스 상태의 오염물질을 제거한다. 가정에서 숯을 사용하는데 카본필터가 바로 숯을 원료로 한다.

[예상문제]

04 클린룸에 대한 설명 중 잘못된 것은?

① 클린룸이란 분진 입자의 질량에 따라 분진수를 측정하여 청정도를 등급별로 체계화한 공간을 말한다.
② 산업용 클린룸은 공기 중의 미세 먼지, 유해 가스, 미생물 등의 오염 물질까지도 극소로 만든 클린룸으로 반도체산업, 디스플레이 산업, 정밀 측정 등에 주로 적용된다.
③ 바이오 클린룸은 실내의 세균, 곰팡이, 바이러스 등도 극소로 제한하는 클린룸으로 병원의 수술실 등 무균 병실 등에 적용되고 있다.
④ 우리나라의 클린룸 등급은 한국단위(KS) Class M1-Class $M10^7$으로 표기한다.

클린룸이란 분진 입자의 크기에 따라 분진수를 측정하여 청정도를 등급별로 체계화한 공간을 말한다.

[예상문제]

05 에어 필터의 성능에 따른 특징으로 잘못된 설명은?

① 저성능 필터(PRE-Filter)는 중량법(AFI)에 의한 포집효율 85% 정도로 생산라인의 전처리용으로 큰 입자를 주로 제거한다.
② 중성능 필터(Midium Filter)는 비색법(NBS)에 의한 효율 65~95%가 주로 사용되며 전처리 또는 헤파필터(Hepa Filter) 보호용으로 사용한다.
③ 고성능 필터(HEPA Filter) : 계수법(DOP)에 의한 포집효율 $0.3\mu m$ 기준 99.97% 정도로 클린룸 Class 100~10,000에 적용한다.
④ 초고성능필터(ULPA Filter)는 계수법(DOP)에 의한 포집효율($0.12~0.17\mu m$ 기준 99.9999%) 정도로 Class 1~10 이하에 적용하며 HEPA Filter의 전처리용으로 적용된다.

ULPA Filter가 HEPA보다 고성능이므로 HEPA가 앞에 설치된다.

[예상문제]

06 청정도 등급 표기법에서 미국단위에서 class 100의 의미는 무엇인가?

① 클린룸 class 100은 $0.2\mu m$ 먼지 입자가 100개/ft^3 이하라는 의미이다.

② 클린룸 class 100은 $0.2\mu m$ 먼지 입자가 1개/100ft^3 이하라는 의미이다.

③ 클린룸 class 100은 $0.5\mu m$ 먼지 입자가 100개/ft^3 이하라는 의미이다.

④ 클린룸 class 100은 $0.5\mu m$ 먼지 입자가 1개/100ft^3 이하라는 의미이다.

> 미국단위(FS)에서 class 100은 $0.5\mu m$ 먼지 입자가 100개/ft^3 이하라는 의미이다.

[예상문제]

07 클린룸설비에서 기류 방식에 따른 분류 중 초 고성능 필터(ULPA), 또는 고성능 필터(HEPA)와 소형 순환팬(FAN)을 조합한 FFU가 다수 천장면에 설치되어 공기를 순환시키는 방식은 무엇인가?

① 난류방식(Conventional Flow Type)

② 수평 층류(Cross Flow Type)

③ 수직 층류(Down Flow Type)

④ 팬 필터 유닛(FFU : Fan Filter Unit)방식

> **팬 필터 유닛(FFU : Fan Filter Unit)방식**
> 각 초고성능필터(ULPA), 또는 고성능 필터(HEPA)와 소형순환팬(FAN)을 조합한 FFU가 다수 천장면에 설치되어 공기를 순환시키는 방식으로 기계실 면적이 축소되나 팬 수량의 증가로 유지 관리비가 증가하고 실내부(LAY-OUT)변경이 용이하여 설비 확장성이 우수하며 CLASS 1000 이하에 적용하기 적합하다.

[예상문제]

08 에어 필터의 종류 중 초미량 가스에 대한 고효율 제거가 가능한 필터는 무엇인가?

① 저성능 필터(PRE-Filter)

② 중성능 필터(Midium Filter)

③ 초고성능필터(ULPA Filter)

④ 카본필터(Carbon Filter)

> 케미컬필터(Chemical Filter)나 카본필터(Carbon Filter)는 초미량 가스에 대한 고효율 제거가 가능하다.

[예상문제]

09 클린룸의 부속장치 중 클린룸에 가지고 들어가는 물품에 부착되어 있는 먼지와 세균 등이 들어가지 못하도록 입구에서 깨끗한 AIR를 분사하여 먼지와 세균을 제거하여 청정도를 유지하는 장비는 무엇인가?

① 에어 샤워(Air Shower)

② 패스 박스(PASS BOX)

③ 팬 필터 유닛(Fan Filter Unit: FFU)

④ 차압 댐퍼

> **에어 샤워(Air Shower)**
> 클린룸에 가지고 들어가는 물품에 부착되어 있는 먼지와 세균 등이 들어가지 못하도록 입구에서 깨끗한 AIR를 분사하여 먼지와 세균을 제거하여 청정도를 유지하는 장비. 대인용과 대물용이 있다.

[예상문제]

10 클린룸 공조기기 선정에서 각종 기기에 대한 설명 중 잘못된 것은?

① 냉동기를 선정할 때의 조건으로는 냉동기 부하, 냉수 및 냉각수 출입구 온도, 필요 냉수량, 냉동기 동력원 등을 고려한다.

② 보일러를 선정할 때의 조건으로는 난방 및 급탕 부하, 온수 출입구 온도 및 증기 압력, 연료 종류(중유, 등유, 그 외) 등이 있다.

③ 클린룸에 있어서의 자동 제어의 목적은 환경 조건의 효율적인 유지 보전 및 합리적인 에너지 이용, 에너지 절약, 자원 절약이다.

④ 송풍기와 펌프 등 반송계통의 에너지 절약을 위해 회전수제어방식은 적용하지 않는 것이 좋다.

> 송풍기와 펌프 등 반송계통의 에너지 절약을 위해 회전수제어방식을 적극 적용한다.

정답 06 ③ 07 ④ 08 ④ 09 ① 10 ④

제3장

공조기기 및 덕트

01 공기조화기기

1 공기조화기(AHU) 주요 구성 기기

공기조화기는 아래 모식도와 같이

① 급기 송풍기 (supply fan) ② 냉각코일 ③ 가열코일

④ 재열코일 ⑤ 가습기 ⑥ 에어필터

⑦ 댐퍼류(RA, EA, OA) ⑧ 케이싱 등으로 구성된다.

> 공기조화기(AHU) 주요 구성 기기 급기 송풍기 (SF), 냉각코일(CC), 가열코일(HC), 재열코일, 가습기(AW), 에어필터(AF), 댐퍼류(RA, EA, OA), 케이싱 등

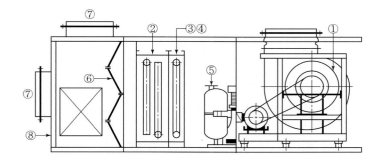

---

01 예제문제

공기조화설비에서 공기의 경로로 옳은 것은?

① 환기덕트 → 공조기 → 급기덕트 → 취출구
② 공조기 → 환기덕트 → 급기덕트 → 취출구
③ 냉각탑 → 공조기 → 냉동기 → 취출구
④ 공조기 → 냉동기 → 환기덕트 → 취출구

해설
공기조화설비에서 공기의 경로 환기덕트 → 공조기 → 급기덕트 → 취출구 → 환기덕트

답 ①

2 송풍기

1. 분류

정압에 따라 블로어(토출압력 $10\,\mathrm{kPa} - 100\,\mathrm{kPa}$), 팬(토출압력 $10\,\mathrm{kPa}$ 미만)으로 분류

2. 송풍기 계산식

① 송풍기전압 $\mathrm{Pa(PT)}$ = 송풍기정압 + 송풍기동압

② 송풍기 소요동력

$$\mathrm{kW} = \frac{Q \cdot P_T}{60 \times 1000 \times y_T}$$

$\therefore\ Q$: 공기량($\mathrm{m^3/min}$),　y_T : 전압효율
P_T : 송풍기전압(Pa)

③ 송풍기상사법칙

$$\frac{Q_2}{Q_1} = \left(\frac{N_2}{N_1}\right)\left(\frac{D_2}{D_1}\right)^3, \quad \frac{P_2}{P_1} = \left(\frac{N_2}{N_1}\right)^2\left(\frac{D_2}{D_1}\right)^2, \quad \frac{L_2}{L_1} = \left(\frac{N_2}{N_1}\right)^3\left(\frac{D_2}{D_1}\right)^5$$

Q : 풍량, N : 회전수, D : 직경, P : 정압, L : 동력

송풍기 소요동력

$$\mathrm{kW} = \frac{Q \cdot P_T}{60 \times 1000 \times y_T}$$

송풍기상사법칙

$$\frac{Q_2}{Q_1} = \left(\frac{N_2}{N_1}\right)\left(\frac{D_2}{D_1}\right)^3$$

$$\frac{P_2}{P_1} = \left(\frac{N_2}{N_1}\right)^2\left(\frac{D_2}{D_1}\right)^2$$

$$\frac{L_2}{L_1} = \left(\frac{N_2}{N_1}\right)^3\left(\frac{D_2}{D_1}\right)^5$$

3. 송풍기 설치조건

• 평형시험기에 의하여 정적 평형과 동적 평형이 잘 조정된 것으로서 운전 시에 소음과 진동이 적고 소정의 성질을 갖는 것으로 한다.
• 제작 시의 변형 및 부정형 등이 없고 충분한 강도를 가지며 적정한 베어링을 사용한다.
• 배연용 송풍기와 제연설비용 배출기는 각각 건축법 및 소방법 등의 관계법규를 만족시키는 구조 및 성능을 갖는 것으로 하고, 유효한 내열처리를 하여야 한다.

4. 송풍기 종류

(1) 원심송풍기

• 공조기에 주로 쓰이는 원심송풍기는 다익형(시로코 팬, sirocco fan)과 에어포일 팬(airfoil fan)이 주로 쓰인다.
• 케이싱은 강판으로 제작하며 변형과 진동이 없으며 접합부에서 공기가 새지 않도록 용접, 리베팅 또는 절곡, 삽입방식에 의하여 견고하게 정형보강된 것으로써 설치와 운전에 지장이 없는 구조로 한다.
• 날개(impeller)는 강판제 또는 기타 필요한 강도를 가진 재료로서 일정한 곡면으로 정밀하게 정형제작 하여 보스에 용접, 리베팅(riveting) 및 볼트 또는 기타 방법으로 주판과 측판에 견고하게 부착한 것으로서 운전 시에 변형을 일으키지 않는 충분한 강도를 가진 것으로 한다.

- 축은 충분한 강도를 가진 것으로 하고 베어링은 레이디얼 및 스러스트 하중에 충분히 견딜 수 있고 장시간의 연속운전 시에도 지장이 없는 것으로 한다.
- 전동기는 특기시방에 지시가 없는 한 옥내는 방적형, 옥외는 전폐 옥외형으로 한다.

(2) 축류 및 사류 송풍기

- 축류 및 사류 송풍기는 주로 대풍량에 사용되며 케이싱과 프레임은 강판 또는 기타 필요한 강도를 갖는 재료로 제작되고 설치에 지장이 없는 구조로 한다.
- 날개는 강판 또는 기타 필요한 강도를 갖는 재료로써 소정의 매끈한 곡면으로 정밀하게 제작하여 고속운전에 견딜 수 있는 것으로 한다.

---

02 예제문제

500rpm으로 운전되는 송풍기가 풍량 400m³/min, 전압 40mmAq, 동력 3.5kW의 성능을 나타내고 있다. 회전수를 550rpm으로 상승시키면 동력은 약 몇 kW가 소요되는가? (단, 송풍기 효율은 변화되지 않는 것으로 가정한다.)

① 3.5kW   ② 4.7kW   ③ 5.5kW   ④ 6.0kW

해설

상사법칙에서 송풍기 동력 : $L_2 = L_1 \left(\dfrac{N_2}{N_1} \right)^3 = 3.5 \times \left(\dfrac{550}{500} \right)^3 = 4.7 \text{kW}$

답 ②

---

3 공기조화기 장치별 특징

1. 에어필터

(1) **목적** : 공기 중 매연, 부진, 가스 등 인체에 해로운 물질을 제거하기 위해 설치

(2) **집진원리** : 중력집진, 관성력집진, 원심력집진, 세정집진, 여과집진, 전기집진, 음파집진

(3) **여과 방식별 종류**

① **점착식 여과기** : 기름에 담근 글라스 울(glass wool), 금속 울(metal wool) 등에 풍속 1.5m/s 정도로 통과시켜 여재표면에 점착되어 제거

② **건식 여과기** : 스펀지, 합성수지섬유 등 건조섬유층을 풍속 1m/s 정도로 통과시켜 여과

③ **습식 여과기** : 공기세정기라 하며 케이싱 안에 물을 분무시키고 공기를 통과시켜 여과(먼지 가스에 효과가 높다.)

④ **전기 집진식** : 공기 중의 입자를 대전시켜 다른 전극에 의해 부착 제거

여과 방식별 여과기 종류
점착식 여과기, 건식 여과기,
습식 여과기, 전기집진식

(4) 여과 성능별 종류

실내 공기 및 도입 외기의 오염도, 실내 분진의 발생 정도 및 요구 청정도에 따라 전처리(pre), 중성능(medium), 고성능(HEPA OR ULPA) 필터 및 케미컬 필터(chemical filter) 등을 설치할 수 있다.

(5) 여과효율

$$여과효율(y) = \frac{C_1 - C_2}{C_1} \times 100(\%)$$

C_1 : 여과기 입구 농도

C_2 : 여과기 출구 농도

(6) 여과기 성능검사법

- 중량법(저성능필터(프리필터)에 적용)
- 비색법(NBS법, 중성능필터(미디엄필터)에 적용)
- 계수법(DOP법, 고성능필터(HEPA, ULPA-초고성능)에 적용

(7) 여과기 양단에 차압계를 설치하고 필터의 정압을 감지하여 필터 청소나 교체시기를 파악한다.

2. 공기가열기(가열코일)

(1) 원리 : 공기를 가열하기 위한 장치로 온수와 증기를 사용(평행류, 향류, 직교류 등)

(2) 코일 통과 면적(A)

$$A = \frac{Q}{V \times 3600} = \frac{G}{1.2 \times 3600 \times V} = \frac{G}{4320 \times V}$$

Q : 풍량(m^3/s)　　　G : 풍량(kg/h)

V : 풍속(m/s) (가열코일 : $3 \sim 4\,m/s$, 냉각코일 : $2 \sim 3\,m/s$)

(3) 코일전열면적(S)

$$S = \frac{q(1000/3600)}{K \cdot \Delta t}$$

q : 가열량(kJ/h)　K : 열통과율(W/m^2K)

Δt : 공기-온수온도차

① 산술 평균 온도차 : 공기 평균온도와 온수 평균온도와의 차

② 대수평균 온도차

$$MTD = \frac{\Delta 1 - \Delta 2}{\ln \dfrac{\Delta 1}{\Delta 2}}$$

$\Delta 1$: 출구 물의 온도- 입구 공기 온도

$\Delta 2$: 입구 물의 온도- 출구 공기 온도

(4) 코일열수(N)

$$N = \frac{q(1000/3600)}{K \cdot A \cdot \Delta t}$$

Δt : 공기, 열매의 평균온도차(대수평균온도차)

A : 코일 1열당 전열면적(m^2)

K : 열관류율($\mathrm{W/m^2K}$)−전열면적에 대한 열관류율

3. 냉각코일

(1) 코일 표면온도가 공기노점온도보다 높은 건코일식과 노점온도보다 낮은 습코일식이 있다. 원리 및 기기용량산정은 가열코일과 같다.

(2) 핀은 플레이트(plate)형, 웨이브(wave)형, 또는 슬릿(slit)형의 것을 판상 또는 나선상으로 관에 부착하는 것으로 하고, 재질은 동판, 알루미늄 및 알루미늄 합금판 등으로 한다.

---

03 예제문제

공기조화기에 걸리는 열부하 요소에 대한 것이다. 적당하지 않은 것은?

① 외기부하　　　　　　　　② 재열부하

③ 덕트계통에서의 열부하　　④ 배관계통에서의 열부하

해설
공조기에는 배관 계통의 부하는 작용하지 않는다.　　　　　　　　답 ④

---

4. 가습기, 감습기

(1) **가습방법(겨울철)** : 공기세정기, 증기분무, 증발접시, 원심식가습기, 압축공기에 의한 물분무, 초음파가습기 등을 사용한다.

(2) 가습기는 주로 공기조화기, 패키지형 공기조화기 또는 덕트 내에 부착하여 사용하는 것을 대상으로 하여 가습성능이 우수하고 내식성 및 스케일 대책을 충분히 고려한 구조로 한다.

(3) **수분무식 가습기**
- 가압 수분무식 가습기는 스트레이너, 급수전자밸브, 가압펌프, 분무노즐, 노즐헤더 등으로 구성되며, 노즐칩은 세라믹 등 내식성이 우수한 재료를 사용하고, 노즐헤더는 스테인리스, 황동 등 녹이 발생하지 않는 재질을 사용한다.
- 원심식 가습기는 전동기, 흡수분무부, 입자여과기, 송풍기, 송출부로 구성되고, 내식성이 우수한 재료를 사용하여 가습기능을 충분히 만족시키도록 한다.

가습기 종류
− 수분무식 가습기 : 가압 수분무식, 원심식, 초음파식
− 증기식 가습기 : 증기 분무식 증기 발생식 전열 증발접시식

- 초음파식 가습기는 스테인리스 또는 수지제품 등의 물탱크 하단에 초음파 가습장치를 설치하여 자동급수장치를 따라 공급되는 물을 미세화 및 확산시 키는 구조로 한다.

(4) 증기식 가습기

- 증기 분무식 가습기는 KS D 3562(압력배관용 탄소강관)에 적은 구멍을 설치하여 증기를 분출시키는 것으로써, 응축수를 분출시키지 않으며, 공기와의 혼합이 잘 되는 구조로 한다.
- 증기발생식 가습기는 증기발생부 및 제어기구부, 급배수장치, 증기분출구로 구성되며, 내식성이 우수한 재질을 사용한다.
- 전열 증발접시식에 의한 가습기는 스테인리스제 물탱크, 전열기, 급수장치 및 안전장치를 갖추도록 한다.

(5) 감습방법(여름철) : 냉각코일 방법, 냉수분사 공기세정기, 실리카겔, 알루미나 등 고체 이용

5. 온수 가열 열교환기

증기에 의해 물을 가열하는데 셸튜브형이 주로 쓰인다. 물은 관내, 증기는 관외에 흐르며 관은 15 ~ 30mm 동관을 쓴다. 온수와 냉수의 열교환기로는 판형 열교환기가 주로 쓰인다.

① 가열량

$$q = m \cdot c \cdot \Delta t$$

$$q = W \times \gamma \times 4.19 \times (t_{w2} - t_{w1})(\text{kJ/h}),$$

$\quad W$: 온수량(m^3/h), $\quad \gamma$: 비중량(kg/m^3),

$\quad t_{w1},\ t_{w2}$: 냉온수 입출구 온도

② 전열면적(S)

$$S = \frac{q}{K \cdot \Delta t}(\text{m}^2) \qquad K$$: 열관류율, $\quad \Delta t$: 증기 온수 평균 온도차

$\quad$ ※ 코일 부하 q는 W 또는 kJ/h로 주어지며 서로 환산하여 계산하며 열관류율은 $\text{W/m}^2\text{K}$ 로 준다.

③ 동관개수(N)

$$N = \frac{W}{a \cdot V \cdot 3600}$$

$\quad W$: 온수량(m^3/h), V : 수속(m/s), a : 동관 1개 당 단면적(m^2) (내경기준)

④ $D = \dfrac{q}{3}(\sqrt{69 + 12N - 3}) + d_0(\text{mm})$

$\quad q$: 관 피치 $= (1.3 \sim 1.5)d_0$, d_0 : 동관 외경(mm)

6. 에어와셔(공기세정기)

(1) **원리** : 노즐에서 물방울을 분사 시키고 공기를 통과시켜 여과, 가열, 가습, 냉각, 감습 작용을 한다.

(2) **구조** : 일리미네이터(eliminator), 플러딩노즐(flooding nozzle), 입구 루버 (분무압력 0.05 MPa, 풍속 2.5~3.5 m/s)로 구성된다.

   ① 일리미네이터 : 물방울이 세정기 밖으로 빠져나가지 않게 한다.

   ② 플러딩노즐 : 일리미네이터의 먼지를 씻어낸다.

   ③ 입구루버 : 세정기 내의 유입공기를 평행하게 한다.

> 에어와셔(공기세정기) 구조
> 일리미네이터, 플러딩노즐,
> 입구 루버, 분무노즐

---

04 예제문제

에어와셔 내에서 물을 가열하지도 냉각하지도 않고 연속적으로 순환 분무 시키면서 공기를 통과시켰을 때 공기의 상태변화는?

① 건구온도가 상승하고, 습구온도는 내려간다.

② 절대온도가 높아지고, 습구온도는 높아진다.

③ 상대습도가 상승하면서 건구온도는 낮아진다.

④ 건구온도는 상승하나 상대습도는 낮아진다.

해설

에어와셔(A/W)에서 물을 단열상태에서 연속적으로 순환 분무하면 엔탈피선에 평행하게 변화한다. 즉 상대습도는 증가, 건구온도 강하, 습구온도 일정, 절대습도 증가

답 ③

---

7. 공기 전열 교환기

외기 취입 덕트와 배기 덕트 사이에 설치하여 배기의 열을 회수하는 장치로 외기부하를 감소시킬 수 있다. 전열교환기는 열교환기 표면을 특수 흡수제(리튬클로라이드 실리카겔 분말)를 발라서 현열과 함께 잠열도 교환하게 될 수 있다. 전열 교환기 엔탈피 효율은 다음과 같이 표현한다.

엔탈피 효율 $E = \dfrac{\Delta h_o}{\Delta h} = \dfrac{h_{o2} - h_{o1}}{h_{E1} - h_{o1}}$

   h_{o1}, h_{o2} : 외기, 급기 엔탈피, h_{E1}, h_{E2} : 환기, 배기 엔탈피

8. 댐퍼류(damper)

공기 조절기(damper)는 전폐 시 공기 누설량을 기준으로 일반 댐퍼와 기밀 댐퍼(airtight damper)로 구분하고, 날개(blade) 배열에 따라 대향류형(counter flow), 평행류형(parallel flow), 복합형(linear flow) 등으로 분류할 수 있으며 일반적으로 가장 많이 사용되는 것이 일반 대향류 댐퍼이다.

9. 케이싱(casing)

(1) 수평형, 수직형, 복합형으로 기계실의 형태 및 크기에 따라 자유롭게 선택할 수 있도록 다양한 형태를 구성할 수 있어야 한다.

(2) 케이싱은 가볍고 견고한 구조로 되어 있으며 내부에는 단열을 고려하여 글라스 울(glass wool)과 글라스 울의 비산 방지를 위하여 글라스 클로스(glass cloth)를 부착하고 차음을 고려하여 타공판을 부착하여 어떤 조건에서도 결로가 생기지 않도록 제작해야 한다.

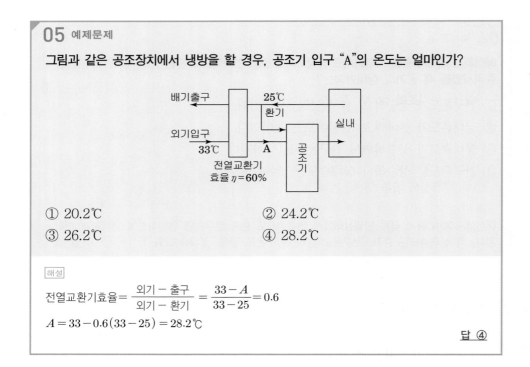

05 예제문제

그림과 같은 공조장치에서 냉방을 할 경우, 공조기 입구 "A"의 온도는 얼마인가?

① 20.2℃   ② 24.2℃
③ 26.2℃   ④ 28.2℃

해설

$$전열교환기효율 = \frac{외기 - 출구}{외기 - 환기} = \frac{33 - A}{33 - 25} = 0.6$$

$$A = 33 - 0.6(33 - 25) = 28.2℃$$

답 ④

[11년 1회]

01 중앙식 공기조화기의 구성요소라고 할 수 없는 것은?

① 재열기
② 가습기
③ 에어필터
④ 오일필터

> 공기조화기의 구성 요소는 에어필터, 냉각코일, 가열코일, 가습기, 팬, 댐퍼, 케이싱 등이다. 오일필터는 연료계통에서 불순물로 걸러내는 여과기이다.

[09년 3회]

02 중앙식 공기조화 장치의 특징이 아닌 것은?

① 설치 이동이 용이하므로 이미 건축된 건물에 적합하다.
② 기계실이 별실에 떨어져 있으므로 소음이 적다.
③ 중앙 기계실에 집중되어 있으므로 보수 관리가 용이하다.
④ 규모가 큰 건물에 적합하다.

> 중앙식 공기조화 장치는 설치 이동이 자유롭지 못하다. 건축과정에서 설계단계에서 계획하고 설치하는 것이 일반적이다.

[14년 2회, 11년 1회]

03 다음 중 공기조화기 부하를 바르게 나타낸 것은?

① 실내 부하 + 외기 부하 + 덕트 통과열 부하 + 송풍기 부하
② 실내 부하 + 외기 부하 + 덕트 통과열 부하 + 배관통과열 부하
③ 실내 부하 + 외기 부하 + 송풍기 부하 + 펌프 부하
④ 실내 부하 + 외기 부하 + 재열 부하 + 냉동기 부하

> 공기조화기 부하는 공조기로부터 덕트를 거쳐 실내부하를 제거한다.
> 공기조화기 부하 = 실내 부하 + 외기 부하 + 덕트 열 부하 + 송풍기 부하

[07년 1회]

04 공조장치의 구성 중 공기조화기(AHU) 내에 설치되는 기기와 거리가 먼 것은?

① 에어 필터
② 공기냉각기
③ 보일러
④ 공기가열기

> 보일러는 공조기에 온수를 공급하는 열원장치이다.

[09년 2회]

05 공기조화기(A.H.U)와 관계가 없는 것은?

① 송풍기
② 냉각탑
③ 에어필터
④ 냉각코일

> 공기조화기의 구성 요소는 에어필터, 냉각코일, 가열코일, 가습기, 팬, 댐퍼, 케이싱 등이다. 냉각탑은 냉동기와 연계하여 공조기에 냉수를 공급한다.

[08년 3회]

06 공조기 내의 각종 기기에 대한 설명으로 틀린 것은?

① 에어 와셔의 분무수를 코일에 뿌리면 핀(fin)이 빨리 부식하므로 증기분무 또는 고압수분무를 사용한다.
② 냉각 코일의 풍속이 2.5m/s 이상일 때에는 일리미네이터를 설치한다.
③ 냉각 코일과 재열 코일을 겸용하면 공조기의 전 길이가 가장 짧게 된다.
④ 송풍기의 치수가 과대하게 될 때에는 단흡입형 송풍기를 사용한다.

> 송풍기의 치수가 과대하게 될 때(대용량 팬)에는 양흡입형 송풍기를 사용한다.

정답 01 ④ 02 ① 03 ① 04 ③ 05 ② 06 ④

[08년 1회]

07 공기조화기에 관한 다음의 설명 중 부적당한 것은?

① 패키지형 에어컨디셔너는 압축기, 팬 및 코일 등을 내장하고 있다.
② 유닛 히터는 냉동기 및 코일 등을 내장하고 있다.
③ 에어 핸들링 유닛은 팬 및 코일 등을 내장하고 있다.
④ 팬 코일 유닛은 팬과 코일 등을 내장하고 있다.

유닛 히터는 코일과 팬으로 구성되며 냉동기는 없다.

[13년 1회]

08 에어 핸들링 유닛(Air Handling Unit)의 구성요소가 아닌 것은?

① 공기 여과기
② 송풍기
③ 공기 세정기
④ 압축기

에어 핸들링 유닛은 냉각코일, 가습기, 가열코일, 송풍기, 댐퍼류 등으로 구성된다. 압축기는 냉동기 구성요소로 공조기 외부에 설치된다.

[12년 3회]

09 공조기를 설치한 바닥 면적은 좁고 층고가 높은 경우에 적합한 공조기(AHU)의 형식은?

① 수직형
② 수평형
③ 복합형
④ 멀티존형

수직형 공조기는 설치 면적이 좁고 층고가 높은 경우에 설치한다.

[11년 3회]

10 증기 또는 전기 가열기로 가열한 온수 수면에서 발생하는 증기로 가습하는 방법으로 소형 공조기에 사용되는 것은?

① 초음파형
② 원심형
③ 노즐형
④ 가습팬형

가습팬형 가습기는 온수 수면에서 발생하는 증기로 가습하는 소형공조기에 이용된다.

[12년 3회]

11 다음 공식 중 관내 마찰손실 수두를 구하는 식은?
(단, d : 관의 안지름, L : 관의 길이, g : 중력가속도, V : 유속, f : 마찰계수, r : 물의 비중량)

① $h = f\dfrac{L}{d}\dfrac{V^2}{2g}r$

② $h = f\dfrac{V^2}{2g}r$

③ $h = \dfrac{V^2}{2g}r$

④ $h = \left(\dfrac{1}{f} - 1\right)^2\dfrac{V^2}{2g}r$

관내 마찰손실수두(h)

$$h = f\frac{L}{d} \times \frac{V^2}{2g}r(\text{m})$$

[12년 2회]

12 공조기(AHU)와 덕트의 접속에서 송풍기의 진동이 덕트로 전달되지 않도록 하기 위한 적합한 이음법은?

① 플렉시블 이음
② 캔버스 이음
③ 스위블 이음
④ 루프 이음

공조기(AHU)와 덕트의 접속부에서 송풍기의 진동이 덕트로 전달되지 않도록 캔버스 이음을 설치한다.

[14년 3회]

13 송풍기에 대한 설명 중 틀린 것은?

① 원심팬 송풍기는 다익팬, 리밋로드팬, 후향팬, 익형팬으로 분류된다.
② 블로어 송풍기는 원심블로어, 사류블로어, 축류블로어로 분류된다.
③ 후향팬은 날개의 출구각도를 회전과 역방향으로 향하게 한 것으로 다익팬보다 높은 압력 상승과 효율을 필요로 하는 경우에 사용한다.
④ 축류 송풍기는 저압에서 작은 풍량을 얻고자 할 때 사용하며, 원심식에 비해 풍량이 작고 소음도 작다.

축류형(Axial) 송풍기(베인형, 프로펠러형)는 저압에서 대풍량을 얻기에 적합하며 원심식에 비해 풍량과 소음이 크다.

정답 07 ② 08 ④ 09 ① 10 ④ 11 ① 12 ② 13 ④

[12년 1회]

14 송풍기에 관한 설명 중 틀린 것은?

① 압력이 10kPa 이하는 일반적으로 팬(Fan)이라 한다.
② 송풍기의 크기가 일정할 때 압력은 회전속도비의 2제곱에 비례하여 변화한다.
③ 회전속도가 같을 때 동력은 송풍기 임펠러 지름비의 3제곱에 비례하여 변화한다.
④ 일반적으로 원심송풍기에 사용되는 풍량제어 방법에는 회전수제어, 베인제어, 댐퍼제어 등이 있다.

회전속도가 같을 때 송풍기 동력은 임펠러 지름비의 5제곱에 비례한다.

[13년 3회]

15 송풍기의 특성을 나타내는 요소에 해당되지 않는 것은?

① 압력
② 축동력
③ 재질
④ 풍량

송풍기의 특성을 하나로 나타낸 것이 특성곡선이며 구성요소는 압력(정압, 전압) 축동력, 풍량, 효율이다.

[06년 1회, 12년 2회]

16 동일 송풍기에서 회전수를 2배로 했을 경우의 성능의 변화량에 대하여 옳은 것은?

① 압력 2배, 풍량 4배, 동력 8배
② 압력 8배, 풍량 4배, 동력 2배
③ 압력 4배, 풍량 8배, 동력 2배
④ 압력 4배, 풍량 2배, 동력 8배

송풍기 상사법칙에서

$$풍량(Q_2) = Q_1 \times \left(\frac{N_2}{N_1}\right) = 1 \times (2) = 2배$$

$$압력(P_2) = P_1 \times \left(\frac{N_2}{N_1}\right)^2 = (2)^2 = 4배$$

$$동력(L_2) = L_1 \times \left(\frac{N_2}{N_1}\right)^3 = (2)^3 = 8배$$

[14년 2회]

17 송풍기의 특성에서 풍량이 증가하면 정압(靜壓)은 어떻게 되는가?

① 증가한다.
② 감소한다.
③ 변함없이 일정하다.
④ 감소하다가 일정하다.

송풍기 특성곡선에서 풍량이 증가하면 풍속은 감소하므로 동압과 정압은 감소한다.

[08년 1회]

18 다음은 송풍기 번호에 의한 크기를 나타내는 식이다. 옳은 것은?

① 원심송풍기 : $No(\#) = \dfrac{회전날개지름mm}{100mm}$

　축류송풍기 : $No(\#) = \dfrac{회전날개지름mm}{150mm}$

② 원심송풍기 : $No(\#) = \dfrac{회전날개지름mm}{150mm}$

　축류송풍기 : $No(\#) = \dfrac{회전날개지름mm}{100mm}$

③ 원심송풍기 : $No(\#) = \dfrac{회전날개지름mm}{150mm}$

　축류송풍기 : $No(\#) = \dfrac{회전날개지름mm}{150mm}$

④ 원심송풍기 : $No(\#) = \dfrac{회전날개지름mm}{100mm}$

　축류송풍기 : $No(\#) = \dfrac{회전날개지름mm}{100mm}$

송풍기 크기(No)는 원심식은 150mm를 1호로, 축류형은 100mm를 1호로 한다.

원심송풍기 : $No(\#) = \dfrac{임펠러\ 지름(mm)}{150}$

축류송풍기 : $No(\#) = \dfrac{임펠러\ 지름(mm)}{100}$

정답　14 ③　15 ③　16 ④　17 ②　18 ②

[14년 1회, 11년 1회]

19 다음 그림은 송풍기의 특성 곡선이다. 점선으로 표시된 곡선 B는 무엇을 나타내는가?

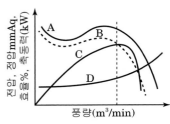

① 축동력　　　　　② 효율
③ 전압　　　　　　④ 정압

> 송풍기의 특성곡선에서
> A : 전압, B : 정압, C : 효율, D : 축동력

[13년 2회]

20 다익형 송풍기의 경우 송풍기의 크기(No)에 대한 내용으로 맞는 것은?

① 임펠러의 직경(mm)을 60(mm)으로 나눈 숫자이다.
② 임펠러의 직경(mm)을 100(mm)으로 나눈 숫자이다.
③ 임펠러의 직경(mm)을 120(mm)으로 나눈 숫자이다.
④ 임펠러의 직경(mm)을 150(mm)으로 나눈 숫자이다.

> 다익형 송풍기는 원심식이므로
> 원심식 송풍기의 크기 : $No(\#) = \dfrac{\text{회전날개 지름(mm)}}{150\,mm}$

[07년 2회]

21 날개(임펠러) 지름이 450mm인 다익형 송풍기의 호칭(번)은 얼마인가?

① 1번　　　　　　② 2번
③ 3번　　　　　　④ 4번

> 다익형 송풍기는 원심식이므로 150mm을 1호로 한다.
> 번호 : $No(\#) = \dfrac{\text{회전날개 지름(mm)}}{150\,mm} = \dfrac{450}{150} = 3$

[15년 1회, 09년 1회]

22 풍량 $600m^3/min$, 정압 $60mmAq$, 회전수 $500rpm$의 특성을 갖는 송풍기의 회전수를 $600rpm$으로 증가시켰을 때 동력은? (단, 정압효율은 50%이다.)

① 약 12.1kW　　　② 약 18.2kW
③ 약 20.3kW　　　④ 약 24.5kW

> 회전수 500rpm일 때 동력은
> 동력(kW) $= \dfrac{Q \cdot \Delta P}{102 \times 60 \times \eta} = \dfrac{600 \times 60}{102 \times 60 \times 0.5} = 11.76kW$,
> 회전수를 600rpm으로 증가시키면 상사법칙으로
> 동력 $= 11.76 \times \left(\dfrac{600}{500}\right)^3 = 20.3kW$

[09년 2회]

23 풍량 $450m^3/min$, 정압 $50mmAq$, 회전수 600 rpm인 다익 송풍기의 소요동력(kW)은 약 얼마인가? (단, 정압효율은 50%이다.)

① 3.5kW　　　　　② 7.4kW
③ 11kW　　　　　④ 15kW

> 소요동력(kW) $= \dfrac{Q \cdot P(mmAq)}{102 \times \eta} = \dfrac{450 \times 50}{60 \times 102 \times 0.5} = 7.4kW$

[예상문제]

24 풍량 $450m^3/min$, 정압 500Pa, 회전수 600rpm인 다익 송풍기의 소요동력(kW)은 약 얼마인가? (단, 정압효율은 60%이다.)

① 3.5kW　　　　　② 7.4kW
③ 11kW　　　　　④ 15kW

> SI단위에서 송풍기 동력은
> 소요동력(kW) $= \dfrac{Q \cdot P(Pa)}{1000 \times \eta} = \dfrac{450 \times 500}{60 \times 1000 \times 0.5} = 7.4kW$

[12년 3회, 08년 2회]

25 송풍기를 원심, 축류 및 기타로 크게 나눌 때 원심 송풍기의 종류에 속하지 않는 것은?

① 터보 송풍기　　　② 리밋 로드 송풍기
③ 익형 송풍기　　　④ 프로펠러 송풍기

원심식 송풍기에는 터보형, 리밋 로드형, 익형 등이 있으며 프로펠러 송풍기는 축류형에 속한다.

[15년 3회]
26 송풍기 특성곡선에서 송풍기의 운전점에 대한 설명으로 옳은 것은?

① 압력곡선과 저항곡선의 교차점
② 효율곡선과 압력곡선의 교차점
③ 축동력곡선과 효율곡선의 교차점
④ 저항곡선과 축동력곡선의 교차점

송풍기 운전점은 송풍기 압력(압력곡선)과 덕트 저항(저항곡선)이 같은 교차점에서 운전점이 형성된다.

[13년 2회]
27 냉각탑에 주로 사용하는 축류식 송풍기의 종류로 맞는 것은?

① 리밋로드형 송풍기
② 프로펠러형 송풍기
③ 크로스 플로형 송풍기
④ 다익형 송풍기

축류형 송풍기에는 프로펠러형, 베인형이 있다.

[07년 2회]
28 다음 중 원심 송풍기에서 사용되는 풍량제어 방법 중 풍량과 소요 동력과의 관계에서 가장 효과적인 제어방법은?

① 회전수 제어
② 베인 제어
③ 댐퍼 제어
④ 스크롤 댐퍼 제어

송풍기 풍량제어법에서 회전수 제어가 가장 효율적이며 토출댐퍼제어가 가장 비효율적이다.

[11년 2회]
29 냉각탑이나 환기용 등 풍량이 많고 압력이 낮은 경우에 사용되는 것은?

① 다익 송풍기
② 터보 송풍기
③ 축류 송풍기
④ 관류 송풍기

축류 송풍기는 낮은 풍압, 다량의 풍량을 공급하기에 적합하여 환기팬등에 주로 쓰이며 프로펠러형, 인라인형 팬등이 여기에 속한다.

[12년 2회, 08년 3회]
30 원심식 송풍기에 사용되는 풍량제어 방법이라고 할 수 없는 것은?

① 댐퍼제어
② 베인제어
③ 압력제어
④ 회전수제어

원심식 송풍기 풍량제어법에서 토출댐퍼에 의한 제어 < 흡입댐퍼에 의한 제어 < 흡입베인에 의한 제어 < 회전수에 의한 제어 < 가변피치제어(축류형)

[13년 3회, 09년 3회, 07년 3회, 06년 2회]
31 공기 중의 냄새나 아황산가스 등 유해가스의 제거에 가장 적당한 필터는?

① 활성탄 필터
② HEPA 필터
③ 전기 집진기
④ 롤 필터

활성탄 필터는 공기 중의 냄새나 유해가스를 제거할 수 있다.

[11년 2회]
32 공기 중의 유해가스나 냄새 등을 제거하기 위해 널리 사용되는 공기정화장치는?

① 활성탄 필터
② 세정 가능한 유닛형 에어 필터
③ 여과재 교환형 패널 에어 필터
④ 초고성능 에어 필터

활성탄 필터는 유해가스나 냄새 제거에 적합하다.

정답 26 ①   27 ②   28 ①   29 ③   30 ③   31 ①   32 ①

[10년 3회]

33 에어필터 효율 측정법이 아닌 것은?

① 중량법 ② NBS법
③ DOP법 ④ NTU법

에어필터 효율 측정법에는 중량법−저성능,
변색법(NBS법)−중성능, 계수법(DOP법)−고성능이 있다.

[13년 1회]

34 HEPA 필터에 적합한 효율 측정법은?

① Weight법 ② NBS법
③ Dust spot법 ④ DOP법

HEPA(고성능) 필터는 클린룸, 바이오클린룸 등에 사용되며
DOP법으로 성능을 측정한다.

[07년 2회]

35 먼지의 포집효율의 측정법에서 필터의 상류와 하류에서 흡입한 공기를 각각 여과지에 통과시켜 그 오염도를 광전관으로 측정하는 것은?

① 중량법 ② 계수법
③ 비색법 ④ DOP법

필터 효율 측정법중 비색법(NBS법)은 필터의 분진 제거 상태를
광투과량을 이용하여 측정한다.

[07년 1회]

36 에어 필터의 설치에 관한 설명이다. 틀린 것은?

① 공조기 내의 에어 필터는 송풍기의 흡입측이면서 코일의 흡입측에 설치한다.
② 유닛형을 여러 개 조합하여 설치할 경우에는 지그재그가 되도록 한다.
③ 필터에 공기흐름방향이 있는 경우는 역방향으로 설치되지 않도록 한다.
④ 고성능 HEPA필터 등은 송풍기의 입구측에 설치한다.

고성능(HEPA)필터나 초고성능(ULPA)필터는 저항이 크므로
송풍기의 출구측에 설치한다.

[15년 1회]

37 공조장치의 공기 여과기에서 에어필터 효율의 측정법이 아닌 것은?

① 중량법 ② 변색도법(비색법)
③ 집진법 ④ DOP법

에어필터 효율 측정법
중량법, 변색법(NBS법), 계수법(DOP법)

[15년 1회, 10년 2회]

38 여과기를 여과작용에 의해 분류할 때 해당되지 않는 것은?

① 충돌 점착식 ② 자동 재생식
③ 건성 여과식 ④ 활성탄 흡착식

여과기의 여과작용에 의한 분류는 충돌 점착식, 건성 여과식,
전기식, 활성탄 여과기로 나눈다.

[15년 1회, 13년 1회]

39 통과 풍량이 $350\mathrm{m}^3/\min$일 때 표준 유닛형 에어필터의 수는 약 몇 개인가? (단, 통과풍속은 $1.5\mathrm{m/s}$, 필터 1개당 통과 면적은 $0.5\mathrm{m}^3$이며, 유효면적은 85% 이다.)

① 4개 ② 6개
③ 8개 ④ 10개

1개당 통과 풍량 $= 1.5\mathrm{m/s} \times 0.5\mathrm{m}^2 \times 0.85 = 0.6375\mathrm{m}^3/\mathrm{s}$

에어필터 개수 $= \dfrac{통과 풍량}{1개당 통과 풍량}$

$= \dfrac{350}{60 \times 0.6375} = 9.15 = 10개$

[14년 3회]

40 공기여과기의 성능을 표시하는 용어 중 가장 거리가 먼 것은?

① 제거효율　　　　② 압력손실
③ 집진용량　　　　④ 소재의 종류

> 공기여과기의 성능 표시에는 제거효율, 압력손실, 집진용량 등이다.

[15년 3회]

41 다음 중 필터의 모양에는 패널형, 지그재그형, 바이패스형 등이 있으며, 유해가스나 냄새를 제거할 수 있는 것은?

① 건식 여과기　　　② 점성식 여과기
③ 전자식 여과기　　④ 활성탄 여과기

> 활성탄 여과기는 유해가스나 냄새를 제거할 수 있는 필터이다.

[15년 2회, 08년 2회]

42 공기조화기의 냉수코일을 설계하고자 할 때의 설명으로 틀린 것은?

① 코일을 통과하는 물의 속도는 $1m/s$ 정도가 되도록 한다.
② 코일 출입구의 수온 차는 대개 $5 \sim 10℃$ 정도가 되도록 한다.
③ 공기와 물의 흐름은 병류(평행류)로 하는 것이 대수 평균 온도차가 크게 된다.
④ 코일의 모양은 효율을 고려하여 가능한 한 정방향으로 한다.

> 공기와 물의 흐름은 대향류로 하는 것이 대수평균 온도차가 크게 된다.

[14년 2회]

43 에어필터 입구의 분진농도가 $0.35mg/m^3$, 출구의 분진농도가 $0.14mg/m^3$일 때 에어필터의 여과효율은?

① 33%　　　　② 40%
③ 60%　　　　④ 66%

$$여과효율= \frac{C_1 - C_2}{C_1} = \frac{0.35 - 0.14}{0.35} \times 100 = 60\%$$

[12년 3회]

44 다음 중 냉수코일의 설계법으로 틀린 것은?

① 공기흐름과 냉수흐름의 방향을 평행류로 하고 대수 평균 온도차를 적게 한다.
② 코일의 열수는 일반공기 냉각용에는 $4 \sim 8$ 열(列)이 많이 사용된다.
③ 냉수 속도는 일반적으로 $1m/s$ 전후로 한다.
④ 코일의 설치는 관이 수평으로 놓이게 한다.

> 냉수코일 설계 시 공기흐름과 냉수흐름을 대향류로 하고 대수 평균온도차를 크게 한다.

[12년 1회, 10년 1회, 08년 1회]

45 냉수 코일 설계에 관한 설명 중 옳은 것은?

① 대수 평균 온도차(MTD)를 크게 하면 코일의 열수가 많아진다.
② 냉수의 속도는 $2m/s$ 이상으로 하는 것이 바람직하다.
③ 코일을 통과하는 풍속은 $2\sim3m/s$가 경제적이다.
④ 물의 온도 상승은 일반적으로 $15℃$ 전후로 한다.

> MTD를 크게 하면 코일의 열수는 적어지고, 냉수속도는 약 $1℃$ 전후이며, 물의 온도 상승은 $5℃$ 전후로 한다. 냉수 코일을 통과하는 풍속은 $2 \sim 3m/s$, 가열 코일을 통과하는 풍속은 $3 \sim 4m/s$가 경제적이다.

[14년 2회]

46 다음 부하 중 냉각코일의 용량을 산정하는 데 포함되지 않는 것은?

① 실내 취득 열량
② 도입 외기 부하
③ 송풍기 축동력에 의한 열부하
④ 펌프 및 배관으로부터의 부하

냉각코일 용량 산정에 실내 취득 열량이 가장 크며, 도입 외기 부하, 덕트나 송풍기에 의한 열부하 등이 포함된다. 펌프 및 배관으로부터의 부하는 냉동기 부하에 포함된다.

[07년 3회]

47 공기 냉각 코일에 대한 설명 중 옳지 않은 것은?

① 소형 코일에는 일반적으로 외경 9 ~ 13mm 정도의 동관 또는 강관의 외측에 동 또는 알루미늄제의 핀을 붙인다.
② 코일의 관내에는 물 또는 증기, 냉매 등의 열매를 통하고 외측에는 공기를 통과시켜서 열매와 공기 간의 열 교환을 시킨다.
③ 핀의 형상은 관의 외부에 얇은 리본 모양의 금속판을 일정한 간격으로 감아 붙인 것을 에어로핀형이라 한다.
④ 에어로핀 중 감아 붙인 핀이 주름진 것을 스므드 핀, 주름이 없는 평면상의 것을 링클핀이라 한다.

공기 냉각 코일에서 에어로핀(aero-fin) 코일은 외주에 평판의 주름을 스파이럴 형상으로 감아 붙인 코일이며, 플레이트 핀(plate fin)은 얇은 리본 모양의 금속판을 일정한 간격으로 감아 붙인 코일이다.

[12년 2회, 09년 2회]

48 실내 냉방시 냉동기용량 중 냉각코일용량에 속하지 않는 것은?

① 송풍기 부하
② 재열부하
③ 배관부하
④ 외기부하

펌프 및 배관으로부터의 부하는 냉각코일용량에는 속하지 않으며 냉동기 부하에 포함된다.

[14년 1회, 09년 3회]

49 바이패스 팩터(By-pass Factor)에 관한 설명으로 옳지 않은 것은?

① 바이패스 팩터는 공기조화기를 공기가 통과할 경우 공기의 일부가 변화를 받지 않고 원상태로 지나쳐갈 때 이 공기량과 전체 공기량에 대한 비율을 나타낸 것이다.
② 공기조화기를 통과하는 풍속이 감소하면 바이패스 팩터는 감소한다.
③ 공기조화기의 코일열수 및 코일 표면적이 적을 때 바이패스 팩터는 증가한다.
④ 공기조화기의 이용 가능한 전열 표면적이 감소하면 바이패스 팩터는 감소한다.

공기조화기의 이용 가능한 전열 표면적이 증가하면(플레이트 핀, 에어로핀) 바이패스 팩터는 감소한다.

[10년 1회, 06년 2회]

50 냉각코일로 공기를 냉각하는 경우에 코일표면온도가 공기의 노점온도보다 높으면 공기 중의 수분량 변화는?

① 변화가 없다.
② 증가한다.
③ 감소한다.
④ 불규칙적이다.

공기 냉각코일에서 코일 표면온도가 공기의 노점보다 높으면 온도만 감소하며 공기 중의 수분량 변화는 없는 건코일이라 한다.

[06년 1회]

51 공기조화기에서 냉각코일에서의 냉각열량(q_c) 표시가 바른 것은?

① q_c = 외기부하 + 취득열량 + 재열량
② q_c = 외기부하 + 취득열량 - 재열량
③ q_c = 외기부하 - 취득열량 + 재열량
④ q_c = 외기부하 - 취득열량 - 재열량

냉각코일 냉각열량(q_c) = 외기부하 + 실내 취득열량 + 재열량

정답 46 ④   47 ③   48 ③   49 ④   50 ①   51 ①

[14년 1회]

52 냉수 또는 온수코일의 용량제어를 2방 밸브로 하는 경우 물배관 계통의 특성 중 옳은 것은?

① 코일 내의 수량은 변하나 배관 내의 유량은 부하 변동에 관계없이 정유량(定流量)이다.
② 부하변동에 따라 펌프의 대수제어가 가능하다.
③ 차압제어밸브가 필요 없으므로 펌프의 양정을 낮게 할 수 있다.
④ 코일 내의 수량이 변하지 않으므로 전열효과가 크다.

> 2방 밸브는 코일과 배관 내의 유량은 부하 변동에 따라 변유량이며 부하변동에 따라 유량이 변화하므로 펌프의 대수제어나 회전수제어가 필요하다. 압력이 변화하므로 차압제어밸브가 필요하다. 코일 내의 수량이 변하므로 전열효과가 작다.

[15년 1회, 09년 2회]

53 공조기 내에 흐르는 냉·온수 코일의 유량이 많아서 코일 내의 유속이 너무 클 때 적절한 코일은?

① 풀서킷 코일(Full Circuit Coil)
② 더블서킷 코일(Double Circuit Coil)
③ 하프서킷 코일(Half Circuit Coil)
④ 슬로서킷 코일(Slow Circuit Coil)

> 공조기용 코일수로 형식에 따라 풀서킷, 더블서킷, 하프서킷이 있으며 더블서킷 코일은 많은 유량에 사용한다.

[13년 1회]

54 32℃의 외기와 26℃의 환기를 1 : 2의 비율로 혼합하고 바이패스 팩터(Bypass Factor)가 0.2인 코일로 냉각 감습할 때의 코일 출구온도는? (단, 코일 표면온도는 20℃이다.)

① 21.6℃
② 22.5℃
③ 24.7℃
④ 27.2℃

> 코일 입구 혼합온도
> $t = \dfrac{1 \times 32 + 2 \times 26}{1 + 2} = 28$
> 코일 출구온도
> $t = t_c + BF(t_1 - t_c) = 20 + 0.2(28 - 20) = 21.6℃$

[14년 3회]

55 공기를 가열하는 데 사용하는 공기가열코일의 종류로 가장 거리가 먼 것은?

① 증기(蒸氣)코일
② 온수(溫水)코일
③ 전열(電熱)코일
④ 증발(蒸發)코일

> 공기가열코일에는 증기코일, 온수코일, 전열코일 등이 있다.

[10년 3회]

56 31℃의 외기와 25℃의 환기를 1 : 2의 비율로 혼합하고 바이패스 팩터가 0.16인 코일로 냉각 제습할 때의 코일 출구온도는? (단, 코일의 표면온도는 14℃이다.)

① 약 14℃
② 약 16℃
③ 약 27℃
④ 약 29℃

> 코일 입구 혼합온도
> $t = \dfrac{1 \times 31 + 2 \times 25}{1 + 2} = 27$
> 코일 출구온도
> $t = t_c + BF(t_1 - t_c) = 14 + 0.16(27 - 14) = 15.44℃$

[15년 3회]

57 가열코일을 흐르는 증기의 온도를 t_s, 가열코일 입구 공기온도를 t_1, 출구 공기온도를 t_2라고 할 때 산술 평균 온도식으로 옳은 것은?

① $t_s - (t_1 + t_2)/2$
② $t_2 - t_1$
③ $t_1 + t_2$
④ $[(t_s - t_1) + (t_s - t_2)]/\ln[(t_s - t_1)/(t_s - t_2)]$

> 가열코일 산술평균온도
> 증기온도 증기온도-공기평균온도 = $t_s - \left(\dfrac{t_1 + t_2}{2}\right)$
> 대수평균온도 $MTD = \dfrac{(t_s - t_1) + (t_s - t_2)}{\ln[(t_s - t_1)/(t_s - t_2)]}$

[14년 1회]

58 냉수코일의 설계에 있어서 코일 출구온도 10℃, 코일 입구온도 5℃, 전열부하 83,740kJ/h일 때, 코일 내 순환수량(L/min)은 약 얼마인가? (단, 물의 비열은 4.2kJ/kg·K 이다.)

① 55.5L/min   ② 66.5L/min

③ 78.5L/min   ④ 98.7L/min

> 열평형식 $q = mC\Delta t$
>
> $m = \dfrac{q}{C\Delta t} = \dfrac{83,740}{4.2 \times (10-5)} = 3988\text{L/h} = 66.5\text{L/min}$

[13년 2회]

59 건구온도 5℃, 습구온도 3℃의 공기를 덕트 중에 재열기로 건구온도가 20℃로 되기까지 가열하고 싶다. 재열기를 통하는 공기량이 1000m³/min인 경우, 재열기에 필요한 열량은 약 얼마인가? (단, 공기의 비체적은 0.849m³/kg이다.)

① 254,417kcal/min   ② 15,000kcal/min

③ 8,200kcal/min   ④ 4,240kcal/min

> 재열기공기 질량 $= \dfrac{1,000}{0.849} = 1,177.86\text{kg/min}$
>
> 재열열량 $= mC\Delta t = 1,177.86 \times 0.24 \times (20-5)$
> $= 4,240\text{kcal/min}$

[예상문제]

60 건구온도 5℃, 습구온도 3℃의 공기를 덕트 중에 재열기로 건구온도가 20℃로 되기까지 가열하고 싶다. 재열기를 통하는 공기량이 1,000m³/h인 경우, 재열기에 필요한 열량은 약 얼마인가? (단, 공기의 비체적은 0.849m³/kg, 비열은 1.01 kJ/kg·K이다.)

① 2345W   ② 3945W

③ 4115W   ④ 4957W

> 재열기공기 질량 $= \dfrac{1,000}{0.849} = 1,177.86\text{kg/min}$
>
> 재열열량 $= mC\Delta t = 1,177.86 \times 1.01 \times (20-5) = 17844\text{kJ/h}$
> $= 4,957\text{W}$

[09년 3회]

61 공조기의 냉수 코일 부하가 145,000 kJ/h, 냉수의 출입구 온도차가 5℃라 한다면 필요 냉수량은 얼마인가?

① 372L/min   ② 115L/min

③ 513L/min   ④ 573L/min

> 열평형식 $q = mC\Delta t$
>
> $m = \dfrac{q}{C\Delta t} = \dfrac{145,000}{4.2 \times 5} = 6905\text{L/h} = 115\text{L/min}$

[09년 1회]

62 코일의 필요한 열수(N)를 계산하는 식으로 옳은 것은? (단, 코일부하 : q_t, 코일의 유효정면 면적 : F, 열관류율 : K, 습면보정계수 : C_{us}, 대수평균온도차 : MTD이다.)

① $N = \dfrac{q_t \times MTD}{F \times K \times C_{us}}$

② $N = \dfrac{q_t}{F \times K \times C_{us} \times MTD}$

③ $N = \dfrac{q_t \times C_{us}}{F \times K \times MTD}$

④ $N = \dfrac{F \times K \times MTD \times C_{us}}{q_t}$

> 코일의 열량 $= q_t = N \times F \times K \times C_{us} \times MTD$ 에서
>
> 코일의 열수 계산(N) $= \dfrac{q_t}{F \times K \times C_{us} \times MTD}$

[08년 2회]

63 냉각수 출입구 온도차를 5℃, 냉각수의 처리 열량을 16,380 kJ/h·RT로 하면 냉각수량(L/min·RT)은 얼마인가? (단, 냉각수의 비열은 4.2 kJ/kgK로 한다.)

① 10   ② 13

③ 18   ④ 20

> 열평형식 $q = mC\Delta t$
>
> $m = \dfrac{q}{C\Delta t} = \dfrac{16,380}{4.2 \times 5} = 780\text{L/hRT} = 13\text{L/minRT}$

정답   58 ②   59 ④   60 ④   61 ②   62 ②   63 ②

[12년 3회, 08년 1회]

64 다음은 냉각 코일에서 공기상태 변화를 나타낸 것이다. 이때 코일의 BF(Bypass Factor)는 어느 것인가?

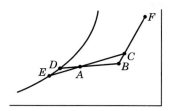

① $\dfrac{BA}{BD}$ ② $\dfrac{AD}{BA}$

③ $\dfrac{AE}{CE}$ ④ $\dfrac{CA}{CE}$

코일 입구 온도는 C, 코일출구는 A, 코일온도는 E이므로

$$BF = \frac{냉각되지\ 못한\ 온도}{냉각되어야\ 하는\ 온도} = \frac{출구온도-코일온도}{입구온도-코일온도} = \frac{AE}{CE}$$

[11년 3회]

65 다음과 같은 공기 선도상의 상태에서 CF(Contact Factor)를 나타내고 있는 것은?

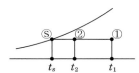

① $\dfrac{t_1 - t_2}{t_1 - t_s}$ ② $\dfrac{t_1 - t_2}{t_2 - t_s}$

③ $\dfrac{t_2 - t_s}{t_1 - t_s}$ ④ $\dfrac{t_2 - t_s}{t_1 - t_2}$

코일 입구 온도는 ①, 코일출구는 ②, 코일온도는 S 이므로

$$CF = \frac{냉각된\ 온도}{냉각되어야\ 하는\ 온도} = \frac{입구온도-출구온도}{입구온도-코일온도}$$
$$= \frac{①-②}{①-S}$$

[13년 2회]

66 다음 그림은 냉각코일의 선도 변화를 나타낸 것이다. ① : 입구공정, ② : 출구공정, ⑤ : 포화공기일 때 노점온도(A)와 바이패스 팩터(B) 구간으로 맞는 것은?

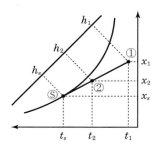

① A : t_s, B : $\dfrac{h_2 - h_s}{h_1 - h_s}$ ② A : t_s, B : $\dfrac{t_2 - t_s}{t_1 - t_s}$

③ A : t_2, B : $\dfrac{t_1 - t_2}{t_2 - t_s}$ ④ A : t_2, B : $\dfrac{h_2 - h_s}{h_1 - h_2}$

코일 입구 온도는 ①, 코일출구는 ②, 코일온도는 S 이므로 노점온도는 $S(t_s)$

$$BF = \frac{냉각되지\ 못한\ 온도}{냉각되어야\ 하는\ 온도} = \frac{출구온도-코일온도}{입구온도-코일온도}$$
$$= \frac{②-S}{①-S} = \frac{t_2 - t_s}{t_1 - t_s}$$

[07년 3회]

67 다음 그림 중 공기조화기를 통과하는 유입공기(O)가 냉각 코일을 지날 때의 상태를 나타낸 것은?

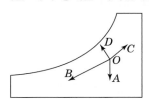

① OA ② OB

③ OC ④ OD

$O{\rightarrow}D$: 순환수분무(냉각, 가습)
$O{\rightarrow}C$: 증기분무(가열, 가습)
$O{\rightarrow}B$: 냉각코일(냉각, 감습)
$O{\rightarrow}A$: 감습

[13년 3회]

68 아래 그림과 같은 병행류형 냉각코일의 대수평균 온도차는 약 얼마인가?

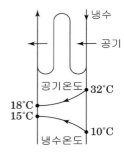

① 8.74℃

② 9.54℃

③ 12.33℃

④ 13.10℃

대수평균 온도차(MTD)는
$\Delta 1 =$ 입구공기 $-$ 입구물,　　$\Delta 2 =$ 출구공기 $-$ 출구물
$\Delta 1 = 32 - 10 = 22$,　　$\Delta 2 = 18 - 15 = 3$

$$MTD = \frac{\Delta 1 - \Delta 2}{\ln\left(\frac{\Delta 1}{\Delta 2}\right)} = \frac{22 - 3}{\ln\left(\frac{22}{3}\right)} = 9.54℃$$

[07년 2회]

69 다음 그림은 냉방시의 공기조화 과정을 나타내고 있다. 그림과 같은 조건일 경우 냉각 코일의 바이패스 팩터는 얼마인가? (단, ① 실내공기의 상태점, ② 외기의 상태점, ③ 혼합공기의 상태점, ④ 취출공기의 상태점, ⑤ 코일의 장치노점온도)

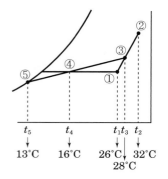

① 0.15

② 0.20

③ 0.25

④ 0.30

바이패스 팩터 $BF = \dfrac{④ - ⑤}{③ - ⑤} = \dfrac{16 - 13}{28 - 13} = 0.2$

[11년 1회, 06년 3회]

70 공기를 감습하기 위한 장치의 종류에 해당하지 않는 것은?

① 냉각 감습장치

② 압축 감습장치

③ 흡수식 감습장치

④ 전열교환 감습장치

감습장치에는 냉각 감습, 압축 감습, 흡수식 감습, 흡착식 감습이 있다.

[13년 2회]

71 흡착식 감습장치에 사용하는 고체흡착제는?

① 실리카겔

② 염화리튬

③ 트리에틸렌글리콜

④ 드라이아이스

액체 감습(흡수식) : 염화리튬, 트리에틸렌글리콜
흡착식 감습(고체제습제) : 실리카겔, 활성알루미나

[11년 3회]

72 흡착제습기의 특징으로 맞지 않는 것은?

① $-50℃$ 정도의 공기도 얻을 수가 있으며 취급도 간단하다.

② 저온저습의 실험실이나 건조실 등 소풍량을 사용하는 데 적용된다.

③ 일정시간 사용 후 재생 시 소량의 열(1kg의 수분을 제거하는데 약 420kJ 정도)로서도 가능하다.

④ 장치 내에 먼지가 차면 흡습능력을 심하게 해친다.

흡착식 제습기(고체 제습장치) 사용 후 재생 시 1kg의 수분을 제거하는데 약 2520kJ 정도의 열이 필요하다.

[14년 1회]

73 염화리튬, 트리에틸렌 글리콜 등의 액체를 사용하여 감습하는 장치는?

① 냉각감습장치

② 압축감습장치

③ 흡수식 감습장치

④ 세정식 감습장치

액체흡수식 감습장치는 흡수제로 염화리튬이나 트리에틸렌 글리콜을 이용한다.

정답　68 ②　69 ②　70 ④　71 ①　72 ③　73 ③

[07년 1회]

74 감습장치에서 재생용 열원이 필요한 것은?

① 냉각식　　　　② 압축식
③ 흡수식　　　　④ 에이와셔식

흡수식 감습장치나 흡착식은 재생용 열원이 필요하다.

[06년 3회]

75 염화리튬(LiCl)을 사용하는 흡수식 감습장치가 냉각식 감습장치보다 유리할 경우는?

① 공조되어 있는 실내의 현열비가 60% 이하일 때
② 공조기 출구의 노점이 7℃ 이상일 때
③ 실내 잠열부하의 변동이 클 때 실내온도를 일정하게 유지시킬 때
④ 온도가 42℃ 이상 또는 5℃ 이하에서 저습도로 할 때

염화리튬(흡수식) 감습장치는 냉각식 감습보다 실내의 현열비가 60% 이하일 경우 유리하다.

[15년 1회]

76 제습장치에 대한 설명으로 틀린 것은?

① 냉각식 제습장치는 처리공기를 노점 온도 이하로 냉각시켜 수증기를 응축시킨다.
② 일반 공조에서는 공조기에 냉각코일을 채용하므로 별도의 제습장치가 없다.
③ 제습방법은 냉각식, 압축식, 흡수식, 흡착식이 있으나 대부분 냉각식을 사용한다.
④ 에어와셔방식은 냉각식으로 소형이고 수처리가 편리하여 많이 채용된다.

에어와셔(가습장치)방식은 공기에 노점온도 이하의 분무수를 접촉시킴으로써 결로 현상으로 제습하는 것이며 냉각식은 아니다. 에어와셔는 주로 가습에 이용한다.

[10년 3회, 08년 1회]

77 공기의 가습방법으로 맞지 않는 것은?

① 에어와셔에 의해서 단열 가습을 하는 방법
② 얼음을 분무하는 방법
③ 증기를 분무하는 방법
④ 가습팬에 의해 수증기를 사용하는 방법

얼음을 분무하는 가습은 없으며 오히려 감습된다.

[15년 1회]

78 가습방식에 따른 분류 중 수분무식에 해당하는 것은?

① 회전식　　　　② 원심식
③ 모세관식　　　④ 적하식

수분무식에는 원심식, 초음파식, 분무식등이 있다.

[15년 2회, 12년 2회]

79 공조용 가습장치 중 수분무식에 해당하지 않는 것은?

① 원심식　　　　② 초음파식
③ 분무식　　　　④ 적하식

증발식 가습장치에 회전식, 모세관식, 적하식이 있다.

[12년 3회]

80 물 또는 온수를 직접 공기 중에 분사하는 방식의 수분무식 가습장치의 종류에 해당되지 않은 것은?

① 원심식　　　　② 초음파식
③ 분무식　　　　④ 가습팬식

수분무식에 원심식, 초음파식, 분무식이 있으며 가습팬식은 증기 발생식에 속한다.

[14년 2회, 09년 1회]

81 가습기의 종류에서 증기 취출식에 대한 특징이 아닌 것은?

① 공기를 오염시키지 않는다.
② 응답성이 나빠 정밀한 습도제어가 불가능하다.
③ 공기온도를 저하시키지 않는다.
④ 가습량 제어를 용이하게 할 수 있다.

증기취출식 가습기는 응답성이 좋아 습도제어가 용이하여 공조 시스템에서 가습장치로 일반적으로 이용한다.

[06년 3회]

82 다음의 가습장치에 가습형식이 다른 하나는?

① 원심식
② 초음파식
③ 수분무식
④ 회전식

①, ②, ③의 가습장치는 수분무식이고 회전식은 증발식이다.

[15년 3회, 13년 1회, 08년 2회]

83 기화식(증발식) 가습장치의 종류로 옳은 것은?

① 원심식, 초음파식, 분무식
② 전열식, 전극식, 적외선식
③ 과열증기식, 분무식, 원심식
④ 회전식, 모세관식, 적하식

가습장치의 종류
 – 수분무식 : 원심식, 초음파식, 노즐분무식
 – 증기발생식 : 전열식, 전극식, 적외선식
 – 증기공급식 : 노즐분무식, 과열증기식
 – 증발식(기화식) : 회전식, 모세관식, 적하식

[09년 2회]

84 가습방법 중 가습효율이 가장 높은 것은?

① 증발 가습
② 온수 분무 가습
③ 증기 분무 가습
④ 고압수 분무 가습

증기분무(노즐분무식) 가습방식이 가습효율이 뛰어나서 공조설비에서 일반적으로 채택하고 있다.

[10년 2회, 08년 3회]

85 모터로 고속회전반을 돌리고 그 힘으로 물을 빨아올려 회전반에 공급하면 얇은 수막이 형성되어 안개와 같이 비산된 후 공기를 가습하는 것은?

① 스크루식
② 회전식
③ 원심식
④ 분무식

원심식 가습기는 원심력을 이용하여 수막을 비산시켜 가습한다. 회전식은 원판을 회전시키며 증발작용을 이용한다.

[10년 1회]

86 풍량 10,000kg/h의 공기(절대습도 0.00300kg/kg)를 온수분무로 절대습도 0.00475kg/kg까지 가습할 때의 분무 수량은 약 몇 kg/h인가? (단, 가습효율은 30%라 한다.)

① 58.3
② 175.2
③ 212.7
④ 525.3

가습량 $= m\triangle x = 10000(0.00475-0.00300) = 17.5\text{kg/h}$

분무수량 $= \dfrac{가습량}{가습효율} = \dfrac{17.5}{0.3} = 58.3\text{kg/h}$

가습량과 분무수량은 의미가 다르다.

[13년 3회]

87 공기량(풍량) 400 kg/h, 절대습도 $x_1 = 0.007$ kg/kg′인 공기를 $x_2 = 0.013$ kg/kg′까지 가습하는 경우 가습에 필요한 공급수량은 얼마인가?

① 2.0kg/h
② 2.4kg/h
③ 3.0kg/h
④ 3.5kg/h

공급수량 $= m\triangle x = 400 \times (0.013-0.007) = 2.4\text{kg/h}$

[12년 1회]

88 에어와셔의 일리미네이터의 더러워짐을 방지하기 위해 상부에 설치하여 물을 분무하여 청소를 하는 것은?

① 플러딩 노즐
② 루버
③ 분무 노즐
④ 스탠드 파이프

에어와셔의 일리미네이터에 먼지가 끼는 것을 막기 위해 상부에 플러딩 노즐을 설치하고 물을 분무하여 청소한다.

정답 81 ② 82 ④ 83 ④ 84 ③ 85 ③ 86 ① 87 ② 88 ①

[06년 2회]

89 공기세정기의 주기능은 무엇인가?

① 세정실을 통과한 공기가 흐르는 물을 깨끗하게 정화시킨다.

② 세정실을 통과하면서 흐르는 물과 접촉하여 가습이 이루어진다.

③ 세정실에서 분무되는 온수에 의하여 가열이 주목적이다.

④ 세정실에서 분무되는 냉수에 의하여 냉각·감습이 주목적이다.

공기세정기(에어와셔)의 주기능은 분무실(세정실)을 통과하면서 노즐에서 분무된 미세한 물방울과 공기가 접촉하여 가습, 가열, 냉각, 감습, 세정 작용이 이루어지며 주된 기능은 가습이다.

[14년 1회]

90 공기 세정기에 관한 설명으로 옳지 않은 것은?

① 공기 세정기의 통과풍속은 일반적으로 $2 \sim 3\text{m/s}$ 이다.

② 공기 세정기의 가습기는 노즐에서 물을 분무하여 공기에 충분히 접촉시켜 세정과 가습을 하는 것이다.

③ 공기 세정기의 구조는 루버, 분무노즐, 플러딩노즐, 일리미네이터 등이 케이싱 속에 내장되어 있다.

④ 공기 세정기의 분무 수압은 노즐 성능상 $20 \sim 50$ kPa이다.

공기 세정기(에어와셔)의 분무 수압은 $150 \sim 200\text{kPa}$ 정도이다.

[15년 1회]

91 에어와셔에서 분무하는 냉수의 온도가 공기의 노점온도보다 높을 경우 공기의 온도와 절대습도의 변화는?

① 온도는 올라가고, 절대습도는 증가한다.

② 온도는 올라가고, 절대습도는 감소한다.

③ 온도는 내려가고, 절대습도는 증가한다.

④ 온도는 내려가고, 절대습도는 감소한다.

에어와셔에서 분무수의 냉수(공기온도보다 낮은 냉수)온도가 공기의 노점보다 높으면 온도는 내려가고(냉각) 절대습도는 증가(가습)한다. 냉수온도가 공기의 노점보다 낮으면 온도도 내려가고(냉각) 절대습도도 내려(감습)간다.

[11년 2회]

92 공기세정기(Air Washer)에는 "입구공기의 흐름을 균일하게 하는(㉠)를, 출구 측에는 물방울이 공기에 혼입되지 않도록 (㉡)를 설치한다."에서 각 번호의 기기명칭으로 맞는 것은?

① ㉠ 스탠드파이프,　㉡ 플러딩 노즐

② ㉠ 플러딩 노즐,　㉡ 루버

③ ㉠ 루버,　㉡ 일리미네이터

④ ㉠ 일리미네이터,　㉡ 스탠드파이프

세정기 입구에는 공기의 흐름을 평행하게 만들기 위해 루버를 설치하고, 출구 측에는 물방울이 공기와 함께 덕트 쪽으로 유출되지 않도록 일리미네이터(제수판)를 설치한다.

[13년 1회, 06년 3회]

93 공기 세정기의 구조에서 앞부분에는 세정실이 있고 물방울의 유출을 방지하기 위해 뒷부분에는 무엇을 설치하는가?

① 배수관　　　　　② 유닛 히트

③ 유량조절밸브　　④ 일리미네이터

공기 세정기의 구조에서 앞부분에는 루버를 설치하고 중심부에 세정실(스탠딩 파이프, 분무노즐)이 있고 뒷부분에 물방울의 유출을 방지하기 위해 일리미네이터를 설치한다.

[10년 1회]

94 중앙 공조기의 전열교환기에서 어느 공기가 서로 열교환을 하는가?

① 환기와 급기　　② 외기와 배기

③ 배기와 급기　　④ 환기와 배기

중앙 공조기의 전열교환기에서는 공조기로 유입되는 외기와 공조기 밖으로 버려지는 배기가 서로 열교환하여 버려지는 배기중의 냉·온열(현열)과 수분(잠열)을 열교환한다.

정답　89 ②　90 ④　91 ③　92 ③　93 ④　94 ②

[09년 3회]
95 공기세정기에서 가습효율(포화효율) η_s을 바르게 나타낸 것은? (단, t_1, t_2 : 공기세정기 입구 및 출구의 건구 온도[℃], $t_1{}'$: 공기 세정기 입구의 습구온도[℃])

① $\eta_s = (t_2 - t_1)/(t_2 - t_1{}')$
② $\eta_s = (t_1 - t_2)/(t_1 - t_1{}')$
③ $\eta_s = (t_1{}' - t_2)/(t_1{}' - t_1)$
④ $\eta_s = (t_1 - t_1{}')/(t_1 - t_2)$

$$가습효율(\eta_s) = \frac{가습\ 효과}{최대가습량} = \frac{입구 - 출구}{입구 - 습구} = \frac{t_1 - t_2}{t_1 - t_1{}'}$$

[11년 2회]
96 공기조화설비에 전열교환기와 같은 열회수장치를 설치할 경우 감소시킬 수 있는 부하는?

① 실내부하
② 외기부하
③ 조명부하
④ 송풍기부하

전열교환기는 외기와 배기를 열교환하여 버려지는 배기의 열을 회수하여 외기를 냉각, 가열하므로 외기부하를 감소시킬 수 있다.

[14년 1회, 11년 1회]
97 증기-물 또는 물-물 열교환기의 종류에 해당되지 않는 것은?

① 원통다관형 열교환기
② 전열 교환기
③ 판형 열교환기
④ 스파이럴형 열교환기

원통다관형(셸 앤드 튜브)이나 판형 열교환기는 보통 증기-물 또는 물-물 열교환하여 온수를 얻으며, 전열 교환기는 공기-공기를 열교환하여 전열(현열과 잠열)을 회수한다.

[12년 1회]
98 열교환기의 열관류율을 달라지게 하는 인자와 거리가 먼 것은?

① 유체의 유속
② 내구성
③ 전열면의 재질
④ 전열면의 오염 정도

열교환기 열관류율은 전열면의 재질, 유체유속, 전열면의 오염 정도의 영향을 받는다.

[09년 1회]
99 열교환기의 전열표면에 오염물질을 제거하는 방법으로 맞지 않는 것은?

① 화학적으로 전열면의 열저항을 증가시키는 방법
② 외부에 필터를 사용하는 방법
③ 오염물질이 전열면에 쉽게 부착되지 않도록 구조적으로 유동을 조절하는 방법
④ 유체 내부에 화학물질을 첨가하여 오염물질의 석출 및 퇴적을 막는 방법

열교환기 전열표면에 화학적인 처리를 하면 전열면의 열저항이 감소한다. 필터를 사용하면 분진이 제거되어 전열면의 오염을 막는다.

[12년 2회]
100 전열교환기의 일종으로 흡습성 물질이 도포된 엘리먼트를 적층시켜 원판형태로 만든 로터와 로터를 구동하는 장치 및 케이싱으로 구성되어 있는 전열교환기는?

① 고정형
② 정지형
③ 회전형
④ 원판형

회전형 전열교환기는 엘리먼트(알루미나)를 적층시킨 원판 로터를 회전시켜 외기와 배기를 열교환시킨다.

정답 95 ② 96 ② 97 ② 98 ② 99 ① 100 ③

[14년 2회]

101 밀봉된 용기와 윅(Wick) 구조체 및 증기 공간에 의하여 구성되며, 길이방향으로는 증발부, 응축부, 단열부로 구분되는데 한쪽을 가열하면 작동유체는 증발하면서 잠열을 흡수하고 증발된 증기는 저온으로 이동하여 응축되면서 열교환하는 기기의 명칭은?

① 전열 교환기
② 플레이트형 열교환기
③ 히트 파이프
④ 히트 펌프

히트파이프는 길이 방향으로 증발부, 응축부, 단열부로 구분하고 작동유체의 증발잠열을 이용하여 증발부의 열을 응축부로 이송하는 열파이프(히트파이프)이다.

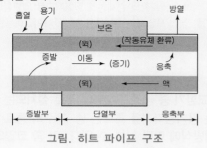

그림. 히트 파이프 구조

[14년 3회]

102 스테인리스 강판(두께 $1.8 \sim 4.0mm$)을 와류형으로 감아 그 끝단을 용접으로 밀봉하고 파이프 플랜지 이외에는 개스킷을 사용하지 않으며 주로 물-물에 주로 사용되는 열교환기는?

① 스파이럴형
② 원통 다관식
② 플레이트형
④ 관형

스파이럴형 열교환기는 스테인리스 강판을 와류형으로 만든 열교환기이다.

[10년 3회]

103 전열 교환기에 대한 설명 중 맞지 않은 것은?

① 전열 교환기는 공기 대 공기 열교환기라고도 한다.
② 회전식과 고정식이 있다.
③ 현열과 잠열을 동시에 교환한다.
④ 외기냉방 시에도 매우 효과적이다.

전열 교환기는 외기냉방 시에는 열교환이 불필요하여 바이패스 덕트를 이용하여 전열교환기를 우회(바이패스)해야 한다.

[11년 3회, 10년 1회]

104 스파이럴형 열교환기의 구조에 대한 설명으로 맞는 것은?

① 스테인리스 강판을 스파이럴형으로 감아서 용접함으로써 수밀하고 개스킷을 사용한다.
② 수-수 형식에 사용되며 증기-수 형식에는 사용하지 않는다.
③ 형상, 중량이 플레이트식보다 크다.
④ 내압 10atg, 내온 200℃ 까지 가능하다.

스파이럴형 열교환기는 개스킷을 사용하지 않으며 형상이 플레이트식(판형)보다 크다.

[08년 1회]

105 스테인리스 강판에 리브형 홈을 만들어 합성고무의 개스킷으로 수밀(水密)을 기하여, 초고층 건물의 수-수 열교환기로 많이 사용하는 열교환기는?

① 원통다관형
② 열사이펀형
③ 스파이럴형
④ 플레이트형

플레이트형(판형) 열교환기는 스테인리스 강판에 리브형 홈을 만들어 합성고무의 개스킷으로 수밀을 기하여 수-수열교환기로 현장에서 주로 이용되고 있다.

[09년 2회]

106 원통 다관형(Shell & Tube) 열교환기의 특징으로 맞지 않는 것은?

① 응축, 증발, 현열 열전달에 모두 이용 가능
② 허용 압력 강하치가 광범위하고 탄력적임
③ 소재나 수리를 위한 분해가 어려움
④ 크기 및 재료선택이 다양함

원통 다관형 열교환기는 소재나 수리 분해가 용이하다.

[12년 3회, 08년 3회]

107 원통다관식 열교환기에 관한 설명으로 맞지 않는 것은?

① 동체 내에 다수의 관을 설치한 형식으로 되어 있다.

② 전열관 내 유속은 1.8m/s 이하가 되도록 하는 것일
바람직하다.

③ 전열관은 일반적으로 직경 25.4mm의 동관이 많이
사용된다.

④ 동관을 전열관으로 사용할 경우 유체의 온도는 150℃
이상이 좋다.

> 동관을 전열관으로 사용할 때 150℃ 이하의 유체 온도에 적합
> 하다.

[10년 2회]

108 공조가 되고 있는 실내에서 배기되는 배기와 환기를
위해 외부에서 도입되는 외기와의 사이에서 현열과 잠열
을 동시에 교환시킬 수 있어 공조용 송풍량이 많은 건물
에서 에너지 절약을 할 수 있는 전열교환기의 종류로 옳
은 것은?

① 흡착식, 대류식   ② 회전식, 고정식

③ 흡수식, 압축식   ④ 복사식, 흡착식

> 전열교환기 종류에는 회전식과 고정식이 있다.

[10년 3회]

109 열교환기로서 공기냉각기에는 냉수를 사용하는 냉
수 코일과 관내에서 냉매를 증발시키는 직접팽창코일에
서 냉매를 각 관에 균일하게 공급하기 위하여 무엇을 사
용하는가?

① 온수 헤더   ② Distributor

③ 냉수 헤더   ④ Reverse Return

> 직접팽창 코일에서 Distributor(디스트리뷰터)는 일종의 헤더로
> 서 유입된 냉매를 각 코일에 고르게 분배시키는 기능을 한다.

[09년 3회]

110 전열 교환기의 이용 시 주의사항에 관한 설명으로
옳지 않은 것은?

① 배기량이 외기량의 40% 이상 확보되도록 한다.

② 배열회수에 이용되는 배기는 주방배기는 사용하지
않는다.

③ 회전형 전열교환기의 로터 구동 모터와 급배기 팬은
인터록 시킨다.

④ 중간기 외기 냉방시에도 열교환 덕트를 구성시킨다.

> 전열 교환기 이용 시 중간기 외기 냉방 시에는 실내외 엔탈
> 피차가 적어서 열교환의 경제성이 떨어지므로 열교환하지 않
> 고 외기를 직접 도입하기 위해 바이패스 덕트를 이용한다.

[08년 2회]

111 열교환기 중 공조기 내부에 주로 설치되는 공기가열
기 또는 공기냉각기를 흐르는 냉·온수의 통로수는 코일
의 배열방식에 따라 나눌 수 있다. 이 중 코일의 배열방
식에 따른 종류가 아닌 것은?

① 풀 서킷   ② 하프 서킷

③ 더블 서킷   ④ 플로 서킷

> 코일의 배열방식은 풀 서킷, 하프 서킷, 더블 서킷으로 나누
> 며 유량이 클 때 더블 서킷을 사용한다.

[13년 3회]

112 다수의 전열판을 겹쳐 놓고 볼트로 연결시킨 것으로
판과 판 사이를 유체가 지그재그로 흐르면서 열교환이
이루어지는 것으로 열교환 능력이 매우 높아 설치면적이
적게 필요하고 전열판의 증감으로 기기 용량의 변동이
용이한 열교환기를 무엇이라 하는가?

① 플레이트형 열교환기   ② 스파이럴형 열교환기

③ 원통다관형 열교환기   ④ 회전형 전열교환기

> 플레이트형(판형) 열교환기는 여러 장의 스테인리스 전열판
> 을 겹쳐 놓고 볼트로 연결시켜 판과 판 사이를 유체가 지그
> 재그로 흐르면서 열교환이 이루어진다.

[13년 2회]

113 공조시스템에서 실내에서 배기되는 배기와 환기용 외기를 열교환하는 에너지 절약 설비로서 설비비는 증가하나 외기의 최대부하를 감소시키므로 보일러나 냉동기의 용량을 줄일 수 있어 중앙 공조시스템에서의 에너지 회수방식으로 많이 사용되는 열교환기의 형식은?

① 증기-물 열교환기
② 공기-공기 열교환기
③ 히트 파이프
④ 이코노마이저

> 배기와 외기사이에 열교환하는 방식은 공기-공기 전열교환 방식이다.

[13년 1회]

114 열교환기를 구조에 따라 분류하였을 때 판형 열교환기의 종류에 해당하지 않는 것은?

① 플레이트식 열교환기
② 캐틀형 열교환기
③ 플레이트핀식 열교환기
④ 스파이럴형 열교환기

> 판형 열교환기는 구조에 따라 플레이트식, 플레이트핀식, 스파이럴형으로 나눈다.

열원기기

1 난방용 보일러

보일러 종류
주철제보일러, 입형보일러,
노통연관식, 수관식, 관류형

1. 보일러 종류

① 주철제보일러 : 주철제 섹션을 조립하여 관체를 구성
  - 사용압력 : 온수 ⇒ 0.3MPa(수두 30m) 이하, 증기 ⇒ 0.1MPa 이하
  - 내식성이 우수, 수명이 길다.
  - 취급이 간편하고 분할반입이 용이, 가격이 싸다. 최근 사용 급감

② 입형보일러 : 원통의 동체외를 수실로 하고 그 내부에 연소실을 갖춘 보일러
  - 사용압력 : 온수 ⇒ 0.3MPa 이하, 증기 ⇒ 0.05MPa 이하
  - 협소한 장소에 설치할 수 있음, 효율이 보통, 관내청소가 불편하나 가격 저렴
  - 일반 주택 등 소용량에 일반적으로 사용

③ 노통연관식 보일러 : 횡형의 동체 내를 수실로 하고 그 내부에 파형노통의 연소설과 다수의 연관을 연결, 중규모 건물에 소용되고, 보유수량이 많아 부하변동에도 안전하며 설치가 간단하나 수명이 짧고 고가

④ 수관식 보일러 : 드럼과 여러 개의 수관으로 구성된 보일러
  - 사용압력 : 증기압력 1MPa 내외의 대규모 건물
  - 고압에 잘 견디고 열효율이 좋고 보유수량이 적으므로 증기발생이 빠르며 대용량에 적합
  - 고가이고 수관계통이 복잡하여 고도의 물처리 시설 필요

⑤ 관류형 보일러 : 1개의 관에서 증기를 얻는 구조로 수관보일러와 특징이 유사하며 중소형 보일러로 널리 쓰인다.

2. 보일러 효율

$$효율\ E = \frac{출력}{입력} = \frac{상당방열량 \times 2257(kJ/h)}{연료량 \times 발열량(kJ/h)}$$

3. 상당증발량(Ge) : 보일러 출력을 100℃ 증기 발생량으로 환산한 값

$$GE = \frac{출력}{2257} = \frac{G(h_2 - h_1)}{2257}$$

G : 발생 증기량(kg/h)　　　　h_2 : 보일러 발생 증기 엔탈피(kJ/kg)

h_1 : 급수 엔탈피　　　　　　100℃ 증기 증발 잠열 : 2257(kJ/kg)

4. 상당방열면적(EDR)

5. 보일러 출력(kJ/h, kW)

① 정격출력 : 난방부하+ 급탕부하+ 배관부하+ 예열부하

② 상용출력 : 난방부하+ 급탕부하+ 배관부하

③ 정미출력 : 난방부하+ 급탕부하

6. 보일러 선정순서

난방부하계산 ⇒ 방열기용량계산 ⇒ 배관열손실계산 ⇒ 상용출력계산 ⇒ 정격출력계산

2 냉동기

1. 증기압축식 냉동기

일반적인 냉동기이며, 압축기에 의해 냉매증기를 압축하여 액화시킨다.

(1) 4대 구성요소 : 압축기 → 응축기 → 팽창밸브 → 증발기

(2) 기능

   ┌ 압축기 : 증발된 냉매가스를 고압으로 압축하여 응축기로 보낸다.

   ├ 응축기 : 압축된 냉매가스를 냉각시켜 다시 액화한다.

   ├ 팽창밸브 : 고압의 냉매액은 팽창밸브를 지나며 증발이 용이한 저온저압의 액체가 되어 증발기로 유입된다.

   └ 증발기 : 저온 저압의 냉매가 주위 열을 흡수하며 증발하여 냉동효과를 얻는다.

> 증기압축식 냉동기 4대 구성요소
> 압축기→응축기→팽창밸브→증발기

2. 흡수식 냉동기

(1) 원리 : 냉매의 증발잠열을 이용한다. 압축기가 필요 없으며 증기나 온수에 의한 가열에 의해 압축냉매를 얻는다.

(2) 구성요소 : 흡수기 → 발생기(고온, 저온) → 응축기 → 팽창밸브 → 증발기

(3) 특징 : 압축기가 없어 전력소비가 적고, 소음진동이 적다. 증기, 고온수 등의 열원공급이 필요하다

(4) 냉매 : 공조용 H_2O(흡수제 LiBr), 산업용 NH_3(흡수제 H_2O)

> 흡수식 냉동기 구성요소
> 흡수기→발생기(고온, 저온)→응축기→팽창밸브→증발기

(5) 직화식 흡수냉온수기

- 구성 : 직화식 흡수냉온수기는 증발기, 흡수기, 재생기, 응축기의 주요부, 기체연료 또는 액체연료를 사용한 연소장치 및 연소가스에 의해 직접 가열한 고압재생기 및 냉매펌프, 흡수액펌프, 추기장치, 용량조절장치, 안전장치, 열교환기 등의 부속장치로 구성되어 1중 효용 또는 2중 효용으로 한다. 냉매 및 흡수액에 접하는 사용재질은 내식성이 충분한 것으로 한다. 본체는 완전히 밀폐되어 공기의 누출이 없는 것으로 한다.
- 본체 등 나머지는 흡수식 냉동기에 따른다.

---

01 예제문제

흡수식 냉동기에 관한 설명으로 옳지 않은 것은?

① 비교적 소용량보다는 대용량에 적합하다.

② 발생기에는 증기에 의한 가열이 이루어진다.

③ 냉매는 브롬화리튬($LiBr$), 흡수제는 물(H_2O)의 조합으로 이루어진다.

④ 흡수기에서는 냉각수를 사용하여 냉각시킨다.

해설

흡수식 냉동기는 냉매가 H_2O(물) 흡수제가 $LiBr$(브롬화리튬)인 조합과 냉매가 NH_3(암모니아) 흡수제가 H_2O(물)인 조합이 있다. **답 ③**

---

3. 증기분사식 냉동기

고압의 증기를 쉽게 얻을 수 있는 대형선박 등에 이용되며 고압의 증기를 인젝터에서 분사 시 진공상태의 물의 증발잠열을 이용한다.

4. 냉동기 성적계수 : $Er = \dfrac{증발잠열}{압축일} = \dfrac{i_1 - i_4}{i_2 - i_1}$

히트펌프 성적계수 : $Eh = \dfrac{증발잠열}{압축일} = \dfrac{i_2 - i_4}{i_2 - i_1} = 1 + Er$

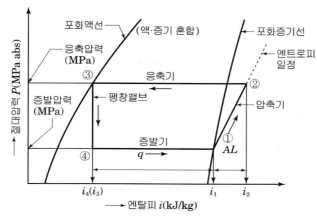

그림. 몰리에르 선도 상의 냉동 사이클

---

02 예제문제

다음 열원설비 중 하절기 피크전력 감소에 기여할 수 있는 방식으로 가장 거리가 먼 것은?

① GHP 방식   ② 빙축열 방식

③ 흡수식 냉동기   ④ EHP 방식

해설
EHP 방식(전기식 히트펌프)은 하절기 피크전력 증가에 기여한다.   답 ④

---

03 예제문제

현재 일반 건축물의 냉난방 열원설비로서 많이 사용되고 있는 2중 흡수식 냉온수기의 구성요소로 옳은 것은?

① 응축기, 증발기, 압축기, 저온재생기, 중온재생기

② 응축기, 증발기, 팽창밸브, 저온재생기, 흡수기

③ 고온재생기, 중온재생기, 압축기, 응축기, 흡수기

④ 고온재생기, 저온재생기, 흡수기, 응축기, 증발기

해설
2중 효용 흡수식 냉온수기 구성: 고 · 저온 재생기, 증발기, 흡수기, 응축기
1중 효용 흡수식 냉온수기 구성: 재생기, 증발기, 흡수기, 응축기
3중 효용 흡수식 냉온수기 구성: 고 · 중 · 저온 재생기, 증발기, 흡수기, 응축기
    답 ④

3 냉각탑

1. **원리** : 응축기의 냉각수를 분사하여 강제통풍에 의한 증발잠열로 냉각수를 냉각시킨 뒤 응축기에 순환시킨다.

냉각탑 종류
분무식, 충전식(일반적임), 밀폐식, 대향류형, 평행류형, 직교류형

2. **종류** : 분무식, 충전식(일반적임), 밀폐식이 있으며 물과 공기의 접촉 방법에 따라 대향류형, 평행류형, 직교류형이 있으며 대향류형이나 직교류형을 일반적으로 적용한다.

증기 압축식 냉각탑 용량
= 냉동부하 + 압축기 동력(압축식)

흡수식 냉각탑 용량
= 냉동부하 + 발생기부하

3. 냉각탑 용량 = 냉동부하 + 압축기 동력(압축식)
   (흡수식)냉각탑 용량 = 냉동부하 + 발생기부하
   ※ 흡수식이 압축식보다 발생기 가열 부하 때문에 냉각탑 용량이 크다.

4. **냉각탑 순환수량**
   냉각탑용량(kJ/h)으로 냉각수량을 구한다.

냉각탑 순환수량
$$Q_w = \frac{냉각탑용량}{60 \times 4.19 \times \Delta t}(L/min)$$
∴ Δt : 냉각탑 입출구 수온도차
(쿨링레인지)

$$Q_w = \frac{냉각탑용량}{60 \times 4.19 \times \Delta t}(L/min)$$

∴ Δt : 냉각탑 입출구 수 온도차(쿨링레인지), 물비열 : $4.19 kJ/kg \cdot K$

5. **보급수량** : 냉각수 순환량의 2% 내외

6. **쿨링레인지** : 냉각수 입출구의 온도차(약 5℃ 정도)

쿨링레인지
냉각수 입출구의 온도 차(약 5℃ 정도)

쿨링어프로치
냉각수 출구온도 – 입구 외기 습구온도

7. **쿨링어프로치** : 냉각수 출구온도 – 입구 외기 습구온도

---

04 예제문제

다음 중 냉각탑에 관한 용어 및 특성 설명으로 틀린 것은?

① 어프로치(approach)는 냉각탑 출구수온과 입구공기 건구온도 차
② 레인지(range)는 냉각수의 입구와 출구의 온도차
③ 어프로치(approach)를 적게 할수록 설비비 증가
④ 레인지(range)는 공기조화에서 5~8℃ 정도로 설정

해설
쿨링 어프로치 = 냉각수 출구온도 – 입구공기 습구온도
쿨링 레인지 = 냉각수 입구수온 – 냉각수 출구수온

답 ①

4 패키지형 공조기

냉동기, 에어필터 및 송풍기를 케이싱 내에 수납한 것으로 기본적으로는 냉방용이지만 공기가열기, 가습기를 끼워 넣어 이른바 냉·난방을 할 수 있으며, 주로 개별제어방식의 공조에 사용되는데 덕트나 취출구를 병용함에 의해 존 제어방식을 할 수 있다.

5 냉온수 반송설비(배관, 밸브, 펌프)

1. 관경결정

배관관경 결정요소 : 유량, 유속, 마찰저항

(1) **온수관경** : 유량과 압력강하를 구하여 유량 관경표에서 결정

① 순환수량(kg/s) : 방열량(kJ/s) ÷ (4.19 × 방열기 입출구온도차(Δt))

온수 : $1m^2 EDR = 0.523 kW/m^2$　　($0.523 = 450 \times 4.19/3600$)

② 압력강하(R)

$$R = \frac{H}{L(1+k)} (kPa/m)$$　　H : 순환펌프양정(kPa)

　　　　　　　　　　　　　　　　L : 보일러에서 최원방열기의 왕복순환 길이

　　　　　　　　　　　　　　　　k : 국부저항 계수

(2) **증기관경** : EDR(증기량)과 압력강하로 구한다.

① 증기 : $1m^2 EDR = 0.756 kW/m^2$

$$증기EDR(상당방열면적) = \frac{방열량(kJ/s)}{0.756} (m^2)$$

② 압력강하(R)

$$R = \frac{\Delta P \cdot 100}{L(1+k)} (kPa/100m)$$

　　ΔP : 보일러와 최원방열기 사이의 압력차(kPa)

　　　L : 보일러에서 최원방열기까지 거리(m)

　　　k : 국부저항 계수

2. 기기주변 배관

(1) **하트포트배관** : 저압증기 난방의 보일러 주변배관으로 보일러 수면이 안전수위 이하로 내려가지 않게 하기 위한 안전장치이다.

(2) **관말트랩배관** : 증기주관에서 발생하는 응축수를 제거하기 위해 설치(냉각 래그 : 1.5m 이상, 보온하지 않음)

(3) **리프트 휘팅** : 진공환수식에서 환수관보다 방열기가 낮은 위치에 있을 때 응축수를 끌어올리기 위하여 설치(1개 높이 : 1.5 m 이내)

(4) **스위블조인트** : 방열기주변 배관 시 배관의 신축이 방열기에 영향을 주지 않도록 배관(2개 이상 엘보 사용)

(5) **감압밸브** : 증기압을 감압시켜 사용코자할 때 사용(벨로스형, 다이어프램형, 피스톤형)

(6) **증기트랩** : 공기관내 생긴 응축수만을 보일러에 환수시키기 위해 설치(열교환기 최말단부, 방열기 환수부에 설치)

- 종류 : 방열기트랩, 버킷트랩, 플로트트랩, 충동식 트랩 등

(7) **이중서비스 밸브** : 한랭지에서 하향급기증기관의 경우 입상관내 응축수가 고여 동결하는데 이를 방지하는 밸브(방열기 밸브와 열동트랩을 결합)

(8) **공기빼기 밸브** : 배관내부의 공기를 제거하기 위해 배관의 굴곡부 위에 설치

(9) **인젝터** : 증기압을 이용한 예비용 급수장치

---

05 예제문제

열펌프에 관한 설명으로 옳은 것은?

① 열펌프는 펌프를 가동하여 열을 내는 기관이다.
② 난방용의 보일러를 냉방에 사용할 때 이를 열펌프라 한다.
③ 열펌프는 증발기에서 내는 열을 이용한다.
④ 열펌프는 응축기에서의 방열을 난방으로 이용하는 것이다.

해설
열펌프는 냉동기의 응축기에서 방열을 난방으로 이용하는 것으로 저열원 증발기의 흡열을 고열원 응축기에서 방열하므로 열을 끌어올리는 펌프라는 의미로 히트펌프(heat pump)라 한다.

답 ④

---

06 예제문제

배관설비 중 보일러의 안전수면을 유지시키기 위한 설비는 어느 것인가?

① 플랜지 이음 ② 리버스 리턴 배관
③ 하트포드 배관 ④ 슬리브 이음

해설
하트포드 배관은 증기보일러에서 보일러 안전수위를 유지시키는 증기관과 응축수 환수관을 밸런스 시키는 배관이다.

답 ③

3. 펌프 설비

(1) 펌프의 종류

① 왕복동펌프 : 송수압 변동이 심함, 수량조절이 어렵다, 양수량이 적고 양정이 클 때 적합(피스톤, 플런저, 워싱턴 펌프)

② 원심펌프 : 고속회전에 적합, 양수량 조절이 용이, 양수량이 많고 고·저양정에 사용(일반적으로 볼류트 펌프는 저양정에, 터빈펌프는 고양정에 쓰인다).

(2) 왕복동펌프의 양수량(Q)

$$Q = A \cdot L \cdot N \cdot E_v$$

Q : 양수량($\mathrm{m^3/min}$), A : 피스톤단면적($\mathrm{m^2}$),

L : 행정(m), N : 회전수(rpm),

E_v : 용적 효율

(3) 펌프의 양정(H)

전양정＝흡입양정＋토출양정＋마찰손실수두＋출구측 수압수두

(4) 펌프의 소요동력

$$\mathrm{kW} = \frac{Q \times \gamma \times H}{60 \times 102 \times y}$$

Q : 유량($\mathrm{m^3/min}$), γ : 비중량($\mathrm{kg/m^3}$),

H : 전양정(m), y : 펌프효율

> **펌프의 소요동력**
> $$\mathrm{kW} = \frac{Q \times \gamma \times H}{60 \times 102 \times y}$$
> $\therefore$ Q : 유량($\mathrm{m^3/min}$),
> γ : 비중량($\mathrm{kg/m^3}$),
> H : 전양정(m),
> y : 펌프효율

(5) 비교 회전도

비교 회전도란 그 펌프와 유사한 펌프가 $1\,\mathrm{m^3/min}$의 양수량에 대하여 $1\mathrm{m}$의 양정을 가질 때 회전수(rpm)를 말한다.

$$N_s = N \cdot \frac{Q^{1/2}}{H^{3/4}}$$

N_s : 비회전도(rpm), N : 회전수(rpm),

Q : 유량($1\,\mathrm{m^3/min}$), H : 양정(m)

(6) 유효흡입양정(NPSH)

물은 이론상 $0\,℃$에서 $10.33\,\mathrm{m}$, $100\,℃$에서 $0\mathrm{m}$를 흡입 양정으로 할 수 있지만 실제 상온에서 $6 \sim 7\mathrm{m}$밖에 흡입할 수 없다. 그 이상에서는 캐비테이션(공동 현상)이 일어나 양수할 수 없다. 이때 흡입 가능한 높이를 유효 흡입 양정이라 한다.

• 펌프설비에서 얻어지는 유효 흡입 양정(NPSH)-SI단위

$$NPSH = P_0 - (P_v + Z + H_f)$$

P_0 : 대기압(kPa),

P_v : 수온 포화증기 압력(kPa),

Z : 흡입 양정(kPa),

H_f : 흡입관 마찰 손실수두(kPa)

• 캐비테이션을 막기 위해서는 설비에서 얻어지는 유효 NPSH가 펌프의 필요 NPSH보다 커야 한다.

※ 유효 NPSH ≥ 1.3 필요 NPSH

(7) 펌프 설치시 주의사항

① 펌프와 전동기는 일직선상에 배치

② 되도록 흡입 양정을 낮춘다.(유효흡입양정-NPSH를 크게 한다)

③ 흡입구는 수면위 관경의 2배 이상 잠기게 한다.

④ 소화펌프는 화재 시 불의 접근을 막도록 구획한다.

(8) 펌프의 과부하 운전조건

① 원동기와 펌프의 연결 불량

② 이물질 유입 및 베어링 마모

③ 회전수 증가

④ 흡입양정 감소

---

07 예제문제

급수펌프에서 발생하는 캐비테이션 현상의 방지법으로 가장 거리가 먼 것은?

① 펌프설치 위치를 낮춘다.

② 입형펌프를 사용한다.

③ 흡입손실수두를 줄인다.

④ 회전수를 올려 흡입속도를 증가시킨다.

해설
캐비테이션(공동현상)을 방지하기위해서는 펌프의 회전수를 감소시켜 흡입속도를 낮춘다.

답 ④

[10년 3회]

01 공조설비에서 사용되는 보일러에 대한 설명으로 적당하지 않은 것은?

① 보일러효율은 연료의 고위발열량을 사용하여 보일러에서 발생한 열량과 연료의 전 발열량과의 비로 나타낸다.

② 관류보일러는 소요 압력의 증기를 빠른 시간에 발생시킬 수 있다.

③ 증기보일러로의 보급수는 연수화시켜 공급하는 것이 좋다.

④ 증기보일러와 120℃ 이상의 온수보일러의 본체에는 안전장치를 설치하여야 한다.

$$보일러효율 = \frac{유효발생총열량}{연료의 \ 저위발열량 \times 연료소비량} \times 100(\%)$$

보일러 효율 계산 시 저위발열량을 적용하나 최근 가스보일러는 고위발열량을 적용하도록 관계법이 개정되었다.

[09년 3회]

02 보일러에 관한 설명 중 틀린 것은?

① 주철보일러는 압력 0.5MPa 이하의 중압 증기용에 사용된다.

② 주철제 보일러는 분할하여 제작이 가능하므로 반입이 용이하다.

③ 노통연관식 보일러는 내분식으로 연소실 크기가 제한을 받는다.

④ 입형 보일러는 수직의 원통형 드럼 내부에 연소실을 구성하고 연관 또는 수관으로 대류전열면을 조합하여 만든 구조이다.

주철제 증기 보일러 최고사용압력은 0.1MPa이다. 온수용은 0.5MPa 이하이다.

[14년 3회]

03 보일러의 종류에 따른 특성을 설명한 것 중 틀린 것은?

① 주철제 보일러는 분해, 조립이 용이하다.

② 노통연관 보일러는 수질관리가 용이하다.

③ 수관 보일러는 예열시간이 짧고 효율이 좋다.

④ 관류 보일러는 보유수량이 많고 설치면적이 크다.

관류보일러는 1개의 수관으로만 구성되어 증기 드럼이 없어서 보유수량이 적고 설치 면적이 작다. 효율은 높고 증기생성이 빠르며 급수처리가 필요하다.

[10년 2회, 07년 1회]

04 노통 연관식 보일러의 장점이 아닌 것은?

① 비교적 고압의 대용량까지 제작이 가능하다.

② 효율이 낮다.

③ 동일용량의 수관식 보일러보다 가격이 싸다.

④ 부하변동에 따른 압력변동이 크다.

노통 연관식 보일러는 보유수량이 많아서 부하변동 시 대응하기가 용이하고 압력변동이 작다.

[10년 2회, 08년 3회]

05 수관보일러의 특징으로 틀린 것은?

① 사용압력이 연관식보다 높다.

② 부하변동에 따른 추종성이 높다.

③ 예열시간이 짧고 효율이 좋다.

④ 초기투자비가 적게 들며 급수처리도 용이하다.

수관보일러는 고압, 대용량에 적합하고 전열면적이 크지만 가격이 비싸고 고도의 급수처리가 필요하다.

[06년 1회]

06 보일러 동체 내부의 중앙 하부에 파형 노통이 길이방향으로 장착되며 이 노통의 하부 좌우에 연관들을 갖춘 보일러는?

① 노통 보일러
② 노통연관 보일러
③ 연관 보일러
④ 수관 보일러

> 노통과 연관의 혼합방식 보일러를 노통연관식 보일러라 한다.

[07년 2회]

07 같은 크기의 다른 보일러에 비해 전열면적이 크고 증기 발생이 빠르며, 고압증기를 만들기 쉬워 대용량의 보일러로서 가장 적당한 것은?

① 입형 보일러
② 수관 보일러
③ 노통 보일러
④ 관류 보일러

> 수관 보일러는 전열면적이 크고 증기 발생이 빠르며 고압 대용량에 적합하나 고도의 급수처리가 필요하다.

[11년 2회]

08 보일러의 종류 중 수관식 보일러의 분류에 해당되지 않는 것은?

① 관류보일러
② 연관보일러
③ 자연순환식 보일러
④ 강제순환식 보일러

> 연관 보일러는 노통 보일러나 노통연관 보일러와 같이 원통형 보일러에 속한다.

[09년 3회, 06년 2회]

09 겨울철 난방을 위한 열발생 장치로써 사용할 수 없는 것은?

① 히트 펌프
② 보일러
③ 터보 냉동기
④ 흡수식 냉온수기

> 터보 냉동기는 냉열원만 생산한다.

[10년 2회, 06년 2회]

10 보일러의 안전장치에 해당되지 않는 것은?

① 안전밸브
② 저수위 경보기
③ 화염 검출기
④ 절탄기

> 절탄기는 보일러용 폐열회수장치로 열효율을 향상시키기 위한 장치이다.

[10년 1회]

11 보일러의 열효율을 향상시키기 위한 장치가 아닌 것은?

① 저수위 차단기
② 재열기
③ 절탄기
④ 과열기

> 저수위 차단기는 보일러 운전 시 수위의 급격한 저하를 막는 안전장치이다.

[07년 2회]

12 다음 중 보일러의 능력과 효율을 표시하는 방법이 아닌 것은?

① 열발생률
② 전열면적
③ 증발량
④ 보일러 중량

> 보일러 중량과 보일러 능력과는 관련성이 없다.

[08년 1회]

13 보일러에서 이코노마이저(절탄기)의 기능은?

① 급수 예열
② 연료 가열
③ 급기 예열
④ 증기 가열

> 절탄기(폐열회수장치)는 배기 가스의 열을 이용하여 급수를 예열하여 열효율을 향상시키는 작용을한다.

정답 06 ② 07 ② 08 ② 09 ③ 10 ④ 11 ① 12 ④ 13 ①

[13년 3회]

14 온수난방장치와 관계없는 것은?

① 팽창탱크   ② 보일러
③ 버킷 트랩   ④ 공기빼기 밸브

> 버킷 트랩은 기계식 증기 트랩의 일종으로 증기 난방장치에 이용된다.

[15년 1회, 12년 2회]

15 보일러의 종류 중 원통보일러의 분류에 해당되지 않는 것은?

① 폐열 보일러   ② 입형 보일러
③ 노통 보일러   ④ 연관 보일러

> 원통형 보일러에 입형(수직) 보일러, 노통 보일러, 노통연관 보일러, 연관식 보일러가 있다. 폐열 보일러는 특수 보일러에 속한다.

[12년 2회]

16 보일러의 안전수면을 유지시키기 위한 배관접속 방법으로 적당한 것은?

① 하트포드 접속   ② 신축 이음 접속
③ 리버스리턴 접속   ④ 리턴콕 접속

> 하트포드 루프(접속)는 증기 보일러 주변 배관으로 보일러의 수위가 일정수위 이하로 내려가는 것을 막아주는 안전장치이다.

[06년 1회]

17 보일러 튜브 내에 스케일(Scale) 생성을 방지하기 위한 방법으로 적절하지 못한 것은?

① 급수처리   ② 청정제 주입
③ 블로(Blow)   ④ 연소가스 처리

> 연소가스 처리와 보일러 튜브 내의 스케일 생성 방지와는 관계가 없다.

[08년 2회]

18 보일러의 안전장치 중 옳지 않은 것은?

① 보일러는 기기 내에 고압의 증기나 고온의 물을 저장하고 있으므로 안전을 위하여 충분한 강도를 지닌 구조로 되어 있음과 동시에 철저한 관리를 하여야 한다.
② 수온이 120℃가 넘는 온수 보일러의 경우는 릴리프 밸브를, 수온이 120℃ 이하의 온수 보일러에서는 안전밸브가 설치된다.
③ 연소장치에서 압력, 온도의 상한은 제한하는 안전장치와 광전관 등에 의한 착화, 감화의 안전장치가 쓰인다.
④ 잔류 연소가스의 폭발을 방지하기 위하여 시퀀스 제어가 사용되고 있다.

> 수온이 120℃가 넘는 온수 보일러의 경우는 안전밸브를, 수온이 120℃ 이하의 온수 보일러에서는 릴리프 밸브를 설치한다.

[12년 2회]

19 보일러연료로 기름을 사용할 때 기름을 저장할 수 있는 탱크가 필요하다. 다음 중 오일탱크의 종류가 아닌 것은?

① 서비스 탱크   ② 옥내 저장탱크
③ 지하 저장탱크   ④ 익스팬션 탱크

> 익스팬션 탱크(팽창탱크)는 온수 시스템의 팽창 탱크이다.

[07년 1회]

20 보일러의 연소량을 일정하게 하고, 소비량에 비해 과잉일 경우 잉여증기를 저장하여 부족할 때 저장증기를 방출하는 장치는?

① 환원기   ② 충진탑
③ 축열기   ④ 절탄기

> 증기축열기(어큐뮬레이터)는 제1종 압력용기로서 잉여증기를 저장하여 과부하시 재사용한다.

정답   14 ③   15 ①   16 ①   17 ④   18 ②   19 ④   20 ③

[07년 3회]

21 다음 중 보일러의 부속장치가 아닌 것은?

① 급수장치
② 자동제어장치
③ 통풍장치
④ 보일러 본체

> 보일러 본체는 보일러 3대 구성요소(본체, 부속장치, 연소장치)에 속하며 부속장치는 아니다.

[12년 2회]

22 하트포드(Hart Ford) 접속법에 대한 설명으로 틀린 것은?

① 보일러의 물이 환수관에 역류하여 보일러 속의 수위가 저수위 이하로 내려가지 않도록 한다.
② 보일러의 물이 환수관으로 들어가도록 하는 역할을 한다.
③ 균형관(밸런스관)은 보일러 사용수위보다 50mm 아래에 연결해야 한다.
④ 증기관과 환수관 사이에 균형관(밸런스관)을 설치한다.

> 하트포드 접속법은 보일러의 물이 환수관으로 역류하지 않도록 하는 역할을 한다.

[12년 1회]

23 보일러에서 연료를 연소하는 데에는 연소에 필요한 산소량을 알면 공기량을 산출할 수 있지만, 이 공기량만으로는 완전연소가 곤란하다. 따라서 연료를 완전연소시키기 위해서는 더 많은 공기가 필요한데, 실제로 필요한 공기량과 이론적인 공기량의 비를 무엇이라 하는가?

① 실제공기계수
② 연소공기계수
③ 공기과잉계수
④ 필요공기계수

> 공기과잉계수(공기비) $m = \dfrac{\text{실제소요공기량}}{\text{이론소요공기량}}$
>
> 실제로 필요한 공기량과 이론적인 공기량의 비는 공기과잉계수로 공기비라고도 한다.

[14년 1회]

24 보일러의 출력표시에서 난방부하와 급탕부하를 합한 용량으로 표시되는 것은?

① 과부하출력
② 정격출력
③ 정미출력
④ 상용출력

> 정미출력(순부하) = 난방부하 + 급탕부하
> 상용출력 = 난방부하 + 급탕부하 + 배관부하
> 정격출력 = 난방부하 + 급탕부하 + 배관부하 + 예열부하

[13년 2회]

25 보일러의 용량을 결정하는 정격출력을 나타내는 것으로 적당한 것은?

① 정격출력 = 난방부하 + 급탕부하
② 정격출력 = 난방부하 + 급탕부하 + 배관손실부하
③ 정격출력 = 난방부하 + 급탕부하 + 예열부하
④ 정격출력 = 난방부하 + 급탕부하 + 배관손실부하 + 예열부하

> 정격출력 = 난방부하 + 급탕부하 + 배관손실부하 + 예열부하

[13년 2회]

26 가스난방에 있어서 실의 총손실열량이 840,000kJ/h, 가스의 발열량이 21,000kJ/m³, 가스소요량이 60m³/h일 때 가스스토브의 효율은 약 얼마인가?

① 67%
② 80%
③ 85%
④ 90%

> 효율 $= \dfrac{\text{유효율}}{\text{가스공급열}} \times 100 = \dfrac{840,000}{60 \times 21,000} \times 100 = 67\%$

[13년 2회]

27 상당 증발량이 2,500kg/h이고, 급수온도가 30℃, 발생증기 엔탈피가 2,662kJ/kg일 때 실제 증발량은 약 얼마인가? (물의 비열 4.2kJ/kgK)

① 2,225kg/h
② 2,249kg/h
③ 2,149kg/h
④ 2,048kg/h

정답 21 ④ 22 ② 23 ③ 24 ③ 25 ④ 26 ① 27 ①

$$상당증발량 = \frac{실제증발량(증기엔탈피-급수엔탈피)}{2,257}$$

$$2,500 = \frac{G_s \times (2,662 - 30 \times 4.2)}{2,257}$$

$$실제\ 증발량(G_s) = \frac{2,500 \times 2,257}{2,662 - 30 \times 4.2} = 2,225\text{kg/h}$$

[15년 3회, 12년 2회, 06년 1회]

28 급수온도 35℃에서 증기압력 15 kg/cm², 온도 400℃의 증기를 40 kg/h 발생시키는 보일러의 마력(HP)은? (단, 15 kg/cm², 400℃에서 과열증기 엔탈피는 3,294 kJ/kg 이다.)

① 2.43   ② 2.62

③ 3.55   ④ 3.72

보일러 1마력은 상당증발량 15.65kg/h 이다.

$$상당증발량 = \frac{G_s(h_2 - h_1)}{2,257} = \frac{40(3,294 - 35 \times 4.2)}{2,257}$$
$$= 55.8\text{kg/h}$$

$$보일러마력 = \frac{상당증발량}{15.65} = \frac{55.8}{15.65} = 3.55마력$$

요즘은 보일러 능력은 상당증발량이나 실제증발량을 사용하고 보일러 마력은 잘쓰이지 않는다.

[14년 2회]

29 급수온도 10℃이고 증기압력 1.4 MPa, 온도 240℃인 과열증기(비엔탈피 2,914 kJ/kg)를 1시간에 10,000 kg을 발생시키는 증기보일러가 있다. 이 보일러의 상당증발량은 얼마인가? (단, 급수의 비엔탈피는 42 kJ/kg이다.)

① 10,479kg/h   ② 11,580kg/h

③ 12,725kg/h   ④ 13,702kg/h

$$보일러\ 상당증발량(G_e) = \frac{G_s(h_2 - h_1)}{539}$$
$$= \frac{10,000 \times (2,914 - 42)}{2,257} = 12,725\text{kg/h}$$

[15년 1회]

30 온수보일러의 상당방열면적이 110m²일 때, 환산증발량은?

① 약 91.8kg/h   ② 약 112.2kg/h

③ 약 132.6kg/h   ④ 약 153.0kg/h

100℃ 물의 증발잠열 = 2,257kJ/kg
온수방열기 방열량 = 523W/m² = 523 × 3.6kJ/m²·h

$$\therefore 환산(상당)증발량 = \frac{방열량}{2,257} = \frac{523 \times 3.6 \times 110}{2,257} = 91.8\text{kg/h}$$

[11년 2회]

31 증기압축식 냉동기 중 대규모 건축물의 공조용으로 사용되는 대용량 냉동기 형식으로 맞는 것은?

① 원심식   ② 왕복동식

③ 스크루식   ④ 흡수식

공조용 대용량 냉동기에는 보통 원심식(터보형)냉동기를 사용한다.

[10년 3회, 08년 3회]

32 흡수식 냉온수기에 대한 설명이다. ( ) 안에 들어갈 명칭으로 가장 알맞은 것은?

"흡수식 냉온수기는 여름철에는 (①)에서 나오는 냉수를 이용하여 냉방을 행하며 겨울철에는 (②)에서 나오는 열을 이용하여 온수를 생산하여 냉방과 난방을 동시에 해결할 수 있는 기기로서 현재 일반 건축물에서 많이 사용되고 있다."

① ① 증발기, ② 응축기

② ① 재생기, ② 증발기

③ ① 증발기, ② 재생기

④ ① 발생기, ② 방열기

흡수식 냉온수기는 여름철에는 증발기에서 나오는 냉수를 이용하며 겨울철에는 재생기에서 나오는 온수를 사용한다.

[13년 2회]

33 흡수식 냉동기의 특징으로 맞지 않는 것은?

① 기기 내부가 진공에 가까우므로 파열의 위험이 적다.
② 기기의 구성요소 중 회전하는 부분이 많아 소음 및 진동이 많다.
③ 흡수식 냉온수기 한 대로 냉방과 난방을 겸용할 수 있다.
④ 예냉 시간이 길어 냉방용 냉수가 나올 때까지 시간이 걸린다.

> 흡수식 냉동기는 열원을 증기나 직화를 이용하므로 압축기가 없어 소음이 적고 진동이 적다.

[09년 2회]

34 흡수식 냉온수기를 이용하는 열원시스템의 설명으로 맞지 않은 것은?

① 1대로 냉방과 난방을 겸용하므로 기계실의 스페이스를 적게 차지한다.
② 냉각탑을 포함하는 열원장치의 건설비는 전동 냉동기와 보일러 병용방식에 비해 비싸다.
③ 병원과 같이 고압증기를 필요로 할 때에는 1중 효용식과 보일러 조합방식을 사용한다.
④ 사용 연료로서는 도시가스가 이상적이고 직화식 버너를 사용한다.

> 고압증기가 필요한 곳은 2중 효용식과 보일러 조합방식을 사용하고 보일러 고압증기를 2중 효용식의 고온재생기에 투입시킨다.

[08년 2회]

35 공조용 열원기기 중 흡수식 냉동기에 관한 다음 설명 중 옳지 않은 것은?

① 부분 부하에 대한 대응성이 나쁘다.
② 압축장치가 없어 진동이 작다.
③ 가열원으로 증기나 가스 등이 이용된다.
④ 증기 압축식에 비해서 냉각탑 용량이 커진다.

> 흡수식 냉동기는 부분부하에 대한 적응성이 좋은 편이다.

[10년 2회]

36 다음 중 흡수식 냉동기의 결점에 해당하지 않는 것은?

① 압축식 냉동기에 비해 설치면적, 높이, 중량이 크다.
② 냉각탑, 기타 부속설비가 압축식에 비해 큰 용량을 필요로 한다.
③ 압축식에 비해 예냉시간이 약간 길다.
④ 부하가 규정용량을 초과하면 사고발생 우려가 크다.

> 흡수식 냉동기는 진공상태에서 운전되므로 부하 용량 초과시 사고발생 우려가 적다.

[08년 3회]

37 흡수식 냉동기의 종류에 해당되지 않는 것은?

① 단효용 흡수식 냉동기
② 2중효용 흡수식 냉동기
③ 직화식 냉온수기
④ 증기압축식 냉온수기

> 증기압축식은 흡수식 냉동기와 구분된다.

[14년 2회]

38 흡수식 냉동기에서 흡수기의 설치 위치는 어디인가?

① 발생기의 팽창밸브 사이
② 응축기와 증발기 사이
③ 팽창밸브와 증발기 사이
④ 증발기와 발생기 사이

> 흡수식 냉동기 사이클에서 증발기-흡수기-발생기-응축기 순서이다.

[12년 3회, 09년 1회]

39 압축식 냉동기에 비해 흡수식 냉동기 냉각탑의 열처리용량과 냉각수량은 몇 배 정도로 하는가?

① 처리용량 2배, 냉각수량 1.5배
② 처리용량 4, 냉각수량 2배
③ 처리용량 1.5배, 냉각수량 4배
④ 처리용량 2배, 냉각수량 4배

흡수식 냉동기는 압축식에 비해 냉각탑 처리용량은 2배, 냉각수량은 1.5배 정도가 소요된다.

[13년 1회]

40 공기조화 설비 방식의 일반 열원방식 중 2중 효용 흡수식 냉동기와 보일러를 사용하여 구성되는 공조방식의 관련된 장치가 아닌 것은?

① 발생기, 흡수기, 입형 보일러
② 응축기, 증발기, 관류보일러
③ 재생기, 응축기, 노통연관보일러
④ 응축기, 압축기, 수관보일러

2중 효용 흡수식 냉동기의 부속장치에서 압축기는 관계없다.

[13년 3회]

41 공조용으로 사용되는 냉동기의 종류가 아닌 것은?

① 원심식 냉동기
② 자흡식 냉동기
③ 왕복동식 냉동기
④ 흡수식 냉동기

공조용 냉동기에는 증기 압축식에 원심식, 왕복동식, 스크류식, 회전식이 있으며 흡수식 냉동기가 있다.

[15년 1회]

42 중앙에 냉동기를 설치하는 방식과 비교하여 덕트병용 패키지 공조방식에 대한 설명으로 틀린 것은?

① 기계실 공간이 작게 필요하다.
② 운전에 필요한 전문 기술자가 필요 없다.
③ 설치비가 중앙식에 비해 적게 든다.
④ 실내 설치 시 급기를 위한 덕트 샤프트가 필요하다.

덕트 병용 패키지 방식(PAC를 각 층에 설치하고 덕트를 통해 해당 층 각 실로 송풍한다.)은 수직으로 공급되는 덕트 샤프트는 필요없다.

[12년 1회]

43 열원방식의 특징으로 맞는 것은?

① 흡수식 냉동기 : 피크전력부하 경감
② 축열방식 : 심야전력 이용곤란
③ 지역냉난방방식 : 대기오염 심각
④ 열펌프 : 폐열발생

흡수식은 피크전력부하 경감에 유리하고, 축열방식은 심야전력 사용이 가능하며 지역냉난방은 대기오염이 감소하고, 열펌프는 폐열을 사용할 수 있다.

[13년 2회]

44 다음 중 축열 시스템의 특징으로 맞는 것은?

① 피크 컷(Peak Cut)에 의해 열원장치의 용량이 증가한다.
② 부분부하 운전에 쉽게 대응하기가 곤란하다.
③ 도시의 전력수급상태 개선에 공헌한다.
④ 야간운전에 따른 관리 인건비가 절약된다.

축열시스템은 심야전기를 이용하는 냉수 또는 빙축열로 주간에 냉방을 보급하므로 피크 컷(Peak Cut)에 의해 열원장치의 용량이 감소하며, 부분부하 운전에 쉽게 대응 할 수 있고, 도시의 전력수급상태 개선에 공헌하나, 야간운전에 따른 인건비는 증가한다.

[11년 1회]

45 축냉식(빙축열) 설비를 흡수식 설비와 비교했을 때 장점으로 틀린 것은?

① 심야 전력을 사용하므로 운전비를 대폭 절감할 수 있다.
② 수전설비 규모를 일반 전기식의 0 ~ 60% 수준으로 줄일 수 있다.
③ 고장 시 축열조나 냉동기의 분리운전으로 신뢰성이 확보된다.
④ 진동 및 소음이 적고 타 방식에 비해 설치면적이 적게 소요된다.

축냉식은 축열조 때문에 설치면적을 크게 하여야 한다.

[14년 3회]

46 화력발전설비에서 생산된 전력을 이용함과 동시에 전력을 생산하는 과정에서 발생되는 배기열을 냉난방 및 급탕 등에 이용하는 방식이며, 전력과 열을 함께 공급하는 에너지 절약형 발전방식으로 에너지 종합효율이 높고 수요지 부근에 설치할 수 있는 열원 방식은?

① 흡수식 냉온수 방식
② 지역 냉난방 방식
③ 열회수 방식
④ 열병합발전(Co-generation) 방식

열병합발전은 전력생산과 열생산을 동시에 하므로 에너지 종합효율이 높다.

[08년 1회]

47 공조용 열원 시스템에서 토털 에너지방식에 사용하는 구동기관으로 맞지 않는 것은?

① 전동기   ② 가스 엔진
③ 디젤 엔진   ④ 가스 터빈

토털 에너지 방식이란 일종의 열병합발전으로 구동기관은 가스 엔진, 디젤 엔진, 가스 터빈등이다.

[11년 1회]

48 열원방식 중에서 토털 에너지방식(Total Energy System)에 해당되지 않는 것은?

① 가스터빈 방식   ② 연료전지 방식
③ 엔진 열펌프 방식   ④ 빙축열 방식

토털에너지 방식은 전기와 열을 동시에 사용하는 것으로 빙축열 방식은 해당없다.

[11년 2회]

49 수열원 히트펌프의 열원으로 이용할 수 없는 것은?

① 지하수(地下水)   ② 하수(下水)
③ 공기(空氣)   ④ 해수(海水)

수열원 히트펌프(물 사용 히트펌프)에서 공기는 열원으로 사용하지 않는다.

[13년 3회]

50 기기 1대로 동시에 냉·난방을 해결할 수 있는 장치로 도시가스를 직접 연소시켜 사용할 수 있고 압축기를 사용하지 않는 열원방식은?

① 흡수식 냉온수기 방식
② GHP 설비방식
③ 빙축열 설비방식
④ 전동냉동기+보일러 방식

흡수식 냉온수기는 도시가스를 직접 연소시켜 냉-난방이 가능하며, GHP 설비는 가스 엔진을 이용하여 압축기를 구동하는 히트펌프방식이다.

[08년 2회]

51 열원방식의 분류 중 특수 열원방식으로 분류되지 않는 것은?

① 열회수 방식(전열 교환방식)
② 흡수식 냉온수기 방식
③ 지역 냉난방 방식
④ 태양열 이용 방식

흡수식 냉온수기의 열원은 증기, 중온수, 가스 연소열을 이용하며 냉동기, 보일러와 함께 일반적인 열원방식이다.

[10년 1회]

52 열원방식의 한 종류 중 심야전력을 이용한 빙축열 시스템 설비를 구성하는 장치에 해당하지 않는 것은?

① 축열조   ② 냉각수 펌프
③ 열교환기   ④ 이코노마이저

이코노마이저(급수가열기)는 보일러 등에서 배기가스 열로 급수를 가열하여 열을 회수하는 장치이다.

[09년 1회]

53 다음 중 히트펌프 방식의 열원에 해당되지 않는 것은?

① 수 열원   ② 마찰 열원
③ 공기 열원   ④ 태양 열원

히트펌프 열원은 물이나 공기, 태양열등을 이용한다.

정답 46 ④   47 ①   48 ④   49 ③   50 ①   51 ②   52 ④   53 ②

[11년 3회, 09년 2회]

54 축열조 내에 코일을 설치하고 그 주위에 물이 채워져 있어서 제빙 시 코일 내부에 저온의 브라인을 순환시켜 코일 주위에 물이 얼게 되며, 해빙 시에는 코일 외부로 물이 흐르게 되어 얼음을 녹게 하는 원리를 이용하는 빙축열 시스템의 제빙방식은?

① 관외 착빙형 　　　② 캡슐형
③ 빙박리형 　　　　　④ 관내 착빙형

> 빙축열 방식에서 관외 착빙형(Ice On Coil)은 코일 내부에 저온의 브라인을 순환시켜 코일 주위에 물이 얼게 하는 방식이다. 이외에 아이스 렌즈타입, 캡슐형(아이스바 타입), 하베스트타입(빙박리형)등이 있다.

[07년 2회]

55 유량 $1,500 \, \text{m}^3/\text{h}$, 양정이 $12 \, \text{m}$인 펌프의 축동력(kW)은 약 얼마인가? (단, 물의 비중량 $1,000 \, \text{kg/m}^3$, 펌프 효율 $\mu = 0.7$이다.)

① 12.1kW 　　　② 14.2kW
③ 38.5kW 　　　④ 70.1kW

> $$\text{축동력(kW)} = \frac{Q \times H}{102 \times E} = \frac{1,500 \times 1000 \times 12}{102 \times 3,600 \times 0.7} = 70.1 \, [\text{kW}]$$
> 1시간=3,600초

덕트 및 부속설비

1 덕트

1. 덕트의 용도상 분류

(1) **간선덕트방식** : 설비비가 싸고 덕트 스페이스가 적어지지만 먼 거리 덕트에는 공급이 원활치 못함

(2) **개별덕트방식** : 설비비가 비싸고 덕트 스페이스도 커지지만 공기공급이 원활하다.

(3) **환상덕트방식** : 말단 취출구의 압력조절이 용이

2. 덕트의 풍속에 따라 분류

덕트의 풍속에 따른 분류
덕트 내의 풍속 15m/s를 기준으로 하여 15m/s 이하를 저속덕트, 15m/s 초과일 경우 고속덕트라 한다.

(1) **저속덕트**(10 ~ 15m/s 이하) : 소음이 적고 동력 소모가 적다. 덕트 스페이스가 커진다.

(2) **고속덕트**(20 ~ 25m/s 이상) : 덕트 크기가 적어지고, 분배가 용이 하며 동력소모가 크고 시설비가 증가

3. 덕트의 이음공법

덕트 세로 이음법
피츠버그 스냅로크,
버튼펀치 스냅로크

(1) **피츠버그 스냅로크** : 각부의 접합 시 겹으로 접은 판 사이에 싱글로 접은판을 끼워 넣고 때려 누른 형식, 견고하고 공기누설을 막음

(2) **버튼펀치 스냅로크** : 더블로 접은 곳에 싱글로 접은 것을 끼워 넣기만 하고 때리지는 않으며 싱글의 돌출부(펀치)가 더블의 접은 면에 걸리도록 하여 시공이 간편하여 공기 단축효과를 노린다.

(3) **덕트의 보강** : 다이아몬드 브레이크, 리브홈을 두어 강도를 높인다.

4. 덕트의 설계법

덕트의 설계법
등속법, 등마찰법, 정압 재취법,
전압법

덕트 설계방법은 등속법, 등마찰법, 정압 재취법, 전압법 등이 있는데

(1) **등속법** : 풍속이 일정하여 분말류를 이송하는데 적합하며 개략적인 덕트 크키 결정에 유리하다.

(2) **정압 재취법** : 취출구에서의 정압이 같도록 경로 압력 손실을 계산하여 설계한다.

(3) **등마찰법** : 가장 많이 사용되는 설계법으로 덕트 단위 길이당 마찰저항이 같도록 설계하며 단위 길이당 마찰저항이 같으므로 압력손실을 구하기가 용이하다. 등마찰법에서 덕트 직경 결정방법은 풍량(m^3/min)과 마찰저항

R(Pa/m)이 결정되면 아래 덕트 선도에서 구한다. 구하는 방법은 풍량과
마찰저항 R의 교차점에서 덕트경을 구한다. 또한 장방형 덕트로 하고자 할
때는 환산표를 이용하여 찾는다.

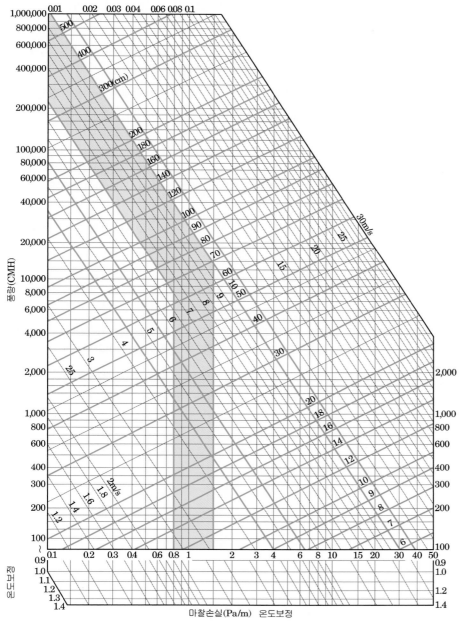

그림. 덕트선도

01 예제문제

덕트에 관한 설명 중 올바르지 못한 것은?

① 덕트의 아스펙트비는 일반적으로 4:1 이하로 하는 것이 좋다.
② 곡부의 저항은 이와 동일한 마찰저항이 생기는 직선덕트의 길이로 표현된다. 이를 국부저항의 상당길이라 한다.
③ 덕트의 국부저항은 국부 및 분기부 등에서 생기는 와류의 에너지 소비에 따르는 압력손실과 마찰에 의한 압력손실을 합한 것이다.
④ 원형덕트와 동일한 풍량, 동일한 단위길이당 마찰저항에서 구한 장방형 덕트의 단면적은 원형덕트의 단면적과 같다.

해설
덕트 단면에서 면적이 동일할 때 저항이 가장 작은 것은 원형덕트이며 장방형 덕트는 종횡비가 커질수록 아래식과 같이 덕트 면적이 증가한다. 원형 직경(d), 단변(a) 장변(b)일 때

$$d = 1.3\left[\frac{(a \times b)^5}{(a+b)^2}\right]^{\frac{1}{8}}$$

답 ④

02 예제문제

다음 중 일반적인 덕트의 설계 순서로 옳은 것은? (단, ㉠ 송풍량 결정, ㉡ 취출구·흡입구 위치 결정, ㉢ 덕트경로 결정, ㉣ 덕트 치수 결정, ㉤ 송풍기 선정이다.)

① ㉠→㉡→㉢→㉣→㉤
② ㉠→㉢→㉣→㉡→㉤
③ ㉤→㉠→㉢→㉣→㉡
④ ㉤→㉠→㉡→㉢→㉣

해설
덕트의 설계 순서 : ㉠ 송풍량 결정 → ㉡ 취출구·흡입구 위치 결정 → ㉢ 덕트경로 결정 → ㉣ 덕트 치수 결정 → ㉤ 송풍기 선정

답 ①

5. 덕트 동압(Pv)

(1) 수주단위 $P_v = \frac{v^2}{2g}\gamma \,(\text{mmAq})$ γ : 공기 비중량 $1.2\,(\text{kgf/m}^3)$

(2) SI 단위 $Pv = \frac{v^2}{2}\rho \,(\text{Pa})$ ρ : 공기 밀도 $1.2\,(\text{kg/m}^3)$

덕트 동압(Pv)
수주단위 $P_v = \frac{v^2}{2g}\gamma(\text{mmAq})$
$P_v = \frac{v^2}{2}\rho(\text{Pa})$

03 예제문제

덕트 내 풍속을 측정하는 피토관을 이용하여 전압 23.8mmAq, 정압 10mmAq를 측정하였다. 이 경우 풍속은 약 얼마인가?

① 10m/s
② 15m/s
③ 20m/s
④ 25m/s

해설
전압=정압+동압에서 동압=23.8−10=13.8mmAq이고(공기 비중량 $\gamma=1.2\text{kg/m}^3$)

동압$(p)=\dfrac{v^2}{2g}\times\gamma$에서 $v=\sqrt{\dfrac{2gp}{\gamma}}=\sqrt{\dfrac{2\times9.8\times13.8}{1.2}}=15\,\text{m/s}$

답 ②

6. 덕트 마찰손실(직관) – mmAq단위와 Pa가 병용된다.

(1) 수주단위(mmAq)

$$\varDelta P=f\cdot\frac{L}{d}\cdot\frac{v^2}{2g}\cdot\gamma\,[\text{mmAq}]$$

γ : 공기 비중량 $1.2\,\text{kgf/m}^3$,

v : 풍속,　　　　　　　　d : 덕트경

(2) SI 단위(Pa)

$$\varDelta P=f\cdot\frac{L}{d}\cdot\frac{v^2}{2}\cdot\rho\,[\text{Pa}]$$

ρ : 공기 밀도 $1.2\,\text{kg/m}^3$,　　　L : 덕트길이

7. 덕트 마찰손실(국부) – 공학단위와 SI 단위가 병용된다.

(1) 수주단위(mmAq)

$$\varDelta P=\zeta\frac{v^2}{2g}\gamma=\text{mmAq}$$

γ : 공기 비중량 $1.2\,\text{kgf/m}^3$,　　　v : 풍속,

ξ : 국부저항계수

(2) SI 단위(Pa)

$$\varDelta P=\zeta\frac{v^2}{2}\rho=\text{Pa}$$

ρ : 공기 밀도 $1.2\,\text{kg/m}^3$,

ξ : 국부저항계수

덕트 마찰손실(직관)

$\varDelta P=f\dfrac{Lv^2}{d\times2g}\gamma\,(\text{mmAq})$

$\varDelta P=f\dfrac{Lv^2}{d\times2}\rho\,(\text{Pa})$

2 급·환기설비

1. 환기의 종류

(1) 자연환기

풍압, 온도차 등에 의한 개구부에서의 급기, 배기로 환기량이 일정치 않음

풍압(P_w) : $P_w = C\dfrac{V^2}{2g} \cdot \gamma (\mathrm{mmAg})$

$\therefore$ C : 풍압계수,　　V : 자유풍속(m/s),　　γ : 공기비중량($1.2\,\mathrm{kg/m^3}$)

(2) 기계환기

송·배풍기를 이용하여 환기목적을 당성

① 1종환기 : 송풍기와 배풍기를 사용하여 환기(보일러실, 변전실 등)

② 2종환기 : 송풍기만 설치하고 배기구 설치(소규모 변전실, 창고)

③ 3종환기 : 배풍기만 설치하고 급기구 설치(화장실, 조리장)

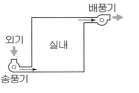
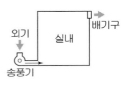
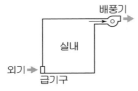

(a) 제1종 환기 방식　　(b) 제2종 환기 방식　　(c) 제3종 환기 방식

그림. 기계 환기 방식

---

04 예제문제

환기방식에 관한 설명으로 옳은 것은?

① 제1종 환기는 자연급기와 자연배기 방식이다.

② 제2종 환기는 기계설비에 의한 급기와 자연배기방식이다.

③ 제3종 환기는 기계설비에 의한 급기와 기계설비에 의한 배기방식이다.

④ 제4종 환기는 자연급기와 기계설비에 의한 배기방식이다.

해설
제1종 환기 : 급기팬 + 배기팬,
제2종 환기 : 급기팬 + 자연배기
제3종 환기 : 자연급기 + 배기팬
제4종환기(중력환기) : 자연급기 + 자연배기

답 ②

2. 환기량 계산($Q\,\mathrm{m^3/h}$)

(1) 실내 발열량에 의한 환기량(보일러, 변전실 등에 적용)

$$Q = \frac{Hs}{\rho \cdot Cp \cdot (t_r - t_o)}(\mathrm{m^3/h})$$

Hs : 실내 발열량(kJ/h)

Cp : 공기정압비열($1.01\,\mathrm{kJ/kgK}$)

ρ : 밀도($1.2\,\mathrm{kg/m^3}$)

t_r : 실내허용온도

t_o : 신선공기온도

(2) 유해가스에 의한 환기량(화학공장 등에 적용)

$$Q = \frac{M}{p_i - p_o}(\mathrm{m^3/h})$$

M : 발생유해가스량($\mathrm{m^3/h}$)

p_i : 실내허용농도(농도비로 할 것)

p_o : 신선공기농도

(3) CO_2 농도에 의한 환기량(많은 사람이 장시간 체류)

$$Q = \frac{K}{C_i - C_o}(\mathrm{m^3/h})$$

K : 실내 CO_2 발생량($\mathrm{m^3/h}$)

C_i : 실내 CO_2 농도

C_o : 신선 CO_2 농도

(4) 수증기 발생이 있는 경우

$$Q = \frac{L}{r \cdot (x_i - x_o)}(\mathrm{m^3/h})$$

L : 실내 수증기 발생량(kg/h)

x_i : 실내허용 절대습도

x_o : 신선공기 절대습도

r : 공기의 비중량

환기량 계산(Q m3/h)

(1) 실내 발열량에 의한 환기량(보일러, 변전실 등에 적용)

$$Q = \frac{Hs}{\rho \cdot Cp \cdot (t_r - t_o)}(\mathrm{m^3/h})$$

(2) CO_2 농도에 의한 환기량(많은 사람이 장시간 체류)

$$Q = \frac{K}{C_i - C_o}(\mathrm{m^3/h})$$

(3) 수증기 발생이 있는 경우

$$Q = \frac{L}{r \cdot (x_i - x_o)}(\mathrm{m^3/h})$$

PARAT 01 공기조화 설비

3 덕트 부속기기

(1) **풍량조절댐퍼(VD)**

① 단익댐퍼 : 버터플라이 댐퍼라고도 하며 기류가 불안정, 소형덕트에만 쓰임

② 다익댐퍼 : 날개가 여러 장으로 루버댐퍼라고도 하며, 기류가 안정되고, 대형덕트에 사용(평행익형, 대향익형)

③ 스플릿댐퍼 : 덕트의 분기부에서 풍량조절에 이용

④ 슬라이드댐퍼 : 덕트 도중 홈틀을 만들어 1장의 철판을 수직으로 삽입, 주로 개폐용에 이용

⑤ 클로드댐퍼 : 댐퍼에 철판대신 섬유질 재질을 사용하여 소음감소, 기류를 안정시킨다.

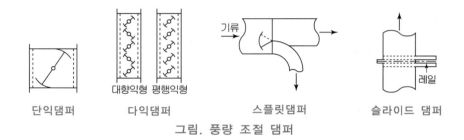

단익댐퍼   대향익형 평행익형 다익댐퍼   스플릿댐퍼   슬라이드 댐퍼

그림. 풍량 조절 댐퍼

---

04 예제문제

주로 덕트의 분기부에 설치하여 분기덕트 내의 풍량조절용으로 사용되는 댐퍼는?

① 방화댐퍼　　　　　　　② 다익댐퍼
③ 방연댐퍼　　　　　　　④ 스플릿댐퍼

해설
스플릿댐퍼 : 분기부 풍량조절용 댐퍼, 다익댐퍼(평행익형, 대향익형) : 풍량조절용 대형댐퍼

답 ④

---

(2) **방화댐퍼(FD)** : 화재발생시 덕트를 차단 화염이 덕트를 통해 다른 실로 옮겨 가는 것을 방지(퓨즈용융온도 72℃)

(3) **방연댐퍼(SD)** : 방화댐퍼와 마찬가지로 연기의 이동을 막기 위함(고가)

(4) **FSD** : 방화방연댐퍼

(5) **가이드베인** : 덕트의 곡부에서 기류안정을 목적으로 부착하는 안내 날개(터닝베인 : 좁은 날개를 여러 장 붙인 것으로 직각덕트에 쓰인다.)

(6) 외기흡입그릴, 배기그릴

그릴의 유효면적은 특기한 사양에 따라야 하며, 빗물의 침입을 방지하는 구조로 한다. 방충망 및 방화댐퍼 등을 특기 시방에 따라 설치한다.

(7) 방화방연댐퍼(FD, SD, FSD)

• 온도감지식(FD, FSD)

온도를 감지하여 자동적으로 폐쇄하는 구조로서, 온도퓨즈를 사용하는 것은 점검 교체가 용이한 구조로 한다. 온도퓨즈는 공칭 72℃를 표준으로 한다. 단, 주방의 배기후드에 설치하는 경우에는 검지부의 최고 주위온도에 30℃를 가한 것으로 하고, 배기덕트에 설치하는 경우에는 280℃로 한다.

• 연기 감지식(SD, FSD)

연기를 감지하여 자동적으로 폐쇄하는 구조로서 연기감지기로부터 자동 폐쇄장치에 이르는 각종 기능부품은 화재에 의한 열로 정상적인 기능에 지장을 받지 않고 유지관리가 용이한 것으로 한다.

(8) 플렉시블 조인트(캔버스) : 플렉시블 조인트는 송풍기의 진동이 덕트에 전달되지 않도록 차단하는 접속재이다. 재료는 원칙적으로 글라스 크로스(glass cloth)로 하며, 편면 및 양면에 알루미늄박으로 가공한 것으로 내열, 방염 성능이 우수한 것으로 한다.

(9) 소음기 : 지정된 감음성능을 유지하며, 기류에 대해 악영향을 주지 않고, 자기 발생음과 소음기 본체로부터의 투과음이 저해요인으로 되지 않는 구조로 한다.

4 취출구 종류 및 특징

(1) 취출구 도달거리와 강하도

① 도달거리 : 취출구에서 나온 기류가 0.25m/s 정도로 감소할 때까지 이동한 수평거리를 도달거리라 한다.

② 강하도 : 취출구에서 나온 기류가 도달거리 지점까지의 수직 이동거리를 강하도(상승도)라 한다.

(2) 취출구 종류

① 천장 : 아네모스탯(anemostat)형, 팬(pan)형, 슬롯(slot)형, 노즐(nozzle)형, 라인디퓨져(line diffuser), 다공판

② 벽면 : 유니버설(universal)형, 그릴(grill)형, 슬롯(slot)형, 노즐(nozzle)형, 라인디퓨져(line diffuser), 다공판

③ 머시룸형 : 극장 바닥 등에 설치하는 흡입구

도달거리

취출구에서 나온 기류가 0.25m/s 정도로 감소할 때까지 이동한 수평 거리를 도달거리라 한다.

취출구 종류

천장 : 아네모스탯형, 팬형, 슬롯형, 노즐형, 라인디퓨져, 다공판

벽면 : 유니버설형, 그릴형, 슬롯형, 노즐형, 라인디퓨져, 다공판

머시룸형 : 극장 바닥 등에 설치하는 흡입구

$$취출구 유인비 = \frac{1차공기 + 2차공기}{1차공기}$$

05 예제문제

아네모스탯(Anemostat)형 취출구에서 유인비의 정의로 옳은 것은? (단, 취출구로부터 공급된 조화공기를 1차 공기(PA), 실내공기가 유인되어 1차공기와 혼합한 공기를 2차 공기(SA), 1차와 2차 공기를 모두 합한 것을 전공기(TA)라 한다.)

① $\dfrac{TA}{PA}$ 　　　　　② $\dfrac{TA}{SA}$

③ $\dfrac{PA}{TA}$ 　　　　　④ $\dfrac{SA}{TA}$

해설

취출구 유인비

$$유인비 = \frac{1차공기 + 2차공기}{1차공기} = \frac{TA}{PA}$$

답 ①

03 종합예상문제

출제유형분석에 따른

[14년 1회, 10년 3회]
01 덕트 설계 시 고려하지 않아도 되는 사항은?

① 덕트로부터의 소음
② 덕트로부터의 열손실
③ 공기의 흐름에 따른 마찰 저항
④ 덕트 내를 흐르는 공기의 엔탈피

공기의 엔탈피는 덕트 설계 시 고려사항이 아니다.

[08년 1회]
02 다음 중 저속 덕트의 설계방법과 거리가 먼 것은?

① 일반적으로 등압법으로 설계한다.
② 일반적으로 주덕트의 풍속을 20 ~ 30m/s로 설계한다.
③ 가장 저항이 큰 경로(주경로)에 대하여 압력손실을 같은 값으로 설계한다.
④ 일반적으로 풍량이 10,000m³/h 이상인 부분은 풍속으로, 그 이하인 부분은 압력강하로 설계한다.

저속 덕트의 설계 풍속은 15m/s 이하이다.

[08년 2회, 06년 3회]
03 덕트 설계시 주의할 사항 중 옳은 것은?

① 곡부분(曲部分)은 될 수 있는 대로 곡률 지름을 크게 한다.
② 확대부분의 각도는 가능한 한 45° 이상으로 한다.
③ 축소부분의 각도는 가능한 한 60° 이내로 한다.
④ 덕트 단면의 아스펙트 비는 가능한 6보다 크게 한다.

덕트 설계시 확대의 경우 15° 이하, 축소의 경우 30° 이하, 아스펙트 비는 4 : 1 이하 정도로 한다.

[15년 3회, 12년 3회]
04 덕트의 치수 결정법에 대한 설명으로 옳은 것은?

① 등속법은 각 구간마다 압력손실이 같다.
② 등마찰 손실법에서 풍량이 10,000m³/h 이상이 되면 정압재취득법으로 하기도 한다.
③ 정압재취득법은 취출구 직전의 정압이 대략 일정한 값으로 된다.
④ 등마찰 손실법에서 각 구간마다 압력손실을 같게 해서는 안 된다.

덕트치수에서 정압재취득법은 덕트 말단으로 갈수록 동압감소에 따른 정압상승을 마찰손실로 상쇄시켜 취출구에서의 정압이 대략 일정한 값으로 된다. 등속법은 각 구간마다 풍속이 같고, 등마찰 손실법은 각 구간마다 압력손실을 같게 하며, 등마찰 손실법에서 풍량이 10,000m³/h 이상이 되면 등속법으로 하기도 한다.

[12년 1회]
05 덕트의 설계에서 고려해야 할 사항으로 맞는 것은?

① 취출구 또는 흡입구와 송풍기까지는 가능한 길게 설계한다.
② 덕트의 굴곡이나 변형 등 저항 증가 요소를 많게 하여 송풍 동력을 증가시킨다.
③ 극장, 방송국 스튜디오 등에는 반드시 고속덕트로 설계하여 공기조화목적을 달성할 수 있어야 한다.
④ 덕트 내의 압력손실은 덕트공의 기능도와 접합방법 등에 의하여 달라질 수 있기 때문에 주의하여야 하며 각 덕트가 분기되는 지점에 댐퍼를 설치하여 압력의 평형을 유지할 수 있도록 한다.

송풍기와 취출구 흡입구까지는 가능한 짧게 설계하며, 덕트는 굴곡이나 변형은 되도록 적어야 하며, 극장, 방송국 스튜디오에는 소음방지를 위해 저속덕트로 설계한다.

[09년 3회]

06 덕트 설계에 있어서 등마찰 손실법에 관한 설명으로 틀린 것은?

① 보건용 공조의 경우에 흔히 적용된다.
② 덕트 말단으로 갈수록 풍속이 빨라지므로 소음처리가 어렵다.
③ 가장 저항이 큰 경로(주경로)에 대해서 압력손실을 같은 값으로 설계한다.
④ 단위 길이당 마찰손실이 일정한 상태가 되도록 덕트 마찰손실 선도에서 직경을 구한다.

> 등마찰 손실(저항)법은 덕트 단위 길이당 마찰저항이 일정한 상태가 되므로 덕트 말단으로 갈수록 풍속이 감소하므로 정압이 증가한다.

[11년 3회]

07 공조용 덕트의 재료로서 현재 일반적으로 가장 많이 사용되는 것은?

① 알루미늄판
② 일반탄소강판
③ 동판
④ 아연도금강판

> 공조용 덕트의 대표적인 재료는 아연도금강판이다.

[10년 2회]

08 고속덕트와 저속덕트는 주덕트 내에서 최대 풍속 몇 m/s 를 경계로 하여 구분되는가?

① 5m/s
② 15m/s
③ 30m/s
④ 55m/s

> 저속덕트는 풍속이 15m/s 이하, 고속덕트는 풍속이 15m/s 이상으로 한다.

[13년 3회, 06년 2회]

09 덕트계통에서 유량은 다르더라도 단위길이당 마찰손실이 일정하게 되도록 관경을 정하는 방법은?

① 균등법
② 균압법
③ 등마찰법
④ 등속법

> 등마찰법이란 덕트계통에서 풍량은 다르더라도 단위길이당 마찰손실이 일정하게 되도록 덕트경을 정하는 방법이다.

[07년 2회]

10 다음 설명 중 틀린 것은?

① 고속 및 저속 덕트의 구분기준 풍속은 15m/s 이다.
② 등속법이란 덕트 내의 풍속을 일정하게 하여 덕트 치수를 결정하는 방법이다.
③ 파이버 글라스 덕트는 내압 70mmAq 이상에서 사용한다.
④ 아연도금 철판 덕트는 부식의 우려가 있고, 흡음성도 떨어진다.

> 파이버 글라스 덕트는 내압 50mmAq 이하에서 사용한다.

[07년 2회]

11 다음의 덕트 중 보온을 필요로 하는 것은?

① 보온효과가 있는 흡음재를 부착한 덕트 및 챔버
② 공조가 되고 있는 실 및 그 천장 속의 환기 덕트
③ 외기 도입용 덕트
④ 급기 덕트

> 급기 덕트는 덕트 내외 온도차가 크므로 열손실 방지(에너지 절약)를 위해 보온이 필요하다.

[07년 3회]

12 고속 덕트의 특징으로 옳지 않은 것은?

① 마찰에 의한 압력손실이 크다.
② 소음이 작다.
③ 운전비가 증대한다.
④ 장방형 대신에 스파이럴관이나 원형 덕트를 사용하는 경우가 많다.

> 고속 덕트(15 ~ 20m/s 이상)는 소음이 크다.

정답 ▶ 06 ② 07 ④ 08 ② 09 ③ 10 ③ 11 ④ 12 ②

[14년 2회]

13 덕트 설계방법 중 공기분배계통의 에어 밸런싱(Air Balancing)을 유지하는 데 가장 적합한 방법은?

① 등속법
② 정압법
③ 개량정압법
④ 정압재취득법

정압재취득법은 덕트 말단으로 갈수록 동압감소에 따른 정압 상승을 마찰손실로 상쇄시켜 취출구에서의 정압이 대략 일정한 값으로 되어 공기분배계통의 에어 밸런싱(Air Balancing)을 유지하는 데 가장 적합하다.

[07년 1회]

14 덕트의 이음법 중에서 주로 직각방향의 이음에 사용되는 방법은?

① 피치버그 록
② S슬립
③ 드라이브 슬립
④ 스텐딩 심

덕트의 이음법에서 주로 직각방향(세로방향)의 이음에 사용되는 것은 피츠버그로크(Pittsburgh-Lock)나 버튼펀치스냅 로크 방법이다.

[09년 1회]

15 원형덕트에서 장방형 덕트로의 환산에 대하여 바르게 설명한 것은? (단, a는 장변, b는 단변이다.)

① 동일한 풍량을 송풍할 때 덕트의 마찰 손실은 단면이 원형인 원형덕트가 가장 크다.

② 상당직경 $d = 1.3\left\{\dfrac{(ab)^5}{(a+b)^2}\right\}^{1/8}$ 이다.

③ 아스펙트 비는 보통 4 : 1 이하가 바람직하나, 10 : 1을 넘어도 상관없다.

④ 원형덕트를 장방향 덕트로 변형시키기 위하여 폭 b를 늘이고 높이 a를 줄이면 효과가 아주 크다.

동일한 풍량을 송풍할 때 마찰 손실은 원형덕트가 가장 작고, 아스펙트 비는 보통 4 이하가 바람직하며, 원형덕트를 장방향 덕트로 변형시키기 위하여 폭 b를 줄이고 높이 a를 높이면 효과가 아주 크다.

[15년 2회]

16 덕트의 설계법을 순서대로 나열한 것 중 가장 바르게 연결한 것은?

① 송풍량 결정 – 덕트경로 결정 – 덕트치수 결정 – 취출구 및 흡입구 위치 결정 – 송풍기 선정 – 설계도 작성

② 송풍량 결정 – 취출구 및 흡입구 위치 결정 – 덕트경로 결정 – 덕트치수 결정 – 송풍기 선정 – 설계도 작성

③ 덕트치수 결정 – 송풍량 결정 – 덕트경로 결정 – 취출구 및 흡입구 위치 결정 – 송풍기 선정 – 설계도 작성

④ 덕트치수 결정 – 덕트경로 결정 – 취출구 및 흡입구 위치 결정 – 송풍기 결정 – 송풍기 선정 – 설계도 작성

덕트 설계 순서는 송풍량 결정→취출구 및 흡입구 위치 결정→덕트경로 결정→덕트치수 결정→송풍기 선정→설계도 작성 이다.

[11년 3회]

17 덕트설계 시에는 송풍기에서 필요한 정압을 계산하여야 한다. 송풍기의 정압이란 무엇인가?

① 송풍기의 전압에서 송풍기 토출측 동압을 뺀 값
② 송풍기의 흡입측 전압과 송풍기 토출측 동압을 더한 값
③ 송풍기의 토출측 전압에서 송풍기 흡입측 동압을 뺀 값
④ 송풍기의 전압과 송풍기 흡입측 동압을 더한 값

송풍기 정압 = 토출전압 – 토출동압

[07년 2회]

18 각 층에 패키지 공조기(PAC)로 냉온풍을 만들어 덕트를 통해 각실로 송풍하는 방식은?

① 2중 덕트 방식
② 각층 유닛 방식
③ 팬코일 유닛 방식
④ 덕트 병용 패키지 방식

정답 13 ④ 14 ① 15 ② 16 ② 17 ① 18 ④

덕트 병용 패키지 방식은 각층에서 PAC로 냉·온풍을 만들어서 해당층의 각실로 덕트를 통해 송풍한다.

[15년 2회]

19 덕트의 직관부를 통해 공기가 흐를 때 발생하는 마찰 저항에 대한 설명 중 틀린 것은?

① 관의 마찰저항계수에 비례한다.
② 덕트의 지름에 반비례한다.
③ 공기의 평균 속도의 제곱에 비례한다.
④ 중력 가속도의 2배에 비례한다.

직관부의 마찰저항(ΔP) $= \lambda \cdot \dfrac{l}{d} \cdot \dfrac{V^2}{2g} \cdot r$

마찰저항은 중력 가속도의 2배에 반비례한다.

[06년 1회]

20 다음 덕트의 풍량조절 댐퍼 중 2개 이상의 날개를 가진 것으로 대형 덕트에 사용되며 일명 루버 댐퍼라고 하는 것은?

① 다익 댐퍼
② 스플릿 댐퍼
③ 단익 댐퍼
④ 클로드 댐퍼

루버 댐퍼는 다익 댐퍼라 하며 평형익형과 대향익형이 있다.

[10년 1회]

21 날개차 직경이 450mm인 다익형 송풍기의 호칭(번)은?

① 1번
② 2번
③ 3번
④ 4번

다익형 송풍기는 원심식으로 호칭 1번은 날개차(임펠라)지름 150mm 이다.

호칭 $= \dfrac{\text{날개차 지름(mm)}}{150} = \dfrac{450}{150} = 3$번

[14년 2회, 11년 1회]

22 시간당 $5,000\text{m}^3$의 공기가 지름 70cm의 원형 덕트 내를 흐를 때 풍속은 약 얼마인가?

① 1.4m/s
② 2.6m/s
③ 3.6m/s
④ 7.1m/s

풍속(V) $= \dfrac{Q}{A} = \dfrac{5000}{3,600 \times (\frac{\pi}{4} 0.7^2)} = 3.61\text{m/s}$

[07년 3회]

23 다음 그림과 같은 덕트에서 점 ㉠의 정압 $P_1 = 15\text{mmAq}$, 속도 $V_1 = 10\text{m/s}$일 때 점 ㉡에서의 전압은 몇 mmAq인가? (단, ㉠-㉡ 구간의 전압손실은 2mmAq이고, 공기 비중량은 1kg/m^3로 한다.)

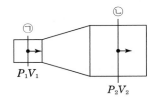

① 15.12
② 17.12
③ 18.10
④ 19.12

㉠ 지점의 동압 $= \dfrac{V_1^2}{2g} \gamma = \dfrac{10^2 \times 1}{2 \times 9.8} = 5.1\text{mmAq}$

㉠ 지점의 전압 = 정압+동압 = 15 + 5.1 = 20.1mmAq

㉡ 의 전압 = ㉠점 전압-손실 = (P_T) = 전압-손실(損失)
$= 20.1 - 2 = 18.10\text{mmAq}$mmAq

[10년 1회]

24 덕트 내의 정압을 측정하고자 할 때 적당한 기기는?

① 벤투리관
② 사이폰관
③ 서모스탯
④ 마노미터

마노미터는 액주식 U자관 압력계로 동압, 정압등을 측정한다. 벤투리관은 유량측정에, 사이폰관은 상하부 탱크사이의 유체수송에, 서모스탯은 온도조절기이다.

[06년 3회]

25 그림과 같은 단면을 가진 덕트에서 정압, 동압, 전압의 변화를 가장 잘 나타낸 것은? (단, 덕트의 길이는 일정한 것으로 한다.)

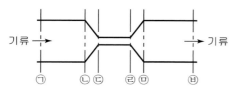

①

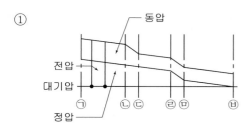

②

③

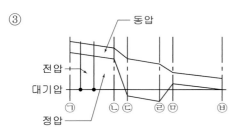

④

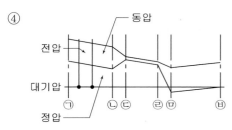

그림과 같은 덕트에서 동압, 정압, 전압사이의 관계는 ⊙, ⓒ 사이와 ⑩, ⑭사이는 풍속이 같으므로 동압이 일정하다. 또한 ⓒ, ⓔ사이는 덕트가 좁으므로 풍속은 증가하여 동압이 크다. 그러므로 가장 장 나타낸 압력분포도는 ③이다.

[07년 1회]

26 다음의 덕트계에서 송풍기의 전압은 얼마인가?

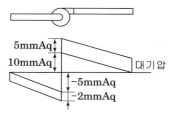

① 5mmAq
② 17mmAq
③ 20mmAq
④ 22mmAq

송풍기 전압=송풍기 정압+토출측 동압(토출정압=10,
흡입정압=−5)
=(토출정압−흡입정압)+토출동압(토출동압=5)
=(10−(−5))+(5)=20mmAq

[13년 3회, 09년 7년]

27 덕트계 부속품의 기능을 설명한 것으로 옳지 않은 것은?

① 댐퍼 : 풍량을 조정하거나 덕트를 폐쇄하기 위해 설치된다.
② 플랙시블 커플링 : 송풍기와 덕트를 접속할 때 사용하며 진동이 전달되는 것을 방지한다.
③ 취출구 : 덕트로부터 공기를 실내로 공급한다.
④ 후드 : 실내로 광범위하게 공기를 공급한다.

후드는 환기설비에서 특정 부위에서 발생하는 오염된 공기를 모아주는 기능을 한다. 주방 배기 후드처럼 국부환기법에 이용한다.

[08년 3회]

28 덕트 도중에 설치하여 풍량조절 및 유체 흐름의 개폐 등에 사용하는 부속기기는?

① 송풍기
② 댐퍼
③ 가이드 베인
④ 시임

댐퍼는 덕트 도중에 설치하여 풍량 조절(VD), 자폐 댐퍼(FD, SD)로 사용된다.

정답 25 ③   26 ③   27 ④   28 ②

[15년 3회, 06년 3회]

29 덕트의 분기점에서 풍량을 조절하기 위하여 설치하는 댐퍼는 어느 것인가?

① 방화 댐퍼 ② 스플릿 댐퍼
③ 볼륨 댐퍼 ④ 터닝 베인

• 스플릿 댐퍼(Split Damper) : 분기점에서 풍량조절.
• 방화 댐퍼 : 덕트를 통한 화염의 확산방지(루버형, 피봇형, 슬라이드형)
• 볼륨댐퍼(풍량 조절 댐퍼) : 버터플라이형, 익형(대향익, 평행익)
• 터닝베인 : 직각 엘보에 설치하는 성형 가이드베인

[07년 3회]

30 가이드 베인에 대한 설명 중 틀린 것은?

① 곡률반지름이 덕트 장변의 1.5배 이내일 때 설치한다.
② 곡관부의 저항을 적게 한다.
③ 곡관부의 내측보다 외측에 설치하는 것이 좋다.
④ 곡관부의 기류를 세분하여 생기는 와류의 크기를 적게 한다.

가이드 베인은 덕트 곡관부의 내측에 설치하는 것이 덕트 곡관부 내측의 기류를 안정되게 한다.

[10년 3회]

31 노즐형 취출구로서 취출구의 방향을 좌우상하로 바꿀 수 있는 것은?

① 유니버설형 취출구
② 펑커루버
③ 팬(Pan)형 취출구
④ T라인(T-Line)형 취출구

축류형 취출구 중에서 Punkah Louver(펑커루버)형은 취출구의 방향을 좌우상하로 바꿀 수 있다.

[15년 3회]

32 다음 중 라인형 취출구의 종류가 아닌 것은?

① 캄라인형 ② T-바형
③ 펑커루버형 ④ 슬롯형

펑커루버형은 축류형에 속한다.

[15년 3회]

33 다음 중 천장형으로서 취출기류의 확산성이 가장 큰 취출구는?

① 펑커루버 ② 아네모스탯
③ 에어커튼 ④ 고정날개 그릴

아네모스탯형은 천장형 취출구로 몇 개의 콘(Cone)이 조합되어 복류형 취출구로 유인성능이 좋다. 원형과 각형이 있으며 확산성능이 우수하다.

[13년 2회]

34 다음 중 축류식 취출구에 해당되는 것은?

① 팬형 ② 펑커루버형
③ 머시룸형 ④ 아네모스탯형

팬형과 아네모스탯형은 복류형으로 천장에 많이 설치하며 축류식에는 노즐형과 펑커루버형이 있고 머시룸형은 바닥형 흡입구이다.

[11년 1회]

35 다음 중 일반적인 취출구의 종류가 아닌 것은?

① 라이트 - 트로퍼형
② 아네모스탯형
③ 머시룸형
④ 웨이형

머시룸(Mushroom)형은 바닥형 흡입구(吸入口)이다.

정답 29 ② 30 ③ 31 ② 32 ③ 33 ② 34 ② 35 ③

[15년 1회]

36 축류 취출구로서 노즐을 분기덕트에 접속하여 급기를 취출하는 방식으로 구조가 간단하며 도달거리가 긴 것은?

① 펑커루버
② 아네모스탯형
③ 노즐형
④ 팬형

> 노즐형은 축류형 취출구로 소음이 적고 도달거리가 길어서 실내공간이 넓은 경우에 벽면에 설치하여 횡방향으로 취출하는 경우가 많다. 방송국, 대강당 등에 사용된다.

[15년 2회]

37 다음 분류 중 천장 취출방식이 아닌 것은?

① 아네모스탯형
② 브리즈 라인형
③ 팬형
④ 유니버설형

> 유니버설형은 보통 벽에 설치하며 천장 취출구에 아네모스탯형, 브리즈 라인형, 팬형 등이 있다.

[11년 2회]

38 다음 용어의 설명이 잘못된 것은?

① 다이아몬드 브레이크(Diamond Break) : 덕트 굴곡부 기류 안내
② 벨마우스(Bell Mouth) : 송풍기 흡입덕트 와류방지 입구
③ 이즈먼트(Easement) : 덕트 내 유동저항 완화 커버
④ 스머징(Smudging) : 취출구 주위 천장면이 더러워짐

> 다이아몬드 브레이크는 덕트 보강법으로 주름을 잡아주는 것이며, 덕트의 굴곡부에는 베인(가이드베인)을 설치하여 굴곡부의 국부손실을 감소시킨다.

[10년 2회]

39 식당의 주방이나 화장실과 같은 장소에 적합한 환기방식으로 자연급기와 기계배기로 조합된 환기방식은?

① 제1종 환기방식
② 제2종 환기방식
③ 제3종 환기방식
④ 제4종 환기방식

> 식당의 주방이나 화장실과 같이 오염된 가스가 발생하는 실은 주변 공간에 가스가 확산되는 것을 막기 위해 제3종 환기방식(실내가 부압)을 적용하는데 자연급기구와 배기팬을 조합한다.

[09년 2회]

40 자연환기에 관한 다음의 설명 중 틀린 것은?

① 주로 풍력과 건물 내외의 온도차에 의해 생긴다.
② 환기량은 급기구 및 배기구의 위치에 무관하다.
③ 환기횟수는 1시간당의 환기량을 방의 체적으로 나눈 값이다.
④ 모니터는 공장 등에서 다량의 환기량을 얻고자 할 때 지붕 등에 설치한다.

> 자연환기에서 환기량은 급기구 및 배기구의 위치에 영향을 받는다.

[15년 2회, 09년 1회]

41 환기와 배연에 관한 설명으로 틀린 것은?

① 환기란 실내의 공기를 차거나 따뜻하게 만들기 위한 것이다.
② 환기는 급기 또는 배기를 통하여 이루어진다.
③ 환기는 자연적인 방법, 기계적인 방법이 있다.
④ 배연설비란 화재 초기에 발생하는 연기를 제거하기 위한 설비이다.

> 환기(Ventilation)는 실내 공기의 오염을 막기 위하여 청정한 외부 공기를 공급하여 오염공기를 교환 또는 희석시키는 것이다.

[13년 2회, 10년 3회]

42 실내의 거의 모든 부분에서 오염가스가 발생되는 경우 실 전체의 기류분포를 계획하여 실내에서 발생하는 오염물질을 완전히 희석하고 확산시킨 다음에 배기를 행하는 환기방식은?

① 자연 환기
② 제3종 환기
③ 국부 환기
④ 전반 환기

정답 ▶ 36 ③ 37 ④ 38 ① 39 ③ 40 ② 41 ① 42 ④

전반 환기는 실 전체를 환기하는 것으로 실내 전구역에서 오염물질이 발생할 때 적용한다. 희석 환기 방식이라고도 한다. 실의 일부에서 발생하는 오염물을 후드를 이용하여 포집 환기하는 방식을 국부환기라 한다.

주방시설은 인접실에 냄새가 누설되지 않도록 실내를 부압으로하는 제3종 환기법으로 한다.

[08년 3회]

43 화장실과 같이 악취가 난다든지 유독가스가 발생하는 실은 항상 부압상태를 유지하여 악취나 유독가스가 인접실로 번지는 일을 방지하여야 한다. 적절한 환기방식은?

① 자연 환기법　　② 제1종 환기법
③ 제2종 환기법　　④ 제3종 환기법

제3종 환기는 실을 항상 부압상태를 유지하여 악취나 유독가스가 인접실로 번지는 것을 방지하며 자연급기구와 배기팬을 조합한다.

[10년 1회]

46 지하상가 환기량의 부족 원인으로 맞지 않는 것은?

① 송풍구 및 환기구의 위치 불량
② 외기 흡입구의 위치 불량
③ 환기설비 운전시간 부족
④ 상주인원 및 이용객 감소

지하상가에서 상주인원 및 이용객이 예상치보다 증가할 때 환기량이 부족하게 된다.

[14년 2회, 08년 2회]

44 지하철에 적용할 기계환기방식의 기능으로 틀린 것은?

① 피스톤효과로 유발된 열차풍으로 환기효과를 높인다.
② 터널 내의 고온의 공기를 외부로 배출한다.
③ 터널 내의 잔류 열을 배출하고 신선외기를 도입하여 토양의 발열효과를 상승시킨다.
④ 화재 시 배연기능을 달성한다.

지하철 기계환기방식은 토양의 발열효과를 감소시키도록 한다.

[14년 1회, 08년 1회]

47 환기방식 중에서 송풍기를 이용하여 실내에 공기를 공급하고, 배기구나 건축물의 틈새를 통하여 자연적으로 배기하는 방법은?

① 제1종 환기　　② 제2종 환기
③ 제3종 환기　　④ 제4종 환기

제2종 환기는 급기팬과 자연배기구를 조합하여 실내를 양압으로 유지하여 외부에서 오염가스가 유입되지 못하도록 하는 환기법으로 클린룸에 적용한다.

[06년 1회]

45 주방의 환기계획에 대한 설명 중 틀린 것은?

① 인접실에 냄새가 누설되지 않도록 실내를 부압으로 한다.
② 환기방식은 제2종 환기방식으로 한다.
③ 기름을 사용하는 후드에는 그리스 필터를 설치한다.
④ 연기, 취기, 증기 등의 발생이 많은 곳의 후드 면 풍속은 0.5m/s 이상으로 한다.

[07년 1회]

48 기계환기에서 실내압을 정압(+) 또는 부압(−)으로 유지할 수 있는 환기법은?

① 제1종　　② 제2종
③ 제3종　　④ 제4종

제1종 환기법은 급기팬과 배기팬을 설치하여 팬 풍량을 조절하여 급기량 변화에 의해 실내압을 정압 또는 부압으로 조절할 수 있다.

[06년 1회]

49 다음 중 환기량의 단위로부터 부적당한 것은?

① 환기횟수(회/h)

② 1인당 환기량($m^3/h \cdot P$)

③ 단위시간당 환기량(m^3/h)

④ 단위체적당 환기량($m^3/h \cdot m^2$)

단위체적당 환기량은 ($m^3/h \cdot m^3$)로 표기한다.

[11년 2회]

50 소규모 변전실, 보일러실, 창고 등의 환기방식으로 적합한 것은?

① 압입 흡출 병용 환기

② 압입식 환기

③ 흡출식 환기

④ 풍력 환기

소규모 변전실, 보일러실, 창고에서의 환기는 압입식 환기방식(2종 환기)을 적용한다.

[12년 3회]

51 기계환기 중 송풍기와 배풍기를 이용하여 대규모 보일러실, 변전실 등에 적용하는 환기법은?

① 1종 환기 ② 2종 환기

③ 3종 환기 ④ 4종 환기

제1종 환기 (급기 송풍기 + 배기 배풍기)는 대규모 보일러실, 변전실 등에 적용한다.

[12년 3회]

52 지하주차장 환기설비에서 천장부에 설치되어 있는 고속 노즐로부터 취출되는 공기의 유인 효과를 이용하여 오염공기를 국부적으로 희석시키는 방식으로 맞는 것은?

① 제트팬 방식 ② 고속덕트 방식

③ 무덕트환기 방식 ④ 디리벤트 방식

디리벤트 방식은 지하주차장 환기설비에서 천장부에 설치되어 있는 고속노즐로부터 취출되는 공기의 유인효과를 이용하여 오염공기를 희석시킨다.

[10년 2회]

53 일명 무덕트 방식으로 중형 축류팬으로부터 취출된 공기의 유인 효과를 이용하여 급기관으로부터 공급된 외기를 주차장 전역으로 이송시켜 오염가스를 희석시킨 후 배기팬으로 배출하는 방식의 희석환기방식은?

① 제트팬 방식 ② 고속노즐방식

③ 디리벤트 방식 ④ 무덕트 벤틸레이터 방식

제트팬 방식은 중형 축류팬과 무덕트 방식으로 희석 환기 방식이다.

[11년 1회]

54 도서관의 체적이 $630m^3$이고, 공기가 1시간에 29회 비율로 틈새바람에 의해 자연 환기될 때 풍량(m^3/min)은 약 얼마인가?

① 295 ② 304

③ 444 ④ 572

틈새바람 양=체적×환기회수= $630 \times 29 = 18,270m^3/h$

틈새바람 양= $\dfrac{18,270}{60} = 304m^3/min$

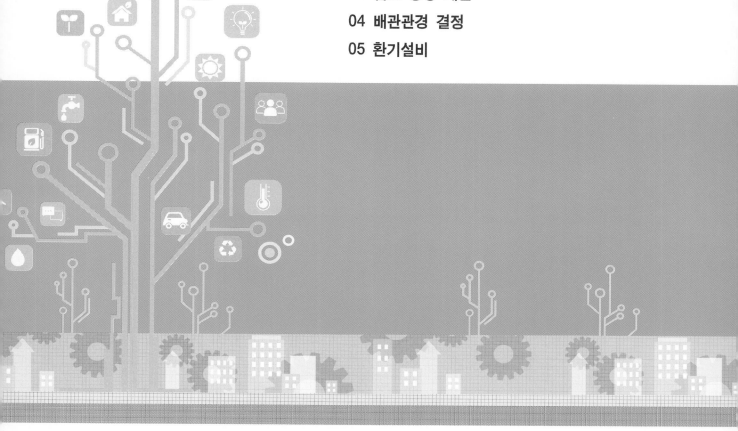

제4장

공조프로세스 분석

01 공조프로세스 분석

1 공조프로세스

1. 가열

습공기를 가열만 하면 절대습도가 일정한 상태에서 건구온도가 증가한다.
따라서 상대습도는 감소한다.

(1) 가열량은 수분량의 열량값이 작으므로 일반적으로 가열량으로 구하는
것이 보통이다.

$$q = h_2 - h_1 = C_{Pa}(t_2 - t_1) + x \cdot C_{Pv}(t_2 - t_1)$$

  q : 가열량(kJ/kg), C_{Pa} : 건공기비열(1.0kJ/kgk)

  C_{Pv} : 수증기비열(1.85kJ/kgK), t_2 : 가열 후 온도(℃)

  t_1 : 가열 전 온도(℃), x : 절대습도,

  h_1, h_2 : 가열전후 엔탈피

(2) 수분량의 열량값(잠열)이 작으므로 일반적으로 아래 현열식으로 구하는
것이 보통이다.

$$q = C_{Pa}(t_2 - t_1) = 1.01(t_2 - t_1)(kJ/kg)$$

  전열량 $q = G_a \cdot C(t_2 - t_1) = 1.01\,G_a(t_2 - t_1)(kJ/h)$

  G_a : 공기량(kg/h) C : 공기비열

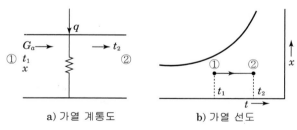

a) 가열 계통도   **b) 가열 선도**

그림. 가열 계통도 및 선도

2. 냉각(헌열)

습공기를 냉각하면 포화상태에 도달하기 전까지는 절대습도가 일정하고 건
구온도가 감소하지만 포화상태에 도달한 후부터는 절대습도도 감소한다. 이때
절대습도가 일정하고 냉각만 시키는 코일을 건코일이라 하고 응축에 의한 감
습이 일어나는 경우 습코일이라 한다. 냉각열량은 q는 가열 시와 같이 구한다.

$$q = h_1 - h_2 = C_{Pa}(t_1 - t_2) + x \cdot C_{Pv}(t_1 - t_2), \text{ 전열량 } q = G_a(h_1 - h_2)$$

일반적으로 현열만일 경우, $q = 1.01(t_1 - t_2)(\text{kJ/kg})$

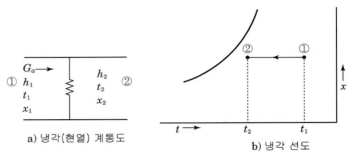

a) 냉각(현열) 계통도   b) 냉각 선도

그림. 냉각 계통도 및 선도

3. 가습

온도가 일정한 상태에서 가습만 하는 경우는 실제상으로는 거의 이용하지 않으며 가열·가습 또는 냉각가습이 되며 이론상 가습량(L)은

$$L = G_a(x_2 - x_1)$$

L : 가습량(kg/h), G_a : 공기량(kg/h), x_2 : 가습 후 절대 습도,

x_1 : 가습 전 절대습도

4. 냉각 감습

노점온도 이하로 냉각하면 감습도 이루어진다. 결로가 발생하므로 이러한 코일을 습코일이라 한다.

제거열량 $q = G_a(h_2 - h_1) - G_w \cdot h_w$

h_w : 응축수 엔탈피, 응축수량 $G_w = G_w(x_1 - x_2)$

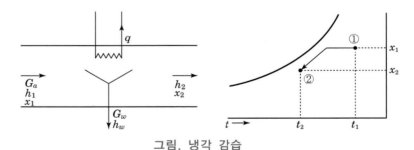

그림. 냉각 감습

5. 가열 가습 과정

(1) 가열기+온수분무 시스템을 사용하는 경우

가열량 $q = G_a(h_2 - h_1) = G_a \cdot 1.01(t_2 - t_1)$

온수 분무량 $G_w = G_a(x_3 - x_2)$

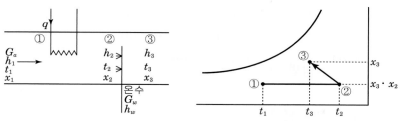

그림. 가열 가습(온수 분무)

(2) 가열기+증기분무 사(증기분무 단독 사용도 가능)

가열량 $q = G_a(h_2 - h_1) = G_a \cdot 1.01(t_2 - t_1)$

증기분무량 $G_w = G_a(x_3 - x_2)$

열평형식 $G_a \cdot h_1 + q + G_w \cdot h_w = G_a \cdot h_3$ h_w : 증기엔탈피

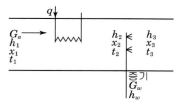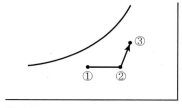

그림. 가열 가습(증기 분무)

6. 단열 혼합

성질이 다른 공기를 열의 출입이 없이 혼합할 때 혼합 공기 상태는 다음과 같다.

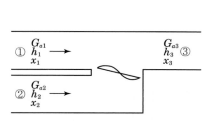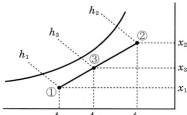

그림. 단열 혼합

(1) 물질 평형식 $G_{a1} + G_{a2} = G_{a3}$ ················ (a)

열평형식 $G_{a1} \cdot h_1 + G_{a2} \cdot h_2 = G_{a3} \cdot h_3$ ······ (b)

식 (a)를 식 (b)에 대입하면

$G_{a1} \cdot h_1 + G_{a2} \cdot h_2 = G_{a3} \cdot h_3$

$G_{a1}(h_3 - h_1) = G_{a2}(h_2 - h_3)$

$\therefore \dfrac{G_{a1}}{G_{a2}} = \dfrac{(h_2 - h_3)}{(h_3 - h_1)}$

그러므로 $G_{a1} : G_{a2} = m : n$이라면 ②~③ : ③~① $= m : n$

(2) 물질 평형식 $G_{a1} + G_{a2} = G_{a3}$ ·············· (a)

수분평형식 $G_{a1} \cdot x_1 G_{a2} \cdot x_2 = G_{a3} \cdot x_3$ ······ (b)

위에 동일한 방법으로 $\dfrac{G_{a1}}{G_{a2}} = \dfrac{(x_2 - x_3)}{(x_3 - x_1)}$

7. 단열 변화(순환무 분무)

순환수를 계속 분무하면 수온은 입구 공기의 습구온도와 같아지고 이 수온의
물을 단열 분무(순환수 분무)한다면 냉각가습이 이루어진다.

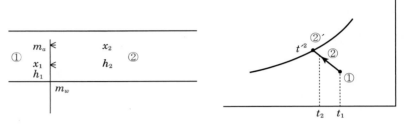

그림. 단열 변화

위 그림과 같이 단열 분무하는 경우 ①의 공기 상태로부터 습구온도 선을 따
라 ②까지 변한다. 이때 완전 포화상태일 때 ②′까지 변할 수 있다. 그러나 실
제로는 ②까지 변화한다. 그러므로 에어와셔의 바이패스 계수(BF), 콘택계수
(CF)는 다음과 같다.

$$\mathrm{BF} = \dfrac{②\ ②′}{①\ ②′}, \quad \mathrm{CF} = \dfrac{①\ ②}{①\ ②′}$$

분수량 $m_w = m_a(x_2 - x_1)$, 이때에 ②′까지 변화한다면 단열포화 변화라 한다.
무한히 긴 에어와셔 속에서 단열 분무시키면 포화상태가 된다.

8. 현열비(Sensible Heat Factor)

어느 실내의 취득 열량 중 현열의 전열에 대한 비를 현열비(Shf)라 한다.

$$\mathrm{SHF} = \dfrac{q_s}{q_s + q_L} = \dfrac{q_s}{q_T}$$

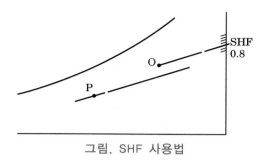

그림. SHF 사용법

어느 상태점 P로부터 현열비 0.8인 상태 선을 구하자면 기준점(O)에서 SHF 0.8을 긋고 여기에 평행한 선을 P로부터 긋는다.

q_s : 현열, q_L : 잠열, q_T : 전열

9. 열수분비

실내의 변화 수분량에 대한 변화 열량의 비를 열수분비(μ)라 한다.

$$\mu = \frac{G(h_2 - h_1)}{G(x_2 - x_1)} = \frac{\triangle h}{\triangle x} \quad \text{열량} : \triangle h(\text{kJ/kg}), \text{수분량} : \triangle x(\text{kg/kg})$$

에어와셔 내를 통과하는 공기의 열수분비 $\mu = \dfrac{\triangle h}{\triangle x}$ 에서 μ가 구해지면 공기의 상태 변화 선을 구하는 방법은 다음과 같다. 기준점(O)으로부터 열수분비 μ를 연결한 선에 평행선을 입구 공기 상태(①)로 긋는다. 이때 ②점이 포화상태의 에어와셔 출구상태이다.(100℃ 증기 μ=2,686kJ/kg)

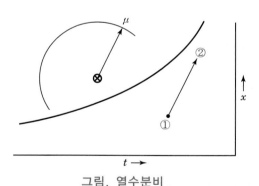

그림. 열수분비

10. 바이패스 계수(BF)와 콘택 계수(CF)

BF란 코일에 의해 공기를 조화(가열, 냉각)하는 경우 코일에 접촉하지 않고 통과하는 공기의 비율을 말하며 이것은 비효율(1-효율)과 같은 의미이다. 공기를 냉각하는 경우 ①의 공기를 ②의 노점온도를 갖는 냉각코일에 통과시킬 때 ③의 출구 공기를 얻었다면 $\text{BF} = \dfrac{②③}{①②}$

※ 콘택 계수(CF)는 접촉하는 비율로 BF+CF=1 그러므로 위에서 CF = $\dfrac{①③}{①②}$

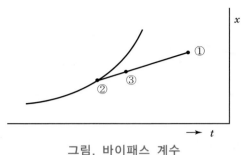

그림. 바이패스 계수

2 송풍량 계산법

1. 실내 송풍량은 냉난방 부하로부터 계산하며 일반적으로 냉방시를 기준하여 송풍량을 산정하면 난방시에도 만족하는 편이다.

(1) 실내 송풍량(냉방, 난방) $G(\mathrm{kg/h})$, $Q(\mathrm{m^3/h})$ 계산식

$$G = \frac{q_s}{1.01 \times \triangle t}\,(\mathrm{kg/h})$$

q_s : 실내 현열부하$(\mathrm{kJ/h})$

$\triangle T$: 취출 온도차=취출온도−실내온도

(2) 취출 공기온도(냉방기준) t_d 계산식

$$G = \frac{q_s}{1.01 \times \triangle t}\,(\mathrm{kg/h}) \text{에서} \quad \triangle t = \frac{q_s}{1.01 \times G}$$

$$\therefore\ t_d = t_r - \frac{q_s}{1.01\,G}\ (t_d : \text{취출온도},\ t_r : \text{실내온도})$$

2. 공조기 냉각, 가열코일 용량계산

(1) 원리

공기를 가열하기 위한 장치로 온수와 증기를 사용(평행류, 향류, 직교류 등) 일반적으로 향류 이용

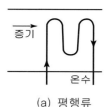
(a) 평행류

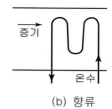
(b) 향류

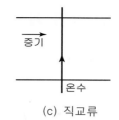
(c) 직교류

(2) 코일 통과 면적(A)

$$A = \frac{Q}{V \times 3,600 \times V} = \frac{G}{4,320 \times V}$$

Q : 풍량(m^3/s), G : 풍량(kg/h)

V : 풍속(m/s)(가열코일 : 3~4m/s, 냉각코일 : 2~3m/s)

(3) 코일 전열 면적(s)

$$S = \frac{q(1,000/3,600)}{K \cdot \triangle t}$$

q : 가열량(kJ/h), K : 열통과율(W/m^2K)

$\triangle t$: 공기-온수 온도차

• 위 계산식에서 가열량(kJ/h)을 W로 환산하기 위해$(1000/3600)$을 곱한다.

① 산술 평균 온도차 : 공기 평균온도와 온수 평균온도와의 차

② 대수평균 온도차(MTD)

$$MTD = \frac{\triangle 1 - \triangle 2}{\ln \dfrac{\triangle 1}{\triangle 2}}$$

$\triangle 1$: 출구 물의 온도-입구 공기온도$= t_{w2} - t_1$

$\triangle 2$: 입구 물의 온도-출구 공기온도$= t_{w1} - t_2$

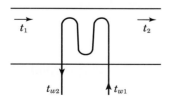

(4) 코일 열수(N)

$$N = \frac{q(1,000/3,600)}{K \cdot A \cdot \triangle t}$$

$\triangle t$: 공기, 열매의 평균온도차(대수평균온도차)

A : 코일 1열당 전열면적(m^2)

K : 열관류율(W/m^2K)-전열면적에 대한 열관류율

3 펌프 용량 계산

1. 펌프 특성

(1) 왕복동 펌프

송수압 변동이 심함, 수량조절이 어렵다, 양수량이 적고 양정이 클 때 적합(피스톤, 틀런저, 워싱턴 펌프)

(2) 원심 펌프

고속쇠전에 적합, 양수량 조절이 용이, 양수량이 많고 고저양정에 사용(일반적으로 볼류트 펌프는 저양정에, 터빈 펌프는 고양정에 쓰인다)

2. 왕복동 펌프의 양수량(Q)

$$Q = A \cdot L \cdot N \cdot E_v$$

Q : 양수량(m^3/min), A : 피스톤 단면적(m^2), L : 행정(m)

N : 회전수(rpm), E_v : 용적 효율

3. 펌프의 전양정(H_T)

전양정 = 흡입양정 + 토출양정 + 마찰손실수두 + 출구 측 토출압수두

4. 펌프의 소요동력

$$\text{kW} = \frac{Q \times \gamma \times H}{60 \times 102 \times y} = \frac{Q \times \gamma \times g \times H}{60 \times 1,000 \times y}$$

$\therefore$ Q : 유량(m^3/min), γ : 비중량(kg/m^3), H : 전양정(m), y : 펌프효율

5. 비교 회전도

비교 회전도란 그 펌프와 유사한 펌프가 $1\text{m}^3/\text{min}$의 양수량에 대하여 1m의 양정을 가질 때 회전수(rpm)를 말한다.

$$N_s = N \cdot \frac{Q^{1/2}}{H^{3/4}}$$

N_s : 비회전도(rpm), N : 회전수(rpm),

Q : 유량(m^3/min), H : 양정(m)

6. 유효흡입양정(NPSH)

물은 이론상 0℃에서 10.33m, 100℃에서 0m를 흡입양정으로 할 수 있지만 실제 상온에서 6~7m 밖에 흡입할 수 없다. 그 이상에서는 캐비테이션(공동 현상)이 일어나 양수 할 수 없다. 이때 유효한 흡입수두를 유효흡입양정이라 한다.

(1) 펌프설비에서 얻어지는 유효흡입양정(NPSH)

$$\text{NPSH} = \frac{P_0}{\gamma} - \left(\frac{P_v}{\gamma} + Z + H_f \right)$$

P_0 : 대기압(kg/m³), γ : 비중량(kg/m³)

P_v : 수온 포화증기 압력(kg/m³), Z : 흡입양정(m)

H_f : 흡입관 마찰 손실수두(m)

(2) 캐비테이션을 막기 위해서는 설비에서 얻어지는 유효 NPSH가 펌프의 필요 NPSH보다 커야 한다.

    ※ 유효 NPSH≥1.3 필요 NPSH

4 배관관경 결정

배관관경 결정요소 : 배관내의 유량, 유속, 마찰저항의 상관관계에서 유효 관경을 계산한다.

1. 온수관경

유량과 압력강하를 구하여 유량 관경표에서 결정

(1) 순환수량(kg/s)

방열량(kJ/s)÷(4.19×방열기입출구온도차(Δt))

• 온수 : $1\text{m}^2\text{EDR} = 0.523\text{kW/m}^2 (0.523 = 450 \times 4.19/3600)$

(2) 압력강하(R)

$$R = \frac{H}{L(1+k)} (\text{Pa/m})$$

  H : 순환펌프양정(Pa)

  L : 보일러에서 최원방열기의 왕복순환길이(m)

  k : 국부저항 계수

2. 증기관경

EDR(증기량)과 압력강하로 구한다.

(1) 증기

$1\text{m}^2\text{EDR} = 0.756\text{kW/m}^2$

증기 EDR(상당방열면적)$= \dfrac{\text{방열량}(\text{kJ/s})}{0.756} (\text{m}^2)$

(2) 압력강하(R)

$$R = \frac{\Delta P \cdot 100}{L(1+k)} \, (\text{kPa/100m})$$

$\quad \Delta P$: 보일러와 최원방열기 사이의 압력차(kPa)

$\quad L$: 보일러에서 최원방열기까지 거리(m)

$\quad k$: 국부저항 계수

5 환기설비

1. 환기의 종류

(1) 자연환기

풍압, 온도차 등에 의한 개구부에서의 급기, 배기로 환기량이 일정치 않음

① 풍력환기 : 바람에 의한 환기

풍량(m^3)=환기계수(E)×유효개구 단면적(A)×풍속(V, m/s)

풍압(P_w) : $P_w = C\dfrac{V^2}{2g} \cdot \gamma \, (\text{mmAg})$

∴ C : 풍압계수, V : 자유풍속(m/s), γ : 공기비중량(kg/m^3)

② 중력환기 : 공기의 온도차에 의한 환기

(2) 기계환기

송·배풍기를 이용하여 환기목적을 달성

① 1종 환기 : 송풍기와 배풍기를 사용하여 환기(보일러실, 변전실 등)

② 2종 환기 : 송풍기만 설치학 배기수설치(소규모 변전실, 창고)

③ 3종 환기 : 배풍기만 설치하고 급기구 설치(화장실, 조리장)

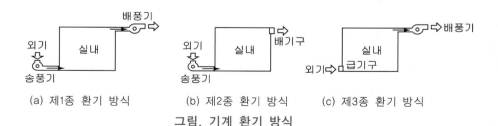

(a) 제1종 환기 방식　　(b) 제2종 환기 방식　　(c) 제3종 환기 방식

그림. 기계 환기 방식

2. 환기량 계산(Q, $\mathrm{m^3/h}$)

(1) 실내 발열량에 의한 환기량(보일러, 변전실 등에 적용)

$$Q = \frac{H_s}{\rho \cdot Cp \cdot (t_r - t_o)}(\mathrm{m^3/h})$$

H_s : 실내 발열량(kJ/h)

C_p : 공기정압비열(1.01kJ/kgK)

ρ : 밀도(1.2kg/$\mathrm{m^3}$)

t_r : 실내허용온도

t_o : 환기공기온도

(2) 유해가스에 의한 환기량(화학공장 등에 적용)

$$Q = \frac{M}{p_i - p_o}(\mathrm{m^3/h})$$

M : 발생유해가스량($\mathrm{m^3/h}$)

p_i : 실내허용농도(농도비로 할 것)

p_o : 환기공기농도(농도비로 할 것)

(3) CO_2 농도에 의한 환기량(많은 사람이 장시간 체류)

$$Q = \frac{K}{C_i - C_o}(\mathrm{m^3/h})$$

K : 실내 CO_2 발생량($\mathrm{m^3/h}$)

C_i : 실내 CO_2 농도(단위는 농도비)

C_o : 환기 CO_2 농도(단위는 농도비)

(4) 수증기 발생이 있는 경우 환기량

$$Q = \frac{L}{r \cdot (x_i - x_o)}(\mathrm{m^3/h})$$

L : 실내 수증기 발생량(kg/h)

x_i : 실내허용 절대습도

x_o : 환기공기 절대습도

r : 공기의 비중량

01 ㉠ 상태에서 ㉡ 상태로 냉각되는 과정에서 현열비는?

① $\dfrac{x_1 - x_2}{t_1 - t_2}$

② $\dfrac{h_1 - h_3}{h_1 - h_2}$

③ $\dfrac{h_3 - h_2}{h_1 - h_2}$

④ $\dfrac{x_1 - x_2}{h_1 - h_2}$

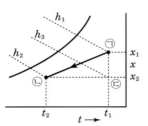

현열비 $= \dfrac{현열}{전열} = \dfrac{h_3 - h_2}{h_1 - h_2}$

㉠ → ㉡ 변화 중의 전열은 $(h_1 - h_2)$ 현열은 ㉢ → ㉡ $(h_3 - h_2)$이고, 잠열은 ㉠ → ㉢ $(h_1 - h_3)$이다.

02 다음 그림 (A)~(D)는 습공기 선도상에 나타낸 공기조화 과정의 기본형이다. 다음 보기를 그림의 상태에 맞게 나열한 것은?

| ㉠ 가열 | ㉡ 가습 |
| ㉢ 가열가습 | ㉣ 단열변화 |

(A)
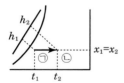

(B)
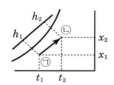

(C)
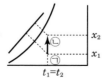

(D)
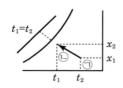

① (A)-㉠, (B)-㉡, (C)-㉢, (D)-㉣

② (A)-㉠, (B)-㉢, (C)-㉡, (D)-㉣

③ (A)-㉣, (B)-㉢, (C)-㉡, (D)-㉠

④ (A)-㉡, (B)-㉢, (C)-㉣, (D)-㉠

(A) 가열, (B) 가열가습, (C) 가습, (D) 단열변화

03 어느 실의 실내 취득 현열량이 24000kJ/h인 경우, 공조 기계의 용량부족으로 15℃의 냉풍을 1670m³/h씩 송풍하고 있다. 실내온도를 몇 ℃로 유지할 수 있는가? (단, 공기 비중량 1.2kg/m³, 최초 설계 시 실내온도는 25℃이였다.)

① 25.88℃   ② 26.88℃

③ 27.88℃   ④ 28.88℃

취출 온도차

$\triangle t = \dfrac{q_s}{1.01 \cdot \gamma \cdot Q} = \dfrac{24,000}{1.21 \times 1,670} = 11.88℃$

실내온도 $t_r = 15 + \triangle t = 15 + 11.88 = 26.88℃$

설계온도 25℃를 유지하지 못하고 실내온도 26.88℃를 유지하고 있다.

04 어느 실의 냉방 시 현열부하가 36,000kJ/h인 경우 송풍 공기량은 몇 m³/h인가? (단, 실내 온도 27℃, 송풍기 온도 15℃, 공기 비중량 1.2kg/m³, 외기온도 32℃)

① 12500m³/h   ② 12000m³/h

③ 10912m³/h   ④ 2475m³/h

$Q = \dfrac{q_s}{\gamma \cdot C_{pa} \cdot \triangle t} = \dfrac{36,000}{1.2 \times 1.01 \times (27 - 15)} 2,475\text{m}^3/\text{h}$

송풍기공기량은 외기온도와 무관하며(실내-취출) 온도차로 구한다.

정답 ▶ 01 ③   02   03 ③   04 ④

05 겨울철 손실 열량이 20kW인 경우 실내를 20℃로 유지하기 위한 송풍 공기량(kg/h)은 (단, 외기온도 3℃, 송풍 공기온도 34℃)

① 2,778kg/h   ② 4,960kg/h

③ 5,092kg/h   ④ 5,952kg/h

$$Q = \frac{q_s}{1.01 \cdot \triangle t} = \frac{20 \times 3,600}{1.01(34-20)} = 5,092$$

$\triangle t$: 취출온도차, 외기온도는 함정이다.

06 다음과 같은 조건의 단일덕트 변풍량 방식에서 송풍량(m³/h)은?

- 실내 현열 취득 열량 : 100,000kJ/h
- 실내온도 : 27℃
- 송풍 공기 온도 : 16℃
- 정압비열 : 1.01kJ/kgK
- 용적비열 : 1.21kJ/m³K

① 11,360m³/h   ② 9,015m³/h

③ 7,513m³/h   ④ 6,260m³/h

$$Q = \frac{q_s}{C \cdot \triangle t} = \frac{100,000}{1.21(27-16)} = 7,513\text{m}^3/\text{h}$$

용적(체적) 비열을 이용하여 송풍량(m³/h)을 구한다.

제5장

공조설비운영 관리

01 공조설비운영 관리

1 전열교환기 점검

1. 전열교환기 구성과 원리

전열교환기는 공기대 공기에서 공기의 현열(온도차)과 잠열(수증기)을 회수하는 것으로 열교환 엘리먼트, 케이싱 및 부속품으로 구성되며, 배기 측 공기의 전열을 급기 측 공기에 회수시키는 기능을 가지는 열회수 장치로 에너지 절약이 주 목적이다.

2. 전열교환기 종류 및 특징

(1) 전열교환기 종류
① 회전식 전열교환기 : 허니콤상 로터(엘리먼트)를 회전시켜 배기중의 전열을 도입하는 외기가 회수하도록하는 구조이다. 이때 흡습제는 보통 염화리튬 침투판을 사용한다.
② 고정식 전열교환기 : 석면, 박판소재 엘리먼트는 고정식이며, 흡습제로 염화리튬판 소재를 교대로 배열하고 배기와 외기가 엘리먼트 사이를 흐르면서 전열을 교환한다.

(2) 전열 열교환기는 도입하는 외기가 배기하는 공기의 전열을 회수하므로 외기도입시 외기Peak부하를 감소시켜 열원기기 용량이 감소하고, 열원설비 초기 설비비 감소와 운전비 절약 효과가 있다.

(3) 전열교환기 엔탈피 효율

$$E_h = \frac{\text{실제 회수엔탈피}}{\text{이론 최대회수가능 엔탈피}} = \frac{\text{외기} - \text{급기}}{\text{외기} - \text{실내}}$$

겨울철에는 외기가 엔탈피가 낮으므로 (실내)배기열을 회수하고(Heating 열취득) 여름에는 외기 엔탈피가 높으므로 도입 외기를 냉각시켜 냉열량을 회수(Cooling 열취득)한다.

(4) 고정식, 회전식은 서로 장단점 있으나 고정식은 크기 크고 입출구 덕트 연결이 복잡하고 설비공간 커지나 회전부분이 없어 유지관리는 간단하다. 설치공간과 효율을 고려하여 회전식이 주로 사용되고 있다.

3. 회전형 전열교환기

(1) 회전형 전열교환기 구성 요소는 허니콤상 로터(엘리먼트)와 구동장치(전동기, 감속기, 구동 전달부)로 구성되며 필터를 부착하여 엘리먼트 오염을 막는다. 이때 엘리먼트(흡습제)는 난연성, 내수성이 우수하고 형상변화 및 압력손실이 적은 구조로 한다.

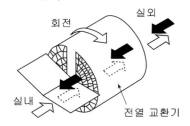

(2) 열교환을 하면서 오염된 배기와 도입되는 외기는 직간접적으로 교류를 하게 되는데 이때 세균이나 악취가 배기 측으로부터 급기 측에 전달되지 않는 누기율이 낮은 구조로 한다.

(3) 케이싱을 구성하는 재료의 종류와 강도 및 케이싱의 외장처리는 기준에 적합해야하며 모터내장형인 경우는 모터를 교체할 수 있는 구조로 한다.

(4) 공기 여과기를 각 흡입 측에 설치하여 열 교환기의 오염을 최소화한다. 공기여과재는 교환이 쉽도록 탈착이 가능하고 공기누설이 적은 구조로 한다.

(5) 건축물의 설비기준 등에 따른 규칙에서 신축 또는 리모델링하는 공동주택 또는 주거부문이 30 세대 이상인 건축물은 시간당 0.5회 이상 환기될 수 있도록 자연 환기 설비 또는 기계 환기 설비를 설치해야 하는데 이때 에너지 절감으로 전열교환기가 주로 사용된다.

4. 정지형(고정형) 전열교환기

(1) 열교환기 구성요소는 급배기 팬과 열교환 엘리먼트, 케이싱 및 부속품으로 구성되며 적합한 성능을 갖추어야 한다.

(2) 열교환 엘리먼트는 석면, 박판 소재로 하며, 흡습제로 염화리튬판 소재를 교대로 배열하고 배기와 외기가 엘리먼트 사이를 흐르면서 전열을 교환한다.

(3) 케이싱 내부에 필터 및 송풍기모터가 내장된 경우는 탈착, 부착이 편리한 구조로 한다.

(4) 공기 여과기를 각 흡입 측에 설치하여 열 교환기의 오염을 최소화 한다. 공기여과재는 교환이 쉽도록 탈착이 가능하고 공기누설이 적은 구조로 한다.

2 공조기 관리

공조기 구성 요소별 관리방법

1. 구 조

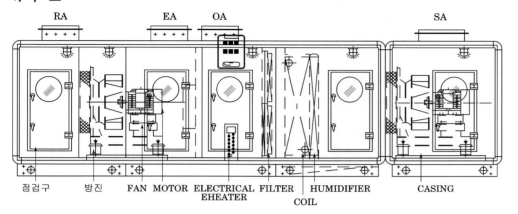

2. 공조기 구성요소별 특징

공조기는 일반적으로 케이싱, 송풍기(모터), 열교환기(코일), 가습기, 필터류, 댐퍼류, 드레인팬(트랩), 방진설비, 점검구 등으로 구성되며 그 특징과 관리 방법은 다음과 같다.

(1) 케이싱

케이싱은 다양한 재료로 제작되며 최근에는 공장제작 현장 조립형을 주로 사용한다. 일반적으로 〈 케이싱 외부강판 + 내부 유리섬유 보온재 + 유리섬유 + 다공판 〉형식이 주로 사용된다.

(2) 베이스

C형강 + 이중 케이싱으로 바닥마감

(3) 드레인 팬

드레인 팬은 스테인레스 스틸 강판으로 제작

(4) 프레임

철제 프레임 형강 또는 각형관(Square Pipe) 사용, 프레임 알루미늄 압출물(Sash) + 모서리 마감재(Conner)사용

(5) 송풍기

원심식로 다익형(Forward Curved 송풍기), 후곡익형(Backward Curved 송풍기) 익형(Air Foil 송풍기)을 주로 사용하고 축류식으로 고정익형이나 가변익형 송풍기를 사용한다.

(6) 열교환기(Coil)

냉수코일(Cooling Water Coil), 직팽코일(Direct Expasion Coil), 온수코일(Hot Water Coil), 증기코일(Steam Coil), 전기코일(Electric Coil)을 사용한다. 대부분 플레이트핀 코일형 열교환기를 사용하며, 동관 또는 강관에 알루미늄 박판을 압착한 것이다. 냉각과 가열을 병용하는 냉·온수 코일을 주로 사용한다.

(7) 가습기(Humidifier)

증기분사식, 인젝션형(Steam Injection), 그리드형(Steam Grid)증발식, 기화식(Glass-Fiber),물분무식이 있으나 주로 증기분사식을 사용한다.

(8) 공기여과기(Ai rFilter)

전처리 Filter(Pre)는 부직포를, 중간 Filter(Medium)는 Glass Fiber를, 고효율 Filter(Hepa)로 구성되며 필요에 따라 적합하게 조합한다. 일반 가정용 에어컨에는 Pre- Filter만 적용한다.

(9) 댐퍼(Damper)

SA, RA, OA, EA용 댐퍼는 일반형, 정풍량형, Air Tight등이 있다.

(10) 기타부속설비 : 점검구, 방진설비등

3. 공조기 구성요소별 점검 사항

공조기 구성 요소중 점검이 필요한 부분은 주로 코일, 송풍기, 댐퍼류, 드레인 팬 배수불량등이다.

(1) 냉·온 코일의 정비사항 및 방법

냉각코일의 냉각능력 감소는 코일 내 잔여 공기가 유체 흐름을 방해하여 열교환을 저해하거나, 헤더 배관 구성상 튜브 상부 공기 잔류 또는 코일 전면에 오염으로 공기 통과를 방해하여 국부적으로 코일의 전열 효율 감소등으로 점검하여 조치한다.

(2) 송풍기 풍량 저하

필터 막힘(필터 세정 및 교환) 벨트 이완(벨트 장력 조정 및 교환)

(3) 드레인팬 배수 불량

배수트랩 역류 및 응축수 배출이 안 되는 경우 트랩의 봉수 높이가 확보 되지 않아, 드레인 팬 부분이 부압인 경우 외부의 공기가 기내로 역류하는 경우 배수 팬 배수구의 배관은 송풍기의 정압보다 큰 봉수를 가지는 배수용 트랩을 설치한다.

(4) 수격현상 발생

관내를 물의 유속이 급격히 변화하여 워터해머 영향으로 코일파손 우려되는 경우 배관내 유속을 낮추거나 수격압 흡수장치를 급수배관 내에 설치한다.

(5) 기타 코일 핀 오염(핀 세정), 배관 내 스트레이너 막힘(점검 후 청소), 증기 코일 능력저하(공기가 우회(By-Pass) 될 경우 차단판 설치), 이상소음 발생(베어링 결함, 벨트 결함, 베어링부 구리스 주입 및 교환, 장력 조정) 베어링의 과열(정격하중과 한계회전속도 초과 시-정격베어링으로 교체, 정렬되지 않은 베어링 사용-정렬된 베어링 사용과 축의 평형도 확인)

3 펌프 관리

1. 펌프 종류별 특징

펌프는 크게 2종류로 나누어지며 양수용의 급수펌프와 순환용의 순환펌프(라인펌프)로 나누어진다. 양수용(위생용 급수펌프, 보일러 급수펌프등)은 양정이 큰편이고 순환펌프(급탕 순환, 냉온수순환등)는 양정이 작은편이다.

2. 급수용 원심펌프 구조와 특징

(1) 수평형 및 수직형 원심펌프는 베드의 휨 또는 처짐이 발생하지 않도록 주의하여 기초 위에 수평 또는 수직으로 고정하고 기초볼트의 조임은 균일하여야 한다.

(2) 펌프와 모터와의 직결 주축은 정확하게 직선이 되도록 조정한다.

(3) 펌프는 지지대 위에 수평으로 설치하고 필요에 따라 방진기초를 한다.

(4) 라인형 원심펌프는 제조회사 설치기준에 따라 펌프축이 상호 수평 또는 수직이 되도록 설치하며 펌프 양단에 플랜지를 접속하는 배관은 강재 베드 등으로 지지한다.

(5) 펌프에 밸브 및 관을 부착할 때는 그 하중이 직접 펌프에 걸리지 않도록 충분히 지지한다.

(6) 펌프는 흡입수면 바닥 및 옆 벽면과 충분한 거리를 두어 공기흡입과 소용돌이 발생을 방지한다. 단, 거리는 펌프의 크기, 형식 등에 따라 달라지므로 펌프 제조회사와 사전에 충분히 협의하여야 한다.

(7) 토출관에 설치하는 게이트밸브 및 체크밸브는 조작이 용이한 위치에 부착한다.

(8) 펌프와 양수관은 플랜지 이음을 하여 분리하기 쉽게 한다.

3. 급수펌프 구성 부속품

표. 보일러 급수펌프 부속품

명칭	적용	수량
압력계		1개
공기빼기 콕		각 1개
배수용 콕		1개
축이음	볼트, 너트, 패킹 붙임.	1조
보호용덮개(강판제)	특기에 따른다.	1식
상대플랜지		1식
방진장치		1식
기초볼트		

4. 순환펌프 구조 및 특징

(1) 펌프는 전동기와 축이음으로 직결하여, 주철제 또는 강제의 공통베드에 설치한 것으로서 케이싱은 회 주철품, 임펠러 및 안내깃은 청동 주물 또는 회 주철품에 따른다.

(2) 펌프는 서어징이 없고 유류가 혼입되지 않는 구조로 하고, 운전이 원활히 되도록 하며, 각부의 진동은 경미하고 소음이 적으며, 물에 유류가 혼입되지 않는 것으로 한다. 그리고 온수 순환펌프의 축 받침 부분은 온수 온도에 의한 영향을 받지 않는 것으로 한다.

(3) 전동기와 펌프가 일체구조로 된 것으로 축봉부에 공기가 고이는 것을 방지하는 기능을 갖추고 수리 시에는 배관을 떼어내지 않고 분해 조립할 수 있도록 플랜지이음 등을 사용 한다.

5. 순환 펌프 부속품(펌프 용량과 특징에 따라 추가, 생략될 수 있다)

명칭	적용	수량	
		개방 회로	밀폐 냉각수
게이트밸브		2개	2개
첵 밸브		1개	1개
스트레이너		1개	1개
압력계 또는 연성계		2개	2개
공기빼기 콕		1개	–
배수용콕(주철제 또는 강판제)		1개	1개
흡입구 덮개(주철제 또는 강판제)		1조	1개
축이음 보호덮개(강판제)		1조	–
상대 플랜지		1식	1조
방진 이음	볼트, 너트, 패킹 붙임.	2개	1식
방진 장치		1식	2개
기초볼트	특기에 따른다.	1식	1식

6. 펌프 설치 운영시 점검사항

(1) 흡입 foot valve strainer의 설치 깊이 검토
   - 바닥면의 이물질 흡입방지를 위해 바닥면에서 최소 200mm 이격
   - 소용돌이 등으로 인한 공기의 유입을 방지하기위해 벽면에서는 3D(관경) 이상 이격시킬 것
(2) 흡입 배관은 부압이 형성되지 않는지 NPSH를 확인할것
(3) 흡입배관은 펌프를 향해 1/50 ~ 1/100 상향구배를 유지하여 공기가 정체하지 않게할 것
(4) 흡입배관 레듀샤는 편심레듀서를 상부가 수평으로 설치 (저항은 가능한한 적게 되도록 하고 필요시 한치수 크게 할 것
(5) 펌프의 맥동에 의한 진동,소음이 우려될 경우 펌프 토출측 배관부분의 0.5 ~ 1.0m 정도 길이를 2치수 큰 배관으로 설치 검토
(6) 펌프 토출구로부터 15m까지는 방진 행가 설치

7. 펌프의 고장원인과 대책

고장 내용	고장 원인	조치 사항
씰 누수	a. 공회전에 의한 누수	물탱크의 적정수위 유지, 흡입밸브개폐 학인.
	b. 고형물질로 의한 누수 (결정이 발생되는 유체)	흡입 스트레이너 청결유지, 저수조 탱크 청결유지
	c. 씰 선정 오류로 인한 누수	사용웃 확인 후 씰 선정(고무 재질 및 씰 타입)
	d. 씰 파손	현장설치 시 충격주의
소 음	a. 저양정을 인한 소음	토출밸브 조작(토출압력 확인)
	b. 캐비테이션(Cavitation)	흡입수위조절, 낙차에 의한 기포 제거, NPSHa값 개선
	c. 커플링 조립 불량	커플링 재조립, 커플링 교체
유량, 양정부족	a. 전기 결선 오류(역회전)	MCC판넬 전기 결선 확인, 펌프 회전방향 확인
	b. 토출측 밸브 개도율 불량	설비 사용 압력 확인 및 토출 밸브 조절
	c. 흡입 유량 부족	저수조확인, 펌프내 Air 제거 작업
	d. 흡입측 스트레이너 막힘 현상	흡입측스트레이너 청소 작업
	f. 캐비테이션(Cavitation)	흡입수위조절, 낙차에 의한 기포 제거, NPSHa값 개선
내부 부품 파손	a. 저양정 운전에 의한 소음 (펌프 베어링 파손)	토출밸브 조작(토출압력 확인)
	b. 이물질 침투에 의한 소손	흡입망 청결유지, 저수조탱크 청결유지
	c. 캐비테이션	흡입수위조절, 낙차에 의한 기포 제거, NPSHa값 개선
진 동	a. 저양정	토출밸브 조작(토출압력 확인)
	b. 캐비테이션	흡입수위조절, 낙차에 의한 기포 제거, NPSHa값 개선
	c. 모더베어링 상태 불량	모터 베어링 그리스 주입 및 교체
	d. 커플링 조립 불량	커플링 재조립, 커플링 교체

4 공조기 필터 점검

1. 공조기 필터 구비조건

공조기 공기여과기(에어필터)는 압력손실이 적고 미세한 먼지를 많이 수용할 수 있는 것으로 여과재는 다음과 같은 특성이 있어야 한다.

(1) 먼지의 재비산이 적을 것

(2) 부식 및 곰팡이의 발생이 적을 것

(3) 난연성일 것

(4) 흡습성이 적을 것

(5) 분진포집율은 기준에 따를 것

2. 패널형 공기여과기

패널형 공기여과기는 가장 보편적으로 이용되며 유닛형으로 구성된 필터유닛을 프레임(설치틀)에 끼워 맞추는 형식으로 유닛의 세정이나 교환이 용이하다.

(1) 유닛 사이의 공기누설이 적은 구조로 해야 한다.

(2) 여과재의 포집율, 분진보유용량 및 최종압력손실 등은 기준에 적합한 값으로 한다.

(3) 여과재유닛은 방청처리한 냉간압연 및 강판 및 강대 또는 알루미늄 및 알루미늄합금판압출형재의 틀 내부에 여과재를 충진하는 구조로 한다.

(4) 설치틀은 방청처리한 냉간압연 강판 및 강대의 강판, 아연철판의 강판제를 주로 사용한다.

3. 백(bag)형 공기여과기

(1) 패널형보다 설치 및 유지관리는 복잡한 편이나 공기누설이 적고 포집효율이 좋은 편이다.

(2) 여과재의 특성은 패널형과 유사하다.

(3) 여과재 유닛은 방청 처리한 냉간압연 강판 및 강대, 알루미늄 및 알루미늄합금판의 틀내부에 여과재를 백(주머니) 형태로 넣은 것으로 한다.

(4) 설치틀은 패널형과 유사하다.

4. 자동감기형(롤형) 공기여과기

(1) 케이싱, 여과재, 감기기구(상부 하부 롤과 모터) 및 제어반으로 구성되며, 전동장치에 의해 일정 속도로 자동으로 여과재를 감는다.

(2) 여과재, 케이싱은 패널형과 유사하다.

(3) 감기기구는 타이머스위치 또는 차압스위치에 의한 자동감기 방식으로 한다. 여과면의 집진상태를 감시하는 미세차압계를 설치한다.

(4) 제어반의 부속품은 전원표시등, 감기끝남 표시등, 이상표시등, 전원스위치 및 감기스위치를 갖춘다.

5. 정전식(전기식) 공기 집진기

(1) 전리부, 집진부, 케이싱 및 제어반으로 구성되며, 공기중의 먼지를 양이온(+)으로 대전시킨뒤 음극판(−) 집진부에 먼지를 부착하게하여 제거한다. 집진부의 청소 및 각부의 점 검, 보수가 용이하며 안전한 구조로 한다.

(2) 전리부는 방전선 및 접지극으로 구성되며, 방전선에 고전압을 가하여 접지극과의 사이에 전리영역을 형성하여 먼지입자를 양이온으로 대전시킨다.

(3) 집진부는 고전위 극판, 접지극판 및 여과기로 구성된다.

(4) 고압 전원부에는 자동복귀식 단락 보호장치를 갖춘다.

(5) 전원표시등, 하전(荷電)표시등, 이상표시등, 전원스위치, 하전(荷電)스위치, 안전스위치를 갖춘다.

5 실내공기질 기준

다중이용시설에서 다음 표와 같은 실내 공기질 권고 기준에 따라 환기방식이나 에어필터를 사용하여 실내 공기질을 관리한다.

표. 실내 공기질 권고기준(실내공기질 관리법 시행규칙 제4조 관련)

오염물질 항목 다중이용시설	이산화질소 (ppm)	라돈 (Bq/m³)	총휘발성 유기화합물 (μg/m³)	곰팡이 (CFU/m³)
가. 지하역사, 지하도상가, 철도역사의 대합실, 여객자동차터미널의 대합실, 항만시설 중 대합실, 공항시설 중 여객터미널, 도서관·박물관 및 미술관, 대규모점포, 장례식장, 영화상영관, 학원, 전시시설, 인터넷컴퓨터게임시설제공업의 영업시설, 목욕장업의 영업시설	0.1 이하	148 이하	500 이하	−
나. 의료기관, 산후조리원, 노인요양시설, 어린이집, 실내 어린이놀이시설	0.05 이하		400 이하	500 이하
다. 실내주차장	0.30 이하		1,000 이하	−

01 출제유형분석에 따른 종합예상문제

01 다음과 같은 펌프 배관도에 대하여 유효흡입양정 ($NPSHav$)를 구하시오.

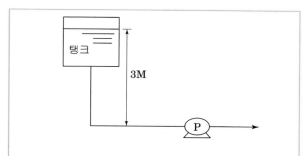

- 대기압 : 760mmHg
- 물의 밀도 : 1000kg/m³
- 물의 포화증기압 : 8.4kPa
- 흡입 배관 손실수도 : 1.5mAq
- 1mAq = 9.8kPa

① 5.96mAq   ② 10.97mAq

③ 12.62mAq   ④ 15.62mAq

유효흡입수도($NPSHav$)는 다음 식으로 표현된다.

$NPSHav$ = 대기압−(흡입양정+흡입배관마찰손실수도+포화증기압)

$$= \frac{P_O}{\gamma} - (\gamma_S + h_L + \frac{Pv}{\gamma})$$

P_O = 대기압 = 760mmHg = 101325Pa

   = 101.325kPa = 10.33mAq

h_S = 흡입양정 = −3m(흡상이면 +, 압입이면 −를 취한다.)

h_L = 흡입관 손실수두 = 1.5mAq

Pv = 물의 포화증기압 = 8.4kPa = 8.4/9.8 = 0.86mAq

$$NPSHav = \frac{P_O}{\gamma} - (h_S + h_L + \frac{Pv}{\gamma})$$

$$= 10.33 - (03 + 1.5 + 0.86) = 10.97mAq$$

∴ $NPSHav$ 는 10.97mAq

---

02 공조배관에 냉온수가 400L/min로 흐를 경우 아래 조건을 참조하여 적합한 관경을 구하시오.

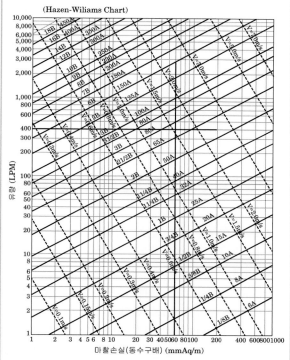

〈조건〉

순환펌프 양정 10m,
냉온수 최원 배관 순환길이(직관) : 100m

(Hazen-Wiliams Chart)

국부저항은 직관길이 60%를 적용하며 첨부 배관선도 이용(단 배관선도에서 마찰저항은 실선만 이용)

① 40A   ② 50A

③ 65A   ④ 80A

우선 배관 허용 마찰저항을 구하면(펌프양정을 배관길이로 나누어 계산)

$$R = \frac{H}{L+L'} = \frac{10000mm}{100 \times 1.6} = 62.5mmAq/m$$

아래 선도에서 마찰저항은 62.5 보다 작은 실선 60mmAq/m 를 선정하여 유량 400과 교점을 구하면 65A 조금 위쪽에 위치한다. 그러므로 관경은 80A를 선정한다.

03 공조기와 덕트 설치시 검토 사항으로 가장 부적합한 것은?

① 공조기의 형식은 공조실의 면적·높이 등을 고려하여 가장 적절한 형식 선정(수평형, 수직형, 조합형, return fan내장형, 슬림형 등)– 공조기 상세와 일치 여부를 확인한다.

② fan의 설치방법 (토출방향 등)은 공조기 위치, 공조실의 높이 등을 고려하여 원활한 덕트가 되도록 설치한다.

③ 여름철 외기냉방이 가능하도록 외기 및 배기덕트 크기를 검토한다.

④ 공조실 자체의 플레넘(plenum)챔버 설치를 검토한다.

> 외기냉방은 외기조건이 실내조건보다 온도가 낮을 때 사용하므로 중간기(봄, 가을)에 적용한다.

04 덕트 설계, 설치시 검토 확인사항으로 가장 부적합한 것은?

① 덕트의 형상은 굴곡, 변형, 확대, 축소, 분기, 합류시 덕트내 공기저항이 최소가 되도록 설계되었는가 확인한다.

② 덕트는 층고를 낮추기위해 종횡비를 8:1 이상으로 하여 덕트 높이를 최소화한다.

③ 덕트길이 최단거리로 연결, 균등한 정압 손실이 되도록 설계, 덕트의 열손실·열획득 경로를 피할 것

④ 소음기, 소음엘보, 소음챔버, 라이닝덕트, 흡음 flexible등 적용으로 덕트의 소음 및 방진 대책을 수립한다.

> 덕트는 층고가 허용하는 한 정사각형에 가깝게 하며 층고를 낮추기 위해서라도 종횡비를 4:1 이상으로 하지 않는 것이 좋다.

05 실내 공기질 관리법상 실내 공기질 관리 항목에 포함되지 않는 것은?

① 이산화질소(ppm)

② 라돈(Bq/m^3)

③ 총휘발성유기화합물($\mu g/m^3$)

④ 총용존유기탄소(TOC)

> 실내 공기질 관리 항목에 총용존유기탄소(TOC)는 항목에 없으며 곰팡이(CFU/m^3)가 해당한다.

제6장

보일러설비 운영

01 보일러설비 운영

1 보일러 관리(보일러 종류 및 특성)

1. 보일러 설비의 구성

보일러는 재질에 따라 강판재와 주철재로 나누며, 형식으로 분류하면 동체 축 방향에 따라입형과 횡형으로 나눌 수 있고, 연소실 구조에 따라 원통형, 수관식으로 나누고, 본체 구조에 따라 노통식, 연관식으로 나누고, 사용압력에 따라 저압보일러와 고압보일러로 구분되는데, 일반적으로 건축물에 사용되는 산업용 보일러는 노통연관 보일러 및 수관식 보일러(수관 보일러, 관류식 보일러)가 주로 쓰이고 등이며, 가정용 소형 보일러는 입형 관류식보일러(가스사용)가 주로 쓰인다.

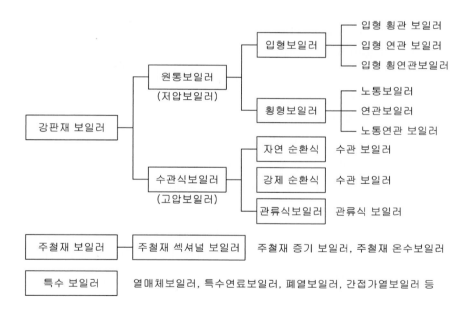

2. 보일러의 종류 및 특징

(1) 가정용 보일러

아파트나 일반 가정에서는 주택의 난방과 급탕 사용을 위해 지역난방이 보급되는 일부 지역을 제외하고는 대부분 소형보일러(입형 관류보일러)가 설치되어있다. 가정용 보일러는 대부분 지역에서 도시가스의 공급이 보편화되어 있기 때문에 가스보일러가 주를 이루고, 도시가스 공급이 힘든 지방이나 농어촌 지역에서는 기름보일러나 심야전기를 이용한 전기 온수보일러가 아직도 많이 사용되는 추세이다.

(2) 노통 연관 보일러

① 지름이 큰 동체를 몸체로하여 그 내부에 노통과 연관을 동체 축에 평행하게 설치하고, 노통을 지나온 연소가스가 연관을 통해 연도로 빠져나가도록 되어있는 보일러이다.

② 노통보일러와 연관보일러를 조합한 형태로 연소실에서 화염은 1차적으로 노통 내부에서 열전달을 한후 2차적으로 연소가스는 연관 속으로 흘러가면서 내부에 있는 보일러수와 열전달을 한 후 연도로 배출된다.

③ 보통 10~15ton/h 내외의 중-소형 보일러에서 가장 많이 사용되고 있으며, 노통연관식 보일러는 보일러 내부에 보유하고 있는 수량이 많아 급격한 부하 변동에도 공급압력이나 수위의 변화가 적어 안정적인 보일러 운전이 가능하다.

④ 보일러 내부에 보유하고 있는 수량이 많아 가동 초기에 예열과 증기발생까지의 소요시간이 많이 필요하며, 가동시 저부하 운전의 시간이 길거나 빈도가 많을 경우에는 효율이 떨어진다.

⑤ 노통연관식 보일러는 노통(연소실)과 연관(연소가스관)이 동시에 있어 전열면적이 증가되므로 노통 보일러와 연관 보일러에 비해 효율이 가장 높지만, 구조가 복잡하므로 청소 및 수리, 점검이 불리하고, 증발속도가 빨라 과열로 인한 스케일 부착이 쉬우며, 급수처리가 까다롭다.

⑥ 증기 보일러에서 고압보일러와 저압보일러의 구분은 0.1MPa을 기준한다.

(3) 수관식 보일러

　① 수관식 보일러는 상부 드럼과 하부 드럼 사이에 작은 구경의 많은 수관을 설치한 구조로, 관 내부에 물이 흐르고 관 외부를 연소가스로 가열해 증기를 발생시키는 구조로 제작된다.

　② 물이 수관 내에만 채워지는 구조이기 때문에 높은 운전압력(용기 허용 내압력은 직경에 반비례하므로 수관내에서 허용 압력은 크다)으로 보일러 제작이 가능하고, 수관의 길이나 수량에 의해 용량의 증대가 가능하여 중-대용량 및 고압용 보일러로 주로 사용된다.

　　(강판 두께 $t = \dfrac{PD}{2\sigma}$　P : 내압력, D : 통 직경, σ : 강판 인장강도)

　③ 수관식 보일러는 내부의 구조가 복잡하고 스케일로 인해 과열되기 쉬우므로 급수의 철저한 수질관리(연수장치)가 필요하다.

　④ 연소실 내부의 수관 외부 표면은 구조상 청소가 힘들어 효율이 떨어질 수 있으며, 수관 내부 표면의 스케일은 드럼 내부 공간으로 들어가 주기적으로 세관작업을 해주어야하는 불편함이 있다.

　⑤ 수관식 보일러는 대부분 중, 대용량인 경우가 많기 때문에 부품을 현장으로 운반하여 현장에서 조립한 뒤 설치하는 사례가 많고, 이로 인해 제작기간이 다소 소요되고 장비의 가격도 고가이다.

　⑥ 수관식 보일러는 부품별로 반입하여 보일러의 신설이나 교체가 용이하다는 장점이 있다.

　⑦ 고온 및 고압에 적당하고 발생열량이 크며, 용량에 비하여 크기가 작아 설치면적이 적고 전열면적은 넓어서 효율이 매우 높다

　⑧ 보유수량이 적어서 증기 발생 시간이 빠르며, 파열 시 피해가 적다

　⑨ 구조가 복잡하여 청소 및 수리 등 불편하며, 제작이 어렵고 고가이다.

　⑩ 수관 계통에 스케일 생성이 우려되므로 급수처리가 매우 까다롭고 보유수량이 적고 전열면적이 크므로 부하변동에 대응하기 어렵다.

(4) 관류보일러

　① 관류보일러는 수관식 보일러에서 드럼없이 수관만으로 설계한 강제순환식 보일러로 급수가 공급될 때 수관의 예열부 → 증발부 → 과열부를 순차적으로 통과하면서 증기가 발생하게 된다.

　② 연소실 주위에 다수의 수관이 병렬로 연결되어 헤더에서 분류 또는 합류되는 구조로 이루어져있어 다관식 보일러라고도 불린다.

　③ 수관만으로 이루어져 있기 때문에 고압에 잘 견디고 관을 자유로이 배치할 수 있어 전체를 소형화하여 제작할 수 있다.

④ 주로 소용량이나 저압에 적합하도록 개발되어 보급되고 있는데, 최근에 일반건물에서 널리 사용되고 있으며, 소규모의 건물 난방, 급탕용이나 식당의 주방, 상가의 증기 공급용으로 주로 사용되고 있다.

⑤ 관류 보일러는 작은 구경의 관내에서 물을 증발시키기 때문에 불순물이 관 내에 부착하기 쉽기 때문에 수질관리가 매우 중요하다.

⑥ 관류 보일러는 드럼이 필요가 없고, 전열면적 크므로 효율이 높으며, 고압으로 증기의 열량이 높고 기동부하가 짧아 부하 측에 대응하기 쉬우며, 단점은 소형이고 내부구조가 복잡하여 청소 및 검사 수리가 어렵고, 양질의 급수 사용으로 완벽한 급수처리가 되어야 한다.

(5) **진공식 온수 보일러**

① 진공식 온수 보일러는 보일러 내부가 진공상태로 유지되면서 화염으로부터 열을 받아 온수를 가열해 주는 열매체로 물을 사용하며 정상적인 상태에서는 열매의 손실은 없다.

② 보일러 내부가 진공상태로 새로운 보충수의 공급이 거의 필요없고 외부의 공기와도 완전히 차단되어 있기 때문에 스케일이나 부식의 발생이 매우 적어 수명이 가장 긴 편이다.

③ 2차 측의 급탕이나 온수의 오염만 없다면 일반적으로 전열관의 세관 작업도 필요없다.

④ 보일러 상부에 설치되는 열교환기를 용도에 따라 설치할 수 있기 때문에 1대의 보일러로 난방과 급탕이 동시에 가능하다.

(6) **무압식 온수 보일러**

① 무압식 온수 보일러는 동체 내부가 대기압의 압력에서 운전되는 보일러로, 대기개방형 보일러라고도 불린다.

② 무압식 보일러는 내부를 열매체인 물로 완전히 채워져 있는데, 보일러 운전 시 자연대류만으로는 열교환기 내의 온수와 충분한 전열을 기대하기 어렵기 때문에 대부분 순환펌프를 설치하여 보일러 내부의 물을 강제 순환시킨다.

③ 무압식 보일러의 상부에는 팽창탱크가 설치되어 있는데, 이 팽창탱크는 보일러 내부에 과압이 걸리거나 오버플로우 될 때 이를 방출하는 역할을 하고 저수위에는 보충수를 공급하기도 한다.

④ 무압식 온수 보일러는 새로운 보충수가 소량이고 연수처리되어 공급되기 때문에 증기보일러에 비해 부식이나 스케일이 적게 발생하여 수명이 긴 편이다.

⑤ 무압식 온수 보일러는 진공식 온수 보일러와 마찬가지로 열교환기의 설치 수량에 따라 난방과 급탕을 동시에 할 수 있으며, 증기의 공급은 불가능한 온수전용 보일러다.

⑥ 보일러의 구조가 간단하고 제작이 쉽기 때문에 용량에 비해 보일러의 단가가 저렴한 편이다.

⑦ 운전효율은 다른 보일러에 비해 낮고 보유수량도 많아 2차 측 온수의 가열에도 다소 시간이 소요된다.

(7) 열매체 보일러

① 열매체 보일러는 노통연관식이나 수관식 보일러와는 달리 특수한 열적 성질을 가지고 있는 전열 열매유를 열매체로 이용하기 때문에 저압력(1~3대기압)에서도 200℃ 이상의 높은 온도로 2차측 유체를 가열하는 것이 가능하다.

② 열원이 고온이므로 부하 대응성이 좋고 열교환기가 소형화되어도 되며, 운전압력이 저압력이어서 장비의 구조적 안정성측면에서 유리하기 때문에 보일러의 설계와 제작이 용이하다.

(8) 캐스케이드 보일러

① 캐스케이드 보일러는 여러대의 소형 온수보일러를 병렬로 조합하여 필요한 용량에 대응하도록 구성하고, 난방이나 급탕 부하의 변동에 따라 대수제어를 하여 고효율의 운전이 가능하도록 패키지 형태로 만든 보일러다.

② 보통 가정용으로 사용되는 콘덴싱 보일러를 병렬로 조합하여 중대형 용량을 구현하도록 한 경우가 많은데, 한 대의 보일러 내부에 여러 대의 소형 보일러를 패키지화한 제품도 판매되고 있다.

(9) 주철제 보일러

① 섹셔널 보일러(sectional boiler)라고도 하며, 주철을 주조 성형하며 1개의 섹션(쪽)을 각각 만들어 보일러 용량에 맞추어 약 5개내지 18개정도의 섹션을 조립하여 사용하는 저압 보일러로 전열면적이 크고 효율이 높아 주로 난방에 사용되며 증기 보일러와 온수 보일러가 있다.

② 주물 제작으로 복잡한 구조 제작이 가능하고, 전열면적 크고 효율이 높다.

③ 주철특성상 내식성·내열성이 우수하고, 섹션 증감 제작으로 용량 조절이 가능하다.

④ 저압으로 사고 시 피해가 적고, 섹션별 조립식이어서 조립 해체가 용이하여 좁은 기계실에 반입 또는 반출이 용이하다.

⑤ 주철제 특성상 인장강도 및 충격에는 약하고, 고압 대용량에는 부적합하다.

⑥ 구조가 복잡하여 청소 및 검사가 곤란하고 열에 의한 부동팽창으로 균열이 생기기 쉽고, 열 충격에 약하다

2 부속장치 점검(부속장치 종류와 기능)

1. 보일러 부속품

보일러의 기능 달성과 안전을 위하여 다음의 부속품을 갖춘다(예).

명 칭		적 용	수량
증기 보일러	온수 보일러		
주증기밸브	온수출구밸브	밸브의 개폐를 외부에서 알 수 있는 것	1개
급수밸브 및 체크 밸브	온수입구밸브		각1개
안전밸브	안전밸브 또는 릴리프밸브	KS B 6216(증기용 스프링 안전밸브)	1식
블로(분출)밸브 및 블로콕	블로밸브 및 블로콕		1식
압력계	압력계 또는 수주계	KS B 5305(부르돈관 압력계)	1식
수면계	–	KS B 6208(보일러용 수면계유리)	1식
보조증기밸브	–		1개
–	온도계		1식
공기빼기밸브	공기빼기밸브		1개
고저수위경보장치	–		1식
연도댐퍼 및 도어류	연도댐퍼 및 도어류		1식
폭발구	폭발구		1식
맨홀, 검사 및 청소구	맨홀, 검사 및 청소구		1식
검사창	검사창		1식
비계 및 베드	비계 및 베드		1식

공구류	공구류		1식
예비품	예비품	특수분해공구	1식
		수면계용 유리 및 패킹 1대분, 맨홀 및 검사 청소구용 패킹 1대분	

주) 이 밖에 필요에 따라 기수분리창지, 블로(blow)장치, 탈기장치와 매연 분출장치를 추가한다.

3 보일러 점검(보일러 점검항목 확인)

보일러 시운전은 크게 3단계로 이루어지는데 점화전 점검사항 확인 → 점화 시 점검사항과 작동 순서 → 점화 후 점검사항 확인 순서로 이루어지며 그 내용은 다음과 같다.

1. 보일러 시운전시 점화전 점검사항

(1) 보일러로부터 수주통(수 드럼), 수주통으로부터 수면계, 수위 감지부(전극봉)에 연결된 수부측 연락관에 물의 흐름이 막히지 않았는지 확인하기 위하여 수주통, 수위감지부, 수면계의 하부드레인 밸브를 통하여 물을 반복 배출하면서 수위가 정상으로 복귀하는지 확인한다.

(2) 하부의 드레인밸브 또는 트랩의 바이패스밸브를 통하여 하부에 고인물을 배출시킨다.

(3) 보일러의 배기가스 출구의 댐퍼가 열렸는지 확인하며, 해당 보일러와 연도가 연결되어 있으면서 공동연도인 경우 가동하지 않는 타 보일러의 배기가스 댐퍼가 닫혀있는지 확인한다.

(4) 압력계, 압력제한기에 부착된 차단밸브등 부속설비의 상태를 확인한다.

(5) 증기헤더 주증기 밸브에서 송기가 필요하지 않은 증기헤더의 분기 배관의 밸브가 닫혀있는지 확인한다.

(6) 연소 및 환경 유지에 충분한 환기와 급기가 이루어지는지 확인한다. 정상 작동 여부를 확인한다.

2. 보일러 점화 시 점검사항과 작동 순서

(1) 보일러 연소실내 미연소 가스를 송풍기를 통하여 충분히 배출한 후 점화한다.

(2) 시퀀스 컨트롤에 따라 프리퍼지(미연가스 배출) → 파이롯트 버너점화(점화용 버너점화) → 주연료분사, 주버너 점화의 순으로 진행한다.

(3) 소화 후에는 포스트 퍼지(소화 후 미연가스 배출)가 이루어지지만 1차 점화에 실패하면 그 원인을 찾아 보완한 후 재차 점화를 시행하며 2차 점화에도 실패하면 전문업체에 정비를 의뢰하여야 한다.

(4) 반복적인 점화 시도는 가스 폭발의 원인이 되므로 주의하여야 한다.
    (일반적인 점화 실패 원인 : 화염검출장치의 감지부 오염, 점화봉의 탄화 및 전압강하, 점화용 연료의 공급 불량, 송풍량의 부적절등)

3. 보일러 점화 후 점검사항(안전대책)

보일러 점화후 수위감지장치 및 급수장치 확인 → 배기가스온도 상한스위치 확인 → 안전밸브 확인 → 압력차단장치 확인 → 발생증기의 송기 순서로 작동상태를 확인한다.

(1) 수위감지장치 및 급수장치 점검 확인
① 보일러 점화 후 드레인밸브(Drain Valve)를 개방하여 보일러 수를 드레인 시킨다.
② 보일러수가 일정수량 이상 드레인 되면 수위감지장치(전극봉, 맥도널, 정전용량센서)의 수위 감지로 급수펌프의 작동 여부를 확인한다.
③ 급수펌프가 작동되는 것을 확인한 후 급수펌프의 전원을 차단한다.
④ 보일러수가 계속적으로 드레인되면 저수위 상태가 되며 동시에 경보가 울리고 버너가 소화되는지 확인한다.
⑤ 경보 울림 즉시 드레인밸브를 잠그고, 이때 수위가 보일러 수면계 하부에 위치하여야 한다.
⑥ 수위 확인 후 급수펌프의 전원을 연결하여 급수를 공급한다.
⑦ 이상의 절차가 순차적으로 이루어지지 않으면 재 시운전 또는 필요한 경우 정비를 다시 한다.

(2) 배기가스온도 상한스위치 확인
① 보통 보일러 배기가스온도 상한 스위치 셋팅 온도는 300℃ 정도로 되어 있다.
② 보일러 점화 후 드레인밸브(Drain Valve)를 개방하여 보일러 수를 드레인 시킨다.
③ 배기가스온도 상한 스위치 셋팅 온도를 150℃ 으로 조정한후 일정시간 연소 후 배기가스 온도계가 150℃를 지시할 때 경보음과 함께 보일러가 소화되는지 확인한다.
④ 경보음 및 소화 상태를 확인하면 배기가스온도 상한스위치의 셋팅온도를 초기셋팅 정도로 복원한다.
⑤ 이상의 절차가 순차적으로 이루어지지 않으면 재 시운전 또는 필요한 경우 정비를 다시 한다.

(3) 안전밸브 확인
① 안전밸브는 간이테스트를 실시하여 정상작동 여부를 확인한다.

(※ 스프링식안전밸브 : 스프링의 장력에 의해 작동되는 것이므로 정비 후 주기적으로 레버를 당겨주어야 스프링의 내구성을 지속적으로 유지 시켜줄 수 있다)

② 보일러 점화 후 압력이 약 0.3MPa이 될 때까지 가동

③ 이때 장갑을 끼고, 안전밸브의 레버를 2~3회 당겨줌

④ 안전밸브에서 증기가 지속적으로 누설될 경우에는 안전밸브에 이물질 이 부착된 경우가 대부분이므로 재정비한다.

(4) 압력차단장치 확인

① 압력차단장치는 설정된 압력범위 내에서 보일러가 가동 및 정지되도록 하는 장치이므로 보일러를 점화 후 확인할 수 있다.

② 보일러 점화 후 설정된 고압에서 자동으로 소화되고, 저압에서 점화되 는지 확인한다.

(5) 발생증기의 송기

① 증기헤더 하부의 드레인 밸브를 열어 증기만 나올때까지 배수한다.

② 증기공급 존을 확인하여 증기헤더의 필요한 증기밸브를 서서히 열고 사용하지 않는 밸브는 잠겨 있는지 확인한다

4 보일러 고장시 조치 (보일러 고장원인 파악 및 조치)

1. 보일러 정비 계획수립

보일러를 효율적으로 보전하기위해서는 종합적인 정비계획을 세우고 수행해 야한다.

(1) 오랫동안 보일러를 사용하게 되면 여러 가지 고장이나 손상이 생기며 이런 것들을 미연에 방지하거나 또는 고장이나 손상이 확대되기전에 신속히 보수 하여 항상 보일러를 정상상태로 유지시키는 것을 유지관리(보전)라 한다.

2. 보일러의 정비

(1) 보일러를 오래 사용하면 내외부에 스켈, 슬러지, 재나 끄으름부착 및 연소 장치 이상, 벽돌파손등 여러 가지문제가 있다. 이런 문제점들을 해결하기 위해서는 정비계획을 수립한 후 1년에 2회 이상 보일러의 운전을 정지시킨 후 내외부를 깨끗이 정비해야한다.

(2) 일반적으로 보일러의 내부정비주기는 스켈이 1~1.5mm 이상 부착되기 전 에, 또는 운전시간이 1,000~2000시간 정도에서, 노통연관식은 3~6개월 마다, 수관식은 3개월마다 완전히 정비해 주어야 한다.

(3) 보일러 정비시의 주의사항(안전관리)

① 작업전에 보일러의 잔압을 완전히 제거하고 충분히 냉각을 시켜야 한다.

② 타보일러와 증기관이 연결이 되어 있을 때는 주증기밸브를 잠근 후 핸들을 떼어 놓거나, 맹판을 삽입하여 증기가 누입되지 않도록 한다.

③ 분출관이 타보일러와 연결이 되어 있을 때는 분출밸브 토출측을 떼어 놓는다.

④ 보일러내는 충분히 환기시킨 후 들어가도록 하고 이때 건전지용 전등을 사용하고, 일반전등을 사용시는 누전이 되지 않는 기구를 사용해야 한다.

⑤ 보일러내에 들어갈 때는 2인1조로 하던가, 한사람은 바깥에서 보일러내의 작업자를 감시하는 것이 바람직하다.

3. 보일러 오버홀(정비) 방법

(1) 오버홀 작업 착수전에 보일러 취급책임자가 내부에 들어가 스케일 및 슬러지의 상태, 급수내관이나 기수분리기등 내부 구성 부속품의 상황이나 동, 드럼, 연관, 스테이같은 각부의 상황을 잘 점검해서 이를 기록하여 정기적인 정비시 참고하도록 한다

(2) 동내부의 비수방지판이나 기수분리기, 급수내관, 안전장치나 수면계 등을 본체에서 분리하여 정비하도록 한다.

(3) 물때만 낀 것은 굳이 화학세관을 하지 않고 고압세정기로 불어낼 수 있으나 스켈부착이 심하고 단단한 것은 기계세관이나 화학세관으로 처리하여야 한다.

(4) 스케일 제거를 쉽게 하려면 보일러를 정비하기 전 2~3일전에 가성소오다와 같은 약제를 투입 보일러를 가동하여 부착된 스케일을 미리 부드럽게 해준다.

(5) 부착된 끄으름은 와이야브러쉬나 스크레퍼등을 사용하여 제거하고, 연도내에 쌓여 있는 그으름과 재 등을 제거한다.

4. 보일러 세관공사

(1) 보일러의 화학세관

① 스케일을 제거하기 위한 화학세정법의 일종으로 염산등 산류와 그 억제제를 혼합한 화학약품을 따뜻하게 데워서 보일러내를 순환시킴으로써 스케일과 화학적인 반응을 일으켜 제거시키는 방법이며 복잡한 구조의 보일러에서 효과적이다.

② 산세정에 사용되는 산으로는 염산(HCl)과 황산(H_2SO_4)이 사용되는데 특히 스케일이 많은 곳은 염산이 널리 사용된다. 이것은 대부분의 스케일은 탄산칼슘($CaCO3$), 탄산마그네슘($MgCO_3$)등 탄산염류에 속하여 염류에 잘 녹기 때문이다.

(2) 화학세정의 장점

① 스케일을 단시간 내에 제거할 수 있어 보일러의 정지시간을 줄일 수 있다.

② 아무리 복잡한 구조의 보일러도 작업이 가능하다.

③ 산에 의한 보일러재의 용해는 거의 없고 있다 해도 미량으로 고려할 필요없다.

④ 스케일제거로 손상된 부위 확인으로 수리 및 조치를 확실히 할 수 있다.

⑤ 산세정후에 보일러 효율이 향상된다.

(3) 화학세정의 단점

① 산세정을 하기 전에 스케일을 샘플링하여 분석이나 시험하는등 예비진단이 필요하다.

② 예비진단결과에 따라 가장 적합한 약액투입 및 작업방법등 철저한 준비와 계획이 필요하다.

③ 산세정의 조합액은 보일러내를 만수로 해서 공간부가 없도록 하고, 산의 증기로 인한 부식되지 않도록 주의가 필요하다.

④ 산세중에는 탄산가스, 수소가스, 불산가스등 유해가스가 발생하므로 화기에 주의하고, 적절히 배출시켜야 한다.

⑤ 산세정후에 폐수처리를 철저히 하여야 한다.

(4) 산세정의 작업순서

① 산세정시에 염산의 농도는 5%~10%, 부식억제제의 농도는 산액량의 0.6%, 세정액의 온도는 60℃~75℃로 하여 보일러내를 순환시키면서 순환액의 농도 측정을 하고 미리 조사해 둔 스케일 용해 시간과 대조하면서 액의 농도저하를 체크하여 스케일 용해를 확인한다.

② 산처리가 정지되면 액의 순환을 중지하고 탱크의 액을 빼낸 후에, 보일러를 청수로 2회가량 만수로 해서 물로 세정한다.

③ 그리고 다시 농도가 1%~1.5%정도의 가성소오다 또는 탄산소오다용액으로 보일러내를 만수한 후 가열하여 보일러내의 잔유산분의 중화 방청처리를한다.

④ 알카리용액은 중화가 끝나면 냉각시켜 배출하고 그 후에 필요에 따라 물세정을 하면 산세정은 끝나며, 일반적으로 산세정시간은 대형보일러의 경우 1-2일 소요된다.

⑤ 산세정시 주의할 사항은 산세정후 취출해 놓은 세정액은 반드시 후처리를 철저히 하여야 하며 이로 인한 환경문제를 유발시켜서는 안된다.

5. 끄으름 제거 작업

(1) 보일러에 부착된 끄으름 제거 주기는 정해진 것은 없으나 일반적으로 유류보일러는 6개월에 1회, 가스보일러는 년1회 해주어야 하며 상황에 따라 주기는 임의로 할 수 있다.

(2) 끄으름이 1mm부착시에 12%의 열손실을 초래하므로 에너지절약과 안전측면에서 제거를 정기적으로 하여야 한다. 끄으름제거방법은 증기나 압축공기이용, 샌드브라스트법, 수세법, 수작업에 의한 방법등이 있다.

(3) 끄으름제거 작업시 주의 사항
① 노내나 연도내를 충분히 환기시킬 것.
② 작업시에는 안전화, 방진마스크등 보호장구를 철저히 해야한다.
③ 관리자는 작업 전에 상황을 점검하고 안전관리에 충분한 교육을 시킨 후에 작업을 하도록 한다.
④ 작업시는 2인 1조가 되어 하도록 하고, 특히 전등사용시는 전등기구가 감전될 요소가 있는지 확인 해야한다.(작업중 감전사례가 있었음)

6. 보일러의 휴지시 보존방법

(1) 보일러는 휴지하고 있는 경우라도 막연하게 휴지시키면 내외면이 부식하거나 벽돌벽이 변질 파손되는 일이 있다. 휴지시 부식이 심해지고 수명을 단축시키는 경우가 있어, 휴지시 보일러를 잘 보존해야한다.

(2) 보일러를 부식시키는 요인은 물과 산소이므로 보일러를 휴지시키고 보존하는 방법에 대하여 기술하면 보일러내에 물이 전혀 없는 상태로 하던지, 아니면 만수상태로 한 후 산소를 전혀 함유하지 않도록 하는 것이다.

(3) 보일러의 휴지 장기보전법
① 정지기간이 2~3개월 이상일 때 사용하는 방법으로, 건조보존과 만수보존이 있으며 건조보존으로는 석회밀폐와 질소봉입의 2가지가 있는데 이중 석회밀폐법을 많이 사용하고, 만수보존은 만수 후 소오다를 넣어 보존하는 방법이다.

② 석회밀폐 보존법 : 보일러 내외부를 깨끗이 정비한 후 외부에서 습기가 스며들지 않게 조치한 후, 노내에 장작불등을 피워 충분히 건조시킨 후 생석회나 실리카켈등을 보일러내에 집어넣는다.

③ 질소가스봉입법 : 질소가스를 보일러내에 주입하여 압력을 60kPa 정도 유지하는 것으로서 효과는 좋으나 작업기법이나 압력유지등 전문적인 기술이 필요하여 일반적으로 이용하지는 않는편이다.

④ 만수보존법 : 보일러내에 물을 만수시킨 후에 소오다등의 약제를 투입하여 일정이상의 농도를 유지시키는 방법으로 때와 장소에 따라 언제라도 사용에 응해야 할 사정이 있는 보일러인 경우에 사용하는 방법이며 동절기에는 동파가 될 수가 있으므로 이 방법을 해서는 안된다.

(4) 보일러의 휴지 단기 보전법

① 휴지기간이 3주에서 1개월이내일 때 실시하는 보존법으로 건조법과 만수법이 있다.

② 건조법 및 만수법은 상기에 기술한 장기보존법과 유사하나 보일러를 깨끗이 정비하지 않은 상태에서 시행한다.

(5) 응급보존법

휴지기간이 길지 않고 언제든지 사용할 수 있도록 준비해 놓은 상태로서 보일러내의 PH를 10.5~11.0정도로 유지시키고, 4~5일마다 보일러를 배수하여 수위를 조절하여 오랫동안 일정수위가 되지 않도록 한다.

01 다음 중 수관식 보일러 특성과 가장 가까운 것은?

① 지름이 큰 동체를 몸체로하여 그 내부에 노통과 연관을 동체 축에 평행하게 설치하고, 노통을 지나온 연소가스가 연관을 통해 연도로 빠져나가도록 되어있는 보일러이다.

② 상부 드럼과 하부 드럼 사이에 작은 구경의 많은 수관을 설치한 구조로 고온 및 고압에 적당하고 발생열량이 크며, 용량에 비하여 크기가 작아 설치면적이 적고 전열면적은 넓어서 효율이 매우 높다.

③ 드럼없이 수관만으로 설계한 강제순환식 보일러로 급수가 공급될 때 수관의 예열부 → 증발부 → 과열부를 순차적으로 통과하면서 증기가 발생하게 된다.

④ 보일러 내부가 진공상태로 유지되면서 화염으로부터 열을 받아 온수를 가열해 주는 열매체로 물을 사용하며 정상적인 상태에서는 열매의 손실은 없다.

> ① 노통연관 보일러
> ③ 관류보일러
> ④ 진공식 온수 보일러

02 고압가스 안전관리법에 의한 냉동기 관리에 대한 설명 중 가장 거리가 먼것?

① 냉동설비의 안전성 및 작동성을 확보하기 위해 안전밸브 또는 방출밸브에 설치된 스톱밸브는 완전히 닫혀 있어야 한다.

② 냉동설비 설치공사가 완공된 때에는 산소외의 가스를 사용하여 시운전 또는 기밀시험을 실시한다.

③ 가연성가스 또는 독성가스의 냉매 설비를 수리 · 청소 철거하는 때에는 작업안전수칙에 따라 실시한다.

④ 독성가스 설비 수리 · 청소시에는 내부가스를 그압력이 대기압이 될 때까지 다른 저장탱크에 회수한 후 잔류가스를 제해시킨다.

> 안전배브 또는 방출배브의 스톱밸브는 완전히 열어 놓는다.

03 기계설비법에서 이정규모 이상의 건축물은 관리주체가 유지관리 기준을 작성하고 그 기준을 준수하여야 한다. 이 때 관리주체로 가장 알맞는 자는 누구인가?

① 공조냉동기계산업기사 자격 취득자
② 기계설비 유지 관리자
③ 기계설비의 소유자 또는 관리자
④ 기계설비 설계 또는 시공자

> 기계설비법에서 관리 주체란 기계설비 소유자 또는 관리자를 말한다.

04 다음 중 보일러 부속품으로 가장 거리가 먼것은?

① 압력계　　　　② 수면계
③ 고저수위경보장치　④ 차압계

> 차압계는 공조기에서 필터 오염에 따른 차압을 측정하여 필터 교체(세정) 시기를 알 수 있는 계기이다.

05 다음 중 보일러 시운전시 점화전 점검사항으로 가장 거리가 먼 것은?

① 보일러 수주통, 수위감지부, 수면계의 하부드레인 밸브를 통하여 물을 반복 배출하면서 수위가 정상으로 복귀하는지 확인한다.

② 공동연도인 경우 가동하지 않는 타 보일러의 배기가스 댐퍼가 열려있는지 확인한다.

③ 증기헤더 주증기 밸브에서 송기가 필요하지 않은 증기헤더의 분기 배관의 밸브가 닫혀있는지 확인한다.

> 정답　01 ②　02 ①　03 ③　04 ④　05 ②

④ 압력계, 압력제한기에 부착된 차단밸브등 부속설비의 상태를 확인한다.

> 공동연도인 경우 가동하지 않는 타 보일러의 배기가스 댐퍼가 닫여있는지 확인한다.

> 증기공급 존을 확인하여 증기헤더의 필요한 증기밸브를 서서히 열고 사용하지 않는 밸브는 잠겨 있는지 확인한다.

06 다음 중 보일러 시운전시 보일러 점화 시 점검사항과 작동 순서에서 가장 거리가 먼 것은?

① 보일러 연소실내 미연소 가스를 송풍기를 통하여 충분히 배출한 후 점화한다.
② 시퀀스 컨트롤에 따라 프리퍼지(미연가스 배출) → 파이롯트 버너점화(점화용 버너점화) → 주연료분사, 주버너 점화의 순으로 진행한다.
③ 소화 후에는 포스트 퍼지(소화 후 미연가스 배출)가 이루어지지만 1차 점화에 실패하면 그 원인을 찾아 보완한 후 재차 점화를 시행하며 2차 점화에도 실패하면 전문업체에 정비를 의뢰하여야 한다.
④ 점화가 안될 경우 반복적인 점화 시도로 점화가 될 때까지 계속 조작한다.

> 점화가 안될 경우 반복적인 점화 시도는 가스 폭발의 원인이 되므로 주의하여야 하며 점화가 안되는 원인을 보완한후 재차 점화를 시행한다.

07 다음 중 시운전시 보일러 점화 후 점검사항에서 가장 거리가 먼 것은?

① 보일러수가 일정수량 이상 드레인 되면 수위감지장치(전극봉, 맥도널, 정전용량센서)의 수위 감지로 급수펌프의 작동 여부를 확인한다.
② 안전밸브는 간이테스트를 실시하여 정상작동 여부를 확인한다.
③ 보일러 점화 후 설정된 고압에서 압력차단장치 작동으로 자동으로 소화되고, 저압에서 점화되는지 확인한다.
④ 증기헤더의 모든 증기밸브가 완전히 개방되어 있는지 확인한다.

08 보일러 정비시의 주의사항(안전관리)으로 가장 거리가 먼 것은?

① 작업전에 보일러의 잔압을 완전히 제거하고 충분히 냉각을 시켜야 한다.
② 타보일러와 증기관이 연결이 되어 있을 때는 주증기 발브를 잠근 후 핸들을 떼어 놓거나, 맹판을 삽입하여 증기가 누입되지 않도록 한다.
③ 분출관이 타보일러와 연결이 되어 있을 때는 분출밸브 토출측을 떼어놓는다.
④ 보일러내에 들어갈 때는 충돌 방지를 위하여 1인 씩만 작업하는 것이 바람직하다.

> 안전을 위하여 보일러내에 들어갈 때는 2인1조로 하던가, 한 사람은 바깥에서 보일러내의 작업자를 감시하는 것이 바람직하다.

09 보일러 세관공사에서 화학세정에 대한 설명으로 가장 거리가 먼 것은?

① 화학세정은 스케일을 단시간 내에 제거할 수 있어 보일러의 정지시간을 줄일 수 있다.
② 화학세정은 아무리 복잡한 구조의 보일러도 작업이 가능하다.
③ 산세중에는 유해가스가 발생하지 않아 안전하고 배출설비도 불필요하다.
④ 산세정후에 보일러 효율이 향상된다.

> 세중에는 탄산가스, 수소가스, 불산가스등 유해가스가 발생하므로 화기에 주의하고, 적절히 배출시켜야 한다.

10 보일러의 장기보전법에 대한 설명으로 가장 부적합한 것은?

① 정지기간이 2~3개월 이상일 때 사용하는 방법으로, 만수보존은 만수 후 소오다를 넣어 보존하는 방법이다.

② 석회밀폐 보존법은 보일러 내외부를 깨끗이 정비한 후 외부에서 습기가 스며들지 않게 조치한 후, 노내에 장작불등을 피워 충분히 건조시킨 후 생석회나 실리카켈등을 보일러내에 집어넣는다.

③ 질소가스봉입법 : 질소가스를 보일러내에 주입하여 압력을 60kPa 정도 유지하는 것으로서 효과가 좋고 간단하여 일반적으로 이용한다.

④ 만수보존법은 동절기에는 동파가 될 수가 있으므로 겨울철에는 이 방법을 해서는 안된다.

> 질소가스봉입법은 질소가스를 보일러내에 주입하여 압력을 60kPa 정도 유지하는 것으로서 효과는 좋으나 작업기법이나 압력유지등 전문적인 기술이 필요하여 일반적으로 이용하지는 않는 편이다.

공조냉동기계산업기사

02

Industrial Engineer Air-Conditioning and Refrigerating Machinery

냉동냉장 설비

제1장
냉동이론
(Principles of Refrigeration)

냉동의 기초와 원리

1 단위 및 용어
2 냉동의 원리

1 단위 및 용어

1. 힘의 단위

SI단위에서는 kg은 질량의 단위이고 힘 또는 중량을 나타내는 단위는
N(Newton)이 사용된다.

$$\boxed{\text{힘} = \text{질량} \times \text{가속도}}$$

$1\,\mathrm{N} = 1\,\mathrm{kg} \times 1\,\mathrm{m/s^2}$

$1\,\mathrm{kgf} = 1\,\mathrm{kg} \times 9.8\,\mathrm{m/s^2}$

$(1\,\mathrm{kgf} = 9.8\,\mathrm{N})$

2. 에너지의 단위

SI단위에서는 에너지인 일과 열의 단위를 모두 J를 사용한다.

$$\boxed{\text{일} = \text{힘} \times \text{거리}}$$

$1\,\mathrm{J} = 1\,\mathrm{N} \times 1\,\mathrm{m}$

$1\,\mathrm{kgf \cdot m} = 1\,\mathrm{kgf} \times 1\,\mathrm{m} \quad (\therefore\ 1\,\mathrm{kgf \cdot m} = 9.8\,\mathrm{J})$

표. 에너지의 단위환산율

	kgf·m	kcal	J
1 kgf·m	1	0.002342	9.80665
1 kcal	426.935	1	4186.8
1 J	0.101972	0.00239	1

3. 동력의 단위

동력은 단위 시간당 일량을 말하는 것으로 일률이라고도 한다.

$$\boxed{\text{동력} = \text{일}/\text{시간}}$$

$1\,\mathrm{kW} = 1\,\mathrm{kJ/s} = 1000\,\mathrm{W} = 1000\,\mathrm{J/s} = 102\,\mathrm{kgf \cdot m/s}$

$1\,\mathrm{kWh} = 3600\,\mathrm{kW \cdot s} = 3600\,\mathrm{kJ}$

$1\,\mathrm{W} = 1\,\mathrm{J/s}$

> 열관류에 관한 단위
> 열류의 단위는 W 로
> 열관류(열전달)
> 단위는 $\mathrm{W/m^2K}$이다.
> 열류밀도는 단위면적당의 열류로
> 단위는 $\mathrm{W/m^2}$이다.
> $1\,\mathrm{kW} = 1\,\mathrm{kJ/s}$
> $\qquad = 3600\,\mathrm{kJ/s}$
> $1\,\mathrm{W} = 3600\,\mathrm{J/h}$
> $\qquad = 3.6\,\mathrm{kJ/h}$

4. 물리량

(1) 밀도(ρ)

단위체적당 질량으로 정의

밀도(ρ)＝질량/체적$[\mathrm{kg/m^3}]$

(2) 비체적(v)

단위질량당 체적으로 정의

비체적(v)＝체적/질량$[\mathrm{m^3/kg}]=\dfrac{1}{\rho}$

(3) 비중량(γ)

단위체적당 중량으로 정의

비중량(γ)＝중량/체적$[\mathrm{N/m^3}]=\rho g$

여기서 g는 중력가속도($9.8\mathrm{m/s^2}$)

(4) 비중(S)

대기압 하에서 어떤 물질의 밀도(또는 비중량)와 4℃물의 밀도(또는 비중량)와의 비로 정의

$$s=\frac{\rho}{\rho_w}=\frac{\gamma}{\gamma_w}$$

여기서, ρ_w＝물의 밀도($1000\mathrm{kg/m^3}$)

γ_w＝물의 비중량($9800\mathrm{N/m^3}$)

(5) 비열(C)

물질 1kg을 1K(℃)변화시키는 데 필요한 열량

단위 : $[\mathrm{kJ/kg \cdot K}]$

기체경우의 비열

• 정압비열(C_P) : 압력을 일정하게 유지하고 가열할 때의 비열.

• 정적비열(C_v) : 체적을 일정하게 유지하고 가열할 때의 비열.

• 비열비 $k=C_P/C_v$, $C_P-C_v=R$, $C_P>C_v$, $k>1$

(6) 열용량

물체의 온도를 1K 변화 시키는데 필요한 열량$[\mathrm{kJ/K}]$

열용량＝비열×질량

(7) 절대온도

섭씨 -273.15℃을 절대 0도(0K)로 하여 나타낸 온도.

절대온도$[\mathrm{K}]$＝섭씨온도$[℃]+273.15$

(8) 절대압력

완전진공을 기준으로 측정한 압력

압력은 (국지)대기압과의 차로서 압력을 표시하는데 대기압을 기준으로 대기
압보다 높은 압력은 게이지압력, 대기압보다 낮은 압력을 진공압이라 한다.

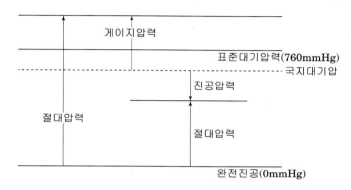

절대압력[MPa]＝게이지압력[MPa]＋대기압[0.1MPa]

절대압력[MPa]＝대기압[MPa]－진공압[MPa]

게이지압력[MPa]＝절대압력[MPa]－대기압[0.1MPa]

$$진공도[\%] = \frac{진공압}{대기압} \times 100$$

---

01 예제문제

냉동기의 저압측 연성계가 10cmHgV를 가리키고 있다. 절대압력(MPa)은 얼마인가?
(단, 대기압은 750mmHg이다.)

해설

절대압력＝대기압－진공압

$$= 750 - 100 = 650\,\mathrm{mmHg(abs)} = 0.101325 \times \frac{650}{760} = 0.087\,[\mathrm{MPa}]$$

※ 위 대기압 750mmHg는 냉동기가 설치된 곳의 국지대기압을 말하며 표준대기압은
   760mmHg(0.101325MPa)이다.

답 0.087[Mpa]

---

(9) 물질의 3태

모든 물질은 3개의 상(고체, 액체, 기체)으로 존재한다.

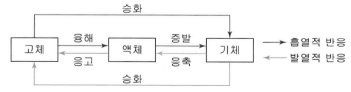

(10) 현열, 잠열

① 현열(q_s)

물질의 상태변화 없이 온도변화에 이용되는 열량

$$q_s = m \cdot c \cdot \Delta t$$

② 잠열(q_L)

물질의 온도변화 없이 상태변화에 이용되는 열량

$$q_L = m \cdot r$$

여기서, c : 비열[kJ/kg·K]

m : 질량[kg]

Δt : 온도차[℃]

r : 잠열[kJ/kg]

③ 전열량(q_t) $= q_s + q_L$

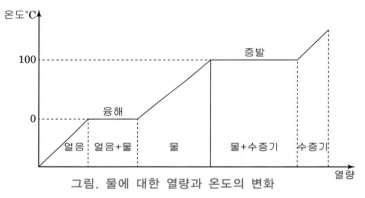

그림. 물에 대한 열량과 온도의 변화

(11) 냉동톤(RT : Refrigeration ton)

① 미터제(한국) 냉동톤 RT

냉동톤이란 표준대기압 하에서 0℃의 순수 1톤(ton)을 24시간에 0℃의 얼음으로 만들 때 제거해야 할 이론적인 열량

$1RT = \dfrac{1000 \times 333.6}{24}$ (물응고 잠열 : 333.6 kJ/kg)

$= 13900[\text{kJ/h}]$

$= \dfrac{13900}{3600}[\text{kJ/s}]$

$\fallingdotseq 3.86[\text{kW}]$

② US RT(미국RT)

표준대기압 하에서 24시간에 32℉의 순수 1톤(2000lb)을 32℉의 얼음으로 만들 때 제거해야 할 이론적인 열량

$$US\ RT = 12660[\text{kJ/h}]$$
$$\doteqdot 3.52[\text{kW}]$$
$$1\text{BTU} = 1.055\text{kJ}$$

③ 제빙톤

24시간 동안에 25℃ 원료수 1ton을 −9℃의 얼음으로 만드는데 제거해야 할 열량을 1 제빙톤이라 한다. (단, 제조 과정에서의 열손실 20%를 가산한다.)

• 25℃의 물 1ton을 0℃ 물로 만드는데 제거할 열량

$$Q_1 = CG\Delta T = 4.18 \times 1000 \times 25 = 104500\text{kJ/24h}$$

• 0℃의 물 1톤을 0℃ 얼음으로 만드는데 제거할 열량

$$Q_2 = G \cdot r = 1000 \times 333.6 = 333600\text{kJ/24h}$$

• 0℃의 얼음 1톤을 −9℃ 얼음으로 만드는데 제거할 열량

$$Q_1 = CG\Delta T = 2.04 \times 1000 \times \{0 - (-9)\} = 18360\text{kJ/24h}$$

$$제빙톤 = Q_1 + Q_2 + Q_3$$
$$= 104500 + 333600 + 18360$$
$$= 456460\text{kJ/24h}$$

$$제빙톤 = \frac{456460}{24 \times 3600} \times 1.2 \doteqdot 6.34[\text{kW}]$$

물의 비열 : 4.18kJ/kg·K

얼음의 비열 : 2.04kJ/kg·K

0℃ 물의 응고잠열 : 333.6kJ/kg·K

---

02 예제문제

15℃의 물을 0℃의 얼음으로 매시 50kg 만드는 냉동기의 냉동능력은 몇 냉동톤인가? (단, 물의 비열 : 4.2 kJ/kg · K, 물의 응고열(0℃) : 333.5 kJ/kg, 1 RT = 3.86kW이다.)

해설

$$Q = 50 \times (4.2 \times 15 + 333.5)/3600 = 5.5069[\text{kW}]$$

$$냉동기의 능력 = \frac{5.5069}{3.86} = 1.43냉동톤$$

답 1.43냉동톤

2 냉동의 원리

냉동이라 함은 어느 특정 공간 또는 물체로부터 열을 흡수하여 그 온도를 현재의 온도보다 낮게 하고 그 낮게 한 온도를 계속 유지시켜 나가는 기술을 말한다. 즉, 물체의 열의 결핍(缺乏)을 냉동(冷凍)이라 한다.

1. 냉동의 방법

(1) 자연적인 방법

① 얼음의 융해 잠열을 이용하는 방법
② 승화열을 이용하는 방법
③ 증발열을 이용하는 방법
④ 기한제(期限劑)를 이용하는 방법

기한제란 결합력이 강한 두 종류 이상의 물질을 혼합하여 0℃ 이하의 저온을 얻을 수 있는 혼합물질로 한제(寒劑)라고도 한다. 이것은 두 물질을 혼합하였을 때 결합력이 신속하여 주위로부터 잠열을 흡수할 시간적 여유가 없어 자기 자신으로부터 열을 취하여 그 물질 자체의 온도가 저하하는 것이다.

자연적인 냉동법의 특징
㉠ 초기 설치비용이 적게 든다.
㉡ 취급이 용이하다.
㉢ 연속적인 냉동효과를 얻을 수 없다.
㉣ 온도 조절이 어렵다.

표. 기한제

기한제	혼합비율	강하온도(℃)
얼음 (눈) : 소금	2 : 1	−20
얼음 (눈) : 희염산	8 : 5	−32
얼음 (눈) : $CaCl_2$	4 : 5	−40
얼음 (눈) : KCO_3	3 : 4	−45

(2) 기계적인 냉동법

냉동기를 그 구동에너지로 구분하면 다음과 같다.

- 기계적 에너지를 이용하는 것 – 왕복동식, 회전식, 원심식, 스크루식 등
- 열에너지를 이용하는 것 – 흡수식, 흡착식
- 전기에너지를 이용하는 것 – 전자냉동

① 증기압축 냉동기

증기 압축 냉동기(vapor compression refrigeration machine)는 물질의 잠열을 이용한 것으로 낮은 압력 하에서 용이하게 증발하여 가스(Gas)가 될 수 있는 증발하기 쉬운 액체를 이용하여 증발과 액화를 반복시킴으로서 냉동 목적을 달성시킨다. 증기압축 냉동기는 압축기, 응축기, 팽창밸브, 증발기로 구성되어 있다.

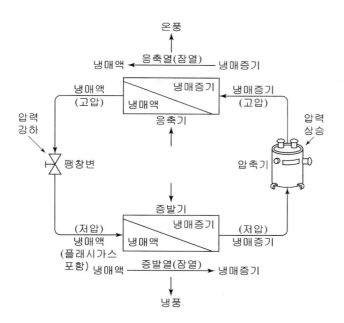

ㄱ 압축기 (Compressor) : 증발기에서 증발한 저온 저압의 냉매 증기를 동력을 가하여 압축하여 응축하기 쉽도록 고온, 고압의 가스로 하는 기계를 압축기라고 한다.

ㄴ 응축기(Condenser) : 압축기에서 배출한 고온, 고압의 가스를 외부에서 물이나 공기를 가하여 냉각하며 응축시키는 장치이다.

ㄷ 팽창밸브(Expansion valve) : 응축기 또는 수액기(receiver)에서 오는 고온 고압의 액화 냉매를 증발기에서 피 냉동 물체에서 쉽게 열을 흡수하도록 좁은 통로를 통과시켜(교축작용) 저압의 상태로 해주는 밸브이다. 이 밸브를 통한 냉매는 저온, 저압의 습증기가 된다.

ㄹ 증발기(Evaporator) : 팽창밸브를 나온 저온, 저압의 냉매액이 주위로부터 열에너지를 흡수하여 주위 물질을 냉각하여 냉동작용을 행한다.

② 흡수식 냉동기(Absorption refrigeration machine)
증기 압축 냉동기와 같이 냉매 가스를 압축할 때 기계적인 압축기가 필요 없는 방식으로 이 방법은 서로 친화력을 가지는 두 물체의 용해 및 유리작용을 이용한 화학적 방법이다.

표. 흡수식 냉동장치의 5대 구성요소와 증기 압축 냉동기와의 비교

흡수식	증기 압축식
흡수기 발생기(재생기)	압축기
응축기	응축기
팽창변	팽창변
증발기	증발기

표. 냉매와 흡수제

냉매	흡수제
물(H_2O)	LiBr
물(H_2O)	LiCl
암모니아(NH_3)	물(H_2O)

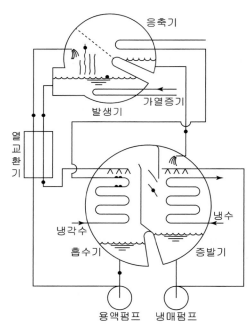

그림. 단효용 흡수식 냉동기

③ 증기 분사 냉동기(steam jet refrigeration machine)

증기 압축 냉동기의 압축기나 대규모의 진공 펌프 대신 그림의 이젝터
(Ejector)와 같이 노즐(Nozzle)을 쓰고 이 노즐을 통하여 증기를 고속으
로 분사시키면 분류에 의하여 주위의 가스를 빨아들여서 진공이 된다.
이때 증발기 내의 물(냉매)은 저압 하에서 증발됨으로써 그 증발잠열로
물(냉매액) 자신을 냉각하여 냉동작용을 한다.

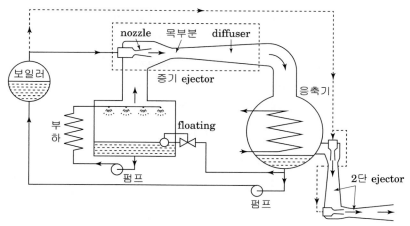

그림. 증기 분사식 냉동기

④ 공기 사이클 냉동기(Air cycle refrigeration machine)

　공기압축 냉동기는 공기를 냉매로 하여 역(逆) 줄(Joule)(또는 역(逆) 브레이튼) 사이클로서 작동하는 냉동기로 한 번 사용한 공기를 다시 사용하지 않는 개방식과 같은 공기를 반복해서 사용하는 밀폐식이 있다.

　이 장치는 공기를 단열 압축시키면 온도는 상승되고 이 압축 공기를 팽창시키면 공기 자신의 온도가 강하한다. 이 냉각된 공기를 이용하여 직접 또는 간접으로 냉동효과를 얻는다.

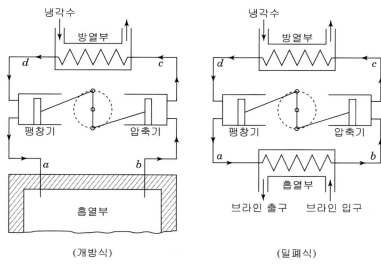

그림. 공기압축식 냉동기

⑤ 열전 냉동기(Thermoelectric refrigeration machine)

종류가 다른 2개의 금속을 서로 접합시켜 주 접점에서 온도차를 두면 이에 비례하여 직류 전류가 발생한다. 이런 현상을 열전효과라 한다.

이와 반대로 전류를 통하면 양 접점에 온도차가 생겨 열의 흡수 또는 발생이 일어나는데 이것을 펠티에 효과(Peltier effect)라 한다. 이 효과를 이용한 것이 열전 냉동기이다.

표. 열전 냉동기와 증기압축 냉동기의 비교

증기 압축 냉동기	열전 냉동기
압축기	발전기
응축기	고온 접합부
팽창변	저온 접합부
증발기	저온 흡열부
냉매 (NH_3 플루오르카본냉매 등)	전류(전자)
냉매 배관	도선

그림은 열전냉동기의 계통도로서 N에서 P로 전류가 흐르는 접합부에서 열을 흡수하고 P에서 N으로 흐르는 접합부에서 발열한다. 열전쌍의 소자(Element)로서는 전류가 잘 흐르고 열전도가 나쁜 반도체인 비스무스 텔구르, 안티몬 텔구르, 비스무스 텔구르 셀렌 등이 사용된다.

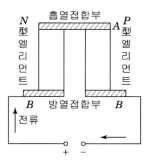

그림. 열전냉동기의 원리

종합예상문제

[08년 1회]

01 다음 압력 중 크기가 다른 것은?

① 9806.65 Pa
② 0.1 kgf/㎠
③ 1.42233 Lbf/in²
④ 0.96784 atm

> 1atm = 760mmHg=1.0332kgf/cm²
>   =14.6955Lbf/in² = 10.332mAq = 101325Pa
> 1 at = 735.5mmHg = 1kgf/cm²
>   =14.2233Lbf/in²=10mAq=98066.5Pa
> ∴ 0.1 kgf/cm² = 0.096784 atm

[11년 3회]

02 냉동장치의 고압 측 게이지압력이 1.23MPa을 가리키고 있다. 이때 절대압력 [MPa]은 얼마인가? (단, 대기압은 0.1MPa이다.)

① 0.12
② 0.75
③ 1.02
④ 1.33

> **절대압력**
> 절대압력 = 대기압 + 게이지압력 = 1.23+0.1 = 1.33

[12년 1회]

03 진공압력 200mmHg를 절대압력으로 환산하면 약 얼마인가? (단, 대기압은 101.3kPa이다.)

① 52kPa
② 74.6kPa
③ 84.2kPa
④ 94.8kPa

> **절대압력**
> 절대압력 = 대기압 − 진공압력 = $101.3 - 101.3 \times \frac{200}{760}$
> ≒ 74.6

[13년 1회]

04 주위압력이 750mmHg인 냉동기의 저압 gauge가 100mmHgv를 나타내었다. 절대압력은 약 몇 kPa인가?

① 55.2
② 73
③ 86.6
④ 96.4

> **절대압력**
> 절대압력 = 대기압 − 진공압력 = 750 − 100 = 650mmHg
> 단위환산하면 $101.3 \times \frac{650}{760}$ ≒ 86.6kPa

[13년 2회]

05 깊이 5m인 밀폐 탱크에 물이 5m 차 있다. 수면에는 0.3MPa의 증기압이 작용하고 있을 때 탱크밑면에 작용하는 압력 [kPa]은 얼마인가? (단, 물의 비중량은 9.8kN/m³이다)

① 149
② 249
③ 349
④ 449

> 탱크밑면에 작용하는 압력 = 증기압 + 액주의 압력
>   = $0.3 \times 10^3 + 9.8 \times 5 = 349[kPa]$

[14년 2회]

06 감열(sensible heat)에 대해 설명한 것으로 옳은 것은?

① 물질이 상태 변화 없이 온도가 변화할 때 필요한 열
② 물질이 상태, 압력, 온도 모두 변화할 때 필요한 열
③ 물질이 압력은 변화하고 상태가 변하지 않을 때 필요한 열
④ 물질이 온도만 변하고 압력이 변화하지 않을 때 필요한 열

> 감열(sensible heat) : 물질이 상태 변화 없이 온도가 변화할 때 필요한 열
> 잠열(Latent heat) : 물질이 온도 변화 없이 상태가 변화할 때 필요한 열

정답 01 ④ 02 ④ 03 ② 04 ③ 05 ③ 06 ①

[15년 2회]

07 열에 대한 설명으로 옳은 것은?

① 온도는 변화하지 않고 물질의 상태를 변화시키는 열은 잠열이다.

② 냉동에는 주로 이용되는 것은 현열이다.

③ 잠열은 온도계로 측정할 수 있다.

④ 고체를 기체로 직접 변화시키는데 필요한 승화열은 감열이다.

> ② 냉동에는 주로 이용되는 것은 냉매의 상태변화에 따른 잠열이다.
> ③ 잠열(Latent heat)은 물질이 온도 변화 없이 상태가 변화할 때 필요한 열이므로 온도계로 측정할 수 없다.
> ④ 고체를 기체로 직접 변화시키는데 필요한 승화열은 잠열이다.

[09년 2회]

08 0℃의 얼음 1kg을 100℃의 수증기로 바꾸는데 필요한 열은 약 얼마인가?
(단, 0℃의 얼음의 융해잠열 : 333.6kJ/kg, 물의 비열 4.2kJ/kg·K, 100℃ 물의 증발잠열 : 2256kJ/kg)

① 820kJ ② 2540kJ

③ 3010kJ ④ 3510kJ

> (1) 0℃ 얼음 1kg을 0℃의 물로 만드는 데 필요한 열량
> $q_L = m \cdot r = 1 \times 333.6 = 333.6$ [kJ]
> (2) 0℃ 물 1kg을 100℃의 물(포화수)로 만드는 데 필요한 열량
> $q_s = m \cdot c \cdot \triangle t = 1 \times 4.2 \times (100 - 0) = 420$ [kJ]
> (3) 100℃ 물 1kg을 100℃의 증기로 만드는 데 필요한 열량
> $q_L = m \cdot r = 1 \times 2256 = 2256$ [kJ]
> ∴ 0℃ 얼음 1kg을 100℃의 증기로 만드는 데 필요한 열량 q는
> $q = 333.6 + 420 + 2256 ≒ 3010$ [kJ]

[16년 2회]

09 -10℃의 얼음 10kg을 100℃의 증기로 변화하는데 필요한 전열량은? (단, 얼음의 비열은 2.1kJ/kg·K이고 융해잠열은 333.6kJ/kg, 물의 증발잠열은 2256kJ/kg이다.)

① 18500kJ ② 25450kJ

③ 30306kJ ④ 35306kJ

> (1) -10℃ 얼음 10kg을 0℃의 얼음으로 만드는 데 필요한 열량
> $q_s = mc\triangle t = 10 \times 2.1 \times \{0 - (-10)\} = 210$ [KJ]
> (2) 0℃ 얼음 10kg을 0℃의 물로 만드는 데 필요한 열량
> $q_L = mr = 10 \times 333.6 = 3336$ [KJ]
> (3) 0℃ 물 10kg을 100℃의 물(포화수)로 만드는 데 필요한 열량
> $q_s = mc\triangle t = 10 \times 4.2 \times (100 - 0) = 4200$ [KJ]
> (4) 100℃ 물 10kg을 100℃의 증기로 만드는 데 필요한 열량
> $q_L = mr = 10 \times 2256 = 22560$ [KJ]
> ∴ -15℃ 얼음 10g을 100℃의 증기로 만드는 데 필요한 열량 q는
> $g_L = 210 + 3336 + 4200 + 22560 = 30306$ [KJ]

[12년 1회]

10 20℃의 물 1kg을 냉각하여 -9℃의 얼음으로 만들고자 할 때 제빙에 필요한 냉동능력을 구하고자 한다. 이때 필요한 값이 아닌 것은?

① 얼음의 비체적 ② 물의 비열

③ 물의 응고잠열 ④ 얼음의 비열

> (1) 20℃의 물 1kg을 냉각하여 0℃의 물로 만들고자 할 때 제거해야할 열량(현열량)
> (2) 0℃ 물 1kg을 0℃의 얼음으로 만드는데 제거해야할 열량(잠열량)
> (3) 0℃의 얼음 1kg을 냉각하여 -9℃의 얼음으로 만들고자 할 때 제거해야할 열량(현열량)
> ∴ 현열량 = 비열(물 또는 얼음)×질량×온도차
> 잠열량 = 질량×잠열(응고)

[12년 2회]

11 20℃의 물 1ton이 들어있는 용기에 100℃ 건조포화증기(엔탈피 2676kJ/kg)를 혼합시켜 60℃의 물을 만들려면 약 몇 kg이 필요한가? (단, 용기의 전열량은 무시한다.)

① 337kg ② 49kg

③ 59kg ④ 69kg

> 증기x(kg)이 잃은 열량 = 물이 1ton이 얻은 열량
> $x(2676 - 4.2 \times 60) = 1000 \times 4.2 \times (60 - 20)$
> $x = \dfrac{1000 \times 4.2 \times (60 - 20)}{2676 - 4.2 \times 60} ≒ 69$

정답 07 ① 08 ③ 09 ③ 10 ① 11 ④

[13년 1회]

12 액체 냉매를 가열하면 증기가 되고 더 가열하면 과열 증기가 된다. 단위열량을 공급할 때 온도상승이 가장 큰 것은?

① 과냉액체   ② 습증기

③ 과열증기   ④ 포화증기

> 액체를 가열하여 과열증기를 만들 경우 단위열량을 공급할 때 온도상승을 살펴보면
> ㉠ 과냉액체를 포화액으로 변화시키는 데 필요한 열량(현열량)
> ㉡ 포화액을 건조포화증기로 변화시키는 데 필요한 열량 (잠열량=온도불변)
> ㉢ 건조포화증기를 과열증기로 변화시키는 데 필요한 열량 (현열량)
> 여기서, ㉡의 경우는 온도변화가 없으므로 ㉠, ㉢의 경우를 비교하면 동일한 물질의 경우 액체보다 기체의 비열이 적으므로 같은 열량을 공급할 경우 증기의 경우가 온도상승이 가장 크다.

[13년 3회]

13 다음 냉동 관련 용어의 설명 중 잘못된 것은?

① 제빙톤 : 25℃의 원수 1톤을 24시간 동안에 −9℃의 얼음으로 만드는데 제거할 열량을 냉동능력으로 표시한다.

② 동결점 : 물질 내에 존재하는 수분이 열기 시작하는 온도를 말한다.

③ 냉동톤 : 0℃의 물 1톤을 24시간 동안에 −10℃의 얼음으로 만드는데 필요한 냉동능력으로 1RT=2.86kW 이다.

④ 결빙시간 : 얼음을 얼리는데 소요되는 시간은 얼음두께의 제곱에 비례하고, 브라인의 온도에는 반비례한다.

> **냉동톤(RT)**
> (1) 표준(한국, 일본) 냉동톤 : 0℃의 물 1톤을 24시간 동안에 0℃의 얼음으로 만드는 데 필요한 냉동능력으로 1RT=3.86kW이다.
> (2) 미국 냉동톤(US RT) : 32℉의 물 2000Lb를 24시간 동안에 32℉의 얼음으로 만드는 데 필요한 냉동능력으로 1USRT=3.52kW이다.

[14년 2회]

14 1냉동톤을 바르게 설명한 것은?

① 1시간에 8℃의 물 1톤을 냉동하여 0℃의 얼음으로 만들 때의 열량

② 1일에 4℃의 물 1톤을 냉동하여 0℃의 얼음으로 만들 때의 열량

③ 1시간에 4℃의 물 1톤을 냉동하여 0℃의 얼음으로 만들 때의 열량

④ 1일에 0℃의 물 1톤을 냉동하여 0℃의 얼음으로 만들 때의 열량

> **냉동톤(RT)**
> (1) 표준(한국, 일본) 냉동톤 : 0℃의 물 1톤을 24시간 동안에 0℃의 얼음으로 만드는 데 필요한 냉동능력으로 1RT=3.86kW이다.
> (2) 미국 냉동톤(US RT) : 32℉의 물 2000Lb를 24시간 동안에 32℉의 얼음으로 만드는 데 필요한 냉동능력으로 1USRT=3.52kW이다.

[11년 1회]

15 다음 중 냉동 관련 용어 설명 중 잘못된 것은?

① 제빙톤 : 25℃의 원수 1톤을 24시간 동안에 −9℃의 얼음으로 만드는 데 제거할 열량을 냉동능력으로 표시한다.

② 호칭냉동능력 : 고압가스안전관리법에 규정된 냉동능력으로 환산한 능력이 100RT 이상은 허가 후 제조, 설치, 가동을 해야 한다.

③ 냉동톤 : 0℃의 물 1톤을 24시간 동안에 0℃의 얼음으로 만드는 데 필요한 냉동능력으로 1RT=3.86kW이다.

④ 결빙시간 : 얼음을 얼리는 데 소요되는 시간은 얼음 두께의 제곱에 비례하고, 브라인의 온도에는 반비례한다.

> **호칭냉동능력(용어설명)**
> 고압가스안전관리법에 규정된 냉동 능력으로 환산한 1일 냉동능력이 20톤 이상(가연성가스 또는 독성가스 외의 고압가스를 냉매로 사용하는 것으로서 산업용 및 냉동·냉장용인 경우에는 50톤 이상, 건축물의 냉·난방용인 경우에는 100톤 이상)은 허가 후 제조, 설치, 가동을 해야 한다.

[15년2회]

16 4마력(PS)기관이 1분간에 하는 일의 열당량은?

① 약 0.42kJ　　　　② 약 3.26kJ

③ 약 32.64kJ　　　　④ 약 176.4kJ

> 1PS = 0.735kW　∴ 4×0.735×60=176.4kJ/min

[16년 2회]

17 저온유체 중에서 1기압에서 가장 낮은 비등점을 갖는 유체는 어느 것인가?

① 아르곤　　　　② 질소

③ 헬륨　　　　④ 네온

> 초저온 물질의 비등점
> ① 아르곤 : −185.86℃　　② 질소 : −195.82℃
> ③ 헬륨 : −268.8℃　　④ 네온 : −246.08℃

[16년 2회]

18 다음 열 및 열펌프에 관한 설명으로 옳은 것은?

① 일의 열당량은 $\dfrac{1kcal}{427kg \cdot m}$ 이다. 이것은 427kg · m 의 일이 열로 변할 때, 1kcal의 열량이 되는 것이다.

② 응축온도가 일정하고 증발온도가 내려가면 일반적으로 토출 가스온도가 높아지기 때문에 열펌프의 능력이 상승된다.

③ 비열 0.5kJ/kg · ℃, 비중량 1.2kg/L의 액체 2L를 온도 1℃ 상승시키기 위해서는 2kJ의 열량을 필요로 한다.

④ 냉매에 대해서 열의 출입이 없는 과1.36×정을 등온 압축이라 한다.

> ② 응축온도가 일정하고 증발온도가 내려가면 압축기의 소요 동력이 커지기 때문에 열펌프의 능력은 감소한다.
> ③ 열량 $q = mc\Delta t = 1.2 \times 2 \times 0.5 \times 1 = 2.4kJ$의 열량이 필요하다.
> ④ 냉매에 대해서 열의 출입이 없는 과정을 단열압축 및 단열팽창과정이다.

[16년 3회]

19 비열에 관한 설명으로 옳은 것은?

① 비열이 큰 물질일수록 빨리 식거나 빨리 더워진다.

② 비열의 단위는 kJ/kg이다.

③ 비열이란 어떤 물질 1kg을 1℃ 높이는 데 필요한 열량을 말한다.

④ 비열비는 $\dfrac{정압비열}{정적비열}$ 로 표시되며 그 값은 R-22가 암모니아 가스보다 크다.

> ① 비열이 작은 물질일수록 빨리 식거나 빨리 더워진다.
> ② 비열의 단위는 kJ/kg · ℃(공학단위 : kcal/kg · ℃) 이다
> ④ 비열비는 $\dfrac{정압비열}{정적비열}$로 표시되며 암모니아는1.313, R-22는 1.186으로 암모니아 가스가 크다.

[16년 2회]

20 1HP는 약 몇 Btu/h인가?

① 172 Btu/h　　　　② 252 Btu/h

③ 1053 Btu/h　　　　④ 2547.6 Btu/h

> 1HP = 76kg · m/s = 641kcal/h = 2543.5Btu/h
> 여기서, 1kcal = 3.968Btu

[14년 3회]

21 다음과 같은 대향류 열교환기의 대수 평균 온도차는? (단, t_1 : 40℃, t_2 : 10℃, t_{w1} : 4℃, t_{w2} : 8℃이다.)

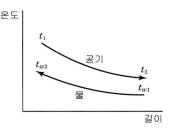

① 약 11.3℃　　　　② 약 13.5℃

③ 약 15.5℃　　　　④ 약 19.5℃

대수평균온도차(LMTD)

$$LMTD = \frac{\Delta t_1 - \Delta t_2}{\ln\dfrac{\Delta t_1}{\Delta t_2}} = \frac{(40-8)-(10-4)}{\ln\dfrac{40-8}{10-4}} ≒ 15.5$$

22 다음 중 액체 질소를 이용한 냉동방법과 관계있는 것은?

① 융해열   ② 증발열
③ 승화열   ④ 기한제

액체 질소를 이용한 냉동방법
액체질소 1kg은 대기압 하에서 −196℃에서 증발하면서 약 200kJ의 잠열을 주위에서 빼앗아 간다. 액체질소는 무미, 무취, 무독하고 반응성(화학적으로 불활성, 비연소성)이 없으므로 식품의 급속동결, 저온수송차 내의 저온유지용 및 각종 식품의 동결분쇄의 냉매로 이용되고 있다.

23 일반 물(순수 H_2O) 1kg을 0℃ 얼음으로 만들 때 동결 잠열은 얼마인가?

① 333.6 kJ/kg   ② 333.6 kJ/g
③ 333.6 J/kg   ④ 2257 kJ/kg

0℃ 물의 동결(응고)잠열 : 333.5kJ/kg

24 드라이아이스의 승화 잠열로 맞는 것은?

① 573 kJ/kg   ② 673 kJ/kg
③ 840 kJ/kg   ④ 940 kJ/kg

고체 CO_2(Dry ice)
드라이아이스는 고체로 된 이산화탄소이다. 일반적으로 다방면의 냉각재로 사용된다. 드라이아이스는 승화하며 기압 상태에서 바로 기체로 변화한다. 승화점은 −78.5℃(−109.3℉)이다. −78.5℃에서의 기화열이 573kJ/kg이다. 기체로의 승화와 낮은 온도가 갖춰지면 얼음보다 차갑고 상태 변화 시 수분을 남기지 않아 드라이아이스는 효과적인 냉각제가 된다.

25 다음 중 냉동을 이용하는 영역으로 볼 때 거리가 먼 것은?

① 가정용 룸 에어컨
② 농축산물의 수송
③ 제철공장에서의 철판냉각
④ 공기의 액화

제철공장에서의 철판냉각은 상온보다 아주 높은 온도에서의 냉각이므로 냉동을 이용하는 영역으로 볼 때 거리가 멀다고 할 수 있다.

26 소량의 냉장화물 수송이나 해상수송이 필요할 때에는 냉동 컨테이너를 이용하는 것이 편리하다. 냉동 컨테이너의 냉각방식의 조합으로 적당하지 않은 것은?

① 얼음 : 융해열
② 드라이아이스 : 승화열
③ 액체질소 : 증발열
④ 기계식 냉동기 : 압축열

냉동 컨테이너의 냉각방식
(1) 자연적 냉동방식
   ① 얼음 : 융해열
   ② 드라이아이스 : 승화열
   ③ 액체질소 : 증발열
(2) 기계적 냉동방식
   기계식(증기 압축식) 냉동기 : 증발열
   공기압축식 : 공기의 현열
   증기분사식 : 물의 현열
   흡수식 : 증발열

27 기계적인 냉동방법 중 물을 냉매로 쓸 수 있는 냉동방식이 아닌 것은?

① 증기분사식   ② 공기압축식
③ 흡수식   ④ 진공식

공기압축식 냉동방법은 공기의 압축과 팽창을 이용한 냉동법으로 공기를 냉매로 사용하다.

정답 22 ②   23 ①   24 ①   25 ③   26 ④   27 ②

[09년 2회]

28 수증기를 열원으로 하여 냉방에 적용시킬 수 있는 냉동기는 어느 것인가?

① 원심식 냉동기
② 왕복식 냉동기
③ 흡수식 냉동기
④ 터보식 냉동기

흡수식 냉동기
흡수식 냉동기는 증기압축식에서와 같은 기계적 에너지를 이용하지 않고 열에너지를 이용하여 저온에서 고온으로 열을 이동시키는 장치로 재생기에서 고온의 물이나 수증기를 열원으로 이용한다.

[10년 3회]

29 다음 냉동기의 종류와 원리가 잘못 연결된 것은?

① 증기압축식 – 냉매의 증발잠열
② 증기분사식 – 진공에 의한 물 냉각
③ 전자냉동법 – 전류흐름에 의한 흡열작용
④ 흡수식 – 프레온냉매의 증발잠열

흡수식 냉동기
흡수식 냉동기는 증발기, 흡수기, 재생기, 응축기, 열교환기로 구성되어 있고, 증기압축식 냉동기의 압축기의 역할을 흡수기와 재생기에 의해 이루어진다.
흡수식 냉동기에서는 증발기에서 고진공하에 물이 증발하여 증발기 내부에 순환하는 냉수로부터 열을 흡수하여 냉각시킨다. 냉매로는 물 이외에 냉동용으로 암모니아(NH_3)가 이용되며 프레온냉매는 사용되지 않는다.

[08년 3회]

30 증기 분사식 냉동기의 특징으로 옳지 않은 것은?

① 냉매로 사용하는 수증기는 인체에 무해하고 값이 싸며 증발잠열이 크다.
② 가동 부분이 많아서 윤활이 요구된다.
③ 증기의 분사압력은 $3{\sim}10\mathrm{kgf/cm^2}$ 정도이다.
④ 구조가 비교적 간단하고 진동의 발생이 없다.

증기 분사식 냉동기
증기분사식 냉동기는 열에너지를 이용한 압축방식을 채용한 방식으로 증기 ejector에서 nozzle로부터 고속으로 분출하는 증기에 의하여 부압을 발생시켜 증발기에서 저온증기를 끌어오고, 다음에 양자의 혼합체를 diffuser에서 압축하여 응축기로 송출하여 사이클을 행한다. 이와 같이 증기분사식 냉동기는 열에너지를 먼저 운동에너지로 바꾸고, 이것을 이용하여 냉매증기의 압축을 행하는 것이다. 또한 압축기와 같은 가동부분(회전부)이 없어 윤활이 요구되지 않는다.

[11년 2회]

31 스팀 이젝터(Steam ejector)와 관계있는 냉동기는?

① 증기압축 냉동기
② 회전 냉동기
③ 증기분사 냉동기
④ 흡수 냉동기

증기 ejector는 nozzle로부터 증기를 고속으로 분사하여 다른 유체를 끌어들여서 저압을 얻는 장치로 증기분사식 냉동기에서의 핵심부에 속한다.

[10년 2회]

32 증기 분사식 냉동기를 설명한 것 중 옳지 않은 것은?

① 회전부가 없어 조용하고, 기밀이 잘 유지된다.
② 물을 냉매로 이용한 것이다.
③ 증발기에서 증발된 냉매는 디퓨저를 통해 감압되어 복수기로 유입된다.
④ 한 개의 이젝터에 여러 개의 노즐을 설치한다.

증기 분사식 냉동기에서는 증발기에서 증발된 냉매(수증기)는 디퓨저를 통해 가압되어 복수기로 유입된다.

[11년 3회]

33 증기분사식 냉동장치에서 사용되는 냉매는?

① 프레온
② 물
③ 암모니아
④ 염화칼슘

증기분사식 냉동장치에서 사용되는 냉매는 물이다.

[13년 3회]

34 부압작용에 의하여 진공을 만들어 냉동작용을 하는 것은?

① 증기분사 냉동기　　② 왕복동 냉동기
③ 스크루 냉동기　　　④ 공기압축 냉동기

> 증기분사식 냉동기는 열에너지를 이용한 압축방식을 채용한 방식으로 증기 ejector에서 nozzle로부터 고속으로 분출하는 증기에 의하여 부압을 발생시켜 증발기에서 저온증기를 끌어 오고, 다음에 양자의 혼합체를 diffuser에서 압축하여 응축기로 송출하여 사이클을 행한다.

[12년 1회]

35 저온측 응축기를 고온 측 냉동기로 냉각하는 것은?

① 흡수식 냉동　　　② 터보 냉동
③ 로터리 냉동　　　④ 2원 냉동

> **2원 냉동**
> ㉠ 2원 냉동은 −70℃ 이하의 초저온을 얻고자 할 때 사용되며, 일반적으로 저온 측에는 비점 및 임계점이 낮은 냉매를, 고온 측에는 비점 및 임계점이 높은 냉매를 사용한다.
> ㉡ 저온냉동장치의 응축기가 고온냉동장치의 증발기에 의해서 냉각되도록 되어 있다.
> ㉢ 저온 측에 사용하는 냉매는 R-13, R-14, 에틸렌 등이다.
> ㉣ 고온 측에 사용하는 냉매는 R-12, R-22, 프로판 등이다.

[14년 1회]

36 2원 냉동장치의 저온측 냉매로 적합하지 않은 것은?

① R-22　　　　　② R-14
③ R-13　　　　　④ 에틸렌

> 저온 측에 사용하는 냉매는 R-13, R-14, 에틸렌 등이다.

[15년 2회]

37 2원냉동 사이클에서 중간열교환기인 캐스케이드 열교환기의 구성은 무엇으로 이루어져 있는가?

① 저온 측 냉동기의 응축기와 고온 측 냉동기의 증발기
② 저온 측 냉동기의 증발기와 고온 측 냉동기의 응축기
③ 저온 측 냉동기의 응축기와 고온 측 냉동기의 응축기

④ 저온 측 냉동기의 증발기와 고온 측 냉동기의 증발기

> **캐스케이드 열교환기**
> 캐스케이드 열교환기는 2원냉동 사이클에서 저온 측 냉동기의 응축기와 고온 측 냉동기의 증발기를 조합하여 구성한 것으로 저온 측 냉동기의 응축열을 고온 측 냉동기의 증발기를 이용하여 냉각하는 방식의 열교환기이다.

[14년 1회]

38 2단압축 2단팽창 냉동장치에서 중간냉각기가 하는 역할이 아닌 것은?

① 저단 압축기의 토출가스 과열도를 낮춘다.
② 고압 냉매액을 과냉시켜 냉동효과를 증대시킨다.
③ 저단 토출가스를 재압축하여 압축비를 증대시킨다.
④ 흡입가스 중의 액을 분리하여 리퀴드 백을 방지한다.

> **2단압축 2단팽창 냉동장치의 중간냉각기의 역할**
> ㉠ 저단 압축기의 토출가스 과열도를 낮춘다.
> ㉡ 고압 냉매액을 과냉시켜 냉동효과를 증대시킨다.
> ㉢ 흡입가스 중의 액을 분리하여 리퀴드 백을 방지한다.

[16년 2회, 13년 3회]

39 왕복동 압축기에서 −30 ~ −70℃ 정도의 저온을 얻기 위해서는 2단 압축 방식을 채용한다. 그 이유 중 옳지 않은 것은?

① 토출가스의 온도를 높이기 위하여
② 윤활유의 온도 상승을 피하기 위하여
③ 압축기의 효율 저하를 막기 위하여
④ 성적계수를 높이기 위하여

> 증발온도가 대단히 낮거나 응축온도가 높을 경우 냉동효과가 감소하고, 압축 일량이 증가하여 성적계수가 감소한다. 그러므로 2단 압축방식을 채택할 때의 장점은 다음과 같다.
> ㉠ 냉동효과의 증대　　　㉡ 압축 일량의 감소
> ㉢ 성적계수의 향상　　　㉣ 토출가스온도 강하
> ㉤ 윤활유의 온도 상승방지　㉥ 압축기 효율저하 방지

냉동의 기초와 원리

1 냉매　　　　　　　　　2 냉매의 구비조건
3 신냉매 및 천연냉매　　4 브라인 및 냉동기유

1 냉매

냉매는 증발하기 쉬운 액체로서, 냉동공간 또는 냉동물질로부터 열을 흡수하며 다른 공간 또는 다른 물질로 열을 운반하는 작업유체이다. 즉 냉동장치, 열펌프, 공기조화장치 및 소온도차 열에너지 이용기관 등의 내부를 순환하면서 저온부(증발기)에서 열을 흡수하고 고온부(응축기)에서 열을 방출시키는 동작유체(動作流體)이다.

- 1차 냉매(직접냉매) : 직접 또는 간접 팽창식 냉동장치 안을 순환하면서 온도 또는 상태 변화에 의하여 잠열 상태로 열을 운반하는 냉매를 말한다. (예 NH_3, R－22, R－134a, R－404 등)
- 2차 냉매(간접냉매) : 간접 팽창식 냉동장치의 브라인 배관을 순환하면서 온도변화에 의한 감열 상태로 열을 운반하는 냉매를 말한다.
  (예 NaCl, $Cacl_2$, $Mgcl_2$, H_2O 등)

2 냉매의 구비조건

1. 냉매의 조건

(1) 물리적 조건
　① 저온인 경우에도 대기압 이상의 압력에서 증발하고 또한 상온에서도 비교적 저압에서 쉽게 응축 할 것.
　② 임계온도가 높고 응고 온도가 낮을 것.
　③ 증기의 비열 및 증발 잠열은 크고, 액체의 비열은 작을 것.
　④ 같은 냉동능력에 대하여 소요 동력이 적을 것.
　⑤ 증기의 비열비가 적을 것.
　⑥ 증기 및 액체의 밀도가 작을 것.
　⑦ 같은 냉동 능력에 대하여 냉매 가스의 체적이 작을 것.
　⑧ 윤활유와 냉매가 작용하여 냉동작용에 미치는 일이 없을 것.
　⑨ 점도가 적고 전열작용이 양호하며 표면장력이 적을 것.
　⑩ 누설되기 어렵고 누설시 발견이 용이할 것.
　⑪ 수분이 냉매 중에 혼입하여도 냉매의 작용에 지장이 없을 것.
　⑫ 절연내력(絶緣耐力)이 크고 전기 절연물을 침식하지 않을 것.
　⑬ 패킹(Packing) 재료에 대하여 냉매가 영향을 미치지 않을 것.
　⑭ 터보 냉동기의 경우에는 냉매가스의 비중이 클 것.

(2) 화학적 조건

① 화학적으로 안정하고 고온에서 분해하여 냉매 가스 외의 다른 가스가 발생되지 않을 것.

② 금속을 부식하지 않고, 압축기의 윤활유를 열화시키지 않을 것.

③ 독성이 없을 것.

④ 인화성 및 폭발성이 없을 것.

⑤ 자극성인 냄새가 없을 것.

⑥ ODP(오존파괴지수)가 0일 것.

⑦ GWP(지구온난화지수)가 낮을 것.

(3) 생물학적 조건

① 인체에 무해하고 누설하여도 냉장품에 손상을 주지 않을 것.

② 악취가 없을 것.

(4) 경제적 조건

① 가격이 쌀 것.

② 동일 냉동 능력에 대하여 소요 동력이 적게 들 것.

③ 동일 냉동 능력에 대하여 압축해야 할 냉매가스의 체적이 적을 것.
  (단, 가정용 냉장고, 터보 냉동기의 경우는 제외 한다.)

④ 자동 운전이 쉬울 것.

2. 냉매의 종류

(1) 화학적 분류

① 무기화합물(無機化合物) : 암모니아(NH_3), 물(H_2O), CO_2, SO_2 등

② 탄화수소(炭火水素) : 프로판, 이소부탄, 메탄, 에탄 등.

③ 플루오르 카본냉매 : CFC냉매, HCFC냉매, HFC냉매

　㉠ CFC(클로로 플루오르 카본)냉매 : 특정냉매로 오존파괴지수가 높아서 1995년에 폐지된 냉매.

　㉡ HCFC(하이드로 클로로 플루오르 카본)냉매 : 지정냉매로서 2020에 폐지되는 냉매로 결정되어 있다.

　㉢ HFC(하이드로 플루오르 카본)냉매 : CFC, HCFC의 대체 냉매로서 냉동장치 및 공조 장치에 사용되고 있다. 그러나 HFC냉매는 ODP는 0이나 GWP가 높은 결점이 있다.

> · 비점이 낮은 냉매는 압력이 높다.
> · 비점이 낮은 냉매는 저온 냉동장치에 적합하다.
> · 비점이 낮은 냉매는 단위 체적당의 냉동능력이 크다.
> · 비점이 낮은 냉매는 증발온도가 낮게 되어도 진공이 되기 어렵다.
> · 비점이 낮은 냉매는 압축기 피스톤 압출량이 작다.

표. 냉매의 ODP, GWP, 표준비점, 임계온도의 값

냉매의 종류	R22	R134a	R404A	R407C	R410A	R717
ODP	0.055	0	0	0	0	0
GWP	1500	1300	3260	1530	1730	0
표준비점[℃]	-40.8	-26.1	-46.3	-40.9	-51.9	-33.3
임계온도[℃]	96.2	101.1	71.6	86.5	72.6	132.4

④ 혼합냉매

단일 냉매로 원하는 시스템특성을 얻을 수 없는 경우 2개 이상의 순수냉매를 혼합한 혼합냉매를 적용하여 열역학적 물성치를 얻을 수 있다. 혼합냉매는 크게 비공비 혼합냉매와 공비혼합냉매로 구분한다.

㉠ 비공비 혼합냉매(非共沸混合冷媒) : 비공비 혼합냉매는 서로 다른 2성분냉매를 혼합한 것으로 액상이나 기상에서 각각 냉매 성분이 차이가 나며, 등압의 증발 및 응축과정에서 조성비가 변하고 온도가 증가 또는 감소되는 온도구배(temperature gliding)를 나타내는 냉매로 R400번대 단위로 표시된다.

> 예 • R404 : R125 + R143a + R134a (질량비44%, 52%, 4%)
> • R407 : R32 + R125 + R134a (질량비 23%, 25%, 52%)
> • R410 : R32 + R125 (질량비 50%, 50%)

㉡ 공비 혼합냉매(Azeotrope) : 프레온계 냉매 중 서로 다른 2종의 냉매를 적당한 질량비로 혼합한 혼합물로 액상 또는 기상에서 처음 냉매와 전혀 다른 하나의 새로운 특성을 나타내게 되며 서로 결점이 보완되는 냉매로 단일 냉매와 같은 작용을 하며 증발이나 응축 시 그 비등점이나 조성이 변화하지 않는 성질을 갖는데 이와 같은 냉매를 공비 혼합 냉매라 하고 냉매 번호는 R500번대 단위부터 시작된다.

공비 냉매	조합 냉매		혼합비(질량)	비등점(℃)		
				냉매 1	냉매 2	공비냉매
R500	R152	R12	26.2 : 78.3	-24.2	-29.8	-33.3
R501	R12	R22	25 : 75	-29.8	-40.8	-41
R502	R115	R22	51.2 : 48.8	-38	-40.8	-45
R503	R23	R13	40.1 : 59.9		-81.5	-53.6

3. 냉매의 성질

(1) 암모니아 (NH_3 : R – 717)

① 일반적 성질

㉠ 표준 대기압 하에서 응고점이 – 77.7℃ 로 냉매로서는 비교적 높은 온도이므로 극저온용으로 곤란하다.

㉡ 암모니아는 가연성이며 독성가스이다.

㉢ 암모니아 가스의 비중은 공기보다 작아서 누설 시 가스는 천정부근에 체류한다.

㉣ 동 또는 그 합금을 부식시킨다.

㉤ 표준 대기압 하에서 비등점이 – 33.3℃ 로서 그 이하의 온도를 얻으려면 증발기의 압력을 진공으로 유지해야 한다.

㉥ 비열비의 값이 냉매 중에 가장 크므로, 압축 후 토출가스 온도가 높아져서 윤활유를 변질시키기 쉽다. 따라서 워터재킷(water jacket)을 설치하여 실린더를 수냉각 시킨다. 그리고 저온냉동(– 35℃ 이하)을 시키려면 2단 압축을 할 필요가 있다.

㉦ 전열 작용이 냉매 중에서 가장 좋다.

㉧ 임계온도 : 133℃, 임계압력 : 11.4MPa으로 상온에서 응축능력이 양호하다.

㉨ 냉동장치에 침입한 수분이 다량이면 증발압력이 저하하고 윤활유가 유화(乳化)하여 악 영향을 미친다.

㉩ 암모니아액은 윤활유보다 가벼워서 윤활유는 하부에 체류하므로 유빼기는 하부에서 행한다.

㉪ 암모니아는 윤활유에 용해되기 어렵다.

㉫ 암모니아 냉매는 체적능력[kJ/m^3]이 크고 배관에서의 압력손실이 적다.

(2) 플루오르 카본냉매

① 특성

㉠ 장기간 사용하여도 분해나 변질이 잘 일어나지 않는 안정적인 냉매이다.

㉡ 독성이 적으나 누설 시 산소 결핍에 의한 질식사고의 우려가 있다.

㉢ 가스의 비중이 공기보다 커서 누설 시 바닥면에 체류 한다.

㉣ 직접 화염에 접하거나 고온이 되면 유독가스(포스겐 가스)가 발생한다.

㉤ 낮은 압력에서 액화한다.

㉥ 증발잠열이 크다.

㉦ 동 및 동합금을 사용할 수 있으나 2% 이상의 마그네슘을 함유한 알루미늄합금을 사용할 수 없다.

· 암모니아는 가연성이며 독성가스이다.
· 암모니아 냉매는 토출가스 온도가 높다.
· 암모니아 냉매는 동 또는 동합금을 사용할 수 없다.
· 암모니아 냉매는 오일보다 가볍다.
· 암모니아는 광유와 용해할 수 없다.
· 암모니아는 소량의 수분에는 영향을 받지 않는다.
· 다량의 수분이 혼입하면 증발압력 저하, 윤활유가 유화한다.(유탁액 현상)

냉매와 압축기의 토출가스 온도

냉매의 종류	토출가스 온도[℃]
R22	72
R134a	56
R404A	57
R407C	67
R410A	73
R717	116

응축온도 50[℃], 과냉각도 0[K], 증발온도 0[℃], 과열도 0[K]에서의 값이다.

◎ 수분이 혼입되면 가수분해하여 금속을 부식하고, 저온부에서 빙결현상(팽창변 동결폐쇄현상)을 일으킨다.

ⓩ 전기절연성이 양호하다.

ⓩ 안정성이 매우 높은 냉매이나 고온부의 한계는 120~130℃정도이다.

4. 냉매의 여러 가지 특성

(1) 독성

① 암모니아 냉매는 가연성 및 독성이 있다.

② 플루오르카본 냉매는 대부분 독성이 없지만 화염에 의해 고온이 되면 열분해나 화학 변화에 의해 유독가스가 발생할 수 있다.

(2) 금속재료에 대한 영향

① 암모니아는 동 및 동합금을 부식하기 때문에 압축기의 축(항상 유막이 형성되어 있음)등의 일부를 제외하고 동 및 동합금을 사용할 수 없다.

② 플루오르카본 냉매는 2%를 초과하는 마그네슘을 함유하는 알루미늄 합금을 사용할 수 없다.

(3) 수분과의 관계

① 암모니아 냉매와 수분

㉠ 암모니아 냉매는 물을 잘 용해(물은 상온에서 약 900배의 암모니아를 흡수)하므로 소량의 수분이 냉매에 혼입하여도 냉동장치에 큰 영향은 없다.

㉡ 증발기내의 암모니아 냉매 액에 다량의 수분이 혼입되면, 비등점이 높아지고 증발압력 저하→압축기 흡입증기의 비체적 증가→냉매순환량 감소→냉동능력저하로 된다.

㉢ 수분의 혼입은 냉동기유의 유화(emulsion현상)나 금속재료의 부식의 원인이 된다.

② 플루오르카본 냉매

㉠ 수분의 용해도가 적다.

㉡ 냉매에 수분이 혼입하면 냉매나 냉동기유가 가수분해를 일으켜 부식의 원인이 된다.

㉢ 용해도 이상의 수분이 혼입될 경우 수분이 유리된다. 그 때문에 저온에서는 이 수분이 동결하여 팽창변을 막아서(팽창변 동결폐쇄현상) 냉동작용을 방해한다.

동부착 현상(Copper plating)
프레온계 냉매를 사용하는 냉동장치에서 수분이 침입할 경우 수분과 프레온이 반응하여 산이 생성되고 여기에 침입한 산소와 동이 반응하여 석출된 동가루가 냉매와 함께 냉동장치 내를 순환하면서 온도가 높고 잘 연마된 금속부(압축기의 실린더벽, 피스톤, 밸브 등 활동부)에 도금되는 현상을 말한다.

[원인]
· 윤활유 중에 왁스(wax)분이 많을 때
· 장치 내에 수분이 많고 온도가 높을 때
· 수소 원자가 많은 냉매일 때 (R-12 < R-22 < R-30)
· 냉매와 오일의 용해가 클수록

[영향]
· 활동부의 간극이 적어져 작동 불량이 되거나 동력손실이 크게 되어 장치의 수명이 단축된다.
· 장치가 과열된다.

유탁액(Emulsion) 현상
NH₃ 냉동장치에서 크랭크 케이스(Crank case) 내에 다량의 수분이 혼입되면 NH₃와 작용하여 수산화암모늄(NH_4OH)을 생성하게 되고 NH_4OH는 오일을 미립자로 만들어 윤활유의 색이 우윳빛으로 변하고 윤활유의 점도가 저하된다. 이러한 현상을 유탁액 현상이라 한다.

표. NH₃와 플루오르카본(Freon)냉매의 일반적 성질 비교

중요사항 \ 냉매	NH₃	플루오르카본(Freon)냉매
윤활유관계	유탁액(Emulsion)현상	오일 포밍(Oil foaming)현상
전열작용	양호	불량
수분관계	용해가 크다(제습기 불필요)	용해도가 적다(제습기 설치)
비열비	크다(1.313 : 워터자켓 설치)	작다
절연내력	작다	크다
금속부식성	동 및 동합금 부식(연강(Fe) 사용)	Mg 및 Mg 2% 이상 함유된 Al 합금부식
인화성 및 폭발성	있다	없다
독성	있다	없다
취기	심하다	없다
열분해		800℃에서 $COCl_2$가스발생
패킹재로	천연고무+아스베스토스	인조고무
유(oil)와의 비중	가볍다(유분리기가 꼭 필요)	무겁다
압축기 토출가스 온도와 과열도	암모니아는 비열비가 커서 상당히 높은 토출가스온도가 되므로 과열도 없이 압축한다.	플루오르카본냉매는 비열비가 작아서 토출가스온도가 낮으므로 과열도 5~10℃에서 압축한다.

5. 냉매의 누설검지

(1) 암모니아

① 전기식 검지기

② 유황초(유황을 연소시켜 발생한 아황산가스와 암모니아를 반응시켜 백색 연기 발생 유무로 확인)

③ 취기

④ 리트머스 시험지 및 페놀프탈레인 지시약에 의한 검지

(2) 플루오르 카본냉매

① 전기식 검지기(할로겐 전자누설 검지기)

② 헬라이드 토치(halide torch)

③ 발포액 도포에 의한 검지(거품 발생 유무로 확인)

01 예제문제

다음 냉매에 관한 설명 가운데 가장 옳지 않은 것은?

① 암모니아 냉동장치의 응축기나 증발기내에서는 냉매와 오일은 분리되어 오일은 하부에 고이게 된다.

② 왕복식 냉동기용 냉매로 탄산가스도 사용된다.

③ 플루오르카본 냉매는 일반적으로 금속에 대한 부식성은 적으나 수분 및 공기와 함께 있으면 부식성이 커진다.

④ 장치내에 공기가 0.05 MPa의 분압에 상당한 량의 공기가 함유되어 있을 경우 그 장치를 운전하면 고압압력이 0.05 MPa만큼 높게 된다.

해설
① 오일의 비중은 암모니아보다 크기 때문에 하부에 고인다.
② 탄산가스는 선박용 왕복식 냉동기의 냉매로 사용된다.
④ 장치 내에 공기가 침입하면 전열작용을 방해하고 온도가 높게 되어 압력은 공기의 분압 이상으로 높아진다.　　　　　　　　　　　　　　　　　　　　　　**답 ④**

02 예제문제

다음 설명 가운데 가장 옳지 않은 것을 고르시오.

① 암모니아 및 물은 흡수식 냉동기의 냉매로 사용된다.

② 프레온 냉동장치에 수분이 침입하면 장치를 부식시키기 때문에 주의 하여야 한다.

③ 같은 높이의 높은 장소에 증발기로의 송액관에서는 R 22 냉매가 암모니아보다 플래시가스가 발생하기 쉽다.

④ 플루오르카본냉매는 물에 잘 용해하므로 어떤 경우라도 유 회수 장치는 필요가 없다.

해설
③ 30℃에서의 R22와 암모니아의 밀도는 1.18과 0.6으로 R22의 경우가 무겁다. 이 때문에 같은 높이의 증발기의 송액관에서의 압력손실은 R22가 크다. 따라서 플래시가스 발생이 쉽다.
④ 플루오르카본냉매는 오일을 잘 용해하기 때문에 증발기에 오일의 유입이 많다. 그래서 냉매가 증발하면 오일이 증발기내에 고이게 되므로 유 회수 장치나 오일이 고이지 않는 구조로 해야 한다.　　　　　　　　　　　　　　　　　**답 ④**

3 신냉매 및 천연냉매(신 대체냉매 및 자연냉매)

1. 천연냉매

천연냉매란 본래 자연계에 존재하고 자연환경에 나쁜 영향이 없다고 추정되는 탄화수소, 암모니아, 물, 탄산가스 등을 말한다. 탄화수소의 한가지인 이소 부탄가스는 냉장고의 냉매로서 암모니아는 예부터 냉동용 냉동기의 냉매로 사용되어 왔으며 최근에는 공조용에도 사용하기 시작하였는데 누설 시 화재의 위험성, 유독성 등의 문제가 남아있다. 그런 의미로 공기나 탄산가스, 물도 훌륭한 냉매로 공기사이클 냉동기, 탄산가스냉매 히트펌프 급탕기, 흡수식냉동기의 냉매로서 실용화되어 있다.

표. 히트펌프용 냉매의 종류와 용도

냉매종류			ODP	GWP	용 도
1. 특정냉매 오존층을 파괴하는 염소를 함유한 냉매로 오존파괴지수가 높아서 1995년에 폐지된 냉매	CFC	R-11	1	4600	터보냉동기 (금지)
		R-12	1	10600	증기 압축식 소형 냉동기 일반(금지)
2. 지정냉매 오존파괴 작용은 적으나 GWP가 커서 2020년에 폐지되는 냉매	HCFC	R-22	0.055	1700	증기 압축식 냉동기 일반 (금지)
		R-123	0.02	120	대형 저압 터보냉동기
3. 대체냉매 오존층의 파괴는 없으나, GWP가 크므로 COP3의 GWG 규제대상, 현재의 주류 냉매로 EU등이 R-134a, R-410a, R-407 등의 금지를 검토 중이다.	HFC	R-32	0	650	저 GWP로 에어컨용 전환후보
		R-134a	0	1300	터보 냉동기 (히트펌프)카 에어컨 (EU 금지방향)
	HFC 혼합	R-410	0	1900	룸 에어컨 패키지 에어컨
		R-407C R-407E R245fa	0	1500	(패키지 에어컨) 스크루 냉동기 (히트펌프) 저압터보 냉동기 (비공비)
HFO는 ODP=0, GWP=4.6으로 8 신현대 대체냉매 후보	HFO	R-1234yf R-1234fe	0	4 6	카 에어컨 (룸 에어컨, 패키지 AC, 터보 냉동기)

4. 자연냉매 자연계에 오래 전부터 존재하고 ODP = 0, GWP = 0인 지구 환경적으로 이상적인 냉매	CO_2	R-744	0	1	급탕용 히트펌프 저온 냉동기(2차 냉매)
	NH_3	R-717	0	0	저온 증기 압축식 냉동기
	이소 부탄	R-600a	0	3	가정용 냉장고
	물	R-718	0	0	흡수식 냉동기, 흡착식 냉동기
	공기	R-729	0	0	항공기용 냉동기, 냉동고 냉각기

ODP(오존파괴지수) : R-11의 ODP = 1로 하는 배율
GWP(지구온난화지수) : CO_2의 GWP = 1로 하는 배율

4 브라인 및 냉동기유

1. 브라인(Brine)

브라인은 증발기에서 증발하는 냉매의 냉동력에 의해 냉각된 후 다시 피냉각 물질을 냉각하는데 쓰이는 2차 냉매로서 일종의 부동액(不凍液)이다.

상(相)의 변화 없이 현열(顯熱)의 형태로 열을 올리고 운반하는 냉매로 간접냉매 라고 하며 브라인을 사용하는 냉동장치를 간접팽창식 또는 브라인식이라고 한다.

(1) 브라인의 구비조건
① 비열이 클 것(현열에 의한 열의 전달이므로 열용량(熱容量)이 커야한다.)
② 전달률이 크고, 열전달에 대한 특성이 좋을 것
③ 점성이 적고 순환 펌프의 동력 소비가 적을 것
④ 냉동점(공정점)이 낮을 것(냉매의 증발온도보다 5~6℃ 낮을 것)
⑤ 냉동장치의 구성부분을 부식시키지 않을 것
⑥ 각 온도에서 액체상태일 것
⑦ 화학적으로 안전성이 있을 것
⑧ 누설 시 냉장품에 손상이 없을 것
⑨ PH값이 중성일 것(PH7.5~8.2정도)
⑩ 구입이 용이하고 가격이 쌀 것
※ 공정점(空晶點) : 두 물질을 용해시키면 농도가 짙을수록 응고점이 낮아 지게 되나 어느 일정한 농도 이상이 되면 다시 응고점은 높아진다. 이때 최저동결온도(응고점)을 공정점이라 한다.

(2) 브라인의 종류

① 무기질 브라인

㉮ 염화칼슘($CaCl_2$)

㉠ 제빙용등 공업용으로 가장 많이 이용된다.

㉡ 공정점($-55℃$)이 낮아 저온용으로 이용된다.

㉢ 부식성이 적다.

㉣ 식품에 접촉시킬 경우 떫은맛이 난다.

㉯ 염화나트륨($NaCl$)

㉠ 식품 냉장용으로 적당하다.

㉡ 금속에 대한 부식력이 크다.

㉢ 가격이 싸다.

㉣ 공정점 $-21℃$ (비중 1.17)

㉰ 염화마그네슘($MgCl_2$)

㉠ 공정점 : $-33.6℃$

㉡ 부식성이 $CaCl_2$보다 강하다.

② 유기질 브라인

㉠ 에틸렌글리콜

유기질 브라인으로 부식성이 거의 없으며 모든 금속에 사용이 가능하다.

㉡ 프로필렌글리콜

부식성이 적고 독성이 없으며 냉동식품의 동결용에 사용된다.

㉢ 메틸렌 클로라이드 : 초 저온용으로 사용된다.

㉣ 염화에틸렌($R-11$) : 초 저온용으로 사용된다.

> · 브라인은 0℃ 이하의 액체로 현열을 이용하여 물질을 냉각한다.
> · 브라인은 부식억제제의 첨가기 필요하다.
> · 염화칼슘브라인, 염화나트륨브라인, 염화마그네슘브라인은 무기질 브라인이다.
> · 프로필렌글리콜브라인은 무해하여 식품의 냉각용에 사용된다.

표. 무기질 브라인과 유기질 브라인의 비교

무기질 브라인	유기질 브라인
C(탄소)가 포함되지 않은 브라인	C(탄소)가 포함된 브라인
부식성이 강하다	부식성이 적다
가격이 싸다	가격이 비싸다

(3) 브라인의 부식방지 처리

① 공기와 접촉하면 부식력이 증대하므로 가능한 범위에서 용해도를 크게 하여 공기와 접촉하지 않는 액 순환방식을 채택한다.

② 암모니아가 브라인 중에 누설되면 강알칼리성으로 인하여 국부적인 부식현상이 발생하므로 주의한다.

③ 브라인의 PH(페하)는 약 7.5~8.2로 유지해야 한다.

④ $CaCl_2$브라인 : 브라인 1L에 대하여 중크롬산나트륨($Na_2Cr_2O_7$) 1.6g을 용해하고 중크롬산나트륨 100g마다 가성소나($NaOH$) 27g을 첨가한다.

⑤ NaCl브라인 : 브라인 1L에 대하여 중크롬산나트륨 3.2g을 용해시키고 중크롬산나트륨 100g마다 가성소다 27g을 첨가한다.

⑥ 방식아연을 사용한다.

(4) 브라인의 동결방지법

① 동결방지용 T.C(temperature Control : 온도제어)을 사용한다.

② 부동액(不凍液)을 첨가한다.

③ E.P.R(Evaporator pressure regulator : 증발압력 조정밸브)를 사용한다.

④ 단수 릴레이를 설치한다.

⑤ 브라인 펌프와 압축기 모터를 인터록(interlock)시킨다.

---

03 예제문제

다음 중 가장 옳지 않은 것을 고르시오.

① 브라인은 현열을 이용하여 냉각한다.

② 염화칼슘브라인은 용해되고 있는 산소량이 많을수록 부식성이 크다.

③ 염화칼슘브라인보다 염화나트륨브라인 쪽이 더 낮은 온도로 내릴 수 있다.

④ 염화칼슘브라인을 사용할 경우 방식제로서 중크롬산나트륨을 사용할 수 있다.

해설
공정점이 낮을수록 저온에서 사용할 수가 있다.
공정점이 낮은 순서
염화칼슘 < 염화마그네슘 < 염화나트륨   답 ③

---

2. 냉동유(윤활유)

(1) 냉동유의 역할

냉동기유(광유, 합성유)는 냉동장치의 압축기에 사용하는 윤활유로 다음과 같은 중요한 3가지 역할을 행한다.

① 마찰저항 및 마모방지

② 밀봉작용

③ 방청작용

(2) 냉동유의 구비조건

① 응고점이 낮을 것.

② 인화점이 높을 것.

③ 적정한 유동성이 있을 것.

④ 전기절연성이 높을 것.(밀폐식 압축기일 경우)

⑤ 냉매와 화학반응을 일으키지 않을 것.

(3) 냉매와 냉동유와의 관계

① 암모니아 냉매와 냉동기유

　㉠ 암모니아는 냉동기유로 광유를 사용하는데 광유와는 서로 잘 용해하지 않는다.

　㉡ 암모니아는 오일보다 비중이 적어 오일이 하부에 고이게 되므로 배유관을 하부에 설치한다. 그리고 오일이 장치 내에 넘어가게 되면 하부에 고여 전열작용을 방해한다. 따라서 압축기의 응축기 사이에 유분리기를 설치하여 오일을 분리한다.

② 플루오르카본 냉매와 냉동기유

　㉠ 플루오르카본 냉매액과 냉동기유는 서로 잘 용해하기 때문에 압축기에서 토출된 냉동기유는 냉매와 함께 장치 내를 순환한다.

　㉡ CFC나 HCFC냉매에는 광유가 사용되고, HFC(R404, R407 등)냉매에는 합성유(에스테르유, 에테르유)가 사용된다.

　㉢ 냉매와 냉동유가 용해되는 비율은 압력이 높고, 온도가 낮을수록 크기 때문에 압축기 정지 시에는 크랭크케이스 히터를 사용하여 냉동기유를 20~40℃로 유지하여 시동 시에 오일포밍 현상이 발생하지 않도록 하여 윤활불량이 되지 않도록 한다.

※ 오일 포밍(Oil foaming) 현상

　플루오르카본(프레온) 냉동장치에서 압축기 정지 시 냉매가스가 크랭크 케이스 내의 오일 중에 용해되어 있다가 압축기 가동 시 크랭크케이스 내의 압력이 갑자기 낮아져 오일 중에 용해되어 있던 냉매가 급격히 증발하게 되어 유면이 약동하면서 거품이 발생하는데 이러한 현상을 오일 포밍이라 한다.

· 암모니아 냉매는 광유와 용해하기 어렵다.
· 암모니아액은 오일보다 가볍다.
· 용기에 체류하는 오일은 용기의 하부에서 배출한다.
· 암모니아는 토출가스 온도가 높으므로 토출된 오일은 재사용하지 않는다.

· HFC냉매를 사용하는 압축기는 합성유가 사용된다.
· HFC냉매는 극성이 있으므로 광유(무극성)는 사용할 수 없다.
· HFC냉매는 흡습성이 크다.
· 저온용 냉동기는 점도가 낮은 냉동유를 사용한다.

[08년 2회]

01 다음 냉매 중 에탄계 프레온족이 아닌 것은?

① R-22
② R-113
③ R-123a
④ R-134a

> **탄화수소계 냉매**
> 프레온족(탄화수소계)냉매는 메탄계와 에탄계가 있으며 메탄계는 십자리수로 에탄계는 백자리수로 표시한다.
> ㉐ 메탄계 : R11, R12, R22, R32 등
> 에탄계 : R111, R112, R123, R124, R152a 등

[08년 3회]

02 냉매가 구비해야 할 조건 중 틀린 것은?

① 증발 잠열이 클 것
② 응고점이 낮을 것
③ 전기 저항이 클 것
④ 증기의 비열비가 클 것

> **냉매의 구비조건**
> ④의 경우 비열비가 작은 냉매일수록 압축일량이 적어진다.

[12년 3회]

03 냉매의 구비조건이 아닌 것은?

① 응고점이 낮을 것
② 증기의 비열비가 작을 것
③ 증발열이 클 것
④ 임계온도는 상온보다 낮을 것

> ㉠ 임계온도가 높을 것(임계온도가 높아야 응축이 잘된다.)
> ㉡ 비열비가 작을 것(비열비가 작아야 압축 일량이 적다.)
> ㉢ 증발열이 클 것(증발열이 클수록 냉매순환량이 적어서 냉동기의 크기를 작게 할 수 있다.)
> ④의 경우 임계온도가 높을수록 냉매는 상온에서 액화하기 쉽다.

[13년 1회]

04 다음 중 냉매의 구비조건으로 틀린 것은?

① 전기저항이 클 것
② 불활성이고 부식성이 없을 것
③ 응축 압력이 가급적 낮을 것
④ 증기의 비체적이 클 것

> 가스의 비체적이 작을 것(왕복식 압축기의 경우 비체적이 작을수록 압축기의 크기가 작아진다.)

[13년 2회]

05 냉매로서 구비해야 할 이상적인 성질이 아닌 것은?

① 임계온도가 상온보다 높아야 한다.
② 증발잠열이 커야 한다.
③ 윤활유에 대한 용해도가 클수록 좋다.
④ 전열이 양호하여야 한다.

> 냉매가 윤활유에 대한 용해도가 클수록 오일 포밍(oil foaming)의 우려가 크다.

[14년 1회]

06 냉매가 구비해야 할 이상적인 물리적 성질로 틀린 것은?

① 임계온도가 높고 응고온도가 낮을 것
② 같은 냉동능력에 대하여 소요동력이 적을 것
③ 전기절연성이 낮을 것
④ 저온에서도 대기압 이상의 압력으로 증발하고 상온에서 비교적 저압으로 액화할 것

> 냉매는 전기절연성이 높을수록 누전의 우려가 적고 또한 밀폐식 압축기를 사용 시에는 필수적으로 요구되는 사항이다.

[16년 1회, 11년 1회]

07 냉매에 대한 설명으로 부적당한 것은?

① 응고점이 낮을 것
② 증발열과 열전도율이 클 것
③ R-21는 화학식으로 $CHCl_2F$이고, $CClF_2-CClF_2$는 R-113이다.
④ R-500는 R-12와 R-152를 합한 공기 혼합냉매라 한다.

R-113 : $CClF-CClF_2$
R-114 : $CClF_2-CClF_2$

[10년 3회]

08 다음 중 암모니아 냉매를 대형장치에서 많이 사용하고 있는 원인으로 생각될 수 없는 것은?

① 냉동효과가 크기 때문
② 가격이 싸기 때문
③ 폭발의 위험이 없기 때문
④ 증발잠열이 크기 때문

암모니아 냉매는 가연성이며 독성가스이다. 따라서 항상 폭발의 위험이 있다.

[15년 2회]

09 암모니아 냉매의 특성이 아닌 것은?

① 수분을 함유한 암모니아는 구리와 그 합금을 부식시킨다.
② 대규모 냉동장치에 널리 사용되고 있다.
③ 물과 윤활유에 잘 용해된다.
④ 독성이 강하고, 강한 자극성을 가지고 있다.

암모니아 냉매는 물에는 잘 용해되지만 윤활유에는 잘 용해되지 않는다.

[11년 1회]

10 다음 중 암모니아 냉매의 특성이 아닌 것은?

① 수분을 함유한 암모니아는 구리와 그 합금을 부식시킨다.
② 대규모 냉동장치에 널리 사용되고 있다.
③ 초저온을 요하는 냉동에 사용된다.
④ 독성이 강하고 강한 자극성을 가지고 있다.

암모니아는 표준대기압에서 증발온도가 -33.3℃, 응고점이 -77.7℃로 초저온을 요하는 냉동에는 부적합하다.

[13년 2회]

11 암모니아 냉동장치의 부르돈관 압력계 재질은?

① 황동   ② 연강
③ 청동   ④ 아연

암모니아는 동 및 동합금(황동 및 청동)을 부식하기 때문에 압축기의 축(항상 유막이 형성되어 있음) 등의 일부를 제외하고 동 및 동합금을 사용할 수 없다. 일반적으로 암모니아 냉동장치의 부르돈관 압력계 재료로는 연강을 사용한다.

[13년 1회]

12 프레온 냉동장치에 수분이 혼입됐을 때 일어나는 현상이라고 볼 수 있는 것은?

① 수분과 반응하는 양이 매우 적어 뚜렷한 영향을 나타내지 않는다.
② 수분이 혼입되면 황산이 생성된다.
③ 고온부의 냉동장치에 동 부착(도금)현상이 나타난다.
④ 유탁액(emulsion)현상을 일으킨다.

동부착(도금) 현상(Copper plating)
프레온계 냉매를 사용하는 냉동장치에서 수분이 침입할 경우 수분과 프레온이 반응하여 산(HF, HCl)이 생성되고 여기에 침입한 산소와 동이 반응하여 석출된 동가루가 냉매와 함께 냉동 장치 내를 순환하면서 온도가 높고 잘 연마된 금속부(압축기의 실린더벽, 피스톤, 밸브 등 활동부)에 도금되는 현상을 말한다.

정답 ▶ 07 ③ 08 ③ 09 ③ 10 ③ 11 ② 12 ③

[14년 2회]

13 다음 냉매 중 구리 도금 현상이 일어나지 않는 것은?

① CO_2　　　　　　　② CCl_3F
③ R-12　　　　　　　④ R-22

> 구리 도금 현상(동 부착(도금)현상)은 프레온계 냉매를 사용하는 냉동장치에서 발생하는 현상으로 CO_2 냉매를 사용하는 경우에는 발생하지 않는다.

[14년 2회]

14 냉매에 관한 설명 중 틀린 것은?

① 초저온 냉매로는 프레온 13과 프레온 14가 적합하다.
② 암모니아액은 R-12보다 무겁다.
③ R-12의 분자식은 CCl_2F_2이다.
④ 흡수식 냉동기에 냉매로는 물이 적합하다.

> **액비중이 큰 순서**
> 프레온 > 물 > 오일 > 암모니아

[08년 3회]

15 다음 중 HFC 냉매의 구성 원소가 아닌 것은?

① 염소　　　　　　　② 수소
③ 불소　　　　　　　④ 탄소

> **프레온(Freon) 냉매의 분류**
> - CFC(Chloro fluoro carbon) : 특정냉매
>   분자 중에 염소를 포함하고 있으며 안정된 물질로서 성층권까지 확산하여 오존층을 파괴하며 지구온난화 계수도 대단히 높다.
> - HCFC(Hydro chloro fluoro carbon) : 지정냉매
>   분자 중에 염소를 포함하고 있지만 수소를 포함하고 있어 분해되기 쉬워 성층권까지 도달하기 어렵기 때문에 오존층 파괴 능력이 CFC 냉매에 비해서 낮다.
> - HFC(Hydro fluoro carbon) : 대체냉매
>   분자 중에 염소를 포함하고 있지 않아서 오존층을 파괴하지 않는다. 그러나 지구 온난화 계수는 높다.

[15년 2회]

16 프레온계 냉동장치의 배관재료로 가장 적당한 것은?

① 철　　　　　　　　② 강
③ 동　　　　　　　　④ 마그네슘

> **배관재료**
> 프레온계(플루오르카본)냉매의 배관재료로는 2%를 초과하는 마그네슘을 함유하는 알루미늄 합금을 사용할 수 없다. 일반적으로 동관을 사용하고 동관, 동합금관은 가능한 한 이음매 없는 관을 사용해야 한다.

[12년 2회]

17 냉매 중에서 성층권의 오존층을 가장 많이 파괴시키는 냉매는 어느 것인가?

① R-22　　　　　　　② R-152
③ R-125　　　　　　　④ R-134a

> R-22는 HCFC(지정냉매)냉매로 분자 중에 염소를 포함하고 있어서 오존층 파괴의 우려가 있다. 그렇지만 R-152, R-125, R-134a 냉매는 HFC(대체냉매)냉매로 분자 중에 염소를 포함하고 있지 않아서 오존층을 파괴하지 않는다.

[14년 1회]

18 할로겐 원소에 해당되지 않는 것은?

① 불소[F]　　　　　　② 수소[H]
③ 염소[Cl]　　　　　④ 브롬[Br]

> **할로겐 원소**
> ① 불소[F]　② 염소[Cl]　③ 브롬[Br]　④ 요오드[I]

[09년 1회]

19 할론(Halon)냉매의 원소에 해당되지 않는 것은?

① 불소(F)　　　　　　② 수소(H)
③ 염소(Cl)　　　　　④ 브롬(Br)

> **할론(Halon)냉매**
> 할론(Halon)냉매는 프레온(Freon)냉매를 말하며 브롬(Br)은 사용하지 않는다.

정답 13 ①　14 ②　15 ①　16 ③　17 ①　18 ②　19 ④

[12년 2회]

20 다음 냉매 중 $-15℃$에서의 포화압력(증발압력)이 큰 것부터 순서대로 된 것은?

① $R-22 \rightarrow R-113 \rightarrow NH_3 \rightarrow R-500$

② $R-22 \rightarrow NH_3 \rightarrow R-500 \rightarrow R-113$

③ $NH_3 \rightarrow R-500 \rightarrow R-22 \rightarrow R-113$

④ $NH_3 \rightarrow R-22 \rightarrow R-500 \rightarrow R-113$

> $-15℃$에서의 포화압력(증발압력)
> $R-22(3.03kg/cm^3) \rightarrow NH_3(2.41kg/cm^3)$
> $\rightarrow R-500(2.19kg/cm^3) \rightarrow R-113(0.07kg/cm^3)$

[11년 3회]

21 NH_3, $R-114$, $R-22$의 냉매특성을 비교할 때 증발 잠열이 큰 것부터 나열한 순서가 옳은 것은?

① $NH_3 > R-114 > R-22$

② $NH_3 > R-22 > R-114$

③ $R-114 > NH_3 > R-22$

④ $R-22 > NH_3 > R-114$

> $-15℃$에서의 증발잠열
> ㉠ NH_3 : $1,312kJ/kg$
> ㉡ $R-22$: $216kJ/kg$
> ㉢ $R-114$: $144kJ/kg$

[09년 2회]

22 동부착 현상이 일어나기 쉬운 순서대로 나열된 것은?

① $R-12 \rightarrow R-22 \rightarrow CH_3Cl$

② $R-22 \rightarrow R-12 \rightarrow CH_3Cl$

③ $CH_3Cl \rightarrow R-22 \rightarrow R-12$

④ $CH_3Cl \rightarrow R-12 \rightarrow R-22$

> 동부착현상은 냉매 속에 수소(H)가 많을수록 일어나기 쉽다.
> $R-22 : CHClF_2$, $R-12 : CCl_2F_2$

[13년 3회]

23 냉매가스를 단열 압축하면 온도가 상승한다. 다음 가스를 같은 조건에서 단열 압축할 때 온도 상승률이 가장 큰 것은?

① 공기   ② $R-12$

③ $R-22$ ④ NH_3

> 냉매의 경우 비열비가 클수록 단열압축 후 온도 상승률이 크다.
> 이유 : $\dfrac{P_2}{P_1} = \left(\dfrac{T_2}{T_1}\right)^{\frac{K-1}{K}}$
> 각 물질의 비열비 K
> ① 공기($K=1.4$)   ② $R-12(K=1.136)$
> ③ $R-22(K=1.184)$ ④ $NH_3(K=1.313)$

[09년 3회]

24 다음 냉매 중 화염에 접촉되었을 때 포스겐을 발생하는 냉매는 어느 것인가?

① 메틸클로라이드

② 암모니아

③ $R-12$

④ 아황산가스

> 염소(Cl)가 포함되어 있는 프레온계 냉매는 화염과 접촉 시 포스겐($COCl_2$) 가스가 발생할 수 있다.

[14년 3회, 11년 1회, 10년 2회]

25 암모니아 냉동기에서 암모니아가 누설되는 곳에 리트머스 시험지를 대면 어떤 색으로 변하는가?

① 홍색   ② 청색

③ 갈색   ④ 백색

> NH_3 냉매의 누설검지
> ㉠ 취기
> ㉡ 붉은 리트머스시험지 → 청색(누설 시)
> ㉢ 유황초나 염산 → 흰색연기(누설 시)
> ㉣ 페놀프탈레인 → 홍색(누설 시)
> ㉤ 네슬러시약 → 소량 누설(황색), 다량누설(자색): 브라인 중에 누설 검지

[14년 1회]
26 다음 냉매 중 아황산가스에 접했을 때 흰 연기를 내는 가스는?

① 프레온 12
② 크로메틸
③ R-410A
④ 암모니아

암모니아 냉매는 누설 시 유황초를 태우면 아황산가스가 발생하여 암모니아와 반응하여 흰색연기가 발생한다.

[15년 3회]
27 다음과 같은 성질을 갖는 냉매는 어느 것인가?

- 증기의 밀도가 크기 때문에 증발기관의 길이는 짧아야 한다.
- 물을 함유하면 AI 및 Mg합금을 침식하고, 전기저항이 크다.
- 천연고무는 침식되지만 합성고무는 침식되지 않는다.
- 응고점(약 -158℃)이 극히 낮다.

① NH_3
② $R-12$
③ $R-21$
④ H_2O

$R-12$냉매의 특성을 나타낸다.

[13년 1회]
28 헬라이드 토치로 누설을 탐지할 때 누설이 있는 곳에서는 토치의 불꽃색깔이 어떻게 되는가?

① 흑색
② 파란색
② 노란색
④ 녹색

냉매의 누설검지
헬라이드 토치 사용 시 냉매의 불꽃반응
정상-청색, 소량누설-녹색, 다량누설-자색, 과량누설-꺼진다.

[16년 2회, 12년 2회]
29 헬라이드 토치는 프레온계 냉매의 누설검지기이다. 누설 시 식별방법은?

① 불꽃의 크기
② 연료의 소비량
③ 불꽃의 온도
④ 불꽃의 색깔

헬라이드 토치 사용 시 냉매의 불꽃반응
정상-청색, 소량누설-녹색, 다량누설-자색, 과량누설-꺼진다.

[12년 3회]
30 헬라이드 토치로 누설검사가 불가능한 냉매는?

① NH_3
② R-504
③ R-22
④ R-114

헬라이드 토치는 프레온계 냉매의 누설검지기이다.
따라서 암모니아(NH_3)는 검지할 수 없다.

[13년 3회]
31 할로겐 탄화수소계 냉매의 누설을 탐지하는 방법으로 가장 적합한 것은?

① 유황을 묻힌 심지를 이용한다.
② 헬라이드 토치를 이용한다.
③ 네슬러 시약을 이용한다.
④ 페놀프탈렌 시험지를 이용한다.

할로겐 탄화수소계(프레온계) 냉매의 누설을 탐지하는 방법으로 가장 적합한 것은 헬라이드 토치를 이용하는 것이다.

[16년 2회]
32 헬라이드 토치를 이용한 누설검사로 적절하지 않은 냉매는?

① R-717
② R-123
③ R-22
④ R-114

헬라이드 토치는 프레온계 냉매의 누설검지기이다. 따라서 R-717(NH_3)는 검지할 수 없다.

정답 26 ④ 27 ② 28 ④ 29 ④ 30 ① 31 ② 32 ①

[08년 1회]

33 전자 누설 탐지기는 냉매가 새는 경우 어떤 반응을 보이는가?

① 불꽃의 색깔이 변한다.
② 눈금을 나타내거나 빛 또는 소리가 난다.
③ 관에 있는 색깔이 변한다.
④ 바이메탈을 이용하여 굽어지는 정도로써 눈금을 나타낸다.

프레온 냉매를 사용하는 냉동장치에서 사용하는 전자 누설 탐지기는 냉매가 새는 경우 눈금을 나타내거나 빛 또는 소리가 난다.

[14년 1회]

34 냉매와 화학분자식이 옳게 짝지어진 것은?

① R − 500 → $CCl_2F_4 + CH_2CHF_2$
② R − 502 → $CHClF_2 + CClF_2CF_3$
③ R − 22 → CCl_2F_2
④ R − 717 → NH_4

① R − 500 → $CCl_2F_2 + CH_3CHF_2$ (R−12 + R−152)
② R − 502 → $CHClF_2 + CClF_2CF_3$ (R−22 + R−115)
③ R − 22 → $CHClF_2$
④ R − 717 → NH_3

[14년 2회]

35 다음 냉매 중 독성이 큰 것부터 나열된 것은?

| ㉠ 아황산(SO_2) | ㉡ 탄산가스(CO_2) |
| ㉢ R−12(CCl_2F_2) | ㉣ 암모니아(NH_3) |

① ㉣-㉡-㉠-㉢
② ㉣-㉠-㉡-㉢
③ ㉠-㉣-㉡-㉢
④ ㉠-㉡-㉣-㉢

독성 순위
아황산(SO_2)가스 > 암모니아(NH_3) > 탄산가스(CO_2) > R−12(CCl_2F_2)

[15년 2회]

36 간접 냉각 냉동장치에 사용하는 2차 냉매인 브라인이 갖추어야 할 성질로 틀린 것은?

① 열전달 특성일 좋아야 한다.
② 부식성이 없어야 한다.
③ 비등점이 높고, 응고점이 낮아야 한다.
④ 점성이 커야 한다.

④의 점성은 작아야 순환펌프의 동력소비가 적어진다.
기타 "비열이 크고 동결온도가 낮을 것" 또한 "불연성이며 독성이 없을 것" 등이다.

[15년 3회]

37 브라인의 구비조건으로 틀린 것은?

① 상 변화가 잘 일어나서는 안 된다.
② 응고점이 낮아야 한다.
③ 비열이 적어야 한다.
④ 열전도율이 커야 한다.

비열이 클수록 열 운반능력이 증대하여 브라인 순환량이 감소하므로 설비비 및 반송동력이 감소한다.

[09년 2회]

38 간접 냉각식 냉동장치에 사용하는 2차 냉매로서 brine을 사용한다. 이 brine에 필요한 성질 중 틀린 것은?

① 비열과 열전도율이 적고 열전달에 대한 특성이 없을 것
② 점성이 적고 순환 pump의 동력 소비가 적을 것
③ 동결점이 낮을 것
④ 냉동장치의 구성부분을 부식시키지 않을 것

브라인은 비열 및 열전도율이 크고 열전달 특성이 우수해야 한다.

정답 33 ② 34 ② 35 ③ 36 ④ 37 ③ 38 ①

[예상문제]
39 다음 중 브라인의 구비조건이 아닌 것은?

① 열용량이 작고 전열이 좋을 것
② 점도가 적당할 것
③ 응고점이 낮을 것
④ 금속에 대한 부식성이 적고 불연성일 것

> 브라인은 열용량이 클수록 열 운반능력이 증대하여 순환량이 적어져 설비비 및 반송동력이 감소한다.

[14년 3회]
40 다음 중 무기질 브라인이 아닌 것은?

① 식염수
② 염화마그네슘
③ 염화칼슘
④ 에틸렌글리콜

> 무기질 브라인 : 염화칼슘($CaCl_2$), 염화나트륨($NaCl$), 염화마그네슘($MgCl_2$)
> 유기질 브라인 : 에틸렌글리콜, 프로필렌글리콜, 알코올, 염화메틸렌(R-11), 메틸렌클로라이드

[13년 1회, 10년 3회, 08년 2회]
41 염화나트륨 브라인의 공정점은 몇 ℃인가?

① -55℃
② -42℃
③ -36℃
④ -21℃

> 무기질 브라인의 공정점
> 식염수(염화나트륨) :-21.2℃
> 염화마그네슘 : -33.6℃
> 염화칼슘 : -55℃

[13년 2회, 09년 3회]
42 염화칼슘 브라인의 공정점(共晶點)은?

① -15℃
② -21℃
③ -33.6℃
④ -55℃

> 염화칼슘 : -55℃

[12년 1회, 07년 2회]
43 다음 무기질 브라인 중에 동결점이 제일 낮은 것은?

① $MgCl_2$
② $CaCl_2$
③ H_2O
④ $NaCl$

> 공정점
> NaCl(염화나트륨) : -21.2℃
> $MgCl_2$(염화마그네슘) : -33.6℃
> $CaCl_2$(염화칼슘) : -55℃
> H_2O(물) : 0℃

[12년 1회]
44 브라인에 대한 설명으로 옳은 것은?

① 브라인은 그 감열을 이용하여 냉각한다.
② 염화칼슘 브라인보다 염화나트륨 브라인 쪽이 온도를 더 내릴 수 있다.
③ 일반적으로 유기질브라인은 무기질브라인에 비해 부식성이 크다.
④ 브라인은 비등점이 낮아도 상관없다.

> ② 염화칼슘 브라인이 염화나트륨 브라인 보다 공정점이 낮아서 온도를 더 내릴 수 있다.
> ③ 일반적으로 유기질브라인은 무기질브라인에 비해 부식성이 작다.
> ④ 브라인은 현열에 의해 열을 운반하기 때문에 증발이 쉽게 되지 않도록 비등점이 높아야 한다.

[14년 3회]
45 브라인의 금속에 대한 특징으로 틀린 것은?

① 암모니아가 브라인 중에 누설하면 알칼리성이 대단히 강해져 국부적인 부식이 발생한다.
② 유기질 브라인은 일반적으로 부식성이 강하나 무기질 브라인은 부식성이 적다.
③ 브라인 중에 산소량이 증가하면 부식량이 증가하므로 가능한 공기와 접촉하지 않도록 한다.
④ 방청제를 사용하며, 방청제로는 중크롬산소다를 사용한다.

> 유기질 브라인이 무기질 브라인에 비하여 부식성이 적다.

정답 39 ① 40 ④ 41 ④ 42 ④ 43 ② 44 ① 45 ②

[13년 2회]

46 Brine의 중화제 혼합비율로 가장 적당한 것은?

① 염화칼슘 100L당 중크롬산소다 100g, 가성소다 23g

② 염화칼슘 100L당 중크롬산소다 100g, 가성소다 43g

③ 염화칼슘 100L당 중크롬산소다 160g, 가성소다 23g

④ 염화칼슘 100L당 중크롬산소다 160g, 가성소다 43g

브라인의 부식방지 처리
㉠ 공기와 접촉하면 부식력이 증대하므로 가능한 범위에서 용해도를 크게 하여 공기와 접촉하지 않은 액 순환방식을 채택한다.
㉡ 암모니아가 브라인 중에 누설되면 강알칼리성으로 인하여 국부적인 부식현상이 발생하므로 주의한다.
㉢ 브라인의 PH(폐하)는 약 7.5~8.2로 유지해야 한다.
㉣ 염화칼슘 브라인 : 브라인 1L에 대하여 중크롬산나트륨 ($Na_2Cr_2O_7$) 1.6g을 용해하고 중크롬산나트륨 100g마다 가성소나(NaOH) 27g을 첨가한다.
㉤ 염화나트륨브라인 : 브라인 1L에 대하여 중크롬산나트륨 3.2g을 용해시키고 중크롬산나트륨 100g마다 가성소다 27g을 첨가한다.
㉥ 방식아연을 사용한다.

[09년 1회]

47 브라인에 대한 설명 중 옳은 것은?

① 브라인 중에 용해하고 있는 산소량이 증가하면 부식이 심해진다.

② 브라인의 pH(폐하)는 보통 5로 유지한다.

③ 유기질 브라인은 무기질에 비해 부식성이 크다.

④ 염화칼슘용액, 식염수, 프로필렌글리콜은 무기질은 브라인이다.

② 브라인의 pH(폐하)는 보통 7.5~8.2로 유지한다.
③ 유기질 브라인은 무기질에 비해 부식성이 적다.
④ 무기질 브라인 : 염화칼슘($CaCl_2$), 염화나트륨(NaCl),
　　　　　　　　 염화마그네슘($MgCl_2$)
　유기질 브라인 : 에틸렌글리콜, 프로필렌글리콜, 알코올,
　　　　　　　　 염화메틸렌(R-11), 메틸렌 클로라이드

[11년 1회]

48 브라인의 부식방지를 위한 pH 값으로 가장 적당한 것은?

① 5.5~6.5

② 7.5~8.2

③ 9.5~11.0

④ 11.5~15.5

브라인의 pH(폐하)는 보통 7.5~8.2로 유지한다.

[15년 1회]

49 브라인에 대한 설명으로 옳은 것은?

① 브라인 중에 용해하고 있는 산소량이 증가하면 부식이 심해진다.

② 구비조건으로 응고점은 높아야 한다.

③ 유기질 브라인은 무기질에 비해 부식성이 크다.

④ 염화칼슘용액, 식염수, 프로필렌글리콜은 무기질 브라인이다.

② 응고점이 낮아야 한다.
③ 유기질 브라인이 무기질 브라인에 비하여 부식성이 적다.
④ 무기질 브라인 : 염화칼슘($CaCl_2$), 염화나트륨(NaCl),
　　　　　　　　 염화마그네슘($MgCl_2$)
　유기질 브라인 : 에틸렌글리콜, 프로필렌글리콜, 알코올,
　　　　　　　　 염화메틸렌(R-11), 메틸렌클로라이드

[15년 2회, 10년 1회, 08년 3회]

50 냉동용 압축기에 사용되는 윤활유를 냉동기유라고 한다. 냉동기유의 역할과 거리가 먼 것은?

① 윤활작용

② 냉각작용

③ 제습작용

④ 밀봉작용

냉동유의 역할
㉠ 마찰저항 및 마모방지(윤활작용)
㉡ 밀봉작용
㉢ 방청작용
㉣ 냉각작용

[16년 1회]
51 냉동장치에서 윤활의 목적으로 가장 거리가 먼 것은?

① 마모 방지

② 기밀 작용

③ 열의 축적

④ 마찰동력 손실방지

> **냉동유의 역할**
> ㉠ 마찰저항 및 마모방지(윤활작용)
> ㉡ 밀봉작용
> ㉢ 방청작용
> ㉣ 냉각작용

[10년 3회]
52 다음은 냉동기 윤활유의 구비조건이다. 틀린 것은?

① 저온도에서 응고하지 않고 왁스(wax)를 석출하지 않을 것

② 인화점이 낮고 고온에서 열화하지 않을 것

③ 냉매에 의하여 윤활유가 용해되지 않을 것

④ 전기 절연도가 클 것

> **냉동유의 구비조건**
> ㉠ 응고점이 낮고 왁스(wax)를 석출하지 않을 것.
> ㉡ 인화점이 높고 열화하지 않을 것.
> ㉢ 적정한 유동성이 있을 것.
> ㉣ 전기절연성이 높을 것.(밀폐식 압축기일 경우)
> ㉤ 냉매와 화학반응을 일으키지 않을 것.

[14년 3회]
53 냉동기에 사용하는 윤활유의 구비조건으로 틀린 것은?

① 불순물이 함유되어 있지 않을 것

② 전기 절연내력이 클 것

③ 응고점이 낮을 것

④ 인화점이 낮을 것

> 냉동기에 사용하는 윤활유는 인화점이 높아야 한다.

[16년 2회, 11년 2회]
54 냉동기유에 대한 냉매의 용해성이 가장 큰 것은? (단, 동일한 조건으로 가정한다.)

① R-113

② R-22

③ R-115

④ R-717

> **냉동기유에 대한 냉매의 용해성**
> - 용해도가 큰 냉매 : R-11, R-12, R-21, R-113, R-500
> - 용해도가 중간인 냉매 ; R-22, R-114
> - 용해도가 작은 냉매 : R-13, R-14, R-502, R-717(NH$_3$)

[12년 1회, 10년 1회]
55 다음 보기의 내용 중 맞는 것으로 짝지어진 것은?

> ┤【보 기】├
> ㉠ 냉동기유는 NH$_3$액보다 가볍다.
> ㉡ NH$_3$는 냉동기유에 용해하기 어렵지만 R-12는 기름에 잘 용해한다.
> ㉢ R-22는 일정한 고온에서는 냉동기유에 잘 용해되며 저온에서는 잘 용해되지 않는다.
> ㉣ 증발기 중에서 냉동기유는 R-12의 액 위에 분리하여 뜬다.

① ㉠, ㉡

② ㉡, ㉢

③ ㉠, ㉣

④ ㉠, ㉢

> (1) 암모니아와 윤활유와의 관계
>   - 암모니아냉매는 광유(윤활유)와 용해하기 어렵다.
>   - 암모니아액은 오일보다 가볍다. 따라서 용기에 체류하는 오일은 용기의 하부에서 배출한다.
> (2) R-12의 경우 오일에 대한 용해성이 크므로 분리되지 않는다.

[15년 3회]

56 압축기 기동 시 윤활유가 심한기포현상을 보일 때 주된 원인은?

① 냉동능력이 부족하다.
② 수분이 다량 침투했다.
③ 응축기의 냉각수가 부족하다.
④ 냉매가 윤활유에 다량 녹아있다.

오일 포밍(Oil foaming) 현상
플루오르카본(프레온) 냉동장치에서 압축기 정지 시 냉매가스가 크랭크 케이스 내의 오일 중에 용해되어 있다가 압축기 기동 시 크랭크케이스 내의 압력이 갑자기 낮아져 오일 중에 용해되어 있던 냉매가 급격히 증발하게 되어 유면이 약동하면서 거품이 발생하는데 이러한 현상을 오일 포밍이라 한다.

[16년 1회]

57 왕복동 압축기의 유압이 운전 중 저하되었을 경우에 대한 원인을 분류한 것으로 옳은 것을 모두 고른 것은?

⊙ 오일 스트레이너가 막혀 있다.
ⓒ 유온이 너무 낮다.
ⓒ 냉동유가 과충전되었다.
ⓔ 크랭크실내의 냉동유에 냉매가 너무 많이 섞여 있다.

① ⊙, ⓒ   ② ⓒ, ⓔ
③ ⊙, ⓔ   ④ ⓒ, ⓒ

유압저하의 원인
– 유온이 높을 경우
– 흡입압력이 극도로 저하하여 크랭크실내가 고진공상태인 경우
– liquid back을 일으켜 oil foaming 현상이 발생한 경우(크랭크실내의 냉동유에 냉매가 너무 많이 섞여 있다)
– 오일여과기가 막혔을 경우

PARAT 02

냉동냉장 설비

냉매선도와 냉동 사이클   **1** 몰리에르 선도와 상변화

1 몰리에르 선도와 상변화

1. **몰리에르 선도(Mollier diagram, P-h선도)의 구성**

냉동장치 내의 냉매는 여러 가지 상태변화를 하기 때문에 냉동사이클을 표시하는데 선도를 사용하면 실용적으로 편리하다. 일반적으로 이용하는 선도가 P-h선도이다. P-h선도는 아래 그림과 같이 구성되어 있다.

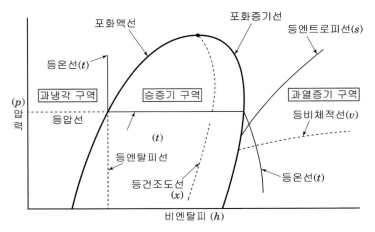

그림. 몰리에르 선도의 구성

2. **몰리에르 선도의 특성**

(1) 냉매 1kg에 대한 작업 과정을 선도로 나타낸다.

(2) 냉매 순환량, 압축기 흡입량, 응축부하, 압축일량 등 이론적 계산에 많이 쓰인다.

(3) 종축에 절대압력 P를 대수(log) 눈금으로 횡축에 엔탈피 h를 취한다.

3. **몰리에르 선도의 이용**

(1) 냉동기의 크기 결정

(2) 전동기의 크기 결정

(3) 냉동능력판단

(4) 냉동 장치의 운전상태 양부

(5) 합리적이고 능률적인 운전에 필요

4. 몰리에르 선도의 6대 구성요소

(1) 등압선(P : Pa(kg/cm^2abs))

① 횡축과 나란하며 절대압력이 대수 눈금으로 표시되어 있다.

② 등압선상에서의 압력은 같은 압력을 나타낸다.

③ 증발 및 응축압력을 알 수 있다.

④ 압축비를 구할 수 있다.

(2) 등엔탈피선(h : kJ/kg(kcal/kg))

① 종축과 평행하며 횡축에 취한 눈금으로 표시되어 있다.

② 이 선상의 엔탈피는 같다.

③ 냉매 1kg에 대한 엔탈피를 구할 수 있다.(냉매의 경우 0℃ 포화액의 엔탈피 200kJ/kg(100kcal/kg)을 기준으로 하고 있다.

④ 냉동효과, 압축열량, 응축열량 및 플래시 가스(flash gas) 발생량을 알 수 있다.

(3) 등온선(t : ℃)

① 과냉각 구역에서는 P에 나란하고 습포화 증기 구역에서는 h에 평행하며 과열증기 구역에서는 건조포화 선상에서 오른쪽으로 약간 구부러지면서 급히 하향한다.

② 이 선상의 온도는 모두 같다.

③ 습포화 증기 구역에서는 일반적으로 등온선이 그어져 있지 않고 포화액선과 건조포화 증기선에 온도가 표시되어 있다.

④ 토출가스 온도, 증발온도, 응축온도 및 팽창변 직전의 냉매 온도를 알 수 있다.

건조도
습포화 증기는 건조포화증기와 냉매액의 혼합물이라고 볼 수 있다. 이때 그 증기 속에 함유 된 냉매액의 혼용률을 나타내기 위한 것으로 지금 증기 1kg 속에 건조 증기가 x kg 있다고 하면 이때 x를 건조도 또는 건도라 한다.
(예)
$x = 0.6$은 습증기 중 60%는 건조 포화증기이고 나머지 40%는 포화액인 것을 나타낸다.

(4) 등비체적선(v : m^3/kg)

① 습포화 증기구역과 과열증기 구역에서만 존재하는 선으로 수평선에서 오른쪽으로 비스듬히 올라간 선으로 그어져있다.

② 압축기로 흡입되는 냉매 1kg의 체적을 구할 때 쓰인다.

(5) 등건조도선(x)

① 포화액선과 포화증기선 사이(습포화 증기구역)를 10등분하여 표시하고 있다.

② 포화액의 건조도는 0이며 건조포화 증기의 건조도는 1이다.

③ 냉매 1kg이 포함하고 있는 증기량을 알 수 있다.

(6) 등 엔트로피선(S : kJ/kgK (kcal/kgK))

① 엔트로피가 같은 점을 이은 선으로 왼쪽 아래에서 급경사를 이루면서 상향한 곡선이다.

② 습증기 구역과 과열증기 구역에만 존재한다.

③ 압축기에서의 압축은 단열변화이므로 등엔트로피 선을 따라 압축된다.

5. 몰리에르 선도와 냉동 사이클

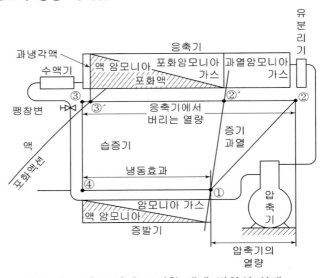

그림. P-h선 도상에 표시한 냉매 변화의 상태

① 점 : 증발기에서 증발 완료한 건조 포화증기가 압축기에 흡입되는 지점

② 점 : 압축된 냉매가스가 압축기를 나와 응축기에 들어가는 지점

②′점 : 응축기 입구를 지나서 고온 냉매의 과열이 제거된 건조포화 증기

③′점 : 응축기에서 냉각수 또는 공기로 냉각된 포화액으로 응축기 출구를 지나서 혹은 수액기에서의 지점

③ 점 : 포화액이 과냉각되어 팽창밸브 입구까지 도달된 액

④ 점 : 팽창밸브를 지나 감압, 감온 된 냉매가 증발기에 들어가는 습포화 증기

6. 냉동 사이클의 변화와 몰리에르 선도

(1) 흡입가스 상태에 의한 압축 사이클의 종류

증발 및 응축온도가 일정하고 과냉각도가 없는 냉동 사이클에 있어서 압축기에 흡입되는 가스의 상태가 변화했을 경우에 대한 사이클의 변화이다.

① 건(포화) 압축사이클

압축기에 흡입되는 냉매가 증발기에서 증발을 완료하여 건조포화증기 상태로 압축하는 사이클이다. 이론적으로 냉동기는 건압축을 원하나 실제는 불가능 하다.

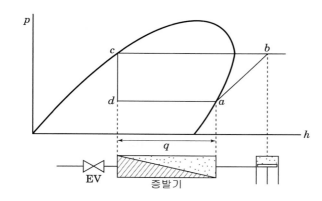

② 과열 압축사이클

부하가 증대하거나 냉매순환량이 감소되면, 증발기 출구에 이르기 전에 이미 냉매의 증발 이 완료되고 계속 열을 흡수하여 등압 하에서 온도가 상승된 과열증기 상태로 압축기에 흡입된다. 일반적으로 습압축을 방지할 목적으로 압축기에 흡입되는 증기를 열교환기로 과열시켜 압축하는 사이클이다.

과열도 = 과열증기 온도 − 포화증기온도

과열 증기를 흡입할 때
㉠ 냉매 순환량 감소
㉡ 토출 가스 온도 상승
㉢ 체적 효율 감소
㉣ 소요 동력 증대
㉤ 실린더 과열
㉥ 윤활유 탄화
㉦ 냉동능력 감소

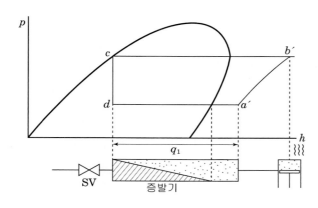

③ 습압축 사이클

부하의 감소나 냉매 순환량의 증가로 증발기에서 완전히 증발하지 못한 습증기 상태로 압축기에 흡입되는 사이클을 의미한다.

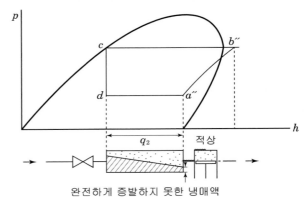

(2) 응축온도(압력)의 변화

압축기의 흡입가스는 건조포화 증기이고, 증발압력이 일정할 때 응축온도가 변화한 경우에 대한 사이클의 변화이다. (단, 과냉각은 없는 것으로 한다.)

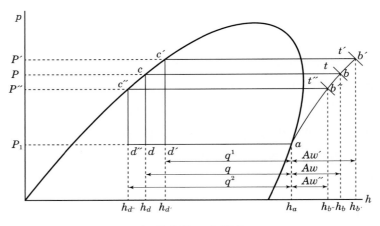

그림. 응축온도의 변화

냉동 사이클(a→b→c→d) 상태에서 응축기의 냉각이 불량하면 응축 압력이 P에서 P′로 높아진다. 이로 인하여 냉동 사이클을 (a→b′→c′→d′)의 상태로 변화한다. 이와 반대로 응축기의 냉각 상태가 좋아지면 응축압력이 P에서 P″로 낮아진다. 따라서 사이클은 (a→b″→c″→d″)의 상태로 변화한다. 이 세 가지의 사이클을 비교할 때 응축 온도가 높아지면 응축압력의 상승으로 다음과 같은 결과를 초래한다.

⑦ 압축비의 증대 　⑭ 토출가스 온도 상승 　⑮ 냉동 효과 감소
⑯ 성적 계수 감소 　⑰ 실린더 과열 　⑱ 윤활유의 탄화
⑲ 소요 동력 증대 　⑳ 체적 효율 감소 　㉑ 피스톤 압출량 감소
㉒ 냉매 순환량 감소

※ 응축압력은 가능한 한 낮게 하는 것이 좋다.

(3) 증발 온도(압력)의 변화

응축온도가 일정하고 과냉각이 없을 때, 증발 온도가 변화했을 경우에 대한
몰리에르 선도상의 변화이다. 단, 압축기의 흡입가스 상태는 건조 포화증기
로 한다.

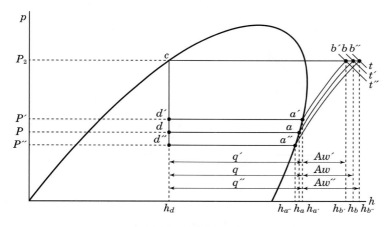

그림. 증발압력의 변화

냉동 사이클(a → b → c → d)의 운전 중에 피냉각 물질의 온도 저하 등으
로 인하여 증발기의 냉각 상태가 변화했을 경우 그에 비례하여 증발온도
가 저하하고 증발 압력은 P에서 P″로 변화한다. 그리하여 냉동 사이클을
(a → b″ → c″ → d″)의 상태로 된다. 반대로 피냉각 물질의 온도상승 등으
로 인하여 증발기의 냉각 상태가 변화했을 경우 그에 비례하여 증발온도
도 상승하게 되고 증발압력도 P에서 P′로 변화한다.

※ 증발 온도가 낮을 때

⑦ 압축비의 증대　　　ⓝ 토출가스 온도 상승　　ⓓ 체적 효율 감소
ⓡ 냉매 순환량 감소　　ⓜ 냉동 효과 저하　　　　ⓗ 성적계수 저하
ⓢ 피스톤 압출량 감소　ⓞ 실린더 과열　　　　　ⓩ 윤활유 탄화
ⓒ 소요 동력 증대

(4) 과냉각의 변화

응축, 증발 온도가 일정하고, 압축기 흡입가스는 건조 포화 증기이고 응축기 출구의 냉매액 상태가 변화했을 경우에 대한 사이클의 변화이다.

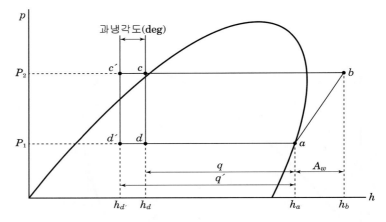

그림. 과냉각의 변화

냉동 사이클 (a → b → c → d)상태에서 응축기의 냉각 능력이 증가하여 응축기 출구의 냉매액 온도가 저하된 것으로 하면 사이클은 (a → b → c′ → d′)로 변화 한다. 이 두 냉동 사이클을 위 그림을 보고 비교하면 과 냉각도가 크게 되면 냉동효과의 증가로 성적 계수가 증대하는 것을 알 수 있다.

[15년 3회, 14년 2회, 08년 2회]

01 몰리에르 선도 상에서 압력이 커짐에 따라 포화액선과 건조포화 증기선이 만나는 일치점을 무엇이라고 하는가?

① 임계점   ② 한계점
③ 상사점   ④ 비등점

> 임계점(CP : critical point)
> 압력의 변화에 따라 포화 증기의 잠열이나 전열량 및 포화수의 보유 열량은 변화한다. 그림에서와 같이 포화수의 비엔탈피는 압력의 상승과 함께 증가하나, 증발열(잠열)은 반대로 감소해간다. 그 극한의 22.12MPa(225.65kgf/cm² · abs)의 압력에 있어서 포화 온도는 374.15℃로 되는데, 포화 증기의 전열량과 포화수의 보유 열량, 즉 현열과 같게 된다. 따라서 이 점에 있어서의 잠열은 0으로 된다. 이 극한점을 임계점이라 하며, 임계점에서는 포화수의 비용적과 포화 증기의 비용적은 같고 물과 증기의 구별이 되지 않는다.

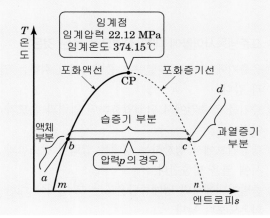

[09년 1회]

02 P(압력)$-h$(엔탈피) 선도에서 포화증기선상의 건조도는 얼마인가?

① 2   ② 1
③ 0.5   ④ 0

P(압력)$-h$(엔탈피) 선도에서 포화증기선상의 건조도는 1이다.

[15년 2회]

03 몰리에르 선도에 대한 설명 중 틀린 것은?

① 과열구역에서 등엔탈피선은 등온선과 거의 직교한다.
② 습증기 구역에서 등온선과 등압선은 평행하다.
③ 습증기 구역에서만 등건조도선이 존재한다.
④ 등비체적선은 과열 증기구역에서도 존재한다.

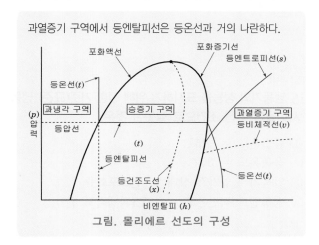

그림. 몰리에르 선도의 구성

[15년 3회]

04 몰리에르 선도 상에서 건조도(X)에 관한 설명으로 옳은 것은?

① 몰리에르 선도의 포화액선상 건조도는 1이다.
② 액체가 70%, 증기 30%인 냉매의 건조도는 0.7이다.
③ 건조도는 습포화증기 구역 내에서만 존재한다.
④ 건조도라 함은 과열증기 중 증기에 대한 포화액체의 양을 말한다.

> ① 몰리에르 선도의 포화액선상 건조도는 0이다. 포화증기선상의 건조도가 1이다.
> ② 액체가 70%, 증기 30%인 냉매의 건조도는 0.30이다.
> ④ 건조도란 습증기 속에 포함되어 있는 건조한 증기의 양을 의미한다.

[16년 1회, 10년 3회]

05 냉동사이클 중 P-h 선도(압력-엔탈피 선도)로 계산할 수 없는 것은?

① 냉동능력 ② 성적계수

③ 냉매순환량 ④ 마찰계수

> 냉동사이클 중 P-h 선도(압력-엔탈피 선도)로 계산할 수 있는 것
> ㉠ 냉동효과 ㉡ 압축일량(소요동력)
> ㉢ 응축기 방열량 ㉣ 성적계수
> ㉤ 냉동능력 ㉥ 냉매순환량
> ㉦ 압축비

[12년 2회]

06 냉동기의 성능을 표시하기 위해 정한 기준(표준) 냉동사이클의 운전 조건으로 잘못된 것은?

① 증발온도 = −15℃

② 응축온도 = 30℃

③ 압축기 흡입가스 상태 = 건조포화증기

④ 팽창밸브 직전온도 = 45℃(과냉각도 5℃)

> 표준 냉동사이클
> ① 증발온도 = −15℃
> ② 응축온도 = 30℃
> ③ 압축기 흡입가스 상태 = 건조포화증기
> ④ 팽창밸브 직전온도 = 25℃(과냉각도 5℃)

[11년 3회]

07 표준 냉동사이클(기준 냉동사이클)에서 응축온도와 팽창밸브 직전의 과냉각온도는 일반적으로 몇 도로 하는가?

① 3℃ ② 5℃

③ 10℃ ④ 15℃

> 표준 냉동사이클에서 팽창밸브 직전의 과냉각온도는 5℃이다.

[15년 1회]

08 표준냉동사이클이 적용된 냉동기에 관한 설명으로 옳은 것은?

① 압축기 입구의 냉매 엔탈피와 출구의 냉매 엔탈피는 같다.

② 압축비가 커지면 압축기 출구의 냉매가스 토출 온도는 상승한다.

③ 압축비가 커지면 체적 효율은 증가한다.

④ 팽창밸브 입구에서 냉매의 과냉각도가 증가하면 냉동능력은 감소한다.

> ① 압축기 입구의 냉매 엔트로피와 출구의 냉매 엔트로피는 같다.(등엔트로피 과정)
> ③ 압축비가 커지면 체적 효율은 감소한다.
> ④ 팽창밸브 입구에서 냉매의 과냉각도가 증가하면 플래시 가스 발생량이 적어져서 냉동능력은 증가한다.

[16년 1회]

09 표준냉동사이클에 대한 설명으로 옳은 것은?

① 응축기에서 버리는 열량은 증발기에서 취하는 열량과 같다.

② 증기를 압축기에서 단열압축하면 압력과 온도가 높아진다.

③ 팽창밸브에서 팽창하는 냉매는 압력이 감소함과 동시에 열을 방출한다.

④ 증발기내에서의 냉매증발온도는 그 압력에 대한 포화온도보다 낮다.

> ① 응축기에서 버리는 열량은 증발기에서 취한 열량에 압축일을 더한 것과 같다.
> ③ 팽창밸브에서 냉매의 과정은 단열팽창으로 외부로의 열의 출입은 없다.
> ④ 표준냉동사이클에서 증발기내에서의 증발과정은 등압, 등온과정으로 냉매증발온도는 그 압력에 대한 포화온도와 같다.

정답 ▶ 05 ④ 06 ④ 07 ② 08 ② 09 ②

[09년 3회]
10 냉동기의 압축기에서 일어나는 이상적인 압축과정은 다음 중 어느 것인가?

① 등온변화
② 등압변화
③ 등엔탈피 변화
④ 등엔트로피 변화

압축과정
냉동기의 압축기에서 일어나는 이상적인 압축과정은 등엔트로피 변화이다.

[13년 2회, 11년 3회]
11 증기 압축식 이론 냉동사이클에서 엔트로피가 감소하고 있는 과정은 다음 중 어느 과정인가?

① 팽창과정
② 응축과정
③ 압축과정
④ 증발과정

응축과정
증기 압축식 이론 냉동사이클에서 응축과정은 등압과정으로 엔탈피 및 엔트로피가 감소하는 과정이다.

[16년 1회]
12 표준 냉동장치에서 단열팽창과정의 온도와 엔탈피 변화로 옳은 것은?

① 온도 상승, 엔탈피 변화 없음
② 온도 상승, 엔탈피 높아짐
③ 온도 하강, 엔탈피 변화 없음
④ 온도 하강, 엔탈피 낮아짐

팽창과정
표준 냉동장치에서 단열팽창과정은 등엔탈피 과정으로 온도는 하강하고 엔트로피는 상승한다.

[16년 2회, 09년 3회]
13 표준냉동사이클에서 팽창밸브를 냉매가 통과하는 동안 변하되지 않는 것은?

① 냉매의 온도
② 냉매의 압력
③ 냉매의 엔탈피
④ 냉매의 엔트로피

팽창과정
표준 냉동장치에서 단열팽창과정은 등엔탈피 과정으로 온도는 하강하고 엔트로피는 상승한다.

[15년 1회]
14 냉동사이클에서 등엔탈피 과정이 이루어지는 곳은?

① 압축기
② 증발기
③ 수액기
④ 팽창밸브

① 압축기 : 등엔트로피 과정
② 증발기 : 등압과정(표준냉동 사이클에서는 등온, 등압과정)
④ 팽창밸브 : 등엔탈피 과정

[11년 3회]
15 −15℃에서 건조도 0인 암모니아 가스를 교축 팽창시켰을 때 변화가 없는 것은?

① 비체적
② 압력
③ 엔탈피
④ 온도

교축팽창 = 등엔탈피 변화

[09년 3회]
16 다음 중 1보다 크지 않은 것은?

① 폴리트로픽 지수
② 성적 계수
③ 건조도
④ 비열비

건조도
건조도는 발생증기(습증기) 속에 포함되어 있는 건조한 증기의 양으로 지금 발생증기 1kg속에 포함되어 있는 건조포화증기의 양이 $x$kg이라면 이때의 x를 건조도, $(1-x)$를 습도라 한다. 따라서 건조도 x는 항상 1보다 작은 값이 된다.

[16년 1회]

17 냉동사이클이 다음과 같은 T-S 선도로 표시되었다. T-S 선도 4-5-1의 선에 관한 설명으로 옳은 것은?

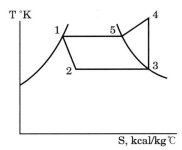

① 4-5-1은 등압선이고 응축과정이다.

② 4-5는 압축기 토출구에서 압력이 떨어지고 5-1은 교축과정이다.

③ 4-5는 불응축 가스가 존재할 때 나타나며, 5-1만이 응축과정이다.

④ 4에서 5로 온도가 떨어진 것은 압축기에서 흡입가스의 영향을 받아서 열을 방출했기 때문이다.

> ㉠ 1-2과정 : 팽창과정(등엔탈피 변화)
> ㉡ 2-3과정 : 증발과정(등압, 등온 변화)
> ㉢ 3-4과정 : 압축과정(등엔트로피 변화)
> ㉣ 4-5-1과정 : 응축과정(등압변화)

[16년 3회, 08년 3회]

18 다음 냉동기의 T-S선도 중 습압축 사이클에 해당되는 것은?

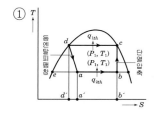

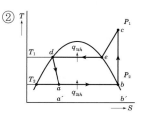

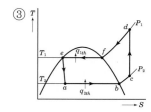

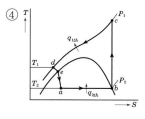

② 건압축 사이클

③ 과열압축 사이클

④ 임계압력 이상의 압축 사이클

[16년 2회]

19 냉동효과에 대한 설명으로 옳은 것은?

① 증발기에서 단위 중량의 냉매가 흡수하는 열량

② 응축기에서 단위 중량의 냉매가 방출하는 열량

③ 압축 일을 열량의 단위로 환산한 것

④ 압축기 출·입구 냉매의 엔탈피 차

> **냉동효과**
> 냉동효과란 단위중량의 냉매가 증발기에서 흡수한 열량으로 다음 식으로 나타낸다.
> 냉동효과 = 증발기 출구 냉매엔탈피 - 증발기 입구 냉매엔탈피

[16년 2회, 09년 1회]

20 팽창밸브를 통하여 증발기에 유입되는 냉매액의 엔탈피를 F, 증발기 출구 엔탈피를 A, 포화액의 엔탈피를 G라 할 때 팽창밸브를 통과한 곳에서 증기로 된 냉매의 양의 계산식으로 옳은 것은? (단, P : 압력, h : 엔탈피를 나타낸다.)

① $\dfrac{A-F}{A-G}$

② $\dfrac{A-F}{F-G}$

③ $\dfrac{F-G}{A-G}$

④ $\dfrac{F-G}{A-F}$

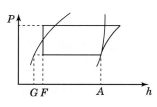

> 건조도(증기로 된 냉매의 양) $= \dfrac{F-G}{A-G}$
>
> 습도(액체 상태의 냉매의 양) $= \dfrac{A-F}{A-G}$

[12년 1회, 06년 2회]

21 기준 냉동사이클에서 냉매 R-22의 냉동효과(kJ/kg)는 암모니아의 약 몇 %정도인가?

① 5%

② 9%

③ 15%

④ 26%

> 기준 냉동사이클에서의 냉동효과(kJ/kg)
> – R-22 : 168
> – 암모니아(NH$_3$) : 1126
>
> $\therefore \dfrac{168}{1126} \times 100 ≒ 15\%$

[09년 2회]

22 증기 압축식 냉동 사이클에서 팽창 밸브를 통과하여 증발기에 유입되는 냉매의 엔탈피를 A, 증발기 출구 건조증기 상태 엔탈피를 B, 포화액의 엔탈피를 C라 할 때 팽창밸브를 통과한 후 직후 증기로 된 냉매의 양은?

① $\dfrac{B-A}{B-C}$

② $\dfrac{A-C}{B-A}$

③ $\dfrac{B-C}{A-C}$

④ $\dfrac{A-C}{B-C}$

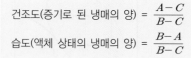

> 건조도(증기로 된 냉매의 양) $= \dfrac{A-C}{B-C}$
>
> 습도(액체 상태의 냉매의 양) $= \dfrac{B-A}{B-C}$

[16년 2회, 12년, 2회, 08년 1회]

23 –20℃의 암모니아 포화액의 엔탈피가 315kJ/kg이며, 동일 온도에서 건조포화증기의 엔탈피가 1693kJ/kg이다. 이 냉매액이 팽창밸브를 통과하여 증발기에 유입될 때의 냉매의 엔탈피가 672kJ/kg이었다면 중량비로 약 몇 %가 액체 상태인가?

① 16%   ② 26%

③ 74%   ④ 84%

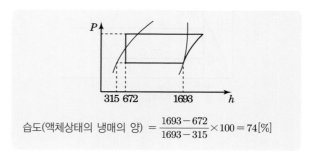

> 습도(액체상태의 냉매의 양) $= \dfrac{1693-672}{1693-315} \times 100 = 74[\%]$

[14년 1회, 10년 3회]

24 팽창밸브 입구에서 410kJ/kg의 엔탈피를 갖고 있는 냉매가 팽창밸브를 통과하여 압력이 내려가고 포화액과 포화증기의 혼합물, 즉 습증기가 되었다. 습증기 중의 포화액의 유량이 7kg/min일 때 전 유출 냉매의 유량은 약 얼마인가? (단, 팽창밸브를 지난 후의 포화액의 엔탈피는 54kJ/kg, 건포화증기의 엔탈피는 500kJ/kg이다.)

① 30.3kg/min   ② 32.4kg/min

③ 34.7kg/min   ④ 36.5kg/min

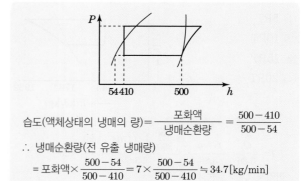

> 습도(액체상태의 냉매의 량) $= \dfrac{\text{포화액}}{\text{냉매순환량}} = \dfrac{500-410}{500-54}$
>
> $\therefore$ 냉매순환량(전 유출 냉매량)
>
> $= \text{포화액} \times \dfrac{500-410}{500-54} = 7 \times \dfrac{500-410}{500-54} ≒ 34.7[\text{kg/min}]$

[09년 2회]

25 다음과 같이 증발온도 −30℃, 냉동능력 3RT인 냉장실과 증발온도 0℃, 냉동능력 1.5RT인 냉장실은 준비실을 1대의 R12 냉동장치로서 냉각한다. 각 실의 증발기 출구의 과열도는 5℃이고, 응축온도는 35℃이며, 팽창변 직전 액의 과냉각도를 5℃라고 한다면, 필요 냉매순환량은 얼마인가? (단, 1RT=3.8kW이다)

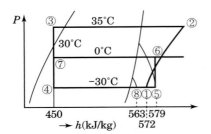

① 254.5kg/h   ② 494.5kg/h
③ 503.0kg/h   ④ 518.4kg/h

(1) −30℃, 냉동능력 3RT인 냉장실

냉매순환량 $G_1 = \dfrac{Q_2}{q_2} = \dfrac{3 \times 3.8}{563 - 450} = 0.1\,kg/s$

(2) 0℃, 냉동능력 1.5RT인 냉장실

냉매순환량 $G_2 = \dfrac{Q_2}{q_2} = \dfrac{1.5 \times 3.8}{579 - 450} = 0.044\,kg/s$

∴ 전냉매순환량 $G = G_1 + G_2 = 0.1 + 0.044 = 0.144\,kg/s$

$0.144 \times 3600 = 518.4\,kg/h$

[09년 3회]

26 다음 그림의 선도와 같이 운전하고 있는 NH_3 냉동장치에서 냉매 순환량이 230kg/h일 때 냉동능력은 몇 RT인가? (단, 1RT=3.86kW이다)

① 5RT
② 10RT
③ 15RT
④ 20RT

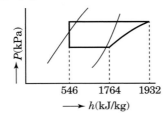

$RT = \dfrac{Q_2}{3.86} = \dfrac{G \times q_2}{3.86} = \dfrac{\left(\dfrac{230}{3600}\right) \times (1764 - 546)}{3.86} = 20$

여기서 Q_2 : 냉동능력[kJ/h]
G : 냉매순환량[kg/h]s
q_2 : 냉동효과[kJ/kg]

[08년 2회]

27 피스톤 압출량이 $48^3m/h$인 압축기를 사용하는 냉동장치가 있다. 1, 2, 3점에서의 냉매의 엔탈피 및 비체적은 그림에 나타난 것과 같다. 이 운전상태에서 압축기의 체적효율 $\eta_v = 0.75$이고, 배관에서의 열손실을 무시할 경우, 이 냉동장치의 냉동능력은 몇 냉동톤인가?

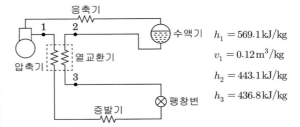

$h_1 = 569.1\,kJ/kg$
$v_1 = 0.12\,m^3/kg$
$h_2 = 443.1\,kJ/kg$
$h_3 = 436.8\,kJ/kg$

① 5.06냉동톤   ② 4.82냉동톤
③ 2.72냉동톤   ④ 2.58냉동톤

(1) 냉매순환량 $G(kg/h)$

$G = \dfrac{V_a \cdot \eta_v}{v_1} = \dfrac{48 \times 0.75}{0.12} = 300$

(2) 증발기 출구 냉매증기 엔탈피

$h'_1 = h_1 - (h_2 - h_3)$
$= 569.1 - (443.1 - 436.8) = 562.8$

∴ $RT = \dfrac{G(h'_1 - h_3)}{3.86} = \dfrac{\left(\dfrac{300}{3600}\right) \times (562.8 - 436.8)}{3.86} = 2.72$

[10년 1회]

28 다음 그림과 같은 냉동 사이클에서 냉동능력 1RT (3.86kW)당 응축기의 방열량은 약 몇 kW인가? (단, $h_1 = 563kJ/kg$, $h_3 = 1667kJ/kg$, $h_4 = 1903kJ/kg$)

① 2.72
② 3.3
③ 4.57
④ 5.20

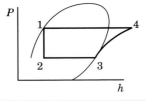

응축기 방열량(응축부하) Q_1
$Q_1 = G \times q_1 = 3.41 \times 10^{-3} \times (1903 - 563) = 4.57\,kW$
여기서 냉매순환량 $G[kg/h]$는
$G = \dfrac{Q_2}{q_2} = \dfrac{3.86}{1667 - 563} ≒ 3.41 \times 10^{-3}[kg/s]$

정답 25 ④   26 ④   27 ③   28 ③

[13년 1회, 10년 1회]

29 암모니아 냉동기의 증발온도 −20℃, 응축온도 35℃일 때 ㉠ 이론 성적계수와 ㉡ 실제 성적계수는 약 얼마인가? (단, 팽창밸브 직전의 액온도는 32℃, 흡입가스는 건포화증기이고, 체적효율은 0.65, 압축효율은 0.80, 기계효율은 0.9로 한다.)

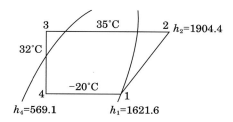

① ㉠ 0.5, ㉡ 3.8
② ㉠ 3.7, ㉡ 2.7
③ ㉠ 3.5, ㉡ 2.5
④ ㉠ 4.3, ㉡ 2.8

(1) 이론 성적계수 $= \dfrac{1621.6 - 569.1}{1904.4 - 1621.6} = 3.7$

(2) 실제 성적계수 = 이론 성적계수×압축효율×기계효율
$= 3.7 \times 0.8 \times 0.9 = 2.7$

[15년 3회]

30 다음의 압력-엔탈피 선도를 이용한 압축냉동 사이클의 성적계수는?

① 2.36
② 4.71
③ 9.42
④ 18.84

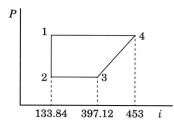

성적계수 COP

$\text{COP} = \dfrac{q_2}{w} = \dfrac{397.12 - 133.84}{453 - 397.12} = 4.71$

[14년 3회]

31 다음과 같은 냉동기의 이론적인 성적계수는?

① 4.8
② 5.8
③ 6.5
④ 8.9

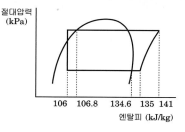

성적계수 COP

$\text{COP} = \dfrac{q_2}{w} = \dfrac{135 - 106}{141 - 135} \fallingdotseq 4.8$

[16년 2회]

32 아래와 같이 운전되고 있는 냉동사이클의 성적계수는?

① 2.1
② 3.3
③ 4.8
④ 5.9

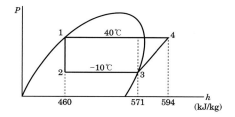

성적계수 COP

$\text{COP} = \dfrac{q_2}{w} = \dfrac{571 - 460}{594 - 571} = 4.8$

[10년 2회, 08년 2회]

33 냉동 사이클에서 응축온도가 32℃, 증발온도가 −10℃이면 성적계수는 약 얼마인가? (단, 냉동 사이클은 가역 사이클로 본다)

① 9.73
② 8.45
③ 7.26
④ 6.26

가역냉동 사이클 성적계수 COP

$\text{COP} = \dfrac{T_2}{T_1 - T_2} = \dfrac{273 - 10}{(273 + 32) - (273 - 10)} = 6.26$

정답 29 ② 30 ② 31 ① 32 ③ 33 ④

[09년 2회]

34 가역 냉동기의 냉동능력이 100RT이며, −5℃와 +20℃ 사이에서 작동하고 있다. 이 냉동기의 성적 계수는 얼마 인가?

① 10.7

② 11.7

③ 13.4

④ 12.4

가역 냉동사이클 성적계수 COP

$$COP = \frac{T_2}{T_1 - T_2} = \frac{273 - 5}{(273 + 20) - (273 - 5)} = 10.72$$

04 냉매선도와 냉동 사이클

1 이상 냉동 사이클과 실제 냉동 사이클

1. 역 카르노 사이클

외부에서 일을 가하여 저열원에서 고열원으로 열을 운반하는 장치로 냉동기의
이상 사이클이다.

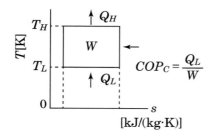

냉동기 성적계수(COP_C)

$$COP_C = \frac{T_L}{T_H - T_L}$$

히트펌프 성적계수(COP_H)

$$COP_H = \frac{T_H}{T_H - T_L}$$

2. 실제 사이클

그림에서 T-S 선도의 경우 ①-ⓐ-②의 부분이 교축팽창에 의하여 일부 엔트
로피가 증가며, ④-⑤-①에서 등압 변화에 의하여 이상 사이클(역카르노사이
클)보다 외부동력이 증가하여 실제 사이클의 성적계수는 감소하게 된다.

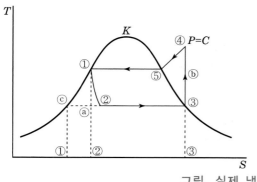

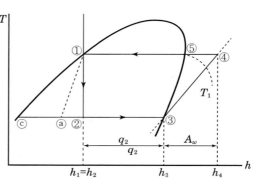

그림. 실제 냉동사이클

이상냉동 사이클	실제냉동 사이클
팽창기(단열팽창)	팽창밸브(교축팽창)
증발기(등온증발)	증 발 기(정압증발)
압축기(단열압축)	압 축 기(단열압축)
응축기(등온응축)	응 축 기(정압응측)

2 증기압축 냉동사이클

대표적인 증기압축식 냉동기는 플루오르카본(프레온), 암모니아 등의 냉매를 작동유체로 하고 있다. 냉동기는 압축기, 응축기, 팽창변, 증발기로 구성되어 그 사이에 냉매는 압축 → 응축 → 팽창 → 증발 의 상태변화를 반복한다.

1. 단단 압축 냉동사이클

(1) 냉동사이클과 P−h선도

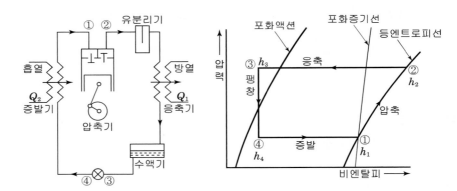

그림. 냉매의 상태변화

①→② : 압축기에서 냉매의 단열압축과정
②→③ : 응축기에서 냉매의 등압냉각과정
③→④ : 팽창변에서 냉매의 교축팽창과정
④→① : 증발기에서 냉매의 등압증발과정

(2) P−h선도 상의 여러 가지 물리량

   ① 냉동효과 (증발기에서 냉매1kg이 흡수하는 열량) q_2

$$q_2 = h_1 - h_4 [\text{kJ/kg}]$$

② 압축일의 열당량(압축에 요하는 일량) w

$$w = h_2 - h_1 [\text{kJ/kg}]$$

③ 응축기 방열량 q_1

$$q_1 = h_2 - h_3 [\text{kJ/kg}]$$

④ 압축비 m

$$m = \frac{\text{토출가스 절대압력}}{\text{흡입가스 절대압력}} = \frac{P_2}{P_1}$$

(3) 냉매순환량 G

$$G = \frac{V_a}{v_1} \eta_v [\text{kg/s}]$$

여기서, V_a : 이론 냉매흡입량$[\text{m}^3/\text{s}]$
v_1 : 흡입가스 비체적$[\text{m}^3/\text{kg}]$
η_v : 압축기 체적효율

(4) 냉동능력 Q_2

$$Q_2 = G \cdot q_2 = G(h_1 - h_4) [\text{kW}]$$

G : 냉매순환량$[\text{kg/s}]$

(5) 소요동력 W

$$W = G \cdot w = G(h_2 - h_1) [\text{kW}]$$

(6) 응축부하 Q_1

$$Q_1 = G \cdot q_1 = G(h_2 - h_3) [\text{kW}]$$

(7) 성적계수 COP

이론 성적계수

① 냉동기 성적계수$(COP_C) = \dfrac{h_1 - h_4}{h_2 - h_1}$

② 히트펌프 성적계수$(COP_H) = \dfrac{h_2 - h_4}{h_2 - h_1} = (COP_C) + 1$

· 응축부하는 냉동능력에 압축기 축동력을 더한 값이다.
· 이론성적계수는 $p - h$선도 상에냉동사이클을 도시하고 있으면 냉매순환량을 몰라도 구할 수 있다.
· 열펌프 사이클은 응축부하를 이용한다.
· 열펌프 사이클의 성적계수는 압축효율(η_c), 기계효율(η_m)의 값에 따라서 변한다.

(8) 실제 성적계수 COP', COP_H'

① $(COP_C)' = \dfrac{h_1 - h_4}{h_2 - h_1} \times \eta_c \times \eta_m$

② $(COP_H)' = \dfrac{h_2 - h_4}{h_2 - h_1} \times \eta_c \times \eta_m = (COP_C)' + 1$

여기서, η_c : 압축효율

η_m : 기계효율

---

01 예제문제

R134a 냉동장치의 이론 냉동 사이클이 아래와 같은 조건일 때 냉동능력이 96kW이었다. 다음 물음에 답하시오. (단, 압축기의 압축효율(η_c)은 0.7, 기계효율(η_m)은 0.9로 한다.)

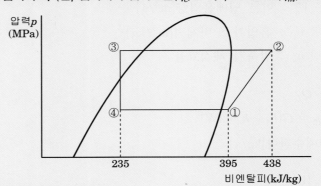

(1) 냉매 순환량을 구하시오.[kg/s]
(2) 실제축동력을 구하시오.[kW]
(3) 응축부하를 구하시오.[kW]
(4) 성적계수를 구하시오.

해설

(1) 냉매 순환량

냉동능력 $Q_2 = G \cdot (h_1 - h_4)$에서

$G = \dfrac{Q_2}{h_1 - h_4} = \dfrac{96}{395 - 235} = 0.6$

(2) 실제축동력

$L_s = \dfrac{G(h_2 - h_1)}{\eta_c \cdot \eta_m} = \dfrac{0.6 \times (438 - 395)}{0.7 \times 0.9} = 40.95$

(3) 응축부하

$Q_1 = G q_1 = G(h_2 - h_3) = 0.6 \times (438 - 235) = 121.8$

(4) 성적계수

$COP = \dfrac{Q_2}{W} = \dfrac{96}{40.95} = 2.344$

답 (1) 0.6[kg/s], (2) 40.95[kW], (3) 121.8[kW], (4) 2.344

02 예제문제

암모니아 냉동장치가 아래의 조건으로 운전되고 있다. 물음에 답하시오.

> 압축기 피스톤 압출량 $V_a = 250[\text{m}^3/\text{h}]$
>
> 압축기 흡입증기 비체적 $v_1 = 0.43[\text{m}^3/\text{kg}]$
>
> 압축기 흡입증기 비엔탈피 $h_1 = 1450[\text{kJ}/\text{kg}]$
>
> 단열 압축 후의 토출가스 비엔탈피 $h_2 = 1670[\text{kJ}/\text{kg}]$
>
> 증발기 입구 냉매의 비엔탈피 $h_4 = 340[\text{kJ}/\text{kg}]$
>
> 압축기의 체적효율 $\eta_v = 0.7$
>
> 압축기의 압축(단열)효율 $\eta_c = 0.8$
>
> 압축기의 기계효율 $\eta_m = 0.9$

(1) 냉동효과를 구하시오. $[\text{kJ}/\text{kg}]$

(2) 냉매순환량을 구하시오. $[\text{kg}/\text{s}]$

(3) 실제성적계수를 구하시오.

해설

(1) 냉동효과 q_2

$$q_2 = h_1 - h_4 = 1450 - 340 = 1110$$

(2) 냉매순환량

$$G = \frac{V_a}{v_1}\eta_v = \frac{250 \times 0.7}{0.43 \times 3600} = 0.113$$

(3) 실제성적계수

$$COP = \frac{q_2}{w}\eta_c \cdot \eta_m = \frac{1110}{1670 - 1450} \times 0.8 \times 0.9 = 3.63$$

답 (1) 1110[kJ/kg], (2) 0.113[kg/s], (3) 3.63

(9) 기준 냉동 사이클

냉동기의 냉동능력은 증발온도·응축온도·과냉각도·과열도에 따라서 다르다. 따라서 냉동능력의 비교는 일정한 온도조건으로 할 필요가 있다. 이 정해진 온도 조건에 의한 사이클을 기준냉동 사이클이라 하며 다음과 같다.

① 응축온도(응축 압력에 대한 포화온도) : 30℃

② 과냉각도 : 5℃

③ 증발온도(흡입 압력에 대한 포화온도) : -15℃

④ 압축기 흡입가스 : 과열도 : 0℃, (미국의 경우 : 과열도 5℃)

교축작용 (Throttling)
유체가 밸브(valve) 기타 저항이 큰 곳을 통과할 때에 마찰이나 흐름의 흩어짐으로 인하여 압력과 온도 강하가 일어난다. 이와 같이 좁혀진 부분에 있어서의 압력강하를 교축작용이라 한다. 이러한 목적으로 사용하는 변을 교축변이라 하고 냉동장치에서 이런 역할을 하는 장치는 증발기 입구의 팽창변이 있다.

PARAT 02

냉동냉장 설비

2. 2단 압축 사이클

냉동 장치의 증발 온도는 피냉동 물체에 의해서 응축온도는 냉각수 및 공기 등에 의해서 결정된다. 1대의 압축기로 -30℃ 이하의 저온을 얻기 위해서는 증발기에서 냉매의 증발압력이 낮아져야한다. 따라서 1대의 압축기로 이 낮은 증발압력으로부터 응축압력까지 냉매를 압축하려면 압축비가 커지게 된다. 1대의 압축기에서 압축비가 커지면 압축기의 토출가스온도가 높아지고 체적 효율이 떨어져 냉동능력이 감소되고 압축효율이 저하되므로 단위 능력당 동력의 증가를 가져와 비경제적이다. 이 결점을 제거하기 위하여 냉매를 2단으로 압축하는 것을 2단 압축방식이라고 한다.

① 압축비

$$\frac{P_2}{P_1} > 6 \, 일 \, 경우$$

$\quad P_2$: 응축압력[Pa]

$\quad P_1$: 증발압력[Pa]

② 증발온도

NH_3 : -35℃ 이하일 때

플루오르카본(프레온) : -50℃ 이하일 때

③ 중간압력 선정(P_m)

$$P_m = \sqrt{P_1 \cdot P_2}$$

(1) 2단 압축 1단 팽창 사이클

이 사이클은 그림에서와 같이 응축기를 나온 액냉매 중의 일부의 냉매가 저압 압축기에서 나오는 토출가스를 냉각시키기 위해 중간 냉각기에서 증발한다. 또한 팽창 밸브로 보내지는 냉매액의 과냉각도를 크게 하여 냉동 효과를 증대시킨다.

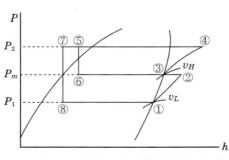

그림. 2단 압축 1단 팽창식 냉동사이클

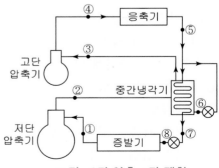

그림. 2단 압축 1단 팽창

(2) 2단 압축 2단 팽창 사이클

이 사이클의 계통도와 냉동사이클은 아래 그림과 같고 1단 팽창과 다른 점은 응축기에서 액화한 고압의 냉매를 제1팽창밸브를 거쳐서 전부 중간 냉각기로 보내어 중간압력 p_m까지 압력을 저하시켜 다시 중간냉각기에서 분리된 포화액을 제2팽창밸브를 지나서 증발압력까지 감압하여 증발기로 보내는 방식이다.

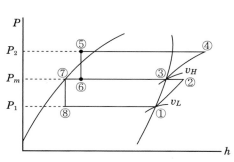

그림. 2단 압축 2단 팽창식 냉동사이클

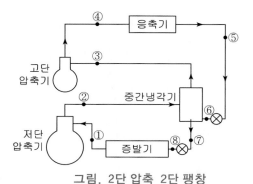

그림. 2단 압축 2단 팽창

■ 기본식

① 냉동효과 q_2

$$q_2 = h_1 - h_8$$

② 저단측 냉매순환량 G_L

$$G_L = \frac{V_L \times \eta_{vL}}{v_L}$$

$$G_L = \frac{Q_2}{q_2}$$

여기서, V_L : 저단압축기 흡입가스체적[m³/s]

η_{vL} : 저단압축기의 체적효율

v_L : 저단 압축기의 흡입가스 비체적[m³/kg]

Q_2 : 냉동능력[kW]

③ 중간냉각기 냉매순환량 G_m

중간냉각기에 대한 열평형식에 의해

$$G_m(h_3 - h_6) = G_L\{(h_2 - h_3) + (h_5 - h_7)\}$$

$$G_m = G_L \frac{(h_2 - h_3) + (h_5 - h_7)}{h_3 - h_6}$$

④ 고단압축기의 냉매순환량 G_H

$$G_H = G_L + G_m = G_L + G_L \frac{(h_2 - h_3) + (h_5 - h_7)}{h_3 - h_6} = G_L \frac{h_2 - h_7}{h_3 - h_6}$$

저단 압축기의 압축효율 η_{cL}이 주어졌을 경우

$$h_{2'} = h_1 + \frac{h_2 - h_1}{\eta_{cL}}$$

$$G_H = G_L \frac{h_{2'} - h_7}{h_3 - h_6}$$

⑤ 압축일량

• 저단압축기 축동력

$$L_{SL} = \frac{G_L(h_2 - h_1)}{\eta_{cL} \cdot \eta_{mL}}$$

• 고단압축기 축동력

$$L_{SH} = \frac{G_H(h_4 - h_3)}{\eta_{cH} \cdot \eta_{mH}}$$

⑥ 성적계수 COP

$$COP = \frac{Q_2}{W_L + W_H} = \frac{G_L(h_1 - h_8)}{G_L(h_2 - h_1) + G_H(h_4 - h_3)}$$

$$= \frac{(h_1 - h_8)}{(h_2 - h_1) + \dfrac{h_2 - h_7}{h_3 - h_6}(h_4 - h_3)}$$

※ 중간 냉각기의 기능

㉠ 저압 압축기의 토출가스 온도를 낮춘다.

㉡ 증발기에 공급되는 냉매액을 과냉각시켜 냉동효과를 증대시킨다.

㉢ 고압 압축기에 흡입되는 냉매가스와 액을 분리시킨다.

(3) 부스터(Booster compression) 냉동사이클

냉동장치에서 저압축이 현저하게 낮아지거나 응축온도가 높아 저압가스를 응축압력까지 압축하기 힘들 경우에 저압 압축기를 일반 냉동기의 보조로 사용하도록 한 것이다. 즉, 1단압축 사이클 냉동장치에서 증발온도 및 압력을 낮추기 위하여 저압 압축기를 설치하여 증발기에서 나온 냉매가 주 압축기에 흡입되기 전에 중간압력까지 압축하는 압축기를 부스터라고 한다.

(4) 2원 냉동사이클

2원 냉동 방식은 극히 낮은 저온(-70℃ 이하)을 얻고자 할 경우 냉동기는 저온용, 고온용으로 나눈 2개의 독립된 냉동기로 되어있다. 이 방식에는 고온 쪽과 저온 쪽은 서로 다른 종류의 냉매가 사용되는 것이 보통이다. 이것은 저온 특성을 갖는 냉매를 사용하여 초저온 장치의 증발기 냉매를 적당한 압력 하에 용이하게 증발시키기 위한 것이다. 이런 냉매는 초저온에서는 열역학적 특성은 좋으나 상온에서는 고압이 되거나, 임계온도 이상이 되기 때문에 상온의 냉각수나 공기에 의해 응축이 곤란하다. 따라서 저온측 냉동기의 응축기와 고온측의 증발기를 조합시켜 열교환을 하게 함으로써 고온 냉동기의 증발기에 의한 저온 쪽 냉동기의 응축기를 냉각시키도록 한다. 고온 쪽에는 응축 압력이 낮은 R-12 또는 R-22, 저온 쪽에는 비등점이 낮고 저온에서 우수한 R-13, R-14, 에틸렌을 사용한다.

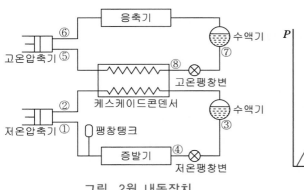

그림. 2원 내동장치

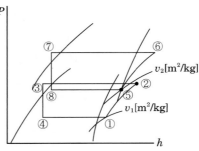

그림. 2원 냉동사이클

※ 2원 냉동방식의 특징
① 냉매의 선택이 자유롭다.
② 다단 압축방식보다 저온에서 효율이 좋다.
③ -70℃ 이하의 초저온을 얻을 수 있다.
　　(-100℃ 이하일 경우에는 3원 냉동방식 사용)
④ 저온측 응축부하는 고온측 증발부하가 된다.

고온 측 냉동사이클의 냉매순환량을 $G_h[\text{kg/s}]$, 저온 측 냉동사이클의 냉매
순환량을 $G_L[\text{kg/s}]$로 하면, 고온 측 흡열량과 저온 측 방열량은 같으므로

$$G_h(h_5 - h_8) = G_L(h_2 - h_3)$$

$$\therefore \frac{G_h}{G_L} = \frac{h_2 - h_3}{h_5 - h_8}\text{이다.}$$

냉동열량 Q_L(저온 측 흡열량)은

$$Q_L = G_L \cdot q_2 = G_L(h_1 - h_4)\text{이다.}$$

한편 고온 측 흡열량(=저온 측 방열량) Q_h은

$$Q_h = G_h \cdot q_2' = G_h(h_5 - h_8) = G_L \cdot q_1 = G_L(h_2 - h_3)$$

$$\therefore \frac{Q_h}{Q_L} = \frac{h_2 - h_3}{h_5 - h_8}\text{이 된다.}$$

고온측 및 저온측 냉동기의 성적계수는

고온측 냉동기의 성적계수 $COP_h = \dfrac{q_2'}{w_h} = \dfrac{h_5 - h_8}{h_6 - h_5}$

저온측 냉동기의 성적계수 $COP_L = \dfrac{q_2}{w_L} = \dfrac{h_1 - h_4}{h_2 - h_1}$이므로

종합 성적계수 $COP = \dfrac{G_L \cdot q_2}{G_L w_L + G_h w_h}$이다.

여기서 $G_h \cdot q_2' = G_L(q_2 + w_L)$이므로 위식에 대입하면

$$COP = \frac{q_2}{w_L + \dfrac{G_h}{G_L}w_h} = \frac{COP_L \cdot COP_h}{COP_L + \dfrac{G_h}{G_L} \cdot \dfrac{q_1}{w_L}} = \frac{COP_L \cdot COP_h}{COP_L + COP_h + 1}\text{이 된다.}$$

03 예제문제

2원 냉동사이클로 작동하는 냉동기가 아래 P-h 선도와 같은 조건으로 운전될 경우 물음에 답하시오.

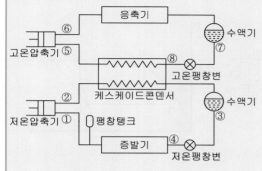

그림. 2원 냉동장치

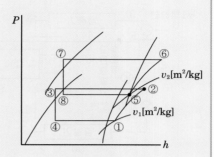

그림. 2원 냉동사이클

$h_3 = h_4 = 374.61[\text{kJ/kg}]$, $h_1 = 476.58[\text{kJ/kg}]$, $h_2 = 516.13[\text{kJ/kg}]$

$h_7 = h_8 = 451.08[\text{kJ/kg}]$, $h_5 = 604.46[\text{kJ/kg}]$, $h_6 = 674.36[\text{kJ/kg}]$

(1) 성적계수를 구하시오.

(2) 냉동톤당의 냉매순환량[kg/h]을 구하시오.

해설

(1) 저온측 냉동기 성적계수 $COP_L = \dfrac{h_1 - h_4}{h_2 - h_1} = \dfrac{476.58 - 374.61}{516.13 - 476.58} = 2.58$

고온측 냉동기 성적계수 $COP_h = \dfrac{h_5 - h_8}{h_6 - h_5} = \dfrac{604.46 - 451.08}{674.36 - 604.46} = 2.19$

∴ 종합 성적계수 $COP = \dfrac{COP_L \cdot COP_h}{COP_L + COP_h + 1} = \dfrac{2.58 \times 2.19}{2.58 + 2.19 + 1} = 0.98$

(2) 저온측 냉매순환량 $G_L = \dfrac{Q_L}{q_2} = \dfrac{3.86 \times 3600}{476.58 - 374.61} = 136.28[\text{kg/h}]$

고온측 냉매순환량 $G_h = G_L \dfrac{h_2 - h_3}{h_5 - h_8} = 136.28 \times \dfrac{516.13 - 374.61}{604.46 - 451.08} = 125.74[\text{kg/h}]$

<u>답 (1) 0.98, (2) G_L : 136.28[kg/h] , G_L : 125.74[kg/h]</u>

(5) 다효(多效) 압축사이클

다효 압축 방식(Multiple effect compression method)은 하나의 압축기로 압력이 서로 다른 두 가지 가스를 압축하는 방식이다.

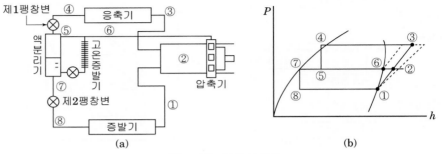

그림. 다효 압축사이클

(6) 추가 압축사이클 (Plank cycle)

이산화탄소(CO_2)와 같이 임계압력이 낮은 냉매에 대하여, 냉각수온도가 높을 때에는 임계압력 이상의 압축사이클이 되는데 응축기를 나온 냉매를 그림과 같이 추가 압축하여 다시 냉각하면 증발기로 들어가는 냉매의 건조도가 작게 되어 냉동능력이 향상된다.

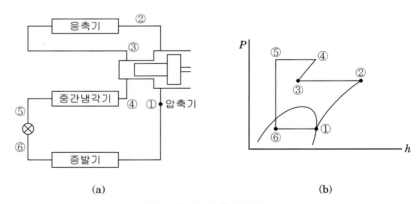

그림. 추가 압축사이클

냉동효과 $q_2 = (h_1 - h_6)$

압축일 $Aw = $ 제1단 압축일(A_{w1}) + 제2단 압축일(A_{w2})

$\qquad = (h_2 - h_1) + (h_4 - h_3)$

성적계수 $Cop = \dfrac{q_2}{Aw} = \dfrac{h_1 - h_6}{(h_2 - h_1) + (h_4 - h_3)}$

응축기 방열량 $q_1 = (h_2 - h_3)$

중간냉각기 방열량 $q_m = (h_4 - h_5)$

3 흡수식 냉동사이클

냉매증기의 압축과정을 압축기로 행하는 대신에 냉매흡수용액의 농도의 차이로 압축작용을 행하는 사이클을 흡수식 냉동사이클이라 한다. 이 사이클의 구성요소는 아래 그림과 같이 증기압축 냉동사이클과 같이 증발기, 응축기, 팽창변으로 되어있고 압축기 대신에 흡수기 및 발생기로 구성되어 있다. 이 사이클은 냉매 이외에 흡수제가 사용되고 현제 일반적으로 사용되고 있는 냉매와 흡수제의 조합으로는 암모니아+물, 물+LiBr계가 있다. LiBr 수용액의 듀링선도 상에 작동 사이클을 나타내면 그림과 같다. 그림 중에 6254가 이 사이클이다. 그림의 6→2, 5→4는 각각 물(냉매)의 증발압력, 응축압력 하에서의 정압변화를 나타낸다. 점 2, 4의 온도는 각각 흡수기의 용액출구, 발생기의 용액출구온도를 나타낸다.

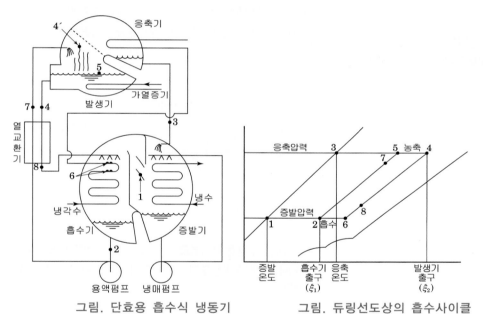

그림. 단효용 흡수식 냉동기   그림. 듀링선도상의 흡수사이클

또한 ξ_1, ξ_2는 각각 흡수기출구의 희용액, 발생기출구의 농용액의 농도(중량%)를 표시한다.

※ 단효용(single effect)방식의 흡수사이클

6-2 : 흡수기의 흡수작용

2-7 : 발생기에서 되돌아오는 고온 농용액과의 열교환에 의한 희용액의
      온도상승

7-5 : 발생기내에서의 비등점에 이르기 까지 가열

5-4 : 발생기내에서 용액의 농축

4-8 : 흡수기에서 저온 희용액과의 열교환에 의한 농용액의 온도강하

8-6 : 흡수기 외부로 부터의 냉각에 의한 농용액의 온도강하

[12년 2회, 09년 1회]

01 냉동 사이클이 0℃와 100℃ 사이에서 역 카르노 사이클로 작동될 때 성적계수는 얼마인가?

① 0.19　　　　　　　　② 1.37

③ 2.73　　　　　　　　④ 3.73

가역 냉동사이클 성적계수 COP

$$\text{COP} = \frac{T_2}{T_1 - T_2} = \frac{273 + 0}{(273 + 100) - (273 + 0)} = 2.73$$

[12년 1회]

02 0℃와 100℃ 사이의 물을 열원으로 역카르노 사이클로 작동되는 냉동기(e_C)와 히트펌프(e_H)의 성적계수는 각각 얼마인가?

① $e_C = 1.00$,　$e_H = 2.00$

② $e_C = 3.54$,　$e_H = 4.54$

③ $e_C = 2.12$,　$e_H = 3.12$

④ $e_C = 2.73$,　$e_H = 3.73$

---

(1) 가역 냉동사이클 성적계수 e_C

$$e_C = \frac{T_2}{T_1 - T_2} = \frac{273 + 0}{(273 + 100) - (273 + 0)} = 2.73$$

(2) 가역 히트펌프의 성적계수 e_H

$$e_H = e_C + 1 = 2.73 + 1 = 3.73$$

[14년 1회]

03 10℃와 85℃ 사이의 물을 열원으로 역 카르노 사이클로 작동되는 냉동기(ϵ_C)와 히트펌프(ϵ_H)의 성적계수는 각각 얼마인가?

① $\epsilon_C = 1.00$,　$\epsilon_H = 2.00$

② $\epsilon_C = 2.12$,　$\epsilon_H = 3.12$

③ $\epsilon_C = 2.93$,　$\epsilon_H = 3.93$

④ $\epsilon_C = 3.77$,　$\epsilon_H = 4.77$

---

(1) 가역 냉동사이클 성적계수 e_C

$$e_C = \frac{T_2}{T_1 - T_2} = \frac{273 + 10}{(273 + 85) - (273 + 10)} = 3.77$$

(2) 가역 히트펌프의 성적계수 e_H

$$e_H = e_C + 1 = 3.77 + 1 = 4.77$$

[14년 3회]

04 이상적 냉동사이클에서 어떤 응축온도로 작동 시 성능계수가 가장 높은가? (단, 증발온도는 일정하다.)

① 20℃　　　　　　　　② 25℃

③ 30℃　　　　　　　　④ 35℃

가역 냉동사이클 성적계수 COP

$\text{COP} = \dfrac{T_2}{T_1 - T_2}$ 에서 증발온도 T_2가 일정할 때 응축온도 T_1가 낮을수록 성적계수가 좋아진다.

[15년 1회, 12년 2회]

05 이상적 냉동사이클로 작동되는 냉동기의 성적계수가 6.84일 때 증발온도가 −15℃이다. 응축온도는 약 몇 ℃인가?

① 18　　　　　　　　　② 23

③ 27　　　　　　　　　④ 32

가역 냉동사이클 성적계수 COP

$\text{COP} = \dfrac{T_2}{T_1 - T_2}$ 에서

$$T_1 = T_2 + \frac{T_2}{COP} = (273 - 15) + \frac{273 - 15}{6.84} \fallingdotseq 296\,[\text{K}] = 23\,[\text{℃}]$$

여기서 T_1 : 응축온도[K]

　　　　T_2 : 증발온도[K]

[09년 3회]

06 이상적 냉동 사이클 냉동기의 성적계수가 6.75이다. 증발 온도가 −15℃이면 이 때 응축온도는 얼마인가?

① 21.7℃   ② 23.2℃

③ 25.4℃   ④ 27.8℃

$$T_1 = T_2 + \frac{T_2}{COP} = (273-15) + \frac{273-15}{6.75} = 296.2[K]$$
$$= 23.2[℃]$$
여기서 T_1 : 응축온도[K] T_2 : 증발온도[K]

[16년 1회]

07 10냉동톤의 능력을 갖는 역 카르노 사이클이 적용된 냉동기관의 고온부 온도가 25℃, 저온부 온도가 −20℃일 때, 이 냉동기를 운전하는데 필요한 동력은? (단, 1RT=3.9kW)

① 1.8kW   ② 3.1kW

③ 6.9kW   ④ 9.4kW

$$COP = \frac{Q_2}{W} = \frac{T_2}{T_1 - T_2} \text{에서}$$
$$W = Q_2 \frac{T_1 - T_2}{T_2} = 10 \times 3.9 \times \frac{(273+25)-(273-20)}{273-20} = 6.9$$

[11년 2회]

08 다음과 같이 냉동사이클을 행하는 냉동장치에서 냉매순환량이 450kg/h, 전동기 출력 3.0kW일 경우 실제 성적계수는 얼마인가?

① 5.25
② 4.83
③ 4.14
④ 3.75

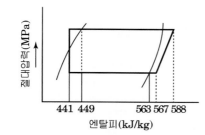

실제 성적계수 COP

$$COP = \frac{Q_2}{W} = \frac{G \times q_2}{W} = \frac{\left(\frac{450}{3600}\right) \times (567-441)}{3.0} = 5.25$$

[11년 2회]

09 다음은 R-22냉동장치의 냉동사이클을 P-h선도에 나타낸 것은? 설명 중 옳지 않은 것은?

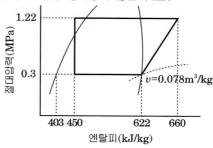

① 1냉동톤(3.86kW)당 소요냉매순환량은 약 81kg/h이다.
② 압축기의 체적효율을 0.75라 하면 1냉동 톤당 소요 피스톤 토출량은 약 $8.42m^3/h$이다.
③ 성적계수는 약 5.56이다.
④ 팽창밸브 출구에 있어서 냉매의 건조도는 약 0.21이다.

① 1냉동톤(3.86kW)당 소요냉매순환량
$$= \frac{Q_2}{q_2} = \frac{3.86 \times 3600}{622-450} = 81[kg/h]$$
② 1냉동 톤당 소요 피스톤 토출량
$$V = \frac{G \times v}{\eta_v} = \frac{81 \times 0.078}{0.75} = 8.42$$
③ 성적계수 $COP = \frac{q_2}{w} = \frac{622-450}{660-622} = 4.53$
④ 건조도 $x = \frac{450-403}{622-403} = 0.21$

[15년 1회]

10 어느 냉동기가 2Ps의 동력을 소모하여 5.9kW의 열을 저열원에서 제거한다면 이 냉동기의 성적계수는 약 얼마인가?

① 4   ② 5

③ 6   ④ 7

실제 성적계수 COP
$$COP = \frac{Q_2}{W} = \frac{5.9}{2 \times 0.735} = 4$$
1Ps = 0.735kW

정답   06 ②   07 ③   08 ①   09 ③   10 ①

[11년 3회]

11 소형 냉동기의 브라인 순환량이 10kg/min이고 출입구 온도차는 10℃이다. 압축기의 실제소요 마력이 3PS일 때 이 냉동기의 실제 성적계수는 약 얼마인가? (단, 브라인의 비열은 3.35kJ/1kg·K이다.)

① 1.53 ② 2.53

③ 3.53 ④ 4.53

실제 성적계수 COP

$$COP = \frac{Q_2}{W} = \frac{mc\triangle t}{W} = \frac{\left(\frac{10}{60}\right) \times 3.35 \times 10}{3.0 \times 0.735} = 2.53$$

1PS = 0.735kW

[15년 2회]

12 그림과 같은 이론 냉동 사이클이 적용된 냉동장치의 성적계수는? (단, 압축기의 압축효율 80%, 기계효율 85%로 한다.)

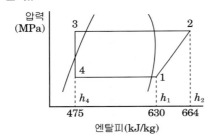

① 2.4 ② 3.1

③ 4.4 ④ 5.1

실제 성적계수

$$COP = \frac{q_2}{w}\eta_c\eta_m = \frac{630 - 475}{664 - 630} \times 0.8 \times 0.85 = 3.1$$

[13년 3회]

13 역카르노 사이클로 작동되는 냉동기에서 성능계수 (COP)가 가장 큰 응축온도(t_c) 및 증발온도(t_e)는?

① $t_c = 20℃$, $t_e = -10℃$

② $t_c = 30℃$, $t_e = 0℃$

③ $t_c = 30℃$, $t_e = -10℃$

④ $t_c = 20℃$, $t_e = -20℃$

가역 냉동사이클 성적계수 COP

① $COP = \dfrac{T_2}{T_1 - T_2} = \dfrac{273 - 10}{(273 + 20) - (273 - 10)} = 8.77$

② $COP = \dfrac{T_2}{T_1 - T_2} = \dfrac{273 + 0}{(273 + 30) - (273 + 0)} = 9.1$

③ $COP = \dfrac{T_2}{T_1 - T_2} = \dfrac{273 - 10}{(273 + 30) - (273 - 10)} = 6.58$

④ $COP = \dfrac{T_2}{T_1 - T_2} = \dfrac{273 - 20}{(273 + 20) - (273 - 20)} = 6.33$

[14년 3회]

14 냉동기 속 두 냉매가 아래 표의 조건으로 작동될 때, A 냉매를 이용한 압축기의 냉동능력을 R_A, B 냉매를 이용한 압축기의 냉동능력을 R_B인 경우 R_A / R_B의 비는? (단, 두 압축기의 피스톤 압출량은 동일하며, 체적효율도 75%로 동일하다.)

	A	B
냉동효과(kJ/kg)	1130	170
비체적(m³/kg)	0.509	0.077

① 1.5

② 1.0

③ 0.8

④ 0.5

냉동능력 RT

$RT = \dfrac{V_a \times \eta_v \times q_2}{v \times 3.86}$ 에서

(1) $R_A = \dfrac{V_a \times \eta_v \times 1130}{0.509 \times 3.86} ≒ 575\,V_a\eta_v$

(2) $R_B = \dfrac{V_a \times \eta_v \times 170}{0.077 \times 3.86} ≒ 572\,V_a\eta_v$

∴ $R_A / R_B = \dfrac{575\,V_a\eta_v}{572\,V_a\eta_v} ≒ 1.0$

정답 11 ②   12 ②   13 ②   14 ②

[14년 3회]

15 다음 그림은 어떤 사이클인가? (단, P=압력, h=엔탈피, T=온도, S=엔트로피이다.)

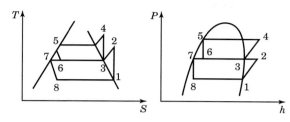

① 2단압축 1단팽창 사이클
② 2단압축 2단팽창 사이클
③ 1단압축 1단팽창 사이클
④ 1단압축 2단팽창 사이클

> 그림은 중간 냉각이 완전한 2단압축 2단팽창 사이클이다.

[15년 3회, 08년 1회]

16 다음의 몰리에르 선도는 어떤 냉동장치를 나타낸 것인가?

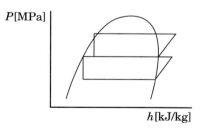

① 1단압축 1단팽창 냉동시스템
② 1단압축 2단팽창 냉동시스템
③ 2단압축 1단팽창 냉동시스템
④ 2단압축 2단팽창 냉동시스템

> 그림은 중간 냉각이 완전한 2단압축 2단팽창 사이클이다.

[15년 3회]

17 냉동사이클에서 응축온도를 일정하게 하고 증발온도를 상승시키면 어떤 결과가 나타나는가?

① 냉동효과 증가
② 압축비 증가
② 압축일량 증가
④ 토출가스 온도 증가

> 응축온도를 일정하게 하고 증발온도를 상승시켰을 경우
> ① 냉동효과 증대(플래시 가스 발생량 감소)
> ② 압축비 감소
> ③ 압축일량 감소
> ④ 토출가스 온도 저하

[15년 3회]

18 어떤 냉동장치에서 응축기용의 냉각수 유량이 7000kg/h이고 응축기 입구 및 출구 온도가 각각 15℃와 28℃이었다. 압축기로 공급한 동력이 5.4×10^4kJ/h이라면 이 냉동기의 냉동능력은? (단, 냉각수의 비열은 4.185kJ/kg · K이다.)

① 2.27×10^5 kJ/h
② 3.27×10^5 kJ/h
③ 4.67×105 kJ/h
④ 5.67×105 kJ/h

> 냉동능력 Q_2 (kJ/h)
> $Q_1 = Q_2 + W$에서
> $Q_2 = Q_1 - W = 7000 \times 4.185 \times (28 - 15) - 5.4 \times 10^4$
> $\fallingdotseq 3.27 \times 10^5$ [kJ/h]
> 여기서 Q_1 : 응축부하[kJ/h]
> W : 소요동력[kJ/h]

[17년 1회, 08년 3회]

19 어떤 영화관을 냉방하는데 1512000kJ/h의 열을 제거해야 한다. 소요동력은 냉동톤당 1PS로 가정하면 이 압축기를 구동하는데 약 몇 kW의 전동기를 필요로 하는가?

① 80.0
② 69.8
③ 59.8
④ 49.8

> (1) 냉동톤으로 환산
> 냉동능력 $= \dfrac{1512000}{3600} = 420$kW
> 냉동톤(RT) $= \dfrac{420}{3.86} = 108.81$RT
> (2) 1RT당 1PS로 가정한다고 하였으므로
> $108.81 \times 1 \times 0.735 = 80$[kW]

정답 ▶ 15 ② 16 ④ 17 ① 18 ② 19 ①

[11년 3회]

20 응축온도가 일정하고 증발온도가 높아짐에 따라 커지는 것은?

① 압축일의 열당량

② 응축기의 방출열량

③ 냉동효과

④ RT당 냉매순환량

응축온도를 일정하게 하고 증발온도를 상승시켰을 경우

㉠ 냉동효과 증대(플래시 가스 발생량 감소)

㉡ 압축비 감소

㉢ 압축일량 감소

㉣ 토출가스 온도 저하

[15년 1회]

21 응축온도는 일정한데 증발온도가 저하되었을 때 감소되지 않는 것은?

① 압축비   ② 냉동능력

③ 성적계수   ④ 냉동효과

$$압축비 = \frac{고압측(응축)절대압력}{저압측(증발)절대압력} \; 에서$$

증발온도(압력)가 저하되면 압축비는 증가한다.

기초열역학

1 열역학 2 일과 열
3 이상기체 4 이상기체의 상태변화

1 열역학

1. 열역학의 기본사항

(1) 열역학의 정의
열역학(thermodynamics)은 일과 열을 포함한 에너지의 변환과 에너지 변환에 관련되는 물질의 물리적 성질을 취급하는 학문이다.

① 공업열역학 : 공업열역학은 모든 종류의 열기관, 공기조화, 연소, 액체의 압축과 팽창, 그리고 이런 응용에 관련된 물질의 물리적 성질을 취급하는 과학의 한 분야이다.

② 계(系 : system) : 열역학에서는 해석의 대상이 되는 물질의 일정량이나 범위를 명확하게 할 필요가 있는데 이 물질량이나 범위를 계라 한다.
  • 밀폐계(closed system) : 계의 경계를 통하여 물질의 이동이 없는 계이다.
  • 개방계(open system) : 계의 경계를 통하여 물질의 이동이 있는 계이다.
  • 고립계(isolated system) : 계의 경계를 통하여 물질이나 에너지의 전달이 없는 계이다.
  • 단열계(adiabatic system) : 계의 경계를 통하여 열의 이동이 없는 계이다.

	에너지 (열 및 일)	작동 유체	예
개방계	○	○	내연기관 등
밀폐계	○	×	냉동기 등
고립계	×	×	우주 등

2. 물질의 상태와 상태량
계를 관찰할 때 계측이 가능한 양(量)으로서 계의 상태(state)를 규정하는 양을 상태량(property)이라 하고, 상태량은 계의 상태만으로 정하여 지는 것으로서 그 상태가 되기까지의 과정(process)나 경로(path)에는 무관하다. 상태량을 성질, 상태함수(state function), 또는 점함수(point function)라 한다.

(1) 강도성 상태량(intensive property)
계의 질량에 관계없는 성질을 말한다.(예 온도, 압력, 밀도 등)

(2) 용량성 상태량(extensive property)
물질의 질량에 따라 변화하는 성질을 말한다.(예 질량, 체적, 에너지 등)

01 예제문제

시스템의 열역학적 상태를 기술하는데 열역학적 상태량(또는 성질)이 사용된다. 다음 중 열역학적 상태량으로 올바르게 짝지어진 것은?

① 열, 일
② 엔탈피, 엔트로피
③ 열, 엔탈피
④ 일, 엔트로피

해설

일과 열은 경로 함수이므로 열역학적 상태량이 아니다.

경로함수 : 일, 열

점 함수 : 온도 압력, 밀도, 체적, 에너지 등

답 : ②

3. 과정과 사이클

(1) 과정(process)

계 내의 물질이 한 상태에서 다른 상태로 변화할 때 연속된 상태 변화의 경로(path)를 과정이라 한다.

① 가역 과정(reversible process)

한 계가 임의의 과정을 거쳐서 한 상태로부터 다른 상태로 변화할 경우 주위에 어떤 변화도 남기지 않고 그 변화를 반대 방향으로 원래의 상태로 되돌아 갈 수 있는 과정

② 비가역 과정(irreversible process)

계가 경계를 통하여 이동할 때 변화를 남기는 과정, 즉 평형이 유지되지 않는 과정

③ 준평형(정적) 과정(quasi-static process)

과정 간의 상태변화가 아주 작아서 평형 상태에서 벗어나는 정도가 매우 작아서 그 과정간의 상태를 평형상태로 생각할 수 있는 과정

④ 등(정)적 과정

과정 간에 체적 또는 비체적이 일정한 과정

⑤ 등(정)압 과정

과정 간에 압력이 일정한 과정

⑥ 등(정)온 과정

과정 간에 온도가 일정한 과정

⑦ 단열 과정

과정 간에 열의 출입이 없는 과정

⑧ 정상유동과정

과정 간의 계의 각 점에서 시간에 따라서 성질이 변하지 않는 과정

$$\frac{df}{dt} = 0 \;\rightarrow\; \frac{d\rho}{dt} = 0, \; \frac{dp}{dt} = 0, \; \frac{dT}{dt} = 0$$

⑨ 과정 간의 계의 각 점에서 시간에 따라서 성질이 변하는 과정

$$\frac{df}{dt} \neq 0 \;\rightarrow\; \frac{d\rho}{dt} \neq 0, \; \frac{dp}{dt} \neq 0, \; \frac{dT}{dt} \neq 0$$

(2) 사이클(cycle)

계가 과정이 시작되기 전의 상태로 돌아오는 과정을 사이클(cycle)이라 하고, 사이클 간의 계의 상태는 변하지만 사이클이 완성되면 계가 원래의 상태로 돌아오기 때문에 모든 성질은 최초의 값을 갖는다.

① 가역 사이클(reversible cycle)

한 사이클이 가역 과정만으로 이루어진 사이클

② 비가역 사이클(irreversible cycle)

한 사이클 중에 비가역과정이 들어있는 사이클

검사체적(control volumes)
연구대상(관심영역)으로 선택한 검사면(control surface)으로 구분된 일정한 체적이나 공간을 말하며 시간에 변하지 않는 공간 즉, 부피만이 고정된 것이며 다른 상태량(질량, 운동량, 에너지 등)은 유동적인 공간을 가리킨다. 검사체적은 공간상에서 유동상태에서는 등속 운동을 한다.

2 일과 열

일은 계(system)와 그 주위(surroundings)와의 하나의 상호작용이다.

1. 일(Work)

일(work)이란 어떤 물체에 힘이 작용하여 그 물체를 이동 시켰을 때 힘×거리로 나타내며 SI단위에서는 Joule[J]로 표시한다.

1[J]이란 1[N]의 힘으로 힘을 가하여 힘의 방향으로 1[m]만큼 이동 시켰을 때 일로 정의한다.

$$1[J] = 1[N] \times 1[m] = 1[N \cdot m]$$

2. 동력(Power)

단위 시간당의 일량(에너지)을 나타내는 것으로 동력과 그 작용한 시간과의 곱은 일량 즉, 전달된 에너지 양을 표시한다. SI단위에서는 W[watt], kW, J/s를 사용하며 1W는 1초 사이에 1[J] 일을 하는 경우의 동력이다.

$$1[W] = 1[J/s] = 1[N \cdot m/s]$$

$1[kW] = 1000[J/s] = 3.6 \times 10^6[J/h]$

한편 일은 동력×시간이므로

$1[kWh] = 3600[kW \cdot s] = 3600[kJ]$

① 힘 $F[N]$이 작용하여 시간 $t[s]$사이에 $S[m]$이동할 때 발생하는 동력 $P[W]$는 다음과 같다.

$$P = \frac{F \times S}{t} = F \times v\,[W]$$

② 그림과 같이 반경 $r[m]$의 회전축에 회전력 $F[N]$, 회전수 $n[rpm]$일 때의 축동력 P_{shaft}는

$$P_{shaft} = F \times 2\pi r n = \frac{T}{r} \times 2\pi r n = 2\pi n T\,[W]$$

여기서, 축 토크(회전모멘트 torque) $T = F \times r\,[Nm]$

rps는 매초의 회전수로 단위는 s^{-1}이다. rpm은 매분의 회전수를 표시하고 SI단위와 함께 쓴다.

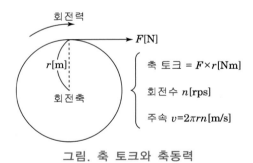

그림. 축 토크와 축동력

---

02 예제문제

축 토크(torque) $T = 1000\,N \cdot m$, 회전수 $n = 600\,rpm$인 내연기관의 동력 $P[kW]$를 구하시오.

해설

$$P_{shaft} = 2\pi n T = 2\pi \times \frac{600}{60} \times 1000 = 62831.85\,[W] = 62.83\,[kW]$$

답 62.83[kW]

3. 열

온도가 다른 두 개의 물체를 다른 물체들과 고립된 상태에서 접촉을 시킨다면 이들은 서로 상호작용(interaction)을 통해 두 물체의 온도는 동일하게 된다. 이러한 상호작용은 두 물체사이의 온도차 때문에 일어난 것이며 이러한 상호작용을 열(heat)이라 한다. 일과 마찬가지로 열도 계 또는 계로부터 전달되는 에너지의 한 형태로 열의 단위는 일의 단위와 같다.

4. 일과 열의 비교

① 일과 열은 모두 과도적인(transient) 현상이며, 계는 일과 열을 지닐 수 없으나 계가 상태 변화를 할 때 이들 중 하나 혹은 모두가 계의 경계를 통과한다.

② 일과 열은 모두 경계현상이다. 모두가 계의 경계에서만 식별되며, 계의 경계를 통과하는 에너지의 일종이다.

③ 일과 열은 모두 도정함수이며 불완전미분이다.

3 이상기체(ideal gas)

1. 이상기체와 실제기체

이상기체란 분자가 존재하는 공간에 비하여 체적이 거의 무시될 수 있고 또 분자 상호 간에 인력이 작용하지 않는 다고 가정할 수 있는 가스로서 보일의 법칙, 샤를의 법칙에 따르는 이상적인 가스를 말한다.

> ※ 실제 기체를 이상기체로 간주할 수 있는 조건
> ① 분자량이 작을수록
> ② 압력이 낮을수록
> ③ 온도가 높을수록
> ④ 비체적이 클수록

이상기체(ideal gas, perfect gas) 작동유체(가스 및 증기)는 다수의 분자로 구성되어 있으나 ①분자 사이의 분자력이 작용하지 않고 ②분자의 크기(체적)도 무시할 수 있다는 가정을 따르는 유체를 이상기체라 부른다.
엄밀한 의미에서 이상기체는 존재하지 않지만 액화하기 어려운 공기, 수소, 산소, 헬륨, 등은 밀도가 적고, 따라서 분자사이의 거리도 멀기 때문에 분자의 크기도 무시하고 또한 분자력도 극히 적으므로 이런 가스를 실용적으로 이상기체로 취급할 수 있다.

(1) 보일(Boyle)의 법칙

일정한 온도에서 일정량의 기체의 부피(V)은 그 압력(P)에 반비례 한다. 즉, $PV = k(\text{일정}) \text{ 또는 } P_1V_1 = P_2V_2$

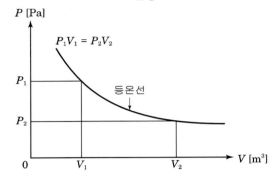

PV=일정

여기서 k는 기체의 온도, 질량, 성질에 따라 다르며 동일한 기체의 동일한 양에 대해서는 온도에만 관계되는 상수이다.

(2) 샤를(Charles 또는 Gay-Lussac)의 법칙

일정한 압력 하에서 일정량의 기체의 부피(V)은 절대온도 (T)에 정비례 한다. 즉, $V/T = \text{일정} = k \text{ 또는 } V_1/T_1 = V_2/T_2$

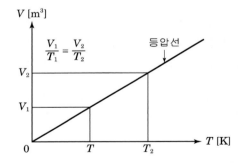

V/T = 일정

(3) 보일-샤를의 법칙

일정량의 기체의 부피(V)는 압력(P)에 반비례하고 절대온도(T)에 비례한다. 즉

$$\frac{PV}{T} = \text{일정} \text{ 또는 } \frac{P_1V_1}{T_1} = \frac{P_2V_2}{T_2}$$

03 예제문제

이상기체에 대한 설명으로 옳은 것은?

① 이상기체 상태방정식은 충분히 낮은 밀도를 갖는 기체에 대해 적용할 수 있다.

② 실제기체에 대해서 이상기체 상태방정식을 적용할 수 없다.

③ 압축성 계수가 0일 경우는 이상기체로 간주할 수 있다.

④ 공기는 항상 이상기체로 간주할 수 있다.

해설

② 실체기체도 분자량이 작고 밀도가 작은 기체인 경우 저압·고온 상태에서는 이상기체 방정식을 적용 할 수 있다.

③ 압축계수 $\left(Z = \dfrac{Pv}{RT} \right)$ 가 "1"일 때 이상기체로 간주할 수 있다.

④ 공기는 실제기체이다. **답 ①**

2. 이상기체의 상태 방정식

(1) 아보가드로(Avogadro)의 법칙

표준상태 (온도 0℃, 압력 760mmHg)의 기체 1mol 이 갖는 체적은 22.4L로 그 속에 함유되어 있는 분자수 N_A 를 아보가드로수라 말한다. 즉, 아보가드로(Avogadro)의 법칙은 「압력과 온도가 같을 때, 모든 기체는 같은 체적속에 같은 수의 분자를 갖는다.」

아보가드로수 $N_A = 6.023 \times 10^{23} \mathrm{mol}^{-1}$

(2) 이상기체의 상태방정식

보일·샤를의 법칙에 아보가드로(Avogadro)의 법칙을 적용하면 동일한 온도 및 압력 하에서 기체 가 차지하는 용적은 분자 수가 같은 경우 기체의 종류와 관계없이 동일하다.

따라서 일정량의 기체의 부피(V) 압력(P) 절대온도(T) 사이에는 다음과 같은 관계가 있다.

$\dfrac{PV}{T} =$ 일정의 보일·샤를의 법칙의 변형식으로 표현된다.

(3) 일반·기체상수

기체상수는 기체에 따라 서로 다른 값을 가지나 Avogadro 법칙을 이용하면 하나의 대푯값으로 표현할 수 있다. 표준상태 (0℃, 760mmHg)에서 분자량 M 인 기체 1[Kmol]의 체적을 22.4[m³]이라 하면 가스의 질량은 M[kg]이라 할 수 있으므로, 이상기체 질량은 $PV = MRT$로 표현할 수 있다.

$MR = \overline{R}$ 라 하면

$$(\text{일반기체 정수}) \ \overline{R} = \frac{PV}{T} = \frac{101.325[\text{kpa}] \times 22.4[\text{m}^3]}{273.15[\text{k}]} = 8.314[\text{kJ/kmol·K}]$$

$$\text{가스정수} \ R = \frac{\overline{R}}{M} = \frac{8.314}{M}[\text{kJ/kg·K}]$$

(4) 이상기체의 비열간의 관계식

① 정압비열 및 정적비열

이상기체의 정적비열 C_v는 내부에너지 변화로, 정압비열 C_p는 엔탈피의 변화로 표현된다. 즉

$$C_v = \frac{du}{dT} \qquad\qquad C_p = \frac{dh}{dT}$$

② 정적비열 및 정압비열의 상호 관계식

열역학 제1법칙과 미분한 엔탈피의 정의식 관계로부터

$dq = du + Pdv = C_v dT + Pdv$

$dq = dh - vdP = C_p dT - vdP$

여기에서 이상기체의 상태방정식에 의해

$(C_p - C_v)dT - (Pdv + vdP) = 0$

$(C_p - C_v)dT = d(Pv) = d(RT) = RdT$

$\therefore \ C_p - C_v = R$

따라서 이상기체의 정압비열과 정적비열의 차는 가스정수이다.

또 정압비열과 정적비열의 비를 비열비(ratio of specific heat)를

$k = \dfrac{C_p}{C_v}$ 라 하면

$$C_p = \frac{k}{k-1}R \qquad\qquad C_v = \frac{1}{k-1}R$$

로 나타낸다.

k(비열비)의 값은

1원자 기체 : $k = 5/3$

2원자 기체 : $k = 7/5$

3원자 기체 : $k = 4/3$

04 예제문제

정압비열이 209.5 J/kg · K이고, 정적비열이 159.6 J/kg · K인 이상기체의 기체상수는?

① 11.7J/kg·K
② 27.4J/kg·K
③ 32.6J/kg·K
④ 49.9J/kg·K

해설

기체상수 R

$$C_P - C_v = R$$

$R = 209.5 - 159.6 = 49.9 \text{J/kg} \cdot \text{K}$

답 ④

05 예제문제

정압비열이 0.912 kJ/kgK이고, 정적비열이 0.653 kJ/kgK인 기체를 압력 392 kPa, 온도 20℃로써 0.25 kg을 담은 용기의 체적은 몇 m³인가?

① 0.02471
② 0.04839
③ 0.05976
④ 0.09123

해설

$R = C_p - C_v = 0.912 - 0.653 = 0.259 \text{kJ/kgK}$

$PV = GRT$ 에서

$V = \dfrac{GRT}{P} = \dfrac{0.25 \times 0.259 \times (273 + 20)}{392} = 0.04839$

답 ②

4 이상기체의 상태변화

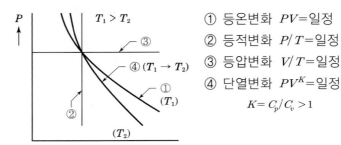

① 등온변화 PV=일정
② 등적변화 P/T=일정
③ 등압변화 V/T=일정
④ 단열변화 PV^K=일정

$$K = C_p/C_v > 1$$

변화	등적과정	등압과정	등온과정	단열과정	폴리트로픽 과정
	$v = C$	$P = C$	$T = C$	$Pv^k = C$	$Pv^n = C$
P, v, T 관계	$\dfrac{P_1}{T_1} = \dfrac{P_2}{T_2}$	$\dfrac{v_1}{T_1} = \dfrac{v_2}{T_2}$	$P_1 v_1 = P_2 v_2$	$\dfrac{T_2}{T_1} = \left(\dfrac{v_1}{v_2}\right)^{k-1}$ $= \left(\dfrac{P_2}{P_1}\right)^{\frac{k-1}{k}}$	$\dfrac{T_2}{T_1} = \left(\dfrac{v_1}{v_2}\right)^{n-1}$ $= \left(\dfrac{P_2}{P_1}\right)^{\frac{n-1}{n}}$
폴리트로픽 지수 n	∞	0	1	k	$-\infty < n < \infty$
비열(C)	C_v	C_P	∞	0	$C_n = C_v \dfrac{n-k}{n-1}$
내부 에너지 변화(Δu)	$C_v(T_2 - T_1)$ $= \dfrac{R}{k-1}(T_2 - T_1)$	$C_v(T_2 - T_1)$ $= \dfrac{1}{k-1}P(v_2 - v_1)$	0	$C_v(T_2 - T_1) = -W_{12}$	$C_v(T_2 - T_1)$ $= -\dfrac{n-1}{k-1}W_{12}$
엔탈피 변화 (Δh)	$C_P(T_2 - T_1)$ $= \dfrac{K}{k-1}R(T_2 - T_1)$	$C_p(T_2 - T_1)$	0	$C_P(T_2 - T_1) = -W_t$	$C_P(T_2 - T_1)$ $= -\dfrac{k}{k-1}(n-1)W_t$
엔트로피 변화(Δs)	$C_v \ln \dfrac{T_2}{T_1}$ $= C_v \ln \dfrac{P_2}{P_1}$	$C_P \ln \dfrac{T_2}{T_1}$ $= C_p \ln \dfrac{v_2}{v_1}$	$R \ln \dfrac{v_2}{v_1}$ $= R \ln \dfrac{P_1}{P_2}$	0	$C_n \ln \dfrac{T_2}{T_1}$ $= C_v \dfrac{n-k}{n-1}(T_2 - T_1)$
절대일 (팽창일) $W_{12} = \int Pdv$	0	$P(v_2 - v_1)$ $= R(T_2 - T_1)$	$P_1 v_1 \ln \dfrac{v_2}{v_1}$ $= P_1 v_1 \ln \dfrac{P_1}{P_2}$ $= RT \ln \dfrac{P_1}{P_2}$	$\dfrac{1}{k-1}(P_1 v_1 - P_2 v_2)$ $= \dfrac{R}{k-1}(T_1 - T_2)$	$\dfrac{1}{n-1}(P_1 v_1 - P_2 v_2)$
공업일 (압축일) $W_t = -\int vdP$	$v(P_1 - P_2)$ $= R(T_1 - T_2)$	0	W_{12}	$k W_{12}$	$n W_{12}$
가열량 q	$\Delta u = u_2 - u_1$ $= C_v(T_2 - T_1)$	$\Delta h = h_2 - h_1$ $= C_P(T_2 - T_1)$	$W_{12} = W_t$	0	$C_n(T_2 - T_1)$

06 예제문제

내용적이 2.0 [m³]의 용기에 질소가 들어 있고 압력은 0.30 [MPa], 온도는 20 [℃]이다. 이 용기를 가열하여 온도를 100 [℃]로 할 때 가열후의 압력 및 가열에 필요한 열량을 구하시오. (단, 질소의 가스정수는 0.297 [kJ/kg · K], 정압비열은 1.042 [kJ/kg · K]로 한다.)

해설

㉠ 가열후의 압력 P_2는 정적 변화이므로

$$\frac{P_1}{T_1} = \frac{P_2}{T_2} \text{에서 } P_2 = P_1 \frac{T_2}{T_1} = 0.3 \times \frac{273+100}{273+20} = 0.382 \,[\text{MPa}]$$

㉡ 가열에 필요한 열량 Q_{12}

이상기체의 상태식으로부터 질소의 질량m[kg]은

$$m = \frac{PV}{RT} = \frac{0.3 \times 10^3 \times 2.0}{0.297 \times (273+20)} = 6.89 \,[\text{kg}]$$

질소의 정적비열 $C_v = C_p - R = 1.042 - 0.297 = 0.745 \,[\text{kJ/kg·K}]$

$Q_{12} = m\,C_v(T_2 - T_1) = 6.89 \times 0.745 \times (373 - 293) = 410.64 \,[\text{kJ}]$

답 0.382[MPa], 410.64[kJ]

07 예제문제

압력 0.50 [MPa], 온도 27 [℃]의 공기 5 [kg]을 압력이 일정한 상태에서 원래 체적의 2배로 되었다. 다음 (1)~(4)을 구하시오. (단, 공기의 기체상수는 0.287 [kJ/kg · K], 정압비열은 1.020 [kJ/kg · K]로 한다.)

(1) 팽창 후의 체적   (2) 팽창 후의 온도

(3) 내부에너지의 변화   (4) 팽창일

해설

(1) 팽창후의 체적

이상기체 방정식에서

$$V_1 = \frac{mRT_1}{P} = \frac{5 \times 0.287 \times (273+27)}{0.50 \times 10^3} = 0.861 \,[\text{m}^3]$$

팽창 후 2배로 되었으므로

$$V_2 = 2\,V_1 = 2 \times 0.861 = 1.722 \,[\text{m}^3]$$

(2) 팽창후의 온도

정압변화 이므로 상태식 $\frac{V_1}{T_1} = \frac{V_2}{T_2}$ 에서

$$T_2 = T_1 \times \frac{V_2}{V_1} = 2\,T_1 = 2 \times (273+27) = 600 \,[\text{K}]$$

(3) 내부에너지의 변화

$\triangle U = m(u_2 - u_1) = m\,C_v(T_2 - T_1)$ 에서

정적비열 $C_v = C_p - R = 1.020 - 0.287 = 0.733 \,[\text{kJ/kg·K}]$

$\therefore \triangle U = 5 \times 0.733 \times (600 - 300) = 1099.5 \,[\text{kJ}]$

(4) 팽창일

$W_{12} = P(V_2 - V_1)$ 에서 $V_2 = 2\,V_1$ 이므로

$W_{12} = PV_1 = 0.50 \times 10^3 \times 0.861 = 430.5 \,[\text{kJ}]$

단열지수가 1.4, 폴리트로픽 지수가 1.3일 때 정적비열 $C_v = 0.653 \, [\text{kJ/kg·K}]$ 이면 이 가스의 폴리트로픽 비열은 몇 $[\text{kJ/kg·K}]$인가?
(해설)

$$C_n = C_v \frac{n-k}{n-1}$$
$$= 0.653 \times \frac{1.3 - 1.4}{1.3 - 1}$$
$$= -0.2176$$

08 예제문제

압력 1 [MPa], 온도 200℃의 공기 2 [kg]이 압력 0.2 [MPa]까지 등온변화 하였다. 다음 (1)~(4)을 구하시오. (단, 공기의 기체상수 $R = 287.0 \, [\text{J/kg · K}]$로 한다.)

(1) 가열량 Q_{12}

(2) 절대일 W_{12}

(3) 공업일 W_t

(4) 엔트로피 변화량 $\triangle s$

해설

(1) 가열량 Q_{12}

$$Q_{12} = mRT\ln\frac{P_1}{P_2} \text{ 에서}$$
$$= 2 \times 287.0 \times 10^{-3} \times (273 + 200)\ln\frac{1}{0.2} = 436.97 \, [\text{kJ}]$$

(2) 절대일 W_{12}, (3) 공업일 W_t
등온변화에서는 $W_{12} = W_t = Q_{12}$이므로
$W_{12} = W_t = 436.97 \, [\text{kJ}]$ 이다.

(4) 엔트로피 변화량 $\triangle s$

$$\triangle s = mR\ln\frac{P_1}{P_2} = 2 \times 287.0 \times 10^{-3} \times \ln\frac{1}{0.2} = 0.924 \, [\text{kJ/K}]$$

09 예제문제

압력 0.1 [MPa], 온도 20 [℃]의 공기 5 [kg]을 가역단열 변화에 의해 압력 1.2 [MPa] 까지 압축 하였다. 다음 (1)~(4)을 구하시오. (단, 공기의 기체상수 $R = 287.0 \, [\text{J/kg · K}]$, 비열비 $k = 1.4$ 로 한다.)

(1) 가열량 Q_{12}

(2) 엔트로피 변화량 $\triangle s$

(3) 절대일 W_{12}

(4) 공업일 W_t

해설

(1) 및 (2)의 경우는 단열변화 이므로
$$Q_{12} = \triangle s = 0$$

(3) 절대일
㉠ 가열단열압축 후의 온도 T_2 는

$$T_2 = T_1\left(\frac{P_2}{P_1}\right)^{\frac{k-1}{k}} = (273 + 20)\left(\frac{1.2}{0.1}\right)^{\frac{1.4-1}{1.4}} = 308.67 \, [\text{K}]$$

㉡ $W_{12} = m\frac{R}{k-1}(T_1 - T_2)$

$$= 5 \times \frac{287 \times 10^{-3}}{1.4 - 1}(293 - 308.67) = -56.22 \, [\text{kJ}]$$

(4) 공업일 W_t

$$W_t = kW_{12} = 1.4 \times (-56.22) = -78.71 \, [\text{kJ}]$$

[예상문제]

01 주위와 에너지는 교환할 수 있으나 물질은 교환할 수 없는 계를 열역학에서는 무엇이라 하는가?

① 개방계
② 밀폐계
③ 고립계
④ 상태계

> **계(系 : system)**
> 열역학에서는 해석의 대상이 되는 물질의 일정량이나 범위를 명확하게 할 필요가 있는데 이 물질량이나 범위를 계라 한다.
> ㉠ 밀폐계(closed system) : 계의 경계를 통하여 물질의 이동이 없는 계이다.
> ㉡ 개방계(open system) : 계의 경계를 통하여 물질의 이동이 있는 계이다.
> ㉢ 고립계(isolated system) : 계의 경계를 통하여 물질이나 에너지의 전달이 없는 계이다.
> ㉣ 단열계(adiabatic system) : 계의 경계를 통하여 열의 이동이 없는 계이다.

[15년 2회, 08년 2회]

02 이상 기체를 체적이 일정한 상태에서 가열하면 온도와 압력은 어떻게 변하는가?

① 온도가 상승하고 압력도 높아진다.
② 온도는 상승하고 압력은 낮아진다.
③ 온도는 저하하고 압력은 높아진다.
④ 온도가 저하하고 압력도 낮아진다.

> **이상기체의 정적변화**
> 보일-샤를의 법칙($\frac{P_1 V_1}{T_1} = \frac{P_2 V_2}{T_2}$)에서 정적변화($V_1 = V_2$)
> 이므로 $\frac{P_1}{T_1} = \frac{P_2}{T_2}$가 된다.
> 따라서 정적 하에서 가열하면 온도는 상승($T_1 \rightarrow T_2$)하고 압력도 높아($P_1 \rightarrow P_2$)진다.

[14년 1회]

03 다음 열역학적 설명으로 옳지 않은 것은?

① 물체의 순간(현재) 상태만에 관계하는 양을 상태량이라 하며 열량과 일 등은 상태량이다.
② 평형을 유지하면서 조용히 상태변화가 일어나는 과정은 준 정적변화이며 가역변화라고 할 수 있다.
③ 내부에너지는 그 물질의 분자가 임의 온도하에서 갖는 역학적 에너지의 총합이라고 할 수 있다.
④ 온도는 내부에너지에 비례하여 증가한다.

> 일과 열은 경로 함수이므로 열역학적 상태량이 아니다.
> 경로함수 : 일, 열
> 상태량(점함수) : 온도 압력, 밀도, 체적, 에너지 등

[15년 3회, 13년 1회, 11년 3회]

04 이상 기체를 정압 하에서 가열하면 체적과 온도의 변화는 어떻게 되는가?

① 체적증가, 온도상승
② 체적일정, 온도일정
③ 체적증가, 온도일정
④ 체적일정, 온도상승

> **이상기체의 정압변화**
> 정압 하에서 이상기체의 체적은 절대온도에 비례($\frac{V}{T} = C$)하므로 정압 하에서 이상기체를 가열하면 체적과 온도는 상승한다.

[09년 2회]

05 다음 중 실제기체가 이상기체의 상태식을 근사적으로 만족하는 경우는?

① 압력이 높고 온도가 낮을수록
② 압력이 높고 온도가 높을수록
③ 압력이 낮고 온도가 높을수록
④ 압력이 낮고 온도가 낮을수록

> **실제 기체를 이상기체로 간주할 수 있는 조건**
> ㉠ 분자량이 작을수록
> ㉡ 압력이 낮을수록
> ㉢ 온도가 높을수록
> ㉣ 비체적이 클수록

정답 01 ②   02 ①   03 ①   04 ①   05 ③

[13년 2회]

06 다음 상태변화에 대한 기술 내용 중 옳은 것은?

① 단열변화에서 엔트로피는 증가한다.
② 등적변화에서 가해진 열량은 엔탈피 증가에 사용된다.
③ 등압변화에서 가해진 열량은 엔탈피 증가에 사용된다.
④ 등온변화에서 절대일은 0이다.

---

① 단열변화에서는 가열량 $dq=0$이므로 $\dfrac{dq}{T}=0$, 따라서 엔트로피 변화는 없다.

② 등적변화에서 에너지식 $dq=du+Pdv$에서 $dv=0$이므로 $Pdv=0$, 따라서 $dq=du$로 가열량은 내부에너지 증가에 사용된다.

③ 등적변화에서 열역학 제1기초식 $dq=dh-vdP$에서 $dP=0$이므로 $vdP=0$, 따라서 $dq=dh$로 가열량은 엔탈피 증가에 사용된다.

④ 등온변화에서 절대일 $W_{12}=RT\ln\dfrac{P_1}{P_2}$이다.

[10년 3회]

07 단열압축에 대한 설명 중 옳지 않은 것은?

① 공급되는 열량은 0이다.
② 공급된 일은 기체의 엔탈피 증가로 보존된다.
③ 단열 압축전 보다 온도, 비체적이 증가한다.
④ 단열 압축전 보다 압력이 증가한다.

단열압축
• 엔탈피 증가
• 온도 상승
• 압력 상승
• 엔트로피 일정
• 비체적 감소

[예상문제]

08 다음은 냉동장치의 열역학에 관한 기술이다. 옳게 설명된 것은?

① 온도 및 압력조건이 동일하면 열펌프 사이클의 성적계수와 냉동사이클의 성적계수는 동일하다.
② 가스의 압축에 있어서 압축 전후의 압력을 P_1, P_2라 하고 체적을 V_1, V_2라 할 때 등온 압축에서는 $P_1V_1=P_2V_2$가 성립한다.
③ 팽창밸브 전의 액온이 변하여도 압축기의 흡입압력, 토출압력, 흡입증기 온도가 변하지 않으면 냉동능력은 변하지 않는다.
④ 팽창밸브에서는 냉매액의 압력, 온도가 저하하고 엔탈피가 감소한다.

---

① 온도 및 압력조건이 동일하면 열펌프 사이클의 성적계수가 냉동사이클의 성적계수보다 1만큼 크다.

③ 팽창밸브 전의 액온이 낮을수록 압축기의 흡입압력, 토출압력, 흡입증기 온도가 변하지 않으면 플래시 가스 발생량이 감소하여 냉동능력은 커진다.

④ 팽창밸브에서는 냉매액의 압력, 온도가 저하하고 엔탈피가 변하지 않는다.

[08년 2회]

09 다음 이상 기체의 등온 과정 설명으로 옳은 것은? (단, S : 엔트로피, Q : 열량, W : 일, U : 내부에너지)

① $ds=0$　　　　　② $dQ=0$
③ $dW=0$　　　　　④ $dU=0$

등온과정

㉠ 엔트로피 $\triangle s=R\ln\dfrac{v_2}{v_1}=R\ln\dfrac{P_1}{P_2}$

㉡ 열량 $\triangle Q=P_1v_1\ln\dfrac{v_2}{v_1}=P_1v_1\ln\dfrac{P_1}{P_2}=RT\ln\dfrac{P_1}{P_2}$

㉢ 일 $W=P_1v_1\ln\dfrac{v_2}{v_1}=P_1v_1\ln\dfrac{P_1}{P_2}=RT\ln\dfrac{P_1}{P_2}$

정답 ▶ 06 ③　07 ③　08 ②　09 ④

[11년 3회]

10 폴리트로픽(polytropic)변화의 일반식 $PV^n = C$ (상수)에 대한 설명으로 옳은 것은?

① $n = K$일 때 등온변화

② $n = 1$일 때 정적변화

③ $n = \infty$일 때 단열변화

④ $n = 0$일 때 정압변화

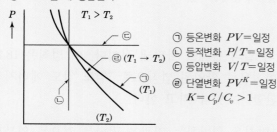

이상기체의 상태변화
① $n = K$일 때 단열변화
② $n = 1$일 때 등온변화
③ $n = \infty$일 때 정적변화
④ $n = 0$일 때 정압변화

P ↑ $T_1 > T_2$

㉠ 등온변화 $PV =$ 일정
㉡ 등적변화 $P/T =$ 일정
㉢ 등압변화 $V/T =$ 일정
㉣ 단열변화 $PV^K =$ 일정
$K = C_p / C_v > 1$

ⓒ
ⓔ $(T_1 \rightarrow T_2)$
ⓑ
ⓐ (T_1)
(T_2)

[16년 3회]

11 절대압력 20bar의 가스 10L가 일정한 온도 10℃에서 절대압력 1bar까지 팽창할 때의 출입한 열량은? (단, 가스는 이상기체로 간주한다.)

① 55kJ

② 60kJ

③ 65kJ

④ 70kJ

등온과정
열량$\triangle Q = P_1 v_1 \ln \dfrac{P_1}{P_2} = (20 \times 10^5) \times (10 \times 10^{-3}) \times \ln \dfrac{20}{1}$

$\fallingdotseq 60000[J] = 60[kJ]$

[16년 3회]

12 상태 A에서 B로 가역 단열변화를 할 때 상태변화로 옳은 것은? (단, S : 엔트로피, h : 엔탈피, T : 온도, P : 압력이다.)

① $\Delta S = 0$

② $\Delta h = 0$

③ $\Delta T = 0$

④ $\Delta P = 0$

단열변화
① 엔트로피 $\Delta S = \dfrac{\triangle Q}{T}$ 에서 $dQ = 0$이므로 $\Delta S = 0$이다.

② 엔탈피 $\Delta h = C_P(T_2 - T_1) = - W_t$

③ 온도 $\Delta T =$ 상승 또는 하강

④ 압력 $\Delta P =$ 상승 또는 하강

[11년 1회, 09년 1회]

13 어느 기체의 압력이 0.5MPa, 온도 150℃, 비체적 0.4m³/kg일 때 가스 상수(J/kg · K)를 구하면 약 얼마인가?

① 11.3

② 47.28

③ 113

④ 472.8

이상기체 상태 방정식
$Pv = RT$에서

$R = \dfrac{Pv}{T} = \dfrac{0.5 \times 10^6 \times 0.4}{273 + 150} = 472.8$

[15년 3회]

14 30℃의 공기가 체적 1m³의 용기에 게이지 압력 5kg/cm²의 상태로 들어 있다. 용기 내에 있는 공기의 무게는?

① 약 2.6kg

② 약 6.8kg

③ 약 69kg

④ 약 298kg

이상기체 상태 방정식
$PV = mRT$에서

$m = \dfrac{PV}{RT} = \dfrac{(5 + 1.0332) \times 10^4 \times 1}{29.27 \times (273 + 30)} \fallingdotseq 6.8$

06 기초열역학

1 열역학의 법칙
2 열역학의 일반관계식

1 열역학의 법칙

1. 열역학 제0의 법칙

열역학 제0의 법칙은 열평형의 법칙으로 "2개의 물체가 접촉하지 않고도 동일한 온도이면 그것은 열평형에 있다"라는 것으로 이 법칙에 의거 우리는 온도계를 매개로 객관적으로 온도를 측정하고 있다.

2. 열역학 제1의 법칙

에너지 보존의 법칙 중에서 열과 일의 관계를 나타낸 것이다. 이 법칙은 1843년에 J · P Joule에 의해서 실험적으로 확인된 법칙으로 "열도 일도 에너지의 한 형태로 열과 일은 서로 교환할 수 있다"라고 한다.

※ 제1종영구기관 : 열역학 제1법칙을 위반하는 기관을 말하는 것으로 외부로부터 에너지를 공급하지 않고 영구히 운동을 계속하는 장치

---

01 예제문제

다음 중 열역학 제0법칙의 설명이 맞는 것은?

① 열은 고온에서 저온으로 한 방향으로만 전달된다.
② 인위적은 방법으로 어떤 계를 절대온도 0도에 이르게 할 수 없다.
③ 전체 사이클에 걸친 열의 합이 전체 사이클의 일의 합과 같다는 것을 의미한다.
④ 두 물체의 온도가 제3의 물체의 온도와 같으면 두 물체의 온도는 동일하다.

해설
①은 열역학 제2법칙, ②는 열역학 제3법칙, ③은 열역학 제1법칙

답 ④

(1) 내부에너지(Internal Energy)

내부에너지란 그 물체 내에 보유하고 있는 에너지를 말한다. 즉, 물체에 저장된 전에너지에서 역학적 에너지를 뺀 값으로 열역학 제 1의 법칙의 내용을 식의 형태로 나태내기 위한 값이라 할 수 있다.

물체를 가열 하면 내부에너지는 증가하고 물체는 온도가 상승함과 더불어 팽창한다. 여기서 가열량 dq를 가하면 내부에너지 증가량은 dU, 압력 P 하에서 체적을 dV 만큼 증가하게 된다. 이로 인하여 외부에 대해서 팽창에 의한 기계적 일량을 dW라 하면

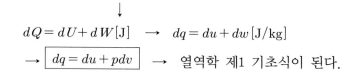

열량 = 내부에너지 증가량 + 팽창에 의한 기계적 일량

↓

$$dQ = dU + dW\,[\mathrm{J}] \quad \rightarrow \quad dq = du + dw\,[\mathrm{J/kg}]$$

$$\rightarrow \quad \boxed{dq = du + pdv} \quad \rightarrow \quad \text{열역학 제1 기초식이 된다.}$$

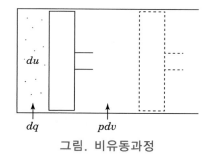

du

dq pdv

그림. 비유동과정

---

02 예제문제

왕복동식 압축기의 실린더 내에 0.2kg의 기체가 들어있고, 압축 시에 12000 N · m의 일을 소비하였다. 이때 방열량은 2kJ이었다면 (1) 내부에너지 증가량 (2) 비내부에너지 증가량을 구하시오.

해설

(1) 내부에너지 증가량

$\triangle Q = \triangle U + \triangle W$ 에서

$\triangle U = \triangle Q - \triangle W = -2000 - (-12000) = 10000[\mathrm{J}] = 10\,[\mathrm{kJ}]$

여기서 (−)부호는 일을 소비, 방열을 의미한다.

(2) 비내부에너지 증가량

$\triangle u = \triangle U/m = 10/0.2 = 50\,[\mathrm{kJ/kg}]$

(2) 엔탈피(Enthalpy)

개방계에서 압력 P인 유체가 임의 단면을 통하여 체적 V로 흐를 때 유체는 하류의 유동에 대하여 PV의 일을 하게 되는데 이를 유동일 이라고 한다. 계를 유체가 통과할 때 세 가지 부분으로 나눌 수 있다 즉, 유체 자체의 역학적 에너지(위치에너지, 운동에너지), 내부에너지, 그리고 유체 자체가 보유하지 않고 흐름에 의해서 생기는 유동에너지(유동일)로 나눌 수 있다.

공업상 응용에는 항상 내부에너지와 유동일이 결합하여 나오고 있어서 $U+PV$를 새로운 물리량 H라 정의하고 엔탈피라 한다. 즉,

$H = U + PV\,[\text{kJ}]$

$h = u + Pv\,[\text{kJ/kg}]$

$dh = du + d(P{\cdot}v) = du + Pdv + vdP = dq + vdP$

$$\therefore\ dq = dh - vdP\,[\text{kJ/kg}]$$ → 열역학 기초 2식이 된다.

H : 엔탈피[kJ],　U : 내부에너지[kJ],　　P : 압력[KPa],

V : 체적[m^3],　　h : 비엔탈피[kJ/kg],　　u : 비내부에너지[kJ/kg],

v : 비체적[m^3/kg]

(3) 절대일, 공업일

① 절대일(Absolute Work)

밀폐계가 주위와 역학적 평형을 유지하면서 체적변화가 일어날 때의 일을 절대 일이라 한다.

$dW = Pdv$

$$_1W_2 = \int_1^2 Pdv\,[\text{kJ}]$$

03 예제문제

밀폐계(密閉系) 안에서 기체의 압력이 500kPa로 일정하게 유지되면서 체적이 0.2m³에서 0.7m³로 팽창하였다. 이 과정 동안에 내부에너지의 증가가 60kJ이었다면 계(系)가 한 일은 얼마인가?

① 450 kJ

② 350 kJ

③ 250 kJ

④ 150 kJ

해설

팽창일 W_{12}

$$W_{12} = P \cdot \Delta V$$

$W_{12} = 500 \times (0.7 - 0.2) = 250\,[\text{kJ}]$

※ 계가 한 일은 압력과 체적함수이며 내부 에너지 증가와는 무관하다.

답 ③

04 예제문제

밀폐시스템의 압력이 $P = (5 - 15V)$의 관계에 따라 변한다. 체적(V)이 0.1m³에서 0.3m³로 변하는 동안 이 시스템이 하는 일은? (단, P와 V의 단위는 각각 kPa과 m³이다.)

① 200 J

② 400 J

③ 800 J

④ 1,004 J

해설

팽창일 W_{12}

$$W_{12} = \int_{V_1}^{V_2} P dV\,[\text{kJ}]$$

$$
\begin{aligned}
W_{12} &= \int_{0.1}^{0.3} (5 - 15V) dV \\
&= \left[5V - \frac{15}{2} V^2 \right]_{0.1}^{0.3} \\
&= \left(5 \times 0.3 - \frac{15}{2} \times 0.3^2 \right) - \left(5 \times 0.1 - \frac{15}{2} \times 0.1^2 \right) \\
&= 0.4\text{kJ} = 400\text{J}
\end{aligned}
$$

답 ②

② 공업일(Technical work)

동작물질이 개방계를 통과할 때 생기는 계의 외부일을 공업일이라 한다.

$$W_t = \int_2^1 vdp = -\int_1^2 vdp \, [\text{kJ}]$$

05 예제문제

압력이 $10^5 \, \text{N/m}^2$을 $10^6 \, \text{N/m}^2$로 가압하는데 필요한 물의 단위질량당 요구되는 펌프 일은?
(단, 물의 밀도는 1,000 kg/m³으로 일정하고, 가역 단열과정으로 한다.)

① 900J/kg
② 9,000J/kg
③ 9×10^5J/kg
④ 100J/kg

해설

펌프일(공업일) W_t

$$W_t = -\int_1^2 vdp = \int_2^1 vdp$$

$$W_t = v(P_1 - P_2) = \frac{1}{1000}(10^5 - 10^6) = -900 \, [\text{J/kg}]$$

여기서, $-$부호는 외부에서의 공급일을 의미한다.

답 ①

(3) 정상류의 에너지 방정식

정상유동(steady flow) 이란 동작 유체의 출입이 있는 개방계에서 유체의 유출, 입 등의 과정에서 시간에 따라 모든 성질들이 불변인 과정을 말한다.

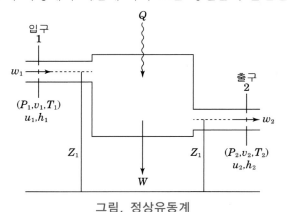

그림. 정상유동계

단면 1에서 유체의 에너지 : $u_1 + \dfrac{w_1^2}{2}[\text{kJ/kg}]$

단면 2에서 유체의 에너지 : $u_2 + \dfrac{w_2^2}{2}[\text{kJ/kg}]$

$$u_1 + p_1 v_1 + \frac{w_1^2}{2} + gz_1 + q = u_2 + p_2 v_2 + \frac{w_2^2}{2} + gz_2 + w\,[\text{kJ/kg}]$$

$$h_1 + \frac{w_1^2}{2} + gz_1 + q = h_2 + \frac{w_2^2}{2} + gz_2 + w\,[\text{kJ/kg}]$$

위 식은 정상 유동계의 에너지 방정식으로 불린다. 위식에서 내부에너지를 무시하면 베르누이(Bernoulli) 방정식이 된다. 또한 위식에서 역학적 에너지를 무시하면 다음 식으로 된다.

$$q = (h_2 - h_1) + w$$

06 예제문제

터빈에서의 팽창일 $w_t = h_1 - h_2$가 됨을 증명하시오.

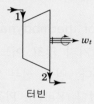

터빈

[해설]
터빈이나 압축기에서의 과정은 가역단열과정으로 보고, 그리고 위치에너지, 운동에너지의 변화를 무시하면 $q = 0$, $g(z_2 - z_1) = 0$, $\left(w^{2_2} - w^{2_1}\right)/2 = 0$이므로 $w_t = h_1 - h_2$가 된다.

07 예제문제

그림과 같은 노즐(nozzle)에서의 출구 유속 w_2을 구하시오.

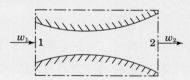

[해설]
위치에너지, 열의 출입 및 외부일도 없으므로
$q = 0$, $w_t = 0$, $g(z_2 - z_1) = 0$에 의해 $\rightarrow h_1 + \dfrac{w_1^2}{2} = h_2 + \dfrac{w_2^2}{2}$
$\therefore w_2 = \sqrt{2(h_1 - h_2) + w_1^2}$

PARAT 02

냉동냉장 설비

08 예제문제

그림과 같이 상부 댐으로부터 하부의 댐으로 $m = 50 \times 10^3$ [kg/s]의 물을 $z_1 - z_2 = 100$ [m] 낙하시켜서 수차로 부터 W_t의 동력을 얻고 있다. 관로 입구 및 출구의 압력은 모두 1atm으로 하고 주위의 열의 출입은 없는 것으로 하여 수차에서의 발생 동력 W_t[MW]을 구하시오.

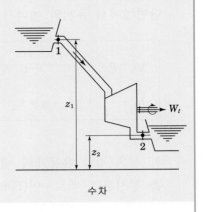

수차

해설

$Q = 0$, $\left(w_2^2 - w_1^2\right)/2 = 0$, $h_2 - h_1 = 0$ 이므로

$W_t = mg(z_1 - z_2) = 50 \times 10^3 \times 9.8 \times 100 = 49 \times 10^6 \,[\text{W}] = 49 \,[\text{MW}]$

<u>답</u> 49[MW]

3. 열역학 제2의 법칙(second of thermodynamics)

① 자연계에 어떤 변화도 남기지 않고 어느 열원의 열을 계속하여 일로 변화 시키는 것은 불가능하다. 열을 전부 일로 변화시킬 수는 없다. 즉 열효율 100%의 열기관은 없다.(Kelvin Plank)

② 열은 고온물체로부터 저온 물체로 이동하는데 그 자체로 외부에서 어떤 일이나 열에너지를 가하지 않고 저온부에서 고운부로 열을 이동시킬 수 없다.(Clausius)

열역학 제1의 법칙은 열과 일은 에너지로서 등가·동등이고 서로 변환할 수 있다는 것을 설명한 법칙이지만 열역학 제2법칙은 열과 일 사이의 변환에는 제한이 있다는 것을 설명한다.

※ 제2종 영구기관

어느 고열원에서 열을 흡수하여 그 모두를 연속적으로 일로 변환하여, 다른 어떤 변화도 남기지 않도록 한 열기관으로 열역학 제2법칙을 위반한 기관을 말한다. 즉, 열효율 100%의 열기관을 제2종 영구기관(perpetual motion of the second kind)이라 부른다.

(1) 클라우지우스(Clausius)의 부등식

클라우지우스는 "계(系)가 사이클을 이룰 때 사이클을 연한 dQ/T의 적분 (cycle integral of dQ/T)은 0과 같거나 0보다 적다" 라고 하였다.

① 가역 사이클 : $\oint \dfrac{dQ}{T} = 0$

② 비가역 사이클 : $\oint \dfrac{dQ}{T} < 0$

(2) 엔트로피(Entropy)

절대온도가 T[K]인 물체가 가역변화 하는 사이에 열량 dQ[J]을 받았을 때 그 물체의 엔트로피 (entropy) 및 비엔트로피의 증가량 dS, ds 는 각각 다음 식으로 정의된다.

$dS = \dfrac{dQ}{T}$ [J/K] 및 $ds = \dfrac{dq}{T}$ [J/kg·K]

$\Delta S = \dfrac{\Delta Q}{T}$ [J/K] 및 $\Delta s = \dfrac{\Delta q}{T}$ [J/kg·K]

일반적으로 $\dfrac{\Delta Q}{T}$, $\dfrac{\Delta q}{T}$ 을 환산열량(reduced heat quantity)라 부르는데 가역변화시의 환산열량이 엔트로피 및 비엔트로피이다.

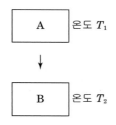

| A | 온도 T_1 |

↓

| B | 온도 T_2 |

그림과 같이 A에서 B로 열이 이동할 때 A가 잃은 엔트로피를 $\Delta q/T_1$, B가 얻은 엔트로피는 $\Delta q/T_2$로 하면 열역학 제 2법칙은 T_1(고온) $> T_2$ (저온)로 되어

$\dfrac{\Delta q}{T_2} - \dfrac{\Delta q}{T_1} > 0$,

∴ $ds_2 > ds_1$로 된다.

이 때문에 「자연계에서 물질의 엔트로피는 증대하는 방향으로 변화가 진행된다.」

고 말하는 것이다. 즉, 엔트로피는 가역변화에서는 일정하게 유지되며, 비가역변화에서는 증가한다.

$$\boxed{\text{엔트로피 변화 } \Delta S = S_2 - S_1 \geq 0[\text{kJ}/\text{k}]}$$

내부에너지, 엔탈피, 엔트로피와 같은 용어에 관해서는 모두 계산문제가 필수적으로 시험문제에 나오므로 확실하게 공부해 놓아야 한다.

엔트로피
엔트로피는 성질이므로 계의 상태에만 관계된다. 단지 같은 상태에서 만약 단열 과정으로 다른 압력까지 변한다면 가역일 때와 비가역일 때의 최종상태가 달라지며 따라서 엔트로피의 변화량은 달라진다. 그러나 엔트로피의 변화량은 최초와 최종 상태에서만 관계되며 과정에는 관계가 없다.

PARAT 02

냉동냉장 설비

4. 완전가스의 엔트로피

$$ds = \frac{dq}{T}$$

$dq = du + Pdv$

$dq = dh - vdP$ 에서

$$ds = \frac{dq}{T} = \frac{du + Pdv}{T} = C_v \frac{dT}{T} + \frac{P}{T}dv = \boxed{C_v \frac{dT}{T} + R\frac{dv}{v}}$$

$$ds = \frac{dq}{T} = \frac{dh - vdP}{T} = C_p \frac{dT}{T} - \frac{v}{T}dv = \boxed{C_p \frac{dT}{T} - R\frac{dP}{P}}$$

(1) 정적변화($v = c,\ dv = 0$)

$$\Delta s_{12} = \int_1^2 \frac{dq}{T} = \int_1^2 C_v \frac{dT}{T} = \boxed{C_v \ln \frac{T_2}{T_1}\,[\text{kJ/kg·K}]}$$

(2) 정압변화($P = C,\ dP = 0$)

$$\Delta s_{12} = \int_1^2 \frac{dq}{T} = \int_1^2 C_p \frac{dT}{T} = \boxed{C_p \ln \frac{T_2}{T_1}\,[\text{kJ/kg·K}]}$$

(3) 등온변화($T = C,\ dT = 0$)

$$\Delta s_{12} = \int_1^2 \frac{dq}{T} = \int_1^2 \frac{Pdv}{T} = R\int_1^2 \frac{dv}{v} \boxed{= R\ln \frac{v_2}{v_1} = R\ln \frac{P_1}{P_2}\,[\text{kJ/kg·K}]}$$

(4) 단열변화($dq = 0$)

$ds = \dfrac{dq}{T}$ 에서 $dq = 0$ 이므로 $ds = 0$, 즉 $s_2 - s_1 = 0$ 으로 엔트로피의 변화가 없는(일정)변화를 등엔트로피 변화 또는 단열변화라 한다.

(5) 폴리트로픽 변화(Polytropic change)

$$\Delta s_{12} = \int_1^2 \frac{dq}{T} = \int_1^2 C_n \frac{dT}{T} = C_n \ln \frac{T_2}{T_1}$$

$$= \boxed{\frac{n-k}{n-1} C_v \ln \frac{T_2}{T_1} = \frac{(n-k)R}{(n-1)(k-1)} \ln \frac{T_2}{T_1}\,[\text{kJ/kg·K}]}$$

09 예제문제

온도 15℃, 압력 100kPa 상태의 체적이 일정한 용기 안에 어떤 이상 기체 5kg이 들어 있다. 이 기체가 50℃가 될 때까지 가열되었다. 이 과정 동안의 엔트로피 변화는 약 얼마인가? (단, 이 기체의 정압비열과 정적비열은 1.001 kJ/kg · K, 0.7171 kJ/kg · K이다.)

① 0.411 kJ/K 증가　　　　　　　② 0.411 kJ/K 감소

③ 0.575 kJ/K 증가　　　　　　　④ 0.575 kJ/K 감소

해설

정적과정에서의 엔트로피 변화

$$\Delta S = m C_v \ln \frac{T_2}{T_1} = 5 \times 0.717 \times \ln \frac{273 + 50}{273 + 15} = 0.411$$

답 ①

10 예제문제

1kg의 헬륨이 100kPa 하에서 정압 가열되어 온도가 300K에서 350K로 변하였을 때 엔트로피의 변화량은 몇 kJ/K인가? (단, $h = 5.238\,T$의 관계를 갖는다. 엔탈피 h의 단위는 kJ/kg 온도 T의 단위는 K이다.)

① 0.694　　　　　　　② 0.756

③ 0.807　　　　　　　④ 0.968

해설

정압변화에서의 엔트로피변화

$$ds = \frac{dq}{T} = \frac{dh}{T} = 5.238 \frac{dT}{T} \quad (\text{정압이면 } dq = dh)$$

$$\therefore \ \Delta S = 5.238 \int_{300}^{350} \frac{dT}{T} = 5.238 \times \ln \frac{350}{300} = 0.807$$

답 ③

5. 고체, 액체의 엔트로피

고체, 액체에서는 체적변화가 상당히 작아서 $dq = du$로 된다.

이 때문에 비엔트로피 변화는 다음 식으로 나타낸다.

$$ds = \frac{dq}{T} = \frac{du}{T} = \frac{CdT}{T}$$

이 식을 적분하면

$$s = \int_{T_o}^{T} \frac{CdT}{T} + s_o$$

단, s_o는 기준상태의 비엔트로피의 값이다. 실용적으로는 기준온도로서 물의 3중점(0.01[℃], 4.579[mmHg])이고 물의 3중점에서의 엔트로피는 0으로 하는 경우가 많다. 평균비열을 사용하여 나타내면 다음식과 같다.

$$\boxed{s = C_m \ln \frac{T}{T_o} + s_o}$$

> **11** 예제문제
>
> (1) 0℃의 얼음이 0℃의 물로 변화할 때 (2) 100℃의 물이 100℃의 증기로 될 때의 비엔트로피의 증가량을 각각 구하시오. (단, 융해열은 334 kJ/kg, 증발열은 2256 kJ/kg이다.)
>
> 해설
>
> (1) $ds = \dfrac{dq}{T} = \dfrac{334}{273 + 0} = 1.223 [\text{kJ/kg·K}]$
>
> (2) $ds = \dfrac{dq}{T} = \dfrac{2256}{273 + 100} = 6.048 [\text{kJ/kg·K}]$

6. 유효, 무효에너지

(1) 유효에너지(available energy) Q_a

외부에서 열량 Q_1을 받고 Q_2를 방출하는 열기관에서 유효하게 일로 전환된 에너지로 가역사이클에서는 변환되는 유효에너지가 최고가 되는데 이 것을 엑서지(exergy)라 한다.

$$Q_a = Q_1 - Q_2 = Q_1 \eta_c = Q_1 \left(1 - \frac{T_2}{T_1} \right) = Q_1 - T_2 \Delta S$$

(2) 무효에너지(unavailable energy) Q_2

이용할 수 없는 에너지

$$Q_2 = Q_1 (1 - \eta_c) = Q_1 \frac{T_2}{T_1} = T_2 \Delta S$$

엑서지와 아네르기

계가 보유하는 에너지가 환경과 평행을 이룰 때까지 추출할 수 있는 최대 일로 엑서지(exergy), 어베일러빌리티(availability)라고도 한다. 비가역과정에 있어 헬름홀츠 에너지의 감소량에 상당한다. 한편 어떠한 수단에 의해서도 일로 변환할 수 없는 부분은 아네르기(Anergie)라고 한다. 에너지 프로세스의 에너지 유효이용률의 평가에 사용되고 있다.

(3) 유효, 무효에너지

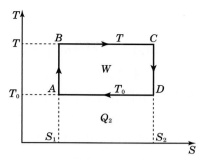

그림. 유효에너지와 무효에너지

그림은 카르노 사이클로 고온원 온도를 T, 저온원을 T_0라 하면 유효에너지란 변환 가능한 일 W(엑서지이기도 하고),

$W = (T - T_0)(S_2 - S_1) =$ 면적$(ABCDA)$가 된다. 한편 무효에너지라는 것은 저온원에서 버려지는 방열량 Q_2로 $Q_2 = T_0(S_2 - S_1) =$ 면적(ADS_2S_1A)가 된다. 그리고 이 사이클에서의 공급열량Q_1은 유효에너지W와 무효에너지Q_2을 합한 것으로 면적$(BCDS_2S_1AB)$이다.

---

12 예제문제

500℃의 고열원에 100kJ의 열량을 공급하여 20℃의 저열원에 열량을 방출하는 카르노 사이클 기관의 엑서지(exergy)는 얼마인가?

① 52   ② 62

③ 72   ④ 82

해설

$$Q_a = Q_1\left(1 - \frac{T_2}{T_1}\right) = 100 \times \left(1 - \frac{20 + 273}{500 + 273}\right) = 62\text{kJ}$$

답 ②

---

7. 열역학 제3의 법칙(third of thermodynamics)

한 계(系)내에서 물체의 상태를 변화시키지 않고 절대 온도, 즉 '0[K]로 도달할 수 없다. 절대온도 0[K]에서는 모든 완전한 결정 물질의 절대 엔트로피는 0 이다.'라는 법칙이 Nernst에 의하여 수립되었다.

2 열역학의 일반관계식

열역학 제1법칙, 제2법칙을 바탕으로 열역학적 상태량의 관계를 구하는 것은 열역학을 보다 깊게 이해하는 데 중요하다. 지금 균일한 계에서 열적평형상태에 있는 압력, 온도, 용적 사이에 상태방정식이 성립하고, 2개의 상태량을 독립변수로 하여 사용할 수가 있다. 일반적으로 열역학적 상태량이라고 하면 압력, 용적, 온도, 내부에너지, 엔탈피, 자유에너지 등이다. 이들을 편미분하여 얻은 관계는 방대한데, 중요하다고 생각하는 관계에 대한 것은 다음과 같다.

자유에너지 (Helmholtz의 함수)	$F = U - TS$
비(比)자유에너지	$f = u - Ts$ $df = -sdT - Pdv$ $(\frac{\partial f}{\partial v})_s = s^2[\frac{\partial(P/s)}{\partial s}]_v,\ (\frac{\partial f}{\partial T})_P = p^2[\frac{\partial(s/P)}{\partial P}]_T$

Gibbs의 함수	$G = H - TS$
비Gibbs의 함수	$g = h - Ts$ $dg = -sdT + vdP$ $(\frac{\partial g}{\partial P})_s = -s^2[\frac{\partial(v/s)}{\partial s}]_P,\ (\frac{\partial g}{\partial T})_v = v^2[\frac{\partial(s/v)}{\partial v}]_T$

열역학관계의 미분형	$(\frac{\partial u}{\partial s})_V = (\frac{\partial h}{\partial s})_P = T$ $-(\frac{\partial u}{\partial v})_s = -(\frac{\partial f}{\partial v})_T = P$ $(\frac{\partial h}{\partial P})_s = (\frac{\partial g}{\partial P})_T = v$ $-(\frac{\partial f}{\partial T})_V = -(\frac{\partial g}{\partial T})_P = s$

Maxwell의 관계식	$(\frac{\partial T}{\partial v})_s = -(\frac{\partial P}{\partial s})_V$ $(\frac{\partial T}{\partial P})_s = (\frac{\partial v}{\partial s})_P$ $(\frac{\partial P}{\partial T})_V = (\frac{\partial s}{\partial v})_T$ $(\frac{\partial v}{\partial T})_P = -(\frac{\partial s}{\partial P})_T$

정압비열 cp	$cp = (\dfrac{\partial h}{\partial T})_P = T(\dfrac{\partial s}{\partial T})_P$
	$(\dfrac{\partial cp}{\partial P})_T = T\dfrac{\partial^2 s}{\partial P\partial T} = -T(\dfrac{\partial^2 v}{\partial T^2})_P$
정적비열 c_v	$c_v = (\dfrac{\partial u}{\partial T})_V = T(\dfrac{\partial s}{\partial T})_V$
	$(\dfrac{\partial c_v}{\partial v})_T = T\dfrac{\partial^2 s}{\partial v\partial T} = T(\dfrac{\partial^2 P}{\partial T^2})_V$
비열의 차	$cp - c_v = -T(\dfrac{\partial P}{\partial T})_V^2(\dfrac{\partial v}{\partial P})_T$
비엔탈피	$h = g + Ts = -T^2[\dfrac{\partial(g/T)}{\partial T}]_P$
	$dh = cpdT + [v - T(\dfrac{\partial v}{\partial T})_P]dP$
	$(\dfrac{\partial h}{\partial s})_V = -v^2[\dfrac{\partial(T/v)}{\partial v}]_s$
	$(\dfrac{\partial h}{\partial P})_T = -T^2[\dfrac{\partial(v/T)}{\partial v}]_P$
비내부에너지	$u = f + Ts = -T^2[\dfrac{\partial(f/T)}{\partial T}]_V$
	$du = c_vdT + [T(\dfrac{\partial P}{\partial T})_V - P]dv$
	$(\dfrac{\partial u}{\partial s})_P = -P^2[\dfrac{\partial(T/P)}{\partial P}]_s$
	$(\dfrac{\partial u}{\partial v})_T = -T^2[\dfrac{\partial(P/T)}{\partial T}]_V$
줄-톰슨 계수	$\mu = \left(\dfrac{\partial T}{\partial P}\right)_h = -\dfrac{1}{c_p}\left\{v - T\left(\dfrac{\partial v}{\partial T}\right)_P\right\}$

[08년 3회]

01 다음 중에서 열역학 제 0법칙에 관해 정의한 것은?

① 두 물체가 제3의 물체와 온도의 동등성을 가질 때 두
물체도 역시 서로 온도의 동등성을 갖는다.
② 두 물체가 제3의 물체와 압력의 동등성을 가질 때 두
물체도 역시 서로 압력의 동등성을 갖는다.
③ 두 물체가 제3의 물체와 무게의 동등성을 가질 때 두
물체도 역시 서로 무게의 동등성을 갖는다.
④ 두 물체가 제3의 물체와 질량의 동등성을 가질 때 두
물체도 역시 서로 질량의 동등성을 갖는다.

> **열역학 제0법칙**
> 두 물체가 제3의 물체와 온도의 동등성을 가질 때 두 물체도
> 역시 서로 온도의 동등성을 갖는다. 즉, 열평형의 법칙을 말
> 하며 온도계의 원리를 나타낸 법칙이다.

[11년 2회]

02 열과 일 사이의 에너지 보존의 원리를 표현한 것은?

① 열역학 제1법칙
② 열역학 제2법칙
③ 보일샤를의 법칙
④ 열역학 제0의 법칙

> **열역학 제 1의 법칙(first law of thermodynamics)**
> 에너지 보존의 법칙으로 열과 일의 관계를 나타낸 것이다.
> 이 법칙은 1843년에 J·P Joule에 의해서 실험적으로 확인
> 된 법칙으로 "열도 일도 에너지의 한 형태로 열과 일은 서로
> 교환할 수 있다"라고 한다.
> ㉠ 열역학 제 0법칙 : 열평형의 법칙(온도계의 원리)
> ㉡ 열역학 제 1법칙 : 에너지 보존의 법칙(엔탈피의 법칙, 제
> 　　1종 영구기관 제작 불가능의 법칙)
> ㉢ 열역학 제 2법칙 : 냉동기(히트펌프)의 원리, 가역과 비가
> 　　역, 엔트로피의 원리, 제2종 영구기관 제작 불가능의 법칙
> ㉣ 열역학 제 3법칙 : 네른스트의 법칙(엔트로피의 절댓값,
> 　　절대온도0[K]의 원리)

[12년 2회]

03 열역학 제 2법칙을 바르게 설명한 것은?

① 열은 에너지의 하나로서 일을 열로 변환하거나 또는
열을 일로 변환시킬 수 있다.
② 온도계의 원리를 제공한다.
③ 절대 0도에서의 엔트로피 값을 제공한다.
④ 열은 스스로 고온물체로부터 저온물체로 이동되나
그 과정은 비가역이다.

> ① 열역학 제 1법칙
> ② 열역학 제 0법칙
> ③ 열역학 제 3법칙

[10년 2회, 09년 1회]

04 열에너지의 흐름에 대한 방향성을 말해주는 법칙은?

① 제0법칙　　　　　② 제1법칙
③ 제2법칙　　　　　④ 제3법칙

> **열역학 제 2법칙**
> Clausius의 표현 : "열은 그 자신만으로는 저온물체에서 고온
> 물체로 이동할 수 없다."고 설명하였다. 즉, Clausius는 열의
> 이동 방향성을 설명하였다.

[13년 3회, 11년 1회]

05 어떤 변화가 가역인지 비가역인지 알려면 열역학 몇 법칙을 적용하면 되는가?

① 제0법칙　　　　　② 제1법칙
③ 제2법칙　　　　　④ 제3법칙

> **열역학 제 2법칙**
> 열역학 제 2법칙에 따르면 일을 열로 변화하기는 쉬우나 열을 일로
> 변화시키는 데는 어려움이 따른다는 비가역성(irreversibility)
> 에 대한 법칙이다.

[16년 3회, 09년 3회]

06 자연계에 어떠한 변화도 남기지 않고 일정온도의 열을 계속해서 일로 변환시킬 수 있는 기관은 존재하지 않는다를 의미하는 열역학 법칙은?

① 열역학 제0법칙

② 열역학 제1법칙

③ 열역학 제2법칙

④ 열역학 제3법칙

열역학 제2법칙

Kelvin-Planck표현 : 자연계에 어떠한 변화도 남기지 않고 일정온도의 열을 계속해서 일로 변환시킬 수 있는 기관은 존재하지 않는다. 즉, 열기관에서 작동유체가 외부에 일을 할 때에는 그보다 더욱 저온의 물체를 필요로 한다는 것으로 저온의 물체에 열의 일부를 버릴 필요가 있다는 것을 설명하고 있다.

[13년 3회]

07 내부에너지에 대한 설명 중 잘못된 것은?

① 계(系)의 총에너지에서 기계적 에너지를 뺀 나머지를 내부에너지라 한다.

② 내부에너지 변화가 없다면 가열량은 일로 변환된다.

③ 온도의 변화가 없으면 내부에너지는 상승한다.

④ 내부에너지는 물체가 갖고 있는 열에너지이다.

① 계(系)의 총에너지에서 기계적(역학적)에너지를 뺀 나머지를 내부에너지라 한다.

② 에너지식 $dq = du + Pdv$에서 $du = 0$이면, $dq = Pdv = dw$로 내부에너지 변화가 없다면 가열량은 일로 변환된다.

③ $du = c_v dT$에서 $dT = 0$이면 $du = 0$로 내부에너지의 변화도 없다.

④ 내부에너지는 물체의 원자·분자가 갖는 위치에너지 및 운동에너지로 물체가 갖고 있는 열에너지로 볼 수 있다.

[13년 1회, 09년 2회]

08 0.02kg의 기체에 100J의 일을 가하여 단열 압축하였을 때 기체 내부에너지 변화는 약 얼마인가?

① 1kJ/kg

② 2kJ/kg

③ 3kJ/kg

④ 5kJ/kg

단열 변화

에너지식 $\triangle Q = \triangle U + W$에서 에서 단열 압축이므로

$\triangle Q = 0$, 따라서 $\triangle U = -W$

$\triangle U = -\dfrac{100 \times 10^{-3}}{0.02} = -5$

여기서, − 부호는 외부에서 받은 일을 의미한다.

[15년 2회]

09 밀폐계에서 실린더 내에 0.2kg의 가스가 들어있다. 이것을 압축하기 위하여 12kJ의 일을 소비할 때, 4kJ의 열을 주위에 방출한다면 가스 1kg당 내부에너지의 증가는? (단, 위치 및 운동에너지는 무시한다.)

① 32kJ/kg   ② 37kJ/kg

③ 40kJ/kg   ④ 45kJ/kg

에너지식

(1) $\triangle Q = \triangle U + W$에서

$-4 = \triangle U - 12$

$\therefore \triangle U = -4 + 12 = 8\text{kJ}$

부호는 일을 소비, 방열은 (−)로 된다.

(2) $\triangle u = \triangle U / m = \dfrac{8}{0.2} = 40\text{kJ/kg}$

[12년 3회, 10년 2회]

10 $P-V$선도에서 1에서 2까지 단열 압축하였을 때의 압축일량은 다음 중 어느 것으로 표현되는가?

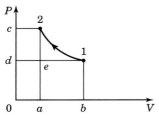

① 면적 12cd1
② 면적 1d0b1
③ 면적 12ab1
④ 면적 aed0a

> 밀폐계의 일 = 면적 12ab1
> 개방계의 일 = 면적 12cd1

[11년 2회]

11 온도 10℃의 공기($C_U = 0.72\text{kJ/kg·K}$) 3kg를 내압용기에 넣고 일정체적 하에서 가열하였더니 엔트로피가 1.05kJ/K 증가하였다. 이때 내부 에너지의 증가량은 약 얼마인가?

① 354kJ
② 386kJ
③ 415kJ
④ 452kJ

> **(1) 엔트로피(정적변화)**
>
> $\Delta s = m C_v \ln \dfrac{T_2}{T_1}$ 에서
>
> $1.05 = 3 \times 0.72 \times \ln \dfrac{T_2}{273 + 10}$
>
> $\dfrac{T_2}{273 + 10} = e^{0.49}$
>
> $\therefore T_2 = e^{0.49} \times (273 + 10) \fallingdotseq 462\ \text{K}$
>
> **(2) 내부에너지 증가량**
>
> $\Delta U = m C_v (T_2 - T_1) = 3 \times 0.72 \times (462 - 283) = 386.64\,[\text{kJ}]$

[15년 2회]

12 액체나 기체가 갖는 모든 에너지를 열량의 단위로 나타낸 것을 무엇이라고 하는가?

① 엔탈피
② 외부에너지
③ 엔트로피
④ 내부에너지

> 엔탈피 = 내부에너지 + 유동일(외부에너지)
> 엔탈피 = 물질이 갖는 전에너지

[08년 1회]

13 다음 열역학에 이용되고 있는 식 중 잘못된 것은?
(단, q : 열량, C_v : 정적비열, C_p : 정압비열, u : 내부에너지, h : 엔탈피, T : 절대온도, v : 비체적, A : 일의 열당량, p : 압력)

① $\Delta u = C_v(T_2 - T_1)$
② $\Delta h = C_p(T_2 - T_1)$
③ $\delta q = \delta u + A p \delta v$
④ $\delta h = \delta q + A p \delta v$

> ④ $\delta h = \delta q + A v \delta p$

[14년 2회]

14 다음 엔트로피에 관한 설명 중 틀린 것은?

① 엔트로피는 자연현상의 비각역성을 나타내는 척도가 된다.
② 엔트로피를 구할 때 적분경로는 반드시 가역변화이어야 한다.
③ 열기관이 가역사이클이면 엔트로피는 일정하다.
④ 열기관이 비가역사이클이면 엔트로피는 감소한다.

> **엔트로피**
> 가역 사이클 = 엔트로피 일정
> 비가역 사이클 = 엔트로피 증가

[13년 1회]

15 10kW의 모터를 1시간 동안 작동시켜 어떤 물체를 정지시켰다. 이때 사용된 에너지는 모두 마찰열로 되어 $t = 20℃$의 주위에 전달되었다면 엔트로피의 증가는 약 얼마인가?

① 122.9kJ/K

② 222.9kJ/K

③ 322.9kJ/K

④ 422.9kJ/K

엔트로피 변화

$$dS = \frac{dQ}{T} = \frac{10 \times 3600}{273 + 20} ≒ 122.9 \ kJ/K$$

[13년 2회]

16 5kg의 산소가 체적 2m³로부터 4m³로 변화하였다. 이 변화가 압력 일정하에서 이루어졌다면 엔트로피의 변화는 얼마인가? (단, 산소는 완전가스로 보고, $C_p = 0.925kJ/kg \ K$로 한다.)

① 0.33(kJ/K)

② 0.67(kJ/K)

③ 3.2(kJ/K)

④ 4.8(kJ/K)

엔트로피 변화(정압변화)

$$\triangle s_{12} = m C_p \ln \frac{V_2}{V_1} = 5 \times 0.925 \times \ln \frac{4}{2} ≒ 3.2$$

[13년 3회]

17 물 5kg을 0℃에서 80℃까지 가열하면 물의 엔트로피 증가는 약 얼마인가? (단, 물의 비열은 4.18kJ/kg · K이다.)

① 1.17kJ/K

② 5.37kJ/K

③ 13.75kJ/K

④ 26.31kJ/K

엔트로피 변화

$$\triangle s_{12} = m C_p \ln \frac{T_2}{T_1} = 5 \times 4.18 \times \ln \frac{273 + 80}{273 + 0} ≒ 5.37$$

[15년 1회]

18 물 10kg을 0℃로부터 100℃까지 가열하면 엔트로피의 증가는 얼마인가? (단, 물의 비열은 4.2kJ/kg · K이다.)

① 12.1kJ/K

② 13.1kJ/K

③ 14.2kJ/K

④ 15.2kJ/K

엔트로피 변화

$$\triangle s_{12} = m C_p \ln \frac{T_2}{T_1} = 10 \times 4.2 \times \ln \frac{273 + 100}{273 + 0} ≒ 13.1$$

[16년 1회]

19 물 10kg을 0℃에서 70℃까지 가열하면 물의 엔트로피 증가는? (단, 물의 비열은 4.18kJ/kg · K이다.)

① 4.14kJ/K

② 9.54kJ/K

③ 12.74kJ/K

④ 52.52kJ/K

엔트로피 변화

$$\triangle s_{12} = m C_p \ln \frac{T_2}{T_1} = 5 \times 4.18 \times \ln \frac{273 + 70}{273 + 0} ≒ 9.54$$

[12년 1회, 10년 3회]

20 카르노 사이클(carnot cycle)의 가역과정 순서를 올바르게 나타낸 것은?

① 등온팽창 → 단열팽창 → 등온압축 → 단열압축

② 등온팽창 → 단열압축 → 단열팽창 → 등온압축

③ 등온팽창 → 등온압축 → 단열압축 → 단열팽창

④ 등온팽창 → 단열팽창 → 단열압축 → 등온압축

카르노 사이클(carnot cycle)

카르노 사이클은 이상적인 열기관 사이클로 아래 그림과 같이 등온팽창 → 단열팽창 → 등온압축 → 단열압축의 4과정으로 되어있다.

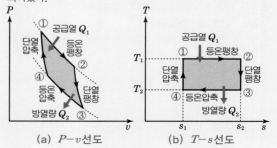

(a) P−v선도　　(b) T−s선도

[09년 1회]

21 다음 기체 동력 사이클 중 가열량, 초기온도, 초기압력, 압축비가 동일할 때 열효율이 높은 순서로 나열된 것은?

① 복합사이클 → 오토사이클 → 디젤사이클

② 디젤사이클 → 복합사이클 → 오토사이클

③ 오토사이클 → 복합사이클 → 디젤사이클

④ 복합사이클 → 디젤사이클 → 오토사이클

아래의 $P-v$, $T-s$에서와 같이 열량, 초기온도, 초기압력, 압축비가 동일할 때 열효율이 높은 순서는
오토 사이클 → 복합 사이클 → 디젤 사이클 이다.
오토 사이클 : $123o4o1$ 디젤 사이클 : 123_D4_D1
복합(사바테) 사이클 : $123'3_M4_M1$

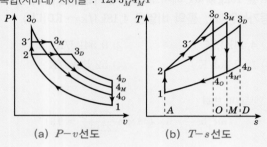

(a) $P-v$선도   (b) $T-s$선도

[14년 2회]

22 압력 1.8MPa, 온도 300℃인 증기를 마찰이 없는 이상적인 단열 유동으로 압력 0.2MPa까지 팽창시킬 때 증기의 최종속도는 약 얼마인가? (단, 최초 속도는 매우 작으므로 무시한다. 또한 단열 열낙차는 440.8kJ/kg로 한다.)

① 912.1m/sec   ② 938.9m/sec

③ 946.4m/sec   ④ 963.3m/sec

단열유동
SI단위
$$w_2 = \sqrt{2\Delta h} = \sqrt{2 \times 440.8 \times 10^3} = 938.9 \text{m/s}$$
Δh : 단열 열낙차[J/kg]

[15년 2회, 11년 1회]

23 카르노 사이클의 기관에서 25℃와 300℃ 사이에서 작동하는 열기관의 열효율은?

① 약 42%   ② 약 48%

③ 약 52%   ④ 약 58%

열효율$(\eta) = \dfrac{\text{공급열} - \text{손실열}}{\text{공급열}} = \dfrac{\text{유효열}}{\text{공급열}}$
$= \dfrac{W}{Q_1} = \dfrac{Q_1 - Q_2}{Q_1} = 1 - \dfrac{Q_2}{Q_1} = 1 - \dfrac{T_2}{T_1}$ 에서
$\eta = 1 - \dfrac{273 + 25}{273 + 300} = 48\%$

[13년 2회]

24 온도가 500℃인 열용량이 큰 열원으로부터 18000kJ/h 열이 공급된다. 이때 저열원은 대기(20℃)이며, 이 두 열원 간에 가역사이클을 형성하는 열기관이 운전된다면 사이클의 열효율은?

① 0.53   ② 0.62

③ 0.74   ④ 0.81

열효율 $\eta = 1 - \dfrac{T_2}{T_1}$ 에서
$\eta = 1 - \dfrac{273 + 20}{273 + 500} = 0.62$

[14년 2회]

25 단면 확대 노즐 내를 건포화증기가 단열적으로 흐르는 동안 엔탈피가 494kJ/kg만큼 감소하였다. 이때의 노즐 출구의 속도는 약 얼마인가? (단, 입구의 속도는 무시한다.)

① 828m/s   ② 886m/s

③ 924m/s   ④ 994m/s

단열유동
$$w_2 = \sqrt{2\Delta h} = \sqrt{2 \times 494 \times 10^3} = 994[\text{m/s}]$$
여기서, h_1 : 노즐 입구 엔탈피[kJ/kg]
h_2 : 노즐 출구 엔탈피[kJ/kg]
Δh : 단열 열낙차[kJ/kg]

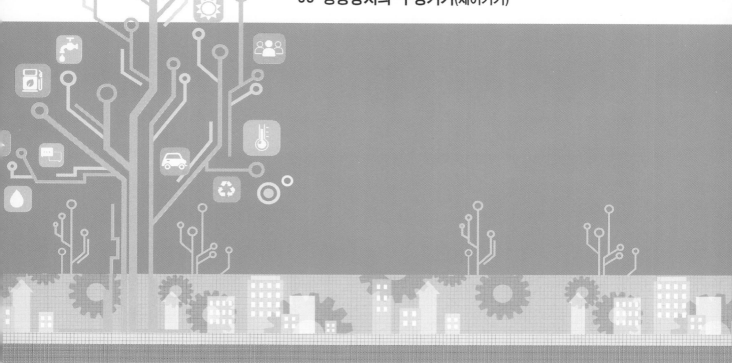

제2장

냉동장치의 구조

냉동장치 구성 기기   ① 압축기

① 압축기(Compressor)

압축기란 증발기에서 발생한 저압의 냉매 가스를 흡입하여 응축기에서 쉽게 응축할 수 있도록 그 압력을 응축압력까지 높이는 작용을 하며 또한 냉매를 전장치내로 순환시켜 주는 역할을 한다.

1. 압축기의 종류

압축기는 냉매증기의 압축방식에 의해 용적식과 원심식으로 구분하다. 그리고 용적식에는 왕복식, 스크루식, 회전식, 및 스크롤식 등의 형식이 있다. 또한 밀폐구조에 의해 구동용 전동기(모터)와 압축기를 별도로 설치하는 개방형과 일체로 되어있는 밀폐식으로 나눈다.

표. 압축기의 종류와 원리

압축기의 종류		밀폐구조	원리
용적식	왕복식	개방	실린더 내의 피스톤의 왕복운동에 의한 실린더의 용적변화에 의해 압축한다.
		반밀폐	
		전밀폐	
	회전식	개방	실린더 내의 피스톤의 회전운동에 의한 실린더의 용적변화에 의해 압축한다.
		전밀폐	
	스크루식	개방	수로터와 암로터의 2스크루형의 치형공간 내의 용적변화에 의해서 압축하는 형식이다.
		전밀폐	
	스크롤식	개방	1쌍의 동일 형상의 인벌류트 곡선으로 구성된 고정스크롤과 선회 스크롤의 사이의 압축공간의 체적변화에 의해 압축하는 형식이다.
		밀폐	
원심식		개방	고속 회전하는 임펠러의 회전운동에 의한 원심력에 의해 압축하는 형식이다.
		밀폐	

(1) 구조에 의한 분류(分類)

① 개방형 (Open type)

전동기와 압축기가 별개로 설치되며 그것들을 직결한 벨트나 커플링(coupling)에 의해서 구동된다.

• 벨트 구동식(Belt driven)
• 직결 구동(Direct driven coupling)

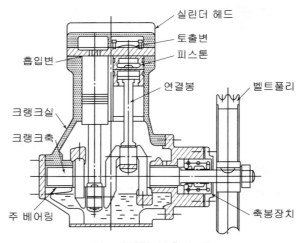

그림. 개방형 압축기 구조

② 밀폐형 (Hermetic type)

전동기와 압축기가 한 하우징(Housing)내에 있어 외부와 밀폐되어 있고
직결구동 되고 있다.

• 반밀폐형
• 전밀폐형

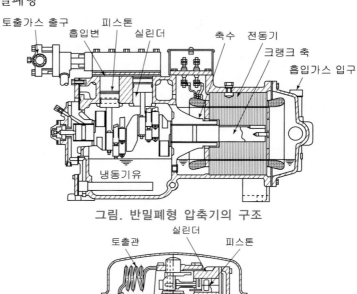

그림. 반밀폐형 압축기의 구조

그림. 밀폐형 압축기의 구조

※ 개방형 압축기의 장점 및 단점
  ▪ 장점
      ㉠ 회전수를 변경할 수 있어 사용조건에 적합한 운전이 가능하다.
      ㉡ 보수, 점검 및 취급이 용이하다.
      ㉢ 전동기와 압축기가 별개로 되어 있어 교환사용이 가능하다.
      ㉣ 전력배선이 불가능한 곳에 엔진 구동이 가능하다.
  ▪ 단점
      ㉠ 유닛(Unit)으로 한 경우 외형이 크므로 설치면적이 크다.
      ㉡ 축이 외부와 관통하므로 냉매, 오일의 누설 및 외기침입의 우려가
         있다. 따라서 반드시 축봉장치가 필요하다.
      ㉢ 대량 생산일 경우 밀폐, 반밀폐형에 비해 제작비가 많이 든다.

※ 밀폐형 압축기의 장점 및 단점
  ▪ 장점
      ㉠ 소형이며 경량이다.
      ㉡ 냉매의 누설이 없다.
      ㉢ 소음이 적다.
      ㉣ 과부하 운전이 가능하다.
  ▪ 단점
      ㉠ 전동기가 직결식이므로 회전수를 임의로 변경시킬 수 없다.
      ㉡ 전원이 없는 곳에서는 사용할 수 없다.

(2) **압축방법에 의한 분류**
  ① 왕복 압축기(Reciprocating compressor)
    • 입형 압축기
    • 횡형 압축기
    • 고속 다기통 압축기
  ② 회전 압축기(Rotary compressor)
    • 회전 날개형
    • 고정 날개형
  ③ 원심 압축기(Turbo compressor)
    • 단단 압축식
    • 다단 압축식

(3) 압축 행정의 수에 의한 분류

① 단동(單動) 압축기

② 복동(複動) 압축기

2. 왕복동식 압축기

왕복 압축기의 압축작용은 실린더 내에서 피스톤의 왕복운동에 의하여 냉매가스를 흡입하여 압축하고 압축된 냉매가스는 응축기로 보내진다. 흡입밸브와 토출밸브는 엷은 판으로 되어 있고 냉매가 새기 쉬운 베어링 부분은 밀폐되어 있다.

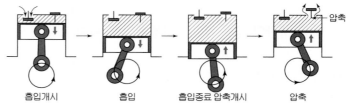

흡입개시　　흡입　　흡입종료 압축개시　　압축

그림. 왕복동 압축기의 압축방식

(1) 횡형 압축기

왕복동 압축기의 시조로 실린더가 수평으로 설치된 압축기이다. 주로 대형 단기통식이며, 피스톤의 양면에서 압축작용을 하는 복동식 압축기이다.

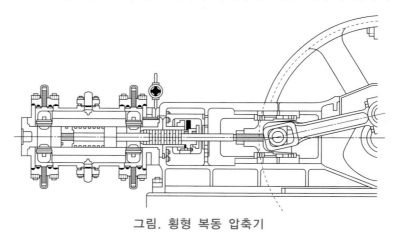

그림. 횡형 복동 압축기

- 특징

① 주로 NH_3용이다.

② 왕복동식이다.

③ 회전수는 $100 \sim 250$rpm 이다.

④ 안전두가 없다. 따라서 톱 클리어런스를 3mm 정도로 크게 한다.

⑤ 냉매가스의 누설을 방지하기 위하여 축봉장치(Stuffing box type)를 설치한다.

⑥ 중량 및 설치면적이 크고, 진동이 심하여 대형 이외에는 사용되지 않는다.

(2) 입형 압축기

압축기의 실린더를 직렬직립(直列直立)으로 설치한 압축기로 크랭크 실은 일반적으로 밀폐되어 있고 그 내부에 냉매가스가 충만되어 있어서 크랭크 축에 따라서 가스의 누설이 생기지 않도록 제작되고 있다. 일반적으로 제빙, 냉장 및 공기조화용 등에 널리 사용되고 있다.

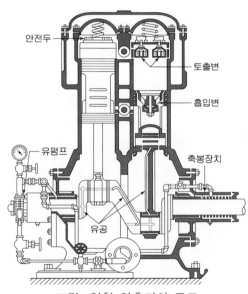

그림. 입형 압축기의 구조

① NH$_3$용

• 회전수는 250~400rpm으로 저속이다.

• 단동형으로 기통 수는 1~4기통이지만 2기통이 많이 사용된다.

• 톱 클리어런스(Top clearance)는 0.8~1mm로 적다. 따라서 체적효율이 좋다.

• 실린더 상부에 안전두(safety head)가 설치되어 있다.

• 워터 재킷(Water jacket)을 설치하여 실린더를 수냉각 시킨다.

• 동일 능력은 횡형 압축기 보다 몸체가 작다.

• 피스톤은 더블 트렁크 형(Double trunk type)에 채용된다.

• 흡입밸브(Suction valve)는 피스톤 상부에 설치된다.
  (플레이트 밸브(Plate valve)가 사용된다.)

② Freon용

- 회전수는 700rpm 정도이다.
- 주로 5HP 정도의 소형에 사용된다.
- 실린더는 공랭식이다.
- 흡입 및 토출밸브는 실린더 상부에 설치한다.
- 피스톤은 플러그 형(Plug type)이 채용된다.

(3) 고속다기통 압축기 (High speed multi-cylinder compressor)

기존의 입형 압축기를 개량하여 그 형상을 작게 하고 중량을 경감시키면서 동시에 용량을 크게 할 수 있도록 제작된 압축기로 흡입, 토출밸브의 개량이나 윤활장치, 진동 방지 장치의 발달로 회전의 고속화(1000~3500rpm)와 실린더 수의 증가를 실현시킬 수 있었다.

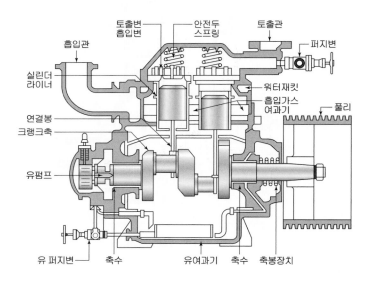

그림. 고속다기통 압축기의 구조

① 설계상 특징

- 실린더의 직경이 적다.(95~180mm)
- 실린더의 수가 많다.(4~16개) 4, 6, 8, 12, 16 기통
- 실린더의 배열방법에는 V형, W형, VV형, 성형 등이 있다.

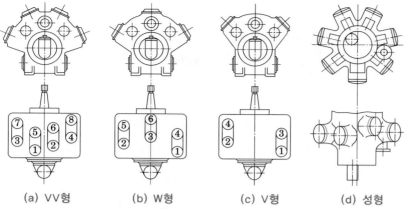

(a) VV형   (b) W형   (c) V형   (d) 성형

그림. 고속다기통압축기의 실린더 배열방식

- RPM
  - ㉠ 소형 : 1450~1800
  - ㉡ 중형 : 970~1000
  - ㉢ 대형 암모니아 : 680
  - ㉣ F-22, F-12 : 725
  - ㉤ 특수형 : 3500
- 축봉장치는 활윤식(Mechanical shaft seal)이 쓰인다.
- 윤활방식은 오일 펌프(Oil pump)에 의한 강제 윤활 방식이다.
- 실린더 라이너(Cylinder liner)를 크랭크 실에 끼워 넣게 하고 있어 흡입 가스가 통과하는 구멍이 있다.

② 고속다기통 압축기의 장·단점
- 장점
  - ㉠ 소형이며 경량이다.
  - ㉡ 실린더 직경이 적어 정적(靜的) 및 동적(動的) 균형이 양호하며 진동이 적다. (기초가 간단해도 된다)
  - ㉢ 용량제어가 용이하다.
  - ㉣ 기동 시 무부하로 기동이 가능하고 자동운전이 용이하다.
  - ㉤ 각 부품의 호환성이 있다.
  - ㉥ 흡입 및 토출 밸브에 플레이트 밸브를 사용하므로 밸브의 작동이 경쾌하다.
  - ㉦ 강제윤활 방식으로 윤활작용이 양호하다.

PARAT 02

냉동냉장 설비

· 단점
    ㉠ 윤활유의 소비량이 많다.
    ㉡ 윤활유의 온도가 높아지기 쉬우며(NH_3용) 열화 및 탄화가 빠르다.
    ㉢ 클리어런스가 크고(1.5mm) 압축기의 체적효율의 감소가 많아 냉동능력이 감소하고, 동력손실이 많아진다.
    ㉣ 기계의 소음이 커서 고장발견이 어렵다.
    ㉤ 베어링 등 마찰부의 마찰저항이 커서 마모가 빠르다.

(4) 컴파운드 압축기(compound compressor)

2단압축 냉동 사이클에서는 저단과 고단의 2대의 압축기가 필요하다. 이 2대의 압축기를 1대의 압축기에서 저단과 고단의 실린더를 배치하고 구동용 전동기도 1대로 한 압축기를 컴파운드 압축기라고 한다.

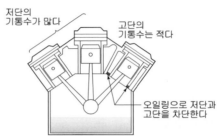

그림. 컴파운드 압축기

---

01 예제문제

다음 고속다기통 압축기에 대한 설명 가운데 가장 부적당한 것은?

① 압축기의 언로드(unload)장치는 부하변동에 대한 용량제어장치로 기동 시에는 무부하기동을 행한다.
② 압축기의 토출변에서 냉매의 누설이 있으면 토출압력은 상승한다.
③ 플루오르카본(프레온)냉매를 사용하는 압축기에서 액백(liquid back)현상이 있으면 유압은 저하한다.
④ 응축압력이 일정하여도 증발압력이 낮아지면 냉매순환량은 감소한다.

해설
① 고속다기통압축기는 unload system에 의해 부하변동에 대한 용량제어 및 이동시 무부하 기동을 할 수 있다.
② 압축기의 토출변에서 냉매의 누설이 있으면 토출가스온도는 상승하나 토출압력은 상승하지 않는다.
③ 액백(liquid back) 현상이 있으면 오일 포밍 현상이 발생하여 유압이 저하한다.
④ 증발압력이 저하하면 압축기 흡입증기의 비체적이 증가하여 냉매순환량이 감소한다.

답 ②

3. 왕복동식 압축기의 부품

(1) 실린더 및 본체

실린더는 치밀한 특수 주철을 사용하여 만든 원통형 용기로 압축기의 중요부이며 실린더의 배치모양에 따라 입형, 횡형, V형, W형 등이 있고 이 실린더 내를 피스톤이 왕복하여 소요의 일을 한다.

① 실린더의 설치
- 입형저속 : 실린더와 크랭크 케이스가 동일한 주물
- 고속다기통 : 실린더 단독주물이며 실린더 라이너(Cylinder liner)를 사용하며 교체가 용이하다.

② 실린더 경(Cylinder bore)
- 입형저속 : 300mm
- 고속다기통 : 180mm

③ 실린더와 피스톤의 간격(Side clearance)

- 입형 저속 : $\dfrac{0.7}{1000} \sim \dfrac{1}{1000}$

- 고속 다기통 : $\dfrac{0.8}{1000}$

※ Side Clearance가 2/100 이상이 되면 보링(Boring)한다.

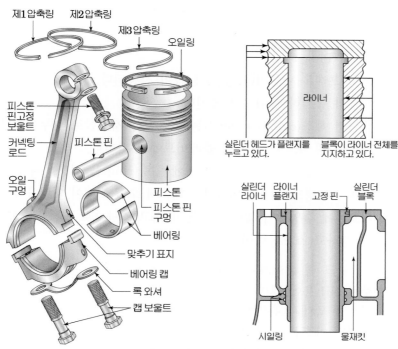

그림. 습식 라이너의 시일 링

(2) 실린더 라이너(Cylinder liner)

실린더 내벽이 마모했을 때 용이하게 교환하기 위하여 실린더 내에 삽입하는 원통형의 부품으로 강인하고, 내마멸성이 우수한 특수 주철로 만든다. 라이너는 안전두(Safety head)의 스프링의 힘으로 고정되어 있고 가장 자리에 많은 구멍이 뚫어 있으며 그 위에 흡입밸브가 있다.

(3) 피스톤(Piston)

실린더 내를 내벽에 밀착하면서 왕복운동을 하며 가스를 압축하여 압력을 증가시켜주는 부품으로 주로 내마멸성의 특수 주철로서, 관성력을 감소시키기 위하여 두께를 얇게 하여 중공(中空) 상태로 가볍게 만든다.

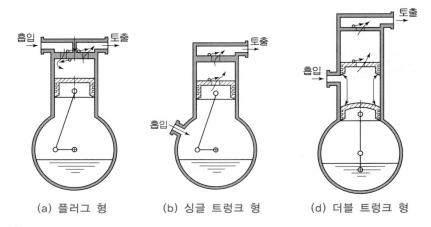

(a) 플러그 형   (b) 싱글 트렁크 형   (d) 더블 트렁크 형

① 종류
• 플러그 형(Plug type)
㉠ 소형 프레온 냉동기(가정용)에 많이 사용된다.
㉡ 위에서 흡입하여 위로 토출된다.
㉢ 실린더 헤드(cylinder head)는 고압실과 저압실로 나누어진다.
㉣ 흡입변 및 토출변은 밸브 플레이트에 부착한다.
㉤ 피스톤 지름이 50mm이하의 것에는 링(ring)을 사용하지 않는다.
㉥ 냉매가 크랭크 내에 들어가지기 때문에 오일 포밍이 일어나지 않는다.
㉦ 피스톤에 흡입변이 없어 피스톤이 적고 경량으로 만들 수 있어 충격에 강하고 소요동력이 크다.

• 싱글 트렁크 형 (Single trunk type, open type)
㉠ 주로 NH_3용에 많이 사용한다.
㉡ 피스톤 밑에서 흡입하여 위로 토출한다.
㉢ 실린더 헤드는 고압실로만 되어 있다.
㉣ 흡입변은 피스톤 상부에 토출변은 밸브 플레이트에 부착한다.
㉤ 체적 효율이 좋다.

ⓗ 오일 포밍 현상이 유발될 우려가 있다.

ⓘ 피스톤이 크기 때문에 관성이 크고 충격에 약하다.

- 더블 트렁크 형(Double trunk type)

    ㉠ 고속다기통의 NH_3용에 많이 쓰인다.

    ㉡ 옆에서 흡입하여 위로 배출한다.

    ㉢ 실린더 헤드는 고압실로 되어 있다.

    ㉣ 흡입변은 피스톤 상부에 토출변은 밸브 플레이트에 부착한다.

    ㉤ 체적효율이 좋다.

    ㉥ 피스톤이 행정보다 길어야 한다.

    ㉦ 피스톤이 무겁고, 관성력이 커서 충격을 많이 받는다.

(4) 피스톤링(Piston ring)

① 역할 : 윤활작용 및 오일과 냉매와의 혼합방지, 냉매 가스의 누설 방지

② 재료 : 고급주철, 청동

③ 절삭방법 : 평면절삭, 사면절삭, 계단절삭

④ 종류

- 오일링(Oil ring)   · 압축링(Compression ring)

⑤ 설치

	플러그 형, 싱글 트렁크 형	더블 트렁크 형
상부	2~3개의 압축링	3~4개의 압축링
하부	1개의 오일링	2개의 오일링

⑥ 링과 피스톤 사이는 0.03mm(0.05 ~ 0.09mm)의 간극을 둔다.

⑦ 링의 조립 시 주의사항

- 절단 부분이 일치하지 않도록 한다.

- 링의 접합부에 각인이 있을 경우, 피스톤 상부에 방향을 맞춘다.

- 구부러지지 않도록 하고 움직임이 원활해야 한다.

(5) 피스톤 핀(Piston pin)

피스톤과 연결봉(Connecting rod)을 이어주는 역할을 한다.

① 종류

- 고정식(Set screw type) : NH_3용(스크루에 의한 연결)

- 유동식(Floating type) : 프레온 용(가볍게 박아 넣는다.)

※ 핀(pin)은 밖으로 밀려나와 실린더 벽을 긁지 않도록 스냅링(snap ring)으로 막는다.

(6) 연결봉(Connecting rod)

크랭크축의 회전운동을 피스톤의 왕복운동으로 바꾸어주는 역할을 하는 부품으로 내부에 유로가 설치되어 크랭크축으로부터 공급된 윤활유가 피스톤 핀까지 마치도록 되어 있다.

① 재료
- 암모니아용 : 고항장력의 양질탄소강, 주강
- 고속다기통 : 경합금의 형단조품
- 소형 프레온용 : 연청동(포금)

② 종류
- 분할형
  ㉠ 대단부(Big end)가 2개로 분할되어 볼트(Bolt)와 너트(nut)로 조여져 있다.
  ㉡ 피스톤 행정(Stroke)이 큰 대형에 주로 사용된다.
  ㉢ 연결되는 크랭크 축(Crank shaft)은 주로 핀 연결형이다.
- 일체형
  ㉠ 대단부가 분할되지 않는다.
  ㉡ 소형에 많이 사용된다.
  ㉢ 연결되는 크랭크 축은 편심형이다.
  ※ 연결봉의 길이는 대략 실린더 내경의 1.3배 정도이다.

(7) 크랭크 축(Crank shaft)

전동기의 동력을 피스톤에 전달하는 것으로 일반적으로 단조강으로 제작되며 진동을 작게 하기 위하여 크랭크 암(Crank arm)부분에 밸런스 웨이트(balance weight)를 붙여서 정적, 동적인 균형을 조정한다. 축 내부에 유로가 설치되어 커넥팅로드의 대단부에 윤활유를 공급 한다.

(8) 크랭크 케이스(Crank case)

① 케이스 내에 축과 오일이 들어 있고 내부의 유면을 감시할 수 있도록 유면계가 설치된 다.
② 유면계에서의 유면의 위치는 압축기 정지 시에는 2/3, 운전 중에는 1/2이 적당하다.
③ 크랭크 케이스 내의 압력은 저압과 동일하다. 단, 회전식 압축기(Rotary compressor)의 케이스 내의 압력은 고압이다.

(9) 축봉장치(Shaft seal system)

개방형 압축기에서 크랭크 케이스 내의 압력은 저압(흡입압력) 상태 이므로 크랭크축이 크랭크 케이스를 관통하는 곳에서 냉매나 오일의 누설 및 공기 침입을 방지하기 위하여 고안 된 장치이다.

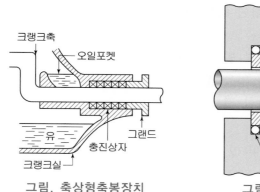

그림. 축상형축봉장치

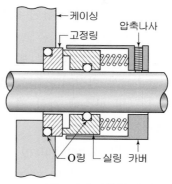

그림. 기계적축봉장치

① 축상형 축봉장치(Stuffing box type shaft seal)

이 장치는 스터핑 박스 안에 패킹(Packing)을 넣어 여기에 오일을 공급하고 유막을 형성시켜 누설을 방지하는 것으로 일명 그랜드 패킹(Gland packing)이라고도 한다.

※ 사용하는 패킹의 종류
- 소프트 패킹(Soft packing) : 고무, 목연, 야안, 석면
- 금속 패킹(Metal packing) : 바벳 메탈 + 흑연
- 세미 메탈릭 패킹 (semimetallic packing) : 바벳 메탈 + 고무 + 목면

※ 소프트 패킹의 특징
- 금속 패킹에 비하여 유연성이 좋아 가스누설방지에 적합하다.
- 마찰저항이 크다.
- 수명이 짧고 600rpm 이하에서 사용된다.
- NH_3용으로 사용된다.(프레온은 부식성으로 인해 사용할 수 없다.)

② 기계적 축봉장치(Mechanical shaft seal)

일명 활윤식이라고도 하며 고속다기통 압축기나 회전수가 600rpm 이상의 입형 압축기에 사용한다.
- 프레온용 : 금속 벨로스(Bellows)사용
- NH_3용 : 고무 벨로스 사용

(10) 변(辯) : Valve

장치 또는 관내를 유동하는 유체(流體)의 출입과 조절을 행하는 기기로 흡입변과 토출변으로 나눈다.

① 밸브의 구비 조건
- 작동이 확실하고 경쾌할 것
- 가스의 흐름에 저항이 적을 것
- 누설이 없을 것
- 변의 개폐 시 압력차 및 관성이 적을 것
- 고온에서 변질되지 않을 것
- 마모 및 파손에 강할 것

② 종류
- 포핏 변(Poppet valve)
- 플레이트 변(Plate valve)
- 리드 변(Read valve)
- 다이어프램 밸브(Diaphragm valve)
  - ㉠ 포핏 변 : 입형 저속압축기의 토출밸브, 흡입밸브에 사용하며 재료는 니켈강 또는 니켈크롬강이다.

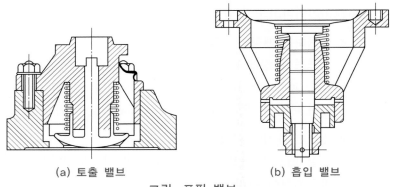

(a) 토출 밸브   (b) 흡입 밸브

그림. 포핏 밸브

- 구조가 간단하고 파손이 적다.
- 중량이 커서 개폐가 확실하며 가스 누설이 적다.
- 변의 양정(lift)은 3mm 정도이며 가스통과 속도는 40m/sec 정도이다.
- 변좌에 주는 충격과 소음이 크다.
- 흡입변은 피스톤 상부에 스프링으로 지지되어 있어 흡입 행정 시 피스톤이 하강하면 밸브는 관성에 의해 열린다.
- 주로 대형 입형 저속의 NH_3용으로 사용된다.

ⓒ 플레이트 변(Plate valve) : 얇은 원판 또는 윤상으로 중량이 가
  볍고 움직임이 경쾌하다. 고속다기통에 사용하는데 특히 이 변을
  링 플레이트 변(ring plate valve)이라 한다.

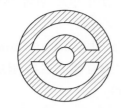

그림. 링 플레이트 밸브

- 재료 : 스테인리스강, 니켈강, 크롬강 등
- 양정(lift) : 대형(3mm), 중형(2mm), 소형(1mm)
- 가스의 속도
  NH_3 : $80 \sim 100 m/sec$
  $R-12$: $30 \sim 40 m/sec$

※ 속도가 NH_3의 경우 60m/sec 프레온 30m/sec 이상이 되면 체적
  효율의 감소와 지시 마력에 영향을 준다.
- 밸브의 중량이 가볍기 때문에 밸브 시트(Valve seat변화)에 큰
  충격을 주지 않는다.
- 고속에 적합하고 소음이 적다.
- 가스 통과 면적을 증가시킬 수 있다.
- 두께는 1mm정도이며 충격에 약하다

ⓒ 리드 변(Reed valve)
  정방형의 리본(Ribbon) 모양의 강편(鋼片) 밸브로 얇고 유연하며
  변 자체의 탄성에 의하여 가스의 통로를 만들도록 되어 있다.

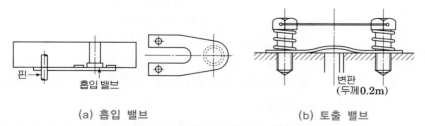

(a) 흡입 밸브   (b) 토출 밸브

그림. 리드밸브

- 플레이트 밸브보다 작용이 경쾌하며 고속용이다.
- 소형 프레온 압축기(가정용 냉장고)에 많이 쓰인다.

• 양정은 1mm 이하이다.

• 밸브판의 두께는 0.20~0.35mm 정도이다.

※ 기타 페더 밸브(Feather valve) 및 플래퍼 밸브(Flapper valve) 도 리드 밸브와 같이 밸브 판의 변형으로 냉매 가스를 통과시킬 수 있는 구조를 가진다.

㉣ 다이어프램 밸브 : 얇은(0.3~0.6mm) 원형 강편이 가스 압력에 의해 휘어져서 가스통로를 만드는 밸브로 고속 다기통에 많이 사용하며 충격에 약하다.

4. 서비스 밸브(Service valve)

냉동장치를 새로이 설치 또는 수리한 경우 냉동장치 내의 공기를 배출하거나 냉매 오일의 충전 및 회수 또는 고장탐사 등을 용이하게 하기 위하여 2방 (Two way) 또는 3방(Three way)형태로 압축기의 흡입구 및 토출구에 부착되어 조작방법에 따라 자유로이 유로(냉매회로)를 변형시킬 수 있는 흡입 및 토출 스톱 밸브이다.

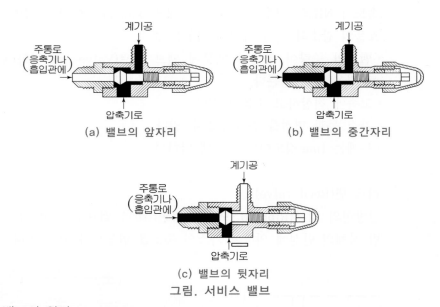

(a) 밸브의 앞자리   (b) 밸브의 중간자리

(c) 밸브의 뒷자리

그림. 서비스 밸브

■ 밸브의 위치

(1) 앞자리 : 밸브 스템(Valve stem)을 오른쪽으로 하면 주통로는 닫히고 게이지공은 열린다.

(2) 중간자리 : 밸브 스템을 중간위치(스템을 전개 후 반회전 정도 역방향으로 회전한 위치)에 고정하면 주통로와 게이지공이 모두 열린다.

(3) 뒷자리 : 밸브 스템을 왼쪽으로 하면 주통로는 열리고 게이지공은 닫힌다.

표. 냉매의 충전, 제거, 정상기동시 서비스 밸브의 위치

구분	충전(Charging)		제거(Purging)		정상기동	
밸브	고압측	저압측	고압측	저압측	고압측	저압측
앞자리			○			
중간자리	○	○		○		
뒷자리					○	○

5. 윤활장치 (Lubrication system)

(1) 목적

냉동장치의 활동부분의 마찰로 인한 마모방지 및 냉동체계 내에서 유막을 형성하여 냉매, 오일 등의 누설방지와 동력소모를 적게 해주며 패킹 등을 보호해 준다.

(2) 윤활유의 종류

① 광물성유 - 냉동유로 사용

② 동물성유

③ 식물성유

※ 광물성유

파라핀(Paraffine)계 : 오일~왁스분리가 잘된다.

나프탈렌(Naphthaline)계 : 오일~왁스분리가 잘 안되므로 냉동유로 쓰인다.

(3) 윤활유의 구비조건

① 응고점이 낮을 것

② 인화점이 높고 고온에서 열화하지 않을 것

③ 전기 절연내력이 클 것

④ 냉매에 의하여 화학변화가 일어나지 말 것

⑤ 수분함량이 적고 전기적 절연내력이 클 것

⑥ 저온에서 왁스가 분리하지 않을 것

⑦ 장기간 사용하여도 변질하지 않을 것

⑧ 장기간 휴지 시 방청능력이 있을 것

⑨ 오일 포밍에 대하여 소포성이 있을 것

(4) 냉동장치에서 반드시 윤활유가 필요한 부분

① 실린더와 피스톤

② 메인베어링

③ 피스톤과 핀

④ 크랭크축과 연결봉

⑤ 축봉

(5) 윤활방식(潤滑方式)

① 비말식(飛沫式)

크랭크 암에 부착된 밸런스 웨이트(Balance weight) 및 오일 디퍼(Oil dipper)를 이용하여 축의 회전에 의해 오일을 비산시켜 급유하는 방식으로 주로 소형에 많이 사용되고 있다. 이 방법에서는 크랭크 케이스 내의 유면이 항상 일정하게 유지되어야 한다.

② 강제 급유식(强制給油式)

크랭크축의 한쪽 끝에 장착된 기어펌프(Gear pump)에 의하여 크랭크 케이스 내의 오일을 장치내로 압송 순환시켜 주는 방식으로 고속 다기통 압축기에 많이 사용한다.

㉠ 유압상승
  • 원인
    - 유압 조정변의 개도 과소
    - 유온이 너무 낮을 때 (점도 상승)
    - 오일의 과충전
    - 유순환 회로의 폐쇄
    - 유압계 불량
  • 영향
    - 오일 압축
    - 오일이 장치 내로 넘어가 전열 방해
    - 응축 압력 상승
    - 냉동 능력 감소

㉡ 유압저하
  • 원인
    - 유압조정변의 개도과대
    - 유온이 높을 때
    - 송유량 부족
    - 오일 중 냉매의 혼입
    - 유일 필터가 막혔을 때
    - 기어 펌프의 고장
    - 유압계 고장
  • 영향
    - 활동부의 마모 및 소손
    - 실린더 과열
    - 토출가스 온도 상승

※ 유압계의 정상유압(MPa(kg/cm²))
 • 입형 저속 압축기 : 크랭크 케이스 압력(정상저압)
                +0.05~0.1(0.5~1.0)
 • 고속 다기통 압축기 : 크랭크 케이스 압력(정장저압)
                +0.15~0.3(1.5~3.0)
 • 터보 압축기 : 정상저압 +0.6(6.0)
 ㉢ 유온이 높은 원인
  • 오일 쿨러의 불량
  • 압축기의 과열 운전
  • 워터재킷 통수불량

(6) 크랭크 케이스의 윤활유 온도
 ① 암모니아용 고속 다기통 : 40℃ 이하로 유지
 ② 프레온용 압축기 : 30℃ 이상으로 유지
 ③ 회전이 빠른 고속다기통 : 45℃ 정도 유지
  ※ 특히 축봉장치가 고무류일 때에는 60℃ 이하로 한다.
  ※ 오일 탱크(Oil tank)내의 유온은 40~65℃ 정도로 유지한다.

6. 회전식 압축기(Rotary compressor)

회전식 압축기는 왕복운동 대신에 회전운동을 하는 회전자(Rotor)에 의해 가스를 흡입 배출 하는 형식이다.

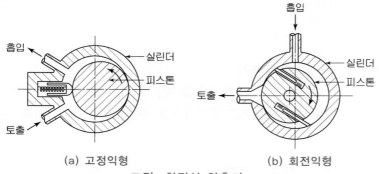

(a) 고정익형   (b) 회전익형
그림. 회전식 압축기

(1) 회전익형(Vane type)

회전자(Rotor)의 홈에 2개 이상의 날개(Vane)가 삽입되어 있어 이 날개가 유압, 가스압, 스프링, 원심력 등에 의하여 실린더 내벽면에 밀착되어 회전자에 따라 반경(半徑) 방향으로 운동할 때 날개 사이에 냉매가스가 흡입되어 압축된다.

(2) 고정익형(Squeeze type)

　실린더에 편심으로 장착된 회전자에 홈이 없는 대신 편심축의 회전에 의하여 회전자가 실린더 벽면을 밀착하면서 압축하는 형식으로 고압부와 저압부를 차단하는 블레이드(Blade)에 의해서 작용한다.

(3) 특징

　① 왕복동 압축기에 비하여 부품이 적고 구조가 간단하다.
　② 가스의 흡입과 배출이 연속적이다.
　③ 진동 및 소음이 적다.
　④ 잔류가스의 재팽창에 의한 체적효율 저하가 적다.
　⑤ 밀폐형에서 하우징 내부의 압력은 고압이다.
　⑥ 기계 용량에 비하여 몸체가 작다.
　⑦ 일반적으로 소용량에 많이 쓰이며 흡입밸브가 없다.

(4) 회전식 압축기와 왕복식 압축기의 비교

	회전식	왕복식
압축	연속적	단속적
하우징 내 압력	고압	저압
소음	적다	크다
용량에 대한 몸체 크기	적다	크다
용량	적다	크다
극저온	가능	불가능
능력발생시간	30~60분	10~15분
운전비	싸다	비싸다

회전식 압축기
· 회전식 압축기는 토출가스에 의해서 전동기를 냉각하는 구조로 전동기는 토출가스보다 고온이 된다.
· 흡입측에 어큐뮬레이터를 설치하여 액압축을 방지하고 있다.
· 흡입밸브는 필요 없으나 토출밸브는 필요하다.

7. 스크루(Screw type) 압축기

　암(Female) 및 수(Male) 두 개의 치형을 갖는 각각의 로터(Rotor)의 맞물림에 의하여 가스를 압축하는 형식으로 냉매가스를 축방향으로 흡입, 압축, 토출한다.

스크루 압축기
· 스크루 압축기는 흡입밸브 및 토출밸브는 필요 없으나 토출 측에 역지 밸브가 필요하다.
· 스크루 압축기는 오일을 다량으로 분사하며 냉매를 압축하므로 토출 가스온도가 낮다.
· 스크루 압축기는 유분리기와 오일 냉각기가 필요하다.
· 용량제어는 slide valve에 의하여 무단계 연속용량 제어를 할 수 있다.

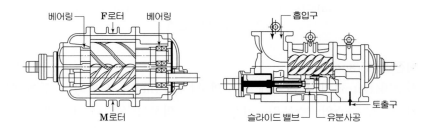

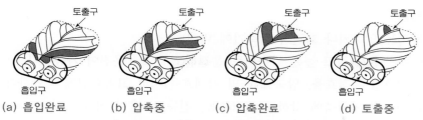

(a) 흡입완료　　(b) 압축중　　(c) 압축완료　　(d) 토출중

그림. 스크루 압축기의 구조 및 작동원리

▪특징

① 소형으로 대용량의 가스를 처리할 수 있다.

② 마모 부분이 적다.

③ 1단의 압축비를 크게 할 수 있고 액 압축의 영향도 적다.

④ 흡입 및 토출밸브가 없다.

⑤ 냉매의 압력손실이 적어 체적효율이 향상된다.

⑥ 무단계, 연속적인 용량제어가 가능하다.

⑦ 고속회전 (3500rpm 이상)에 의한 소음이 크다.

⑧ 독립된 유 펌프 및 유 냉각기가 필요하다.

⑨ 경부하운전시 동력소비가 크다.

⑩ 유지비가 비싸다.

8. 스크롤 압축기(scroll compressor)

스크롤 압축기는 나이테 형상(또는 인벌류트 곡선)의 곡선으로 구성된 고정스크롤과 선회스크롤을 조합하여 양스크롤로 형성된 압축공간용적을 선회에 의해서 압축공간이 점차로 축소되어 중심부로 이동하고 중심부에 있는 토출구로 압축된 가스를 토출한다.

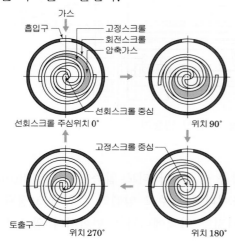

① 고정스크롤 외측의 흡입구에서 가스를 흡입한다.

② 압축공간에 봉입된 가스는 선회에 따라 축소되고 소용돌이 중심을 향하여 압축된다.

③ 압축공간은 중심부에서 최소로 되어 가스는 최고로 압축되어서 중심부에 있는 토출구를 통하여 토출된다.

④ 이 흡입 → 압축 → 토출운동이 연속적으로 반복된다.

그림. 압축작용의 원리

■ 특징

(왕복동 압축기나 회전식 압축기에 비해)

① 부품수가 적고 높은 압축비로 운전해도 고효율운전이 가능하다.

② 고효율(체적효율, 압축효율 및 기계효율)이고 고속회전에 적합하다.

③ 비교적 액압축에 강하고 토크변동, 진동, 소음이 적다.

④ 흡입 및 토출변이 필요가 없으나 토출측에 역지변을 부착하는 것이 많다. 역지변은 정지 시에 고·저압의 차압에 의한 선회스크롤의 역전방지용이다.

⑤ 스크롤의 설계구조 시 내부 용적비(압축의 시점과 종점의 용적비)가 정해져 있다. 따라 스크롤압축기를 설계 시 압력비와 크게 다른 운전조건으로 사용할 경우 스크롤을 별도로 설계한 압축기를 사용해야 한다.

⑥ 룸 에어컨, 소용업무용 등에 폭넓게 사용되고 있다.

9. 원심 압축기(Centrifugal compressor)

왕복동 압축기는 피스톤과 회전자에 의하여 가스를 흡입하여 압축하는데 원심식 압축기는 벌류트 펌프(volute pump)가 원심력에 의해 물을 보내는 원리와 같은 형식으로 압축하며 일명 터보(Turbo) 압축기라고 한다.

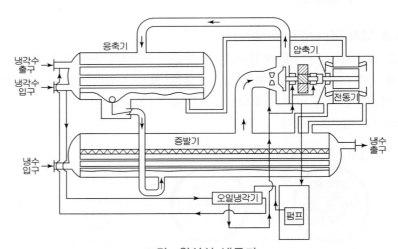

그림. 원심식 냉동기

■ 특징

① 왕복동 및 회전식은 용적압축 방식이나 터보 압축기는 임펠러(impeller)에 의하여 냉매가스에 속도에너지를 주고 임펠러 주위에 고정된 디퓨저(Diffuser)에 의해 속도에너지를 압력에너지로 변화시켜 압축하는 방식을 취하고 있다.

② 왕복운동이 아닌 회전운동이므로 동적인 밸런스를 잡기 쉽고 진동이 적다.

③ 마찰부분이 적어 고장이 적고 수명이 길다.

④ 단위 냉동능력당 중량 및 설치면적이 적어 모든 설비비가 적다.

⑤ 저압의 냉매를 사용하므로 위험이 적고 운전이 쉽다.

⑥ 용량제어가 쉽고 정밀한 제어를 하기 쉽다.

⑦ 소용량의 것은 제작이 곤란하고 제작비가 많이 든다.

⑧ 소음이 크다.

⑨ 대용량의 공기조화용으로 많이 사용한다.(회전수는 10,000~12,000rpm)

> **서징(Surging) 현상이란?**
> 터보 압축기에서 흡입가스 유량을 감소하면 응축압력이 점차 상승하여 가스의 유량이 감소 어떤 일정 유량에 이르러 급격히 압력과 흐름에 격심한 맥동(脈動)과 진동이 일어나 운전이 불안정하게 되는데 이러한 현상을 서징 현상이라 한다.

PARAT 02

냉동냉장 설비

---

02 예제문제

다음 원심식 냉동기에 대한 설명 중 가장 옳지 않은 것은?

① 원심식 압축기의 용량제어는 흡입측에 있는 베인에 의해서 행하는 데 저유량이 되면 운전이 불안정하게 되는 서징현상이 발생할 수 있다.

② 회전식 압축기나 스크롤 압축기는 모두 원심력에 의해 냉매를 압축하므로 원심식이다.

③ 용량이 클수록 장치가 작아져서 대용량에 유리하다.

④ 회전운동이므로 동적일 밸런스를 잡기 쉽고 진동이 적다.

해설
②의 경우 회전식 압축기나 스크롤 압축기는 용적식 압축기이다.   답 **②**

---

10. 압축기의 성능과 효율

(1) 압축작용

압축기는 증발기에서 증발한 냉매증기를 흡입하여 증발기내의 압력을 저압으로 유지하는 작용과 흡입한 증기를 압축하여 응축기내에서 용이하게 응축할 수 있도록 응축압력까지 압력을 높이는 작용의 2가지 역할을 한다. 냉매는 이 작용에 의해 냉동사이클 내를 순환하면서 냉동목적을 달성한다.

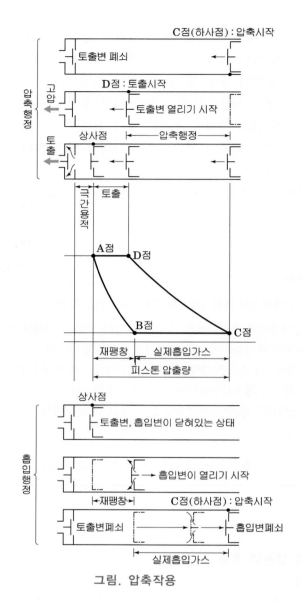

그림. 압축작용

(2) 압축기 피스톤 압출량(냉매 순환량)

① 압축기 크기에 따른 피스톤 압출량

• 왕복동 압축기

$$V_1 = \frac{\pi D^2}{4} \cdot L \cdot N \cdot R \cdot 60$$

$$= \frac{\pi D^2}{4} \cdot L \cdot N \cdot R \cdot \frac{1}{60} \,[\mathrm{m^3/s}]$$

여기서, $V_1,\ V_2$: 이론적 피스톤 압출량$(\mathrm{m^3/h})$

D : 피스톤의 직경(m)　L : 피스톤 행정(m)

N : 기통수　　　　　　R : 분당회전수(rpm)

• 회전식 압축기

$$V_2 = \frac{\pi(D^2-d^2)}{4} \cdot t \cdot n \cdot 60$$

여기서, t : 가스압축부의 두께(m) n : 분당회전수(rpm)
D : 실린더 내경(m) d : 피스톤 외경(m)

② 체적효율(η_v) : 피스톤의 토출가스 용적과 흡입가스 용적과의 비

$$\eta_v = \frac{V_g}{V_a} = \frac{V_a - V_b}{V_a}$$

V_a : 이론 피스톤 압출량(이론 가스 흡입체적)

V_g : 실제 피스톤 압출량(실제 가스 흡입체적)

V_b : 재팽창 체적

$\eta_v < 1$

η_v의 값은 항상 1보다 작다. 또한 체적 효율의 변화는 계산상 복잡하여
압축기 실린더 기통 1개의 체적이 5000cm³ 이상인 경우 : 0.8
압축기 실린더 기통 1개의 체적이 5000cm³ 이하인 경우 : 0.75로 한다.

※ 이론가스 흡입체적보다 실제가스 흡입체적이 적은 이유
• 간극(Clearance)에 의한 영향 : 실린더상부(top clearance)내의 압
축가스 재팽창
• 흡입변의 교축저항과 흡입가스 팽창에 의한 영향
• 밸브 또는 피스톤 링에서의 누설
• 압축가스가 토출할 때 토출변의 교축저항

※ 체적효율이 작아지는 이유
• 간극(Clearance)이 클수록
• 압축비가 클수록
• 실린더 체적이 적을수록
• 회전수가 많을수록

※ 체적효율을 좋게 하는 방법
• 간극을 가능한 한 적게 한다.
• 실린더의 과열운전을 피한다.
• 기통 1개의 체적을 크게 한다.

PARAT 02

냉동냉장 설비

• 체적효율은 압축비가 클수록 적게
된다.
• 체적효율은 클리어런스 용적이 클
수록 적게 된다.
• 체적효율이 적으면 냉매순환량이
감소하고 냉동능력이 저하한다.
• 압축비는 절대압력으로 계산한다.
• 비체적은 흡입압력이 저하할 경
우, 과열도가 큰 경우 크게 된다.
• 비체적이 크게 되면 냉매순환량이
감소하여 냉동능력이 저하한다.

겉보기(극간용적)에 의한
체적효율 η_{vc}

그림은 압축기의 피스톤의 행정과
압력과의 관계를 나타낸 것이다. 이
그림에서 클리어런스의 비(V_3/V)
를 C, 압축비를 p_2/p_1, 폴리트로픽
지수를 n이라 하면 겉보기(극간용
적)에 의한 체적효율 η_{vc}은 다음 식
으로 된다.

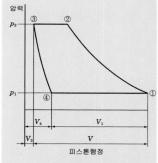

그림. 피스톤 행정

점4의 체적을 V_4라 하면
$p_1 V_4^n = p_2 V_3^n$에서

$$V_4 = V_3\left(\frac{p_2}{p_1}\right)^{\frac{1}{n}} = CV\left(\frac{p_2}{p_1}\right)^{\frac{1}{n}}$$

또한 $V_1 = V + V_3 - V_4$
따라서

$$\eta_{vc} = \frac{V_1}{V}$$

$$= \frac{V + CV - CV\left(\frac{p_2}{p_1}\right)^{\frac{1}{n}}}{V}$$

$$= 1 + C - C\left(\frac{p_2}{p_1}\right)^{\frac{1}{n}}$$

$$= 1 - C\left[\left(\frac{p_2}{p_1}\right)^{\frac{1}{n}} - 1\right]$$

03 예제문제

압축기가 압력 0.2MPa, 온도 -10℃의 냉매가스를 흡입하여 압력 0.5MPa까지 압축하고 있다. 이 압축기의 극간비가 2%이며 폴리트로픽 지수가 $n=1.2$일 때 겉보기(극간용적) 체적효율을 구하시오.

해설

$$\eta_v = 1 - C\left[\left(\frac{p_2}{p_1}\right)^{\frac{1}{n}} - 1\right] = 1 - 0.02\left[\left(\frac{0.5}{0.1}\right)^{\frac{1}{1.2}} - 1\right] = 0.9435$$

여기서 C : 간극비, $\dfrac{p_2}{p_1}$: 압축비

답 0.9435

(3) 냉매 순환량 G

1초당 냉매 순환량 $G[\mathrm{kg/s}]$는 피스톤 압출량 $V[\mathrm{m^3/s}]$, 압축기흡입증기 비체적 $v[\mathrm{m^3/kg}]$ 및 체적효율 η_c에 의해 다음 식으로 표현된다.

$$G = \frac{V\eta_v}{v}[\mathrm{kg/s}]$$

또한 냉동능력 $Q_2[\mathrm{kW(kcal/h)}]$는 냉매순환량 $G[\mathrm{kg/s\,(kg/h)}]$와 냉동효과 $q_2[\mathrm{kJ/kg\,(kcal/h)}]$의 곱으로 나타내므로 다음 식이 된다.

$$Q_2 = G \cdot q_2 = \frac{V \cdot \eta_v}{v}(h_a - h_b)$$

$h_a =$ 증발기 출구 냉매 엔탈피$[\mathrm{kJ/kg\,(kcal/kg)}]$

$h_b =$ 증발기 입구 냉매 엔탈피$[\mathrm{kJ/kg\,(kcal/kg)}]$

(4) 압축비(C.R : Compression Ratio)

$$C.R = \frac{\text{토출가스의 절대압력}}{\text{흡입증기의 절대압력}} = \frac{\text{고압게이지 압력} + \text{대기압}}{\text{저압게이지 압력} + \text{대기압}}$$

압축비는 기준 사이클의 한계치를 항상 유지해야 한다.

어느 한계 이상이나 이하에서는 냉동장치에 미치는 영향이 매우 좋지 않다.

※ 압축비가 증대하는 이유

㉮ 저압 강하 ㉯ 고압 상승 ㉰ 저압, 고압 동시발생

※ 압축비가 증대하여 장치에 미치는 영향

㉮ 체적효율 감소 ㉯ 압축효율 감소 ㉰ 냉매 순환량 감소

㉱ 냉동능력 감소 ㉲ 실린더 과열 ㉳ 윤활유 탄화

㉴ 토출가스 온도 상승 ㉵ 소요동력 증대

압축비에 가장 큰 영향을 받는 것은 체적효율이며 체적효율과 압축
비는 서로 반비례하다.

(5) 압축효율(단열효율) : η_c

냉매가스를 압축할 때 흡입밸브나 토출밸브 등의 저항이나 작동지연 등으로
필요로 하는 실제 동력은 이론적인 동력보다 더 많은 동력이 소요된다.
그 비를 단열효율이라 한다.

$$\eta_c = \frac{L}{L_c}$$

    L : 이론단열 압축동력(이론동력)

    L_S : 실제로 증기의 압축에 필요한 동력(지시동력)

> - 압축비가 크면 압축(단열)효율은 적게 된다.
> - 압축효율이 적게 되면 압축에 필요한 동력이 증가한다.
> - 압축효율이 적게 되면 성적계수가 감소한다.

(6) 기계효율 : η_m

압축기를 구동할 때 압축기의 운전에 따른 기계적 마찰손실이 있기 때문
에 실재로 압축기를 구동하는 축동력 L_s은 실제로 증기를 압축하는 동력
L_c보다 크게 된다.

$$\eta_m = \frac{L_c}{L_s}$$

> - 압축비가 크게 되면 기계효율은 약간 감소한다.
> - 기계효율이 감소하면 압축동력이 증가한다.
> - 기계효율이 감소하면 성적계수가 감소한다.

(7) 전단열효율 : η_t

단열효율과 기계효율의 곱을 전단열효율이라 하고 다음 식으로 나타낸다.

$$\eta_t = \eta_c \times \eta_m$$

> - 전단열효율은 단열효율과 기계효율을 곱한 값이다.
> - 전단열효율이 적게 되면 압축에 필요한 동력이 증대된다.
> - 전단열효율이 적게 되면 성적계수가 적게 된다.

(8) 소요동력

압축작용을 위하여 가해진 일량은 압축기에 흡입되는 냉매가스의 엔탈피와
토출되는 냉매가스 엔탈피와의 차이로 나타낸다.

  ① 이론소요 동력(L)

$$L = G \cdot w = \frac{V \cdot \eta_v}{v}(h_2 - h_1)\,[\text{kW}]\,(\text{SI단위})$$

    h_1 : 압축기 흡입가스 엔탈피$[\text{kJ/kg}]$

    h_2 : 압축기 토출가스 엔탈피$[\text{kJ/kg}]$

  ② 압축기 축동력(실제 소요 동력)(L_s)

$$L_s = \frac{L}{\eta_c \cdot \eta_m} = \frac{L}{\eta t}\,[\text{kW}]$$

04 예제문제

다음 중 가장 적절하지 않은 것은?

① 압축비가 클수록 체적효율은 적다.

② 압축비가 클수록 단위 냉매당 압축일이 크다.

③ 클리어런스가 클수록 체적효율은 적어진다.

④ 체적효율이 클수록 냉동능력은 감소한다.

해설

① 및 ③의 경우는 $\eta_v = 1 - C\left[\left(\dfrac{p_2}{p_1}\right)^{\frac{1}{n}} - 1\right]$ 에 의해 C : 간극비, $\dfrac{p_2}{p_1}$: 압축비가 클수록 체적효율은 적어진다.

④의 경우 체적효율이 크면 냉매순환량이 증대하여 냉동능력은 증가한다. **답 ④**

※ 고압가스 안전 관리법에 규정된 냉동능력 산정기준

㉠ 원심식 압축기

㉡ 흡수식 냉동설비

㉢ 기타 냉동능력은 산식 $R = \dfrac{V}{C}$ 에서

• 다단 압축방식 또는 다원 냉동방식에 의한 제조 설비

$$R = \frac{VH + 0.08\,VL}{C}$$

• 회전 피스톤형 압축기

$$R = \frac{60 \times 0.0785 \cdot t \cdot n(D^2 - d^2)}{C}$$

• 스크루형 압축기

$$R = \frac{K \cdot D^3 \cdot \dfrac{L}{D} \cdot n \cdot 60}{C}$$

여기서,

• VH : 압축기의 표준 회전속도에 있어서 최종단 또는 최종원 기통의 1시간의 피스톤 압출량(단위 : m^3)

• VL : 압축기의 표준 회전속도에 있어서 최종단 또는 최종원 앞의 기통의 1시간의 피스톤 압출량 (단위 : m^3)

• t : 회전 피스톤의 가스 압축 부분의 두께 (단위 : m)

• n : 회전 피스톤의 1분간의 표준 회전수(스크루형의 것은 로터의 회전수)

• D : 기통의 내경(스크루형은 로터의 직경) (단위 : m)

- d : 회전 피스톤의 외경 (단위 : m)
- L : 로터의 압축에 유효한 부분의 길이 (단위 : m)
- K : 치형의 종류에 따른 계수

11. 용량 제어 장치

용량 조절이란 냉동기의 냉동부하는 계절의 변화 및 여러 가지 조건에 의해서 크게 변화한다. 그러므로 부하에 따라서 압축기의 능력을 조절해주는 것을 말한다.

(1) 이점

① 부하변동에 의해서 조절하므로 경제적인 운전을 할 수 있다.

② 부하변동에 따라서 일어날 수 있는 사고를 미연에 방지하여 안전운전을 행할 수 있다.

③ 부하의 감소로 인하여 흡입 압력이 낮아져 습압축 방지 및 압축비 상승을 막아준다.

④ 기동 시 무부하 상태로 기동할 수 있다.

⑤ 일정한 온도를 얻을 수 있다.

(2) 왕복동 압축기의 제어방법

① 압축기 회전수를 가감하는 방법

인버터에 의해 압축기의 전원주파수를 변화시켜 회전속도를 제어한다. 이 방식은 에너지 절약효과가 가장 큰 방식이다.

② 격간체적(클리어런스 포켓)을 증가시키는 법

실린더 상부에 있는 탑 클리어런스를 넓혀 주거나 실린더 벽에 조절 가능한 클리어런스 포켓을 사용하여 희망하는 용량으로 조절하는 방법이다. 이렇게 하면 체적 효율이 감소한다. 그러나 압축비에 따라 체적변화의 비율이 다르며 압축비가 클 경우 체적감소가 크고 압축비가 적으면 체적 감소가 적다.

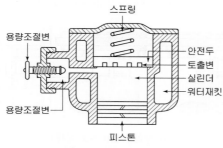

그림. 클리어런스 포켓

③ 바이패스(By-pass)법

실린더 벽의 행정 1/2위치에 바이패스 변을 설치하여 압축가스의 일부를 바이패스 시켜 저압 축으로 흘려 나머지 가스만 압축되는 방식이다.

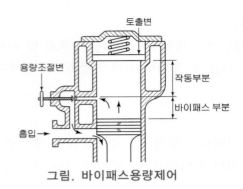

그림. 바이패스용량제어

④ 고속다기통 압축기의 용량제어(Unload system)

고속 다기통 압축기에서 여러 개의 실린더 중에 부하 변동에 따라 유압을 이용하여 압축기의 흡입밸브를 밸브 시트로부터 유리시켜 흡입밸브를 개방하므로 압축효과를 없게 하는 방법이다.

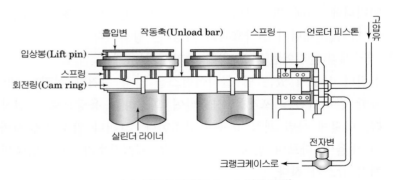

(a) 무부하상태(Unload 작동상태)

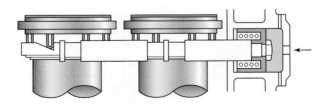

(b) 부하상태(load 상태)

그림. 고속다기통 압축기의 용량제어

• 무부하(Unload)에서 부하(Load)로

ㄱ 증발 압력(온도)이 상승하면 L.P.S(용량제어용 저압스위치)의 접점
 이 차단되고 전자밸브가 닫힌다.

ㄴ 전자밸브가 닫히면 윤활유가 크랭크케이스로 빠지지 못하여 유압
 이 높아져 언로드 피스톤을 좌측으로 이동 시킨다.

ㄷ 이때 연결봉이 좌로 이동하면서 연결된 캠링을 좌로 회전시켜 입
 상봉을 홈으로 떨어뜨린다.

ㄹ 입상봉이 홈으로 떨어지면 흡입변이 정상의 위치에 놓이고 부하
 (Load) 상태가 된다.

• 부하(Load)에서 무부하(Unload) 상태로

ㄱ 증발압력(온도)이 저하하면 용량제어용 저압스위치의 접점이 연결
 되고 전자밸브가 열린다.

ㄴ 전자밸브가 열리면 윤활유가 크랭크케이스로 빠져나가므로 유압이
 낮아져 온로드 피스톤(Unload piston)을 우측으로 이동시킨다.

ㄷ 이때 연결봉이 우로 이동하면서 연결된 캠링을 우로 회전시켜 입
 상봉을 들어 올려 흡입밸브를 바치므로 언로드 상태가 된다.

⑤ 발정(發停)제어(on – off control)

고내에 설치된 서모스탯이나 저압압력스위치로 압축기를 on/off 한다.

단점으로는 빈번한 on/off는 전동기 손상의 원인이 된다.

⑥ 운전 대수제어

2대 이상의 압축기로 구성된 냉동장치에서는 저압압력스위치로 압축기를
순차적으로 발정시켜 단계제어 한다.

⑦ 흡입압력제어

증발압력조정밸브나 흡입압력조정밸브로 흡입압력을 떨어트리는 것에 의해
용량제어를 행한다.

(3) 스크루 압축기의 용량제어

스크루 압축기는 슬라이드(Slide) 밸브로 압축하는 길이를 변화시켜 압축량을 조절한다. 어느 범위 내에서는 무단계로 용량제어를 할 수 있다.

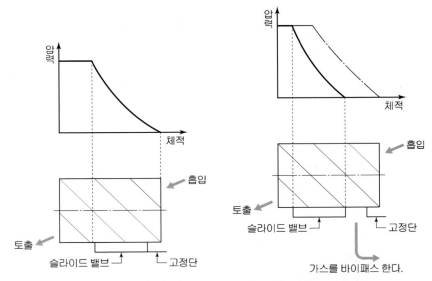

(a) 능력 100%일 때의 슬라이드 밸브의 위치   (b) 용량제어 시 슬라이드 밸브

그림. 슬라이드 밸브의 동작

(4) 원심압축기의 용량제어

① 회전수 제어

② 흡입 베인 제어

③ 바이패스 제어

④ 냉각수량 제어

(5) 흡수식 냉동기

① 발생기에 공급하는 용액량 제어

② 발생기 가열량 제어

③ ①, ②를 병행하는 방법

PARAT 02

냉동냉장 설비

[09년 3회]

01 개방형 압축기에서 크랭크축으로부터 냉매가스가 외부로 누설되지 않도록 하기 위하여 사용되는 장치를 무엇이라고 하는가?

① 축봉장치
② 크랭크 장치
③ 피스톤링
④ 크랭크로드 장치

축봉장치(Shaft seal system)
개방형 압축기에서 크랭크축이 크랭크 케이스를 관통하고 있는 구조이므로 관통하는 곳에서 냉매나 오일의 누설 및 공기 침입을 방지하기 위하여 사용되는 장치이다.

[08년 1회]

02 다음은 압축기의 구조에 대해 설명한 것이다. 틀린 것은?

① 반 밀폐형은 고정식이므로 분해가 곤란하다.
② 개방형에는 벨트 구동식과 직결 구동식이 있다.
③ 밀폐형은 전동기와 압축기가 한 하우징 속에 있다.
④ 기통 배열에 따라 입형, 횡형, 다기통형으로 구분된다.

밀폐식 압축기
밀폐식 압축기는 반밀폐식과 전밀폐식으로 나눈다. 모두 전동기(motor)를 내장한 형태로 반밀폐식은 볼트로 체결되어 있어 분해, 점검 및 수리를 할 수 있고, 전밀폐 압축기는 케이싱을 용접하여 분해, 점검 할 수 없다.

[15년 1회]

03 밀폐형 압축기에 대한 설명으로 옳은 것은?

① 회전수 변경이 불가능하다.
② 외부와 관통으로 누설이 발생한다.
③ 전동기 이외의 구동원으로 작동이 가능하다.
④ 구동방법에 따라 직결구동과 벨트구동 방법으로 구분한다.

②, ③, ④의 경우는 개방형 압축기에 대한 설명이다.

밀폐형 압축기의 장점 및 단점
• 장점
  ㉠ 소형이며 경량이다.   ㉡ 냉매의 누설이 없다.
  ㉢ 소음이 적다.   ㉣ 과부하 운전이 가능하다.
• 단점
  ㉠ 전동기가 직결식이므로 회전수를 임의로 변경시킬 수 없다.
  ㉡ 전원이 없는 곳에서는 사용할 수 없다.

[09년 2회]

04 기통직경 70mm, 행정 60mm, 기통수 8, 매분회전수 1800인 단단 압축기의 피스톤 압출량(m³/h)은 약 얼마인가?

① 65
② 132
③ 168
④ 199

단단 압축기(왕복식)의 피스톤 압출량(m³/h)

$$V_a = \frac{\pi d^2}{4} L \cdot N \cdot R \cdot 60$$

$$= \frac{\pi \times 0.07^2}{4} \times 0.06 \times 8 \times 1800 \times 60 ≒ 199$$

여기서, d : 내경[m], L : 행정[m], N : 기통수[개],
        R : 분당회전수[rpm]

[11년 1회]

05 어떤 왕복동 압축기의 실린더가 내경 300mm, 행정 200mm, 실린더수 2, 회전수 300rpm이라면 이 압축기의 이론적인 피스톤 배출량은 약 얼마인가?

① 348m³/h
② 479m³/h
③ 509m³/h
④ 623m³/h

단단 압축기(왕복식)의 피스톤 압출량(m³/h)

$$V_a = \frac{\pi d^2}{4} L \cdot N \cdot R \cdot 60$$

$$= \frac{\pi \times 0.3^2}{4} \times 0.2 \times 2 \times 300 \times 60 ≒ 509$$

여기서, d : 내경[m], L : 행정[m], N : 기통수[개],
        R : 분당회전수[rpm]

정답 01 ①   02 ①   03 ①   04 ④   05 ③

[14년 1회]

06 압축기 직경이 100 mm, 행정이 850 mm, 회전수 2000 rpm, 기통수 4일 때 피스톤 배출량은?

① 3204m³/h
② 3316m³/h
③ 3458m³/h
④ 3567m³/h

단단 압축기(왕복식)의 피스톤 압출량(m³/h)

$$V_a = \frac{\pi d^2}{4} L \cdot N \cdot R \cdot 60$$

$$= \frac{\pi \times 0.1^2}{4} \times 0.85 \times 4 \times 2000 \times 60 \fallingdotseq 3204$$

여기서, d : 내경[m], L : 행정[m], N : 기통수[개],

R : 분당회전수[rpm]

[16년 1회]

07 냉동장치의 압축기 피스톤 압출량이 120 m³/h, 압축기 소요동력이 1.1 kW, 압축기 흡입가스의 비체적이 0.65 m³/kg, 체적효율이 0.81일 때, 냉매 순환량은?

① 100kg/h
② 150kg/h
③ 200kg/h
④ 250kg/h

냉매순환량 G[kg/h]

$$G = \frac{V_a \cdot \eta_v}{v} = \frac{120 \times 0.81}{0.65} \fallingdotseq 150$$

여기서, V_a : 압축기 피스톤 압출이 [m³/h]

η_v : 체적효율

v : 흡입가스 비체적[m³/kg]

[12년 3회, 10년 2회]

08 고속다기통 압축기의 특성 중 틀린 것은?

① 윤활유의 소비가 많다.
② 능력에 비해 소형이며 가볍다.
③ 기통수가 많아 용량제어가 곤란하다.
④ 무부하 기동이 가능하다.

고속다기통 압축기는 Unload system에 의해 용량제어가 용이하다.

고속다기통 압축기의 장·단점

· 장점
  ㉠ 소형이며 경량이다.
  ㉡ 실린더 직경이 적어더 정적(靜的) 및 동적(動的) 균형이 양호하며 진동이 적다. (기초가 간단해도 된다)

ⓒ 용량제어가 용이하다.(Unload system)
ⓔ 기동 시 무부하로 기동이 가능하고 자동운전이 용이하다.
ⓜ 각 부품의 호환성이 있다.
ⓗ 흡입 및 토출 밸브에 플레이트 밸브를 사용하므로 밸브의 작동이 경쾌하다.
ⓢ 강제윤활 방식으로 윤활작용이 양호하다.

· 단점
  ㉠ 윤활유의 소비량이 많다.
  ㉡ 윤활유의 온도가 높아지기 쉬우며(NH₃용) 열화 및 탄화가 빠르다.
  ㉢ 클리어런스가 크고(1.5mm) 압축비의 체적효율의 감소가 많아 냉동능력이 감소하고, 동력손실이 많아진다.
  ㉣ 기계의 소음이 커서 고장발견이 어렵다.
  ㉤ 베어링 등 마찰부의 마찰저항이 커서 마모가 빠르다.

[16년 3회, 10년 3회, 10년 2회, 10년 1회]

09 압축기의 클리어런스가 클 때 나타나는 현상으로 가장 거리가 먼 것은?

① 냉동능력이 감소한다.
② 체적효율이 저하한다.
③ 토출가스 온도가 낮아진다.
④ 윤활유가 열화 및 탄화된다.

압축기의 톱 클리어런스가 크면 압축가스의 재 팽창 및 압축에 의해 토출가스온도가 상승한다.

[15년 1회]

10 압축기의 체적효율에 대한 설명으로 틀린 것은?

① 압축기의 압축비가 클수록 커진다.
② 틈새가 작을수록 커진다.
③ 실제로 압축기에 흡입되는 냉매증기의 체적과 피스톤이 배출한 체적과의 비를 나타낸다.
④ 비열비 값이 적을수록 적게 든다.

---

(1) 이론가스 흡입체적보다 실제가스 흡입체적이 적은이유
  ㉠ 간극(Clearance)에 의한 영향 : 실린더상부(top clearance) 내의 압축가스 재팽창
  ㉡ 흡입변의 교축저항과 흡입가스 팽창에 의한 영향
  ㉢ 밸브 또는 피스톤 링에서의 누설
  ㉣ 압축가스가 토출할 때 토출변의 교축저항

정답 ▶ 06 ① 07 ② 08 ③ 09 ③ 10 ①

(2) 체적효율이 작아지는 이유
ⓐ 간극(Clearance)이 클수록 ⓑ 압축비가 클수록
ⓒ 실린더 체적이 적을수록 ⓓ 회전수가 많을수록

[16년 1회]

11 압축기의 체적효율에 대한 설명으로 옳은 것은?

① 이론적 피스톤 압출량을 압축기 흡입직전의 상태로 환산한 흡입가스량으로 나눈 값이다.
② 체적 효율은 압축비가 증가하면 감소한다.
③ 동일 냉매 이용 시 체적효율은 항상 동일하다.
④ 피스톤 격간이 클수록 체적효율은 증가한다.

① 체적효율 $\eta_v = \dfrac{\text{실제적 피스톤 압출량 } V[\text{m}^3/\text{h}]}{\text{이론적 피스톤 압출량 } V_a[\text{m}^3/\text{h}]}$
② 압축비가 클수록 체적효율이 감소한다.
③ 같은 냉매를 사용하여도 운전조건에 따라서 체적효율은 변동한다.
④ 피스톤 격간(clearance)이 클수록 체적효율은 감소한다.

[16년 3회]

12 압축기에서 축마력이 400kW이고, 도시마력은 350kW 일 때 기계효율은?

① 75.5%
② 79.5%
③ 83.5%
④ 87.5%

기계효율 $=\dfrac{\text{도시마력(실제로 가스를 압축하는 데 필요한 동력)}}{\text{축마력(실제로 압축기를 구동하는 축동력)}}$
$= \dfrac{350}{400} \times 100 = 87.5\%$

[10년 2회]

13 냉동장치의 압축기와 관계가 없는 효율은?

① 소음효율
② 압축효율
③ 기계효율
④ 체적효율

(1) 체적효율(η_v)
$\eta_v = \dfrac{V_g}{V_a}$
V_a : 이론 피스톤 압출량(이론 가스 흡입체적)
V_g : 실제 피스톤 압출량(실제 가스 흡입체적)

(2) 압축효율(단열효율) : η_c
$\eta_c = \dfrac{L}{L_c}$
L : 이론단열 압축동력(이론동력)
L_c : 실제로 증기의 압축에 필요한 동력(지시동력)

(3) 기계효율 : η_m
$\eta_m = \dfrac{L_c}{L_s}$
L_c : 실제로 증기의 압축에 필요한 동력(지시동력)
L_s : 실제로 압축기를 구동하는 축동력

[11년 1회]

14 왕복동 압축기의 토출밸브에 누설이 있을 경우에 대한 설명이다. 맞는 것은?

① 체적효율이 증가한다.
② 냉동능력이 감소한다.
③ 소요동력이 증가한다.
④ 압축효율이 증가한다.

① ①, ③
② ②, ③
③ ③, ④
④ ②, ④

왕복동 압축기의 토출밸브에 누설이 있을 경우
ⓐ 체적효율 감소 ⓑ 냉동능력 감소
ⓒ 소요동력 증대 ⓓ 압축효율 감소
ⓔ 토출가스온도 상승 ⓕ 압축일 증대

[14년 2회]

15 압축기의 흡입 밸브 및 송출 밸브에서 가스누출이 있을 경우 일어나는 현상은?

① 압축일의 감소
② 체적 효율이 감소
③ 가스의 압력이 상승
④ 가스의 온도가 하강

압축기의 흡입 밸브 및 송출 밸브에서 가스누출이 있을 경우
ⓐ 체적효율 감소 ⓑ 냉동능력 감소
ⓒ 소요동력 증대 ⓓ 압축효율 감소
ⓔ 토출가스온도 상승 ⓕ 압축일 증대

정답 11 ② 12 ④ 13 ① 14 ② 15 ②

PARAT 02
냉동냉장 설비

[12년 3회]

16 왕복동 압축기의 흡입밸브와 토출밸브의 필요조건으로 틀린 것은?

① 가스가 통과할 때 유동저항이 적을 것
② 밸브가 닫혔을 때 누설이 없을 것
③ 밸브의 관성력이 크고 개폐작동이 원할할 것
④ 밸브가 파손되거나 고장이 없을 것

> **밸브의 구비 조건**
> ㉠ 작동이 확실하고 경쾌할 것
> ㉡ 가스의 흐름에 저항이 적을 것
> ㉢ 누설이 없을 것
> ㉣ 변의 개폐 시 압력차 및 관성이 적을 것
> ㉤ 고온에서 변질되지 않을 것
> ㉥ 마모 및 파손에 강할 것

[09년 1회]

17 다음 중 회전식 압축기에 관한 설명으로 옳지 않은 것은?

① 용량제어의 범위가 크다.
② 베인식, 회전자식 두 가지 형식이 있다.
③ 유압펌프를 사용하지 않으므로 윤활에 주위를 요한다.
④ 압축비에 비하여 체적효율이 높다.

> **특징**
> ㉠ 왕복동 압축기에 비하여 부품이 적고 구조가 간단하다.
> ㉡ 베인식, 회전자식 두 가지 형식이 있다.
> ㉢ 진동 및 소음이 적다.
> ㉣ 잔류가스의 재팽창에 의한 체적효율 저하가 적다.
> ㉤ 밀폐형에서 하우징 내부의 압력은 고압이다.
> ㉥ 유압펌프를 사용하지 않으므로 윤활에 주위를 요한다.(비말식)
> ㉦ 일반적으로 소용량에 많이 쓰이며 흡입밸브가 없다.
> ㉧ 용량제어가 어렵다.(발정제어 외에는 할 수 없다.)

[15년 2회]

18 왕복동식과 비교하여 스크롤 압축기의 특징으로 틀린 것은?

① 흡입밸브나 토출밸브가 있어 압축효율이 낮다.
② 토크 변동이 적다.
③ 압축실 사이의 작동가스의 누설일 적다.
④ 부품수가 적고 고효율 저소음, 저진동, 고신뢰성을 기대할 수 있다.

> **특징(왕복동 압축기나 회전식 압축기에 비해)**
> ㉠ 부품수가 적고 높은 압축비로 운전해도 고효율운전이 가능하다.
> ㉡ 고효율(체적효율, 압축효율 및 기계효율)이고 고속회전에 적합하다.
> ㉢ 비교적 액압축에 강하고 토크변동, 진동, 소음이 적다.
> ㉣ 흡입 및 토출변이 필요가 없으나 토출 측에 역지변을 부착하는 것이 많다. 역지변은 정지 시에 고·저압의 차압에 의한 선회 스크롤의 역전 방지용이다.
> ㉤ 스크롤의 설계구조 시 내부용적비(압축의 시점과 종점의 용적비)가 정해져 있다. 따라 스크롤 압축기를 설계 시 압력비와 크게 다른 운전조건으로 사용할 경우 스크롤을 별도로 설계한 압축기를 사용해야 한다.
> ㉥ 룸 에어컨, 소용업무용 등에 폭넓게 사용되고 있다. 압축기의 톱 클리어런스가 크면 압축가스의 재팽창 및 압축에 의해 토출가스온도가 상승한다.

[16년 3회]

19 다음 중 스크롤 압축기에 관한 설명으로 틀린 것은?

① 인벌류트 치형의 두 개의 맞물린 스크롤의 부품이 선회운동을 하면서 압축하는 용적형 압축기이다.
② 토그변동이 적고 압축요소의 미끄럼 속도가 늦다.
③ 용량제어 방식으로 슬라이드 밸브방식, 리프트밸브 방식 등이 있다.
④ 고정스크롤, 선회스크롤, 자전방지 커플링, 크랭크축 등으로 구성되어 있다.

> 스크롤 압축기의 용량제어방식은 회전식과 같이 발정(on-off) 제어 이외의 방식은 하기 힘들다. 슬라이드 밸브방식은 스크루 압축기의 용량제어방식이고 리프트밸브 방식은 고속다기통 압축기에서 행하는 방식이다.

정답 ▶ 16 ③ 17 ① 18 ① 19 ③

PARAT 02

냉동냉장 설비

[10년 3회]

20 스크루 냉동기의 특징을 설명한 것이다. 맞지 않는 것은?

① 경부하 운전 시 비교적 동력 소모가 적다.
② 크랭크샤프트, 피스톤링, 커넥팅로드 등의 마모부분이 없어 고장이 적다.
③ 소형으로서 비교적 큰 냉동능력을 발휘할 수 있다.
④ 회전식이라도 단단에서도 높은 압축비까지 운전할 수 있다.

> **스크루(screw) 압축기의 특징**
> ㉠ 소형으로 대용량의 가스를 처리할 수 있다.
> ㉡ 마모 부분(크랭크샤프트, 피스톤링, 커넥팅로드 등)이 없어 고장이 적다.
> ㉢ 1단의 압축비를 크게 할 수 있고 액 압축의 영향도 적다.
> ㉣ 흡입 및 토출밸브가 없다.
> ㉤ 냉매의 압력손실이 적어 체적효율이 향상된다.
> ㉥ 무단계, 연속적인 용량제어가 가능하다.
> ㉦ 고속회전(3500rpm 이상)에 의한 소음이 크다.
> ㉧ 독립된 유펌프 및 유냉각기가 필요하다.
> ㉨ 경부하운전시 동력소비가 크다.
> ㉩ 유지비가 비싸다.

[12년 3회]

21 스크루(screw) 압축기의 특징을 설명한 것으로 틀린 것은?

① 부품의 수가 적고 수명이 길다.
② 흡입밸브와 토출밸브가 없어 밸브의 마모, 손실이 없다.
③ 압축이 연속적이며, 진동이 크다.
④ 무단계 용량제어가 가능하며 자동운전에 적합하다.

> 스크루(screw) 압축기는 압축이 연속적이며, 소음이 크지만 진동은 적다.

[08년 2회]

22 다음 압축기 중 그 원리가 다른 것은?

① 왕복동식 압축기 ② 스크루식 압축기
③ 스크롤식 압축기 ④ 원심식 압축기

> **압축기의 분류**
> 용적(체적)식 : 왕복식 압축기, 회전식 압축기, 스크루식 압축기, 스크롤식 압축기
> 원심식 : 원심식(turbo)압축기

[16년 2회]

23 냉동용 스크루 압축기에 대한 설명으로 틀린 것은?

① 왕복동식에 비해 체적효율과 단열효율이 높다.
② 스크루 압축기의 로터와 축은 일체식으로 되어 있고, 구동은 숫 로터에 의해 이루어진다.
③ 스크루 압축기의 로터 구성은 다양하나 일반적으로 사용되고 있는 것은 숫 로터 4개, 암로터 4개인 것이다.
④ 흡입, 압축, 토출과정인 3행정으로 이루어진다.

> 스크루압축기는 깊은 홈이 있는 여러 개의 치형을 갖는 수로터(male rotor)와 암로터(female rotor)로 구성되어 있고 최근 널리 사용되고 있는 치형 조합은 수로터의 잇수 + 암로터의 잇수 조합이 4+5, 4+6, 5+6, 5+7 Profile 등이 있다.

[10년 2회]

24 압축기의 압축방식에 의한 분류 중 용적형 압축기가 아닌 것은?

① 왕복동식 압축기 ② 스크루식 압축기
③ 회전식 압축기 ④ 원심식 압축기

> **압축기의 분류**
> 용적(체적)식 : 왕복식 압축기, 회전식 압축기, 스크루식 압축기, 스크롤식 압축기
> 원심식 : 원심식(turbo)압축기

[16년 1회]

25 터보 압축기의 특징으로 틀린 것은?

① 부하가 감소하면 서징 현상이 일어난다.
② 압축되는 냉매증기 속에 기름방울이 함유되지 않는다.
③ 회전운동을 하므로 동적균형을 잡기 좋다.
④ 모든 냉매에서 냉매회수장치가 필요 없다.

> ④ 냉매회수장치가 필요하다.

정답 20 ① 21 ③ 22 ④ 23 ③ 24 ④ 25 ④

[15년 1회]

26 원심식 압축기의 특징이 아닌 것은?

① 체적식 압축기이다.
② 저압의 냉매를 사용하고 취급이 쉽다.
③ 대용량에 적합하다.
④ 서징현상이 발생할 수 있다.

원심식 압축기의 특징
㉠ 왕복동 및 회전식은 용적압축 방식이나 터보 압축기는 임펠러(impeller)에 하여 냉매가스에 속도에너지를 주고 임펠러 주위에 고정된 디퓨저(Diffuser)에 의해 속도에너지를 압력에너지로 변화시켜 압축하는 방식을 취하고 있다.
㉡ 왕복운동이 아닌 회전운동이므로 동적인 밸런스를 잡기 쉽고 진동이 적다.
㉢ 마찰부분이 적어 고장이 적고 수명이 길다.
㉣ 단위 냉동능력당 중량 및 설치면적이 적어 설비비가 적다.
㉤ 저압의 냉매를 사용하므로 위험이 적고 취급이 쉽다.
㉥ 용량제어가 쉽고 정밀한 제어를 하기 쉽다.
㉦ 소용량의 것은 제작이 곤란하고 제작비가 많이 든다.
㉧ 소음이 크다.
㉨ 대용량의 공기조화용으로 많이 사용한다.
(회전수는 10,000~12,000rpm)
㉩ 부하가 감소하면 서징(surging)현상이 발생할 수 있다.

[14년 3회]

27 왕복동식 압축기와 비교하여 터보 압축기의 특징으로 가장 거리가 먼 것은?

① 고압의 냉매를 사용하므로 취급이 다소 어렵다.
② 회전 운동을 하므로 동적 균형을 잡기 좋다.
③ 흡입 밸브, 토출 밸브 등의 마찰 부분이 없으므로 고장이 적다.
④ 마모에 의한 손상이 적어 성능 저하가 없고 구조가 간단하다.

26번 해설 참조
① 저압의 냉매를 사용하므로 위험이 적고 취급이 쉽다.

[13년 1회]

28 압축기의 용량제어 방법 중 왕복동 압축기와 관계가 없는 것은?

① 바이패스법
② 회전수 가감법
③ 흡입 베인 조절법
④ 클리어런스 증가법

왕복동 압축기의 용량제어
• 바이패스법
• 회전수 가감법
• 클리어런스 증가법
• unload system(일부 실린더를 놀리는 법) : 고속다기통 압축기
③의 경우는 원심식 냉동기의 용량제어 방법이다.

[12년 1회, 09년 1회]

29 왕복동식 냉동기의 기동부하를 경감시키는 방법이 아닌 것은?

① 바이패스 법
② 클리어런스 증대법
③ 언로더 시스템법
④ 흡입 댐퍼 조절법

28번 해설 참조
④ 흡입 댐퍼 조절법은 원심식 냉동기의 용량제어 방식이다.

[11년 2회]

30 주로 대용량의 공조용 냉동기에 사용되는 터보식 냉동기의 냉동부하 변화에 따른 용량제어 방식이 아닌 것은?

① 압축기 회전수 가감법
② 흡입 가이드 베인 조절법
③ 크리어런스 증대법
④ 흡입 댐퍼 조절법

원심식(turbo) 냉동기의 용량제어
① 압축기 회전수 가감법
② 흡입 가이드 베인 조절법
④ 흡입 댐퍼 조절법

[13년 2회]

31 원심 압축기의 용량 조정법에 대한 설명으로 틀린 것은?

① 회전수 변화
② 안내익의 경사도 변화
③ 냉매의 유량 조절
④ 흡입구의 댐퍼 조정

> 원심식(turbo) 냉동기의 용량제어
> ① 압축기 회전수 가감법(회전수 변화)
> ② 흡입 가이드 베인 조절법(안내익의 경사도 변화)
> ④ 흡입 댐퍼 조절법

[08년 3회]

32 터보 압축기에서 속도에너지를 압력으로 변화시키는 장치는?

① 임펠러
② 베인
③ 증속기어
④ 디퓨져

> 디퓨져(diffuser)
> 유체가 갖는 운동(속도)에너지를 압력에너지로 변화시키기 위해 하류 방향으로 단면적이 점차로 확대된 관로를 디퓨저라 한다.

[08년 2회]

33 2단 압축식 냉동장치에서 증발압력부터 중간압력까지 압력을 높이는 압축기를 무엇이라고 하는가?

① 부스터
② 에코노마이저
③ 터보
④ 루트

> 부스터 압축기(booter compressor)
> 부스터 압축기란 2단 압축식 냉동장치에서 증발압력부터 중간압력까지 압력을 높이는 압축기를 말한다.

[10년 2회]

34 어떤 냉동장치의 게이지압이 저압은 60mmHgv, 고압은 0.59MPa이었다면 이때의 압축비는 약 얼마인가? (단, 대기압은 0.1MPa로 한다)

① 5.8
② 6.0
③ 7.5
④ 8.3

> 압축비 $m = \dfrac{P_1}{P_2} = \dfrac{0.59 + 0.1}{0.0921} = 7.5$
> 여기서, P_1 : 고압 측 절대압력[MPa·a]
> $\quad\quad P_2$: 저압 측 절대압력[MPa·a]
> $\quad\quad\quad = 0.1 \times \dfrac{760 - 60}{760} = 0.0921 \,[\text{MPa} \cdot a]$

[10년 1회]

35 2단 압축 사이클에서 증발압력이 240kPa이고 응축압력이 1.2MPa일 때 최적의 중간 압력은 약 얼마인가? (단, 대기압은 100kPa)

① 517.15kPa · a
② 543kPa · a
③ 612.22kPa · a
④ 638.75kPa · a

> 중간압력
> 2단 압축냉동 사이클에서 가장 이상적인 형식은 각 단의 압축비를 동일하게 취하는 것이다.
> 압축비 $m = \dfrac{P_m}{P_2} = \dfrac{P_1}{P_m}$ 에서 $P_m^2 = P_2 \times P_1$
> $\therefore P_m = \sqrt{P_1 \cdot P_2} = \sqrt{1200 \times 340} = 638.75 \,[\text{kPa}]$
> 여기서, P_1 : 고압측(응축) 절대압력[kPa·a]
> $\quad\quad\quad = 1.2 \times 10^3 = 1200 \text{kPa}$
> $\quad\quad P_2$: 저압측(증발) 절대압력[kPa·a]
> $\quad\quad\quad = 240 + 100 = 340 \text{kPa}$

정답 31 ③　32 ④　33 ①　34 ③　35 ④

[16년 1회]

36 2단압축 냉동장치에서 게이지 압력계의 지시계가 고압 1.5MPa, 저압 100mmHgv을 가리킬 때, 저단압축기와 고단압축기의 압축비는? (단, 저·고단의 압축비는 동일하다.)

① 3.6   ② 3.8
③ 4.0   ④ 4.3

압축비 $m = \dfrac{P_m}{P_2} = \dfrac{P_1}{P_m}$에서 $P_m^2 = P_2 \times P_1$

$\therefore P_m = \sqrt{P_1 \cdot P_2} = \sqrt{1.601325 \times 0.088} = 0.375$

여기서, P_1 : 고압 측(응축) 절대압력[kgf/cm² · a]

$\qquad = 0.101325 + 1.5 = 1.601325\,\text{MPa}$

$\quad P_2$: 저압 측 절대압력[kgf/cm² · a]

$\qquad = 0.101325 \times \dfrac{760 - 100}{760} = 0.088$

$\therefore$ 압축비 $m = \dfrac{0.375}{0.088} = 4.3$

[10년 3회]

37 암모니아 냉동장치에서 압축기의 토출압력이 높아지는 이유로 틀린 것은?

① 흡입변과 변좌 간에 이물질이 끼었다.
② 냉매 중에 공기가 섞여있기 때문이다.
③ 응축기와 압축기를 순환하는 냉각수가 부족했기 때문이다.
④ 장치 내에 냉매가 과잉충진 되었기 때문이다.

토출압력이 상승하는 원인
㉠ 공기가 냉매계통에 흡입하였다.
㉡ 냉매가 과잉충전 되어있다.
㉢ 냉각수 온도가 높거나 유량이 부족하다.
㉣ 응축기내 냉매배관 및 전열핀이 오염되었다.
㉤ 공기 등의 불응축 가스가 냉동장치 내에 혼입되어 있다.

[14년 3회]

38 냉동장치의 운전 중 압축기의 토출압력이 높아지는 원인으로 가장 거리가 먼 것은?

① 장치 내에 냉매를 과잉 충전하였다.
② 응축기의 냉각수가 과다하다.
③ 공기 등의 불응축 가스가 응축기에 고여 있다.
④ 냉각관이 유막이나 물 때 등으로 오염되어 있다.

37번 문제 해설 참조
② 응축기에 냉각수가 많으면 응축능력이 상승하여 토출압력은 낮아진다.

[13년 2회]

39 압축기 과열의 원인이 아닌 것은?

① 증발기의 부하가 감소했을 때
② 윤활유가 부족했을 때
③ 압축비가 증대했을 때
④ 냉매량이 부족했을 때

압축기 과열의 원인
㉠ 증발기의 부하 증대
㉡ 윤활유 부족
㉢ 압축비 증대
㉣ 냉매충전량 부족
㉤ 냉각수량 부족(워터재킷 기능 불량)
㉥ 압축기 흡입밸브 및 토출밸브 누설

02 냉동장치 구성 기기 **1** 응축기

1 응축기

1. 응축기의 작용

압축기에서 토출된 고온 고압의 냉매가스를 외부에서 공기나 물을 이용하여 열을 제거하여 액화 시키는 기기이다. 액화시키는데 물을 사용하면 수랭식 응축기, 공기를 사용하면 공랭식 응축기, 또한 물을 전열관 상부에 산포하여 물을 증발시켜 냉매를 액화 시키는 증발식 응축기가 있다.

2. 냉각방식에 따른 분류

(1) 수랭식   (2) 공랭식   (3) 증발식

3. 응축기의 종류

응축기(凝縮器 : Condenser)는 냉각유체나 형상에 따라 다음과 같은 구조로 나뉜다.

(1) 수랭식 응축기

① 입형 셸 앤드 튜브식 응축기(vertical shell & tube condenser)

원통을 세로로 설치하고 상하 구리판에 다수의 냉각관을 설치하며 냉각관 내면에 냉각수를 흐르게 하여 그 외면에 흐르는 냉매가스를 응축시키는 형식으로 입형 원통 다관식 응축기라고도 한다. 대형 암모니아 냉동기에 사용된다.

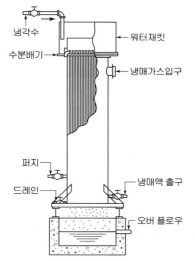

그림. 입형 셸 앤드 튜브식 응축기   그림. 냉각수 선회기(swirl)

- **특징**
  - 원통(Shell) 내부에는 냉매가, 관(Tube)에는 냉각수가 흐른다.
  - 냉각관 입구에 선회기(旋回器 : swirl)를 설치하여 냉각수가 냉각관 내벽을 따라 흐르도록 되어 있다.
  - 대형 암모니아 냉동기에 사용된다.
  - 충분한 냉각수가 있고 수질이 우수한 곳에서 사용된다.
  - 구조가 간단하고 설치면적이 적다.
  - 실·내외 어느 곳이든지 설치가 가능하고 운전 중에 청소 및 보수를 할 수 있다.
  - 응축기 상부와 수액기 상부는 균압관으로 연결되어 있다.

② 횡형 셸 앤드 튜브식 응축기 (Horizontal shell & Tube condenser)

원통을 가로로 설치하고 양쪽 마구리판에 다수의 냉각관을 설치하여 그 내부에 냉각수가 흐르게 한다. 외부에 냉매가스가 흘러 열교환을 하면서 응축하는 형식이다.

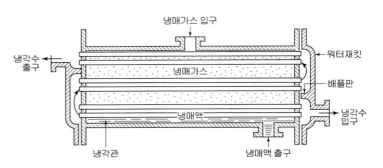

그림. 횡형 셸 앤드 튜브식 응축기

- **특징**
  - 수액기와 겸용으로 사용된다.
  - 냉매 가스는 셸 상부에서 들어와 액화되어 하부로 나온다.
  - 입구 및 출구에는 각각 수실을 가지고 있다.
  - 냉각수 출구와 입구의 온도차는 4~7℃ 이다.
  - 냉각관 내의 냉각수 속도는 1.0~1.5m/sec이다.
  - 일반적으로 쿨링 타워(Cooling tower)를 사용한다.
  - 암모니아, 프레온용으로 소형에서 대형까지 많이 사용된다.
  - 냉각수 소비량이 비교적 적다.(증발식 응축기 다음으로 1RT당 12L가 소비된다.)

Shell and Tube식 응축기

- shell and tube 응축기는 관내에 냉각수, 관외에 냉매가 흐른다.
- 수냉 응축기의 냉매의 응축온도는 냉각수출구온도+5℃이다.
- 플루오르카본용 shell and tube 응축기의 냉각관의 외표면에 핀(fin)을 부착한 것을 로우 핀 튜브라 하고 핀이 부착된 곳에 냉매가 있다.
- 로우 핀 튜브(low finned tube)의 내면과 외면의 비를 유효내외면적비라 하고 그 비는 3.5~4.2 정도이다.
- 냉각관 내의 수속은 2m/s정도 이고 수속이 빠르면 펌프 동력이 크게 되고 부식을 일으키며, 늦으면 응축온도가 상승한다.
- 수냉 응축기의 냉각관에 물때(scale)가 부착하면 열관류율은 감소되고 응축온도는 상승한다.
- 물때의 저항은 오염계수 f로 표시한다.

• 냉각관 청소가 곤란하고 청소 시 운전을 정지해야 한다.
• 과부하 운전이 곤란하고 냉각관의 부식이 잘된다.

③ 셸 앤 코일식 응축기 (Shell & Coil condenser) 횡형으로 설치된 셸 안에
   코일형태 냉각관이 장착된 형식의 응축기이다.

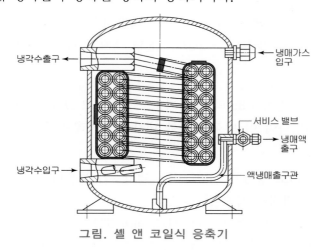

그림. 셸 앤 코일식 응축기

▪ 특징
• 냉각관 내에는 냉각수가 셸 내에는 냉매가 흐른다.
• 냉각관의 청소가 곤란하다.
• 소형 프레온용으로 사용된다. (현재는 거의 사용하지 않는다.)

④ 2중관식 응축기 (Double pipe condenser) 관을 2중으로 설치하고 내관
   으로 냉각수가 흐르며 외관에는 냉매가 흐르게 한다. 이렇게 서로 향류
   (Counter flow) 접촉시킴으로서 냉매가스를 냉각 응축시킨다.

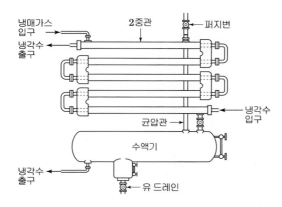

그림. 2중관식 응축기

- **특징**
  - 냉매는 위에서 아래로 냉각수는 아래에서 위로 흐른다.
  - 냉각수의 입출구 온도차는 8~10℃이다.
  - 배관의 지름

    NH₃ : 외관 2B, 내관 $1\frac{1}{4}B$

    프레온 : 외관 3/4~5/8B, 내관 1/2 ~ 3/8B
  - 관 속의 유속은 1~2m/s, 1톤당 소요 수량은 7~9L/min-ton

⑤ 7통로식 응축기

직경 20cm 길이 4.8m의 셸을 가로로 설치하고 그 안에 직경 5cm의 냉각관 7본을 삽입하여 이 냉각관 내를 냉각수가 차례로 흐르게 하는 방식이다.

- **특징**
  - 셸 내로 냉매가 7튜브 내로 냉각수가 흐른다.
  - 설치면적을 적게 할 수 있다.
  - 냉각수량이 적게 든다. (12L/min/RT)
  - 능력에 따라 조합시켜 사용할 수 있다.
  - 전열이 양호하다 (1163W/m²K, 냉각수 속도 : 1.3m/sec)
  - 구조가 복잡하고 설치비가 비싸다.
  - 대용량에 부적합하다.

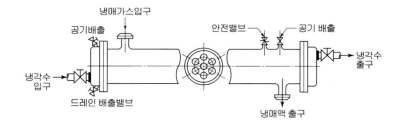

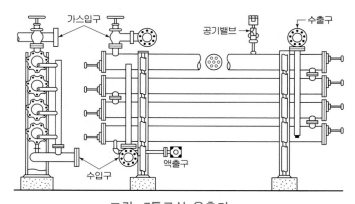

그림. 7통로식 응축기

⑥ 대기식 응축기(Atmospheric condenser)

냉매가스가 흐르는 다수의 수평관을 몇 개단을 겹치고 그 양단을 리턴밴드(Return bend)로 연결하여 상부에 설치한 냉각수통에서 냉각수를 균일하게 전관에 흐르게 만드는 형식이다.

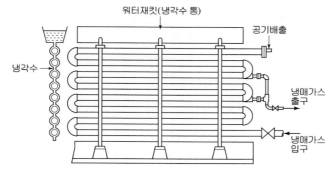

그림. 대기식 응축기

■ 특징
• 냉매는 아래에서 위로 흐르고 냉각수는 상부에서 관표면을 따라 흐른다.
• 브리더 형(Bleeder type)이 많이 사용되며 액화 냉매는 관의 도중에서 빼낸다.
• 겨울에는 공랭식으로 사용된다.
• 냉각수가 지하수 등 수질이 불량한 곳에서 사용된다.
• 냉각관의 청소가 쉽다.
• 냉각수의 일부가 대기 중에 증발된다.
• 대용량으로 가격이 고가이고, 설치장소가 넓어야 한다.
• 냉각관이 부식되기 쉽다.

(2) 증발식 응축기(Evaporative Condenser)

냉매가스가 흐르는 냉각관 코일의 외면에 냉각수를 노즐(Nozzle)에 의해 분사시킨다. 여기에 송풍기를 이용하여 건조한 공기를 3m/sec의 속도로 보내 공기의 대류 작용 및 물의 증발 잠열로 냉각하는 형식이다.

증발식 응축기

· 증발식 응축기는 주로 암모니아 냉동장치에서 사용한다.

· 외기의 습구온도에 영향을 받는다.(습구온도가 낮으면 응축온도도 낮아진다.)

· 증발식 응축기는 물의 증발잠열을 이용하여 냉매를 응축액화 시킨다.

· 증발식 응축기는 겨울철 응축압력이 낮을 때 냉각수를 정지하고 공랭식 응축기로 사용할 수 있다.

· 증발식 응축기의 냉매 응축온도는 외기습구온도+8℃(암모니아 냉매의 경우) 정도이다.

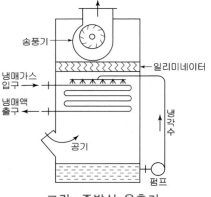

그림. 증발식 응축기

- **특징**
  - 물의 증발잠열 및 공기, 물의 현열에 의한 냉각방식으로 냉각소비량이 작다.
  - 상부에 일리미네이터(Eliminator)를 설치한다.
  - 겨울에는 공랭식으로 사용된다.
  - 외기 습구온도 및 풍속에 의하여 능력이 좌우된다.
  - 냉각관 내에서 냉매의 압력강하가 크다.
  - 냉각탑을 별도로 설치할 필요가 없다.
  - 펜(Fan), 노즐(Nozzle), 냉각수 펌프 등 부속설비가 많이 든다.
  - ※ 일리미네이터(Eliminator) : 냉각관에 분무되는 냉각수 일부가 공기와 같이 외부로 비산(飛散) 되는 것을 방지하기 위해 응축기 상부에 설치하는 장치

---

01 예제문제

다음의 증발식 응축기에 대한 설명 가운데 가장 옳지 못한 것은?

① 냉각작용은 물의 잠열 및 현열 공기의 냉각에 의해서 이루어진다.

② 보급수량은 물의 증발수량, 비산수량, 농축을 방지하기위한 배출수량이다.

③ 외기가 오염되지 않는 곳에는 일리미네이터를 부착하지 않는다.

④ 습구온도가 낮을수록 응축온도는 낮아진다.

해설
③의 경우 Eliminator는 물의 비산을 방지하는 것으로 공기의 청정도와는 관계가 없다.

답 : ③

(3) 공랭식 응축기(air cooling type condenser)

외경 3/8~1/2″의 동관에 핀(Fin)을 부착하여 코일을 형성하고 여기에 냉각공기를 2~3m/sec의 속도로 이송하여 냉각시킨다. 이 때 핀은 관의 표면에 밀착시켜야 열전달이 잘되어 전달효과가 크고 간극이 있을 경우에는 효과가 저하된다. 공랭식 응축기는 응축온도가 외기온도보다 15~20℃정도 높아 효율이 불량하나 냉각수 사용에 비하여 매우 간편하고 경제적인 이점이 있어 점차 대용량화 되고 있다.

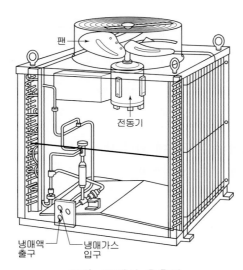

팬

전동기

냉매액
출구

냉매가스
입구

그림. 공랭식 응축기

공랭식 응축기
· 공랭식 응축기는 공기의 현열을 이용한다.
· 공랭식 응축기는 건구온도의 영향을 받고 습구온도에는 영향을 받지 않는다. 외기온도가 높게 되면 응축온도도 높게 되며 압축동력도 크게 된다.
· 공랭식 응축기의 냉매의 응축온도는 외기온도+15℃정도 이다.
· 공랭식 응축기에서는 겨울철 응축압력이 저하하면 냉동장지의 냉각능력이 저하하므로 응축압력조정 밸브로 응축압력을 높여야 한다.
· 공랭식 응축기의 핀(fin)은 공기측에 부착한다.
· 공랭식 응축기의 전열면적은 증발식 응축기보다 크게 된다.

- **특징**
  - 냉각수를 사용하지 않으므로 여기에 필요한 냉각수 배관, 펌프, 배수시설 등이 불필요하다.
  - 설치가 간단하고 부식이 잘 되지 않는다.
  - 응축기가 옥외에 설치되어 고압 냉매 배관이 길어진다.
  - 기온에 따라 응축 압력의 변화가 심하므로 응축압력을 제어해야 한다.
  - 송풍형식에 따라 자연대류식과 강제 대류식으로 구분된다.
  - 공기는 냉각수에 비해 전열이 불량하여 넓히기 위해 플레이트 핀 튜브(plate finned tube)를 사용한다.
  - 최근 소형 프레온 냉동기에서 대형에까지 널리 이용된다.

(4) 냉각탑(Cooling tower)

수랭식 응축기에서 냉각작용을 하고 나온 출구수온을 공기로 다시 냉각하여 응축기로 보내 재사용함으로써 냉각수의 부족해소 및 기타 경제적인 운전을 가능케 한다.

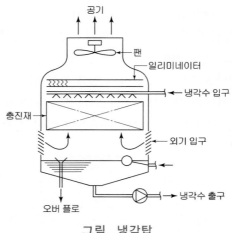

공기

팬
일리미네이터
냉각수 입구

충진재

외기 입구

냉각수 출구

오버 플로

그림. 냉각탑

① 원리
  • 물과 공기와의 온도차에 의한 냉각작용
  • 물의 증발에 의한 냉각작용

② 종류
  • 대기형
  • 자연통풍형
  • 강제통풍형
  • 향류형(Counter flow) : 공기와 물의 접촉에 의한 분류
  • 직교류형(Cross flow) : 공기와 물의 접촉에 의한 분류
  • 흡입식 : 송풍기 설치 위치에 따른 분류
  • 압입식 : 송풍기 설치 위치에 따른 분류

③ 냉각탑의 냉각능력
  • 냉각탑 냉각능력(kJ/h)=냉각수 순환량(L/h)×쿨링 레인지
  • 쿨링 레인지(Cooling range)=냉각수입구온도(℃)−냉각수 출구온도(℃)
  • 쿨링 어프로치(Cooling approach)=냉각수출구온도(℃)−입구공기의
                                        습구온도(℃)

  ※ 쿨링 레인지가 클수록 쿨링 어프로치가 작을수록 냉각탑의 능력은
     커진다. 그 이유는 냉각탑의 냉각능력은 입구공기의 습구온도에 영
     향을 받으므로 쿨링 어프로치가 크다는 것은 냉각탑에서 냉각된 냉
     각수온이 그만큼 높아져 응축기에 유입된다는 것이므로 냉각탑의
     냉각능력은 불량해진다.

> • 냉각탑 냉각수 출구수온과 외기의 습구온도차를 어프로치라 하고 차는 5℃이다.
> • 냉각탑 입구수온과 출구수온의 차를 쿨링 레인지라 하고 그 차도 5℃이다.
> • 냉각탑에 보급수가 필요한 이유는 증발수량, 비산수량, 농축을 방지하기 위한 보충수량이 있다.

④ 설치 시 유의사항
- 설치 위치는 급수가 용이하고 공기유통이 좋을 것
- 고온의 배기가스에 의한 영향을 받지 않는 장소일 것
- 취출공기를 재흡입하지 않도록 할 것
- 냉각탑에서 비산되는 물방울에 의한 주의 환경 및 소음 방지를 고려할 것
- 2대 이상의 냉각탑을 같은 장소에 설치할 경우에는 상호 2m 이상의 간격을 유지할 것
- 냉동장치로부터의 거리가 되도록 가까운 장소일 것
- 설치 및 보수 점검이 용이한 장소일 것

---

02 예제문제

다음 응축기에 대한 설명 중 가장 부적당한 것은?

① 수냉각기의 관내의 냉각수 유속이 빠르면 전열작용은 좋으나 너무 빠르면 부식이 촉진된다.

② 증발식 응축기는 물의 잠열로 냉매를 응축하기 때문에 공기의 습구온도는 영향을 받지 않는다.

③ 공랭식 응축기는 공기의 현열을 이용한 응축기이므로 공기의 습구온도의 영향을 받지 않는다.

④ 응축기에 불응축 가스가 존재하면 응축압력이 상승한다.

해설
② 증발식 응축기는 물의 증발잠열을 이용하는 것으로 공기 중의 습도에 큰 영향에 받고 습도가 높으면 증발하기 어렵게 되어 응축온도가 높아진다.

답 ②

4. 응축기 계산문제

(1) 응축부하(凝縮負荷)

① 응축기 방열량 q_1

$q_1 = h_b - h_e [\text{kJ/kg}]$

　h_b : 응축기 입구에서 냉매증기 엔탈피$[\text{kJ/kg}]$

　h_e : 응축기 출구에서 냉매액 엔탈피$[\text{kJ/kg}]$

② 응축부하 $Q_1[\text{kW}]$는

$Q_1 = G \cdot q_1$

$Q_1 = Q_2 + W$

$Q_1 = C \cdot Q_2$

　G : 냉매순환량$[\text{kg/s}]$

　Q_2 : 냉동능력$[\text{kW}]$

　W : 압축일$[\text{kW}]$

　C 방열계수(放熱係數) $= \dfrac{Q_1}{Q_2}$ (공기조화 : 1.2, 냉동, 제빙 : 1.3)

③ 응축기의 전열작용

• 수랭식 응축기

$Q_1 = KA\Delta t_m [\text{kW}]$

　K : 열관류율$[\text{kW/m}^2\text{K}]$

　A : 전열면적$[\text{m}^2]$

　Δt_m : 평균온도차$[℃]$

(플루오르카본 냉매는 7K, 암모니아 냉매는 5K 정도로 한다.)

여기서 α_r : 냉매측 열전달률$[\text{kW/m}^2 \cdot \text{K}]$

　　　α_w : 수측 열전달률$[\text{kW/m}^2 \cdot \text{K}]$

　　　m : 유효 내외면적비(A_r/A_w)

　　$(A_r$: 냉매측 전열면적$[\text{m}^2]$, A_w : 수측 전열면적$[\text{m}^2])$

　　　f : 오염계수$[\text{m}^2 \cdot \text{K/kW}]$

㉠ 대수평균 온도

$$\Delta t_m = \frac{\Delta t_1 - \Delta t_2}{\text{Ln}\dfrac{\Delta t_1}{\Delta t_2}}$$

여기서, $\Delta t_1 : t_r - t_{w1}$

　　　　$\Delta t_2 : t_r - t_{w2}$

셸 앤드 튜브 응축기의 전열계산
플루오르카본용 shell and tube 응축기의 냉각관의 외표 면에 핀(fin)을 부착한 것을 로우 핀 튜브(low finned tube)라 하고 핀이 부착된 곳에 냉매가 있다. 로우 핀 튜브의 내면과 외면의 비를 유효내외면적비라 하고 그 비는 3.5~4.2 정도이다.
이때 열관류율 K는 냉매측 전열면적 기준으로 하고 또한 전열면적도 냉매측 전열면적을 이 용하여 응축부하를 구한다.

$$K = \frac{1}{\dfrac{1}{\alpha_r} + m\left(\dfrac{1}{\alpha_w} + f\right)}$$
$[\text{kW/m}^2 \cdot \text{K}]$

ⓛ 산술평균 온도 Δt_m

$$\Delta t_m = t_r - \left(\frac{t_{w1} + t_{w2}}{2} \right)$$

ⓒ 응축온도 t_r

$Q_1 = KA\Delta t_m = KA \left(t_r - \dfrac{t_{w1} + t_{w2}}{2} \right)$ 에서

응축온도 $t_r = \dfrac{Q_1}{KA} + \dfrac{t_{w1} + t_{w2}}{2}$ 로 구한다.

또한 응축부하를 냉각수의 온도차로 구하면 아래식과 같다.

$Q_1 = m C_w (t_{w2} - t_{w1}) [\text{kW}, \ \text{kJ/h}]$

  m : 냉각수량$[\text{kg/s (kg/h)}]$
  C_w : 냉각수 비열$[\text{kJ/kgK}]$
  t_{w1} : 냉각수 입구온도$[\text{℃}]$
  t_{w2} : 냉각수 출구온도$[\text{℃}]$

---

03 예제문제

냉매측 전열면적 $A_r = 40[\text{m}^2]$, 수측 전열면적 $A_w = 10[\text{m}^2]$의 로우 핀 튜브를 이용한 셸 앤드 튜브 응축기에서 냉매측 열전달률 $\alpha_r = 3.0[\text{kW/m}^2\cdot\text{K}]$, 냉각수측 열전달률 $\alpha_w = 9.0[\text{kW/m}^2\cdot\text{K}]$, 냉각수측의 오염계수 $f = 0.15[\text{m}^2\cdot\text{K/kW}]$일 경우 물음에 답하시오. (단, 냉매와 냉각수의 온도차 $\Delta t_m = 5℃$로 한다.)

(1) 이 응축기의 열관류율을 구하시오.$[\text{kW/m}^2 \cdot \text{K}]$
(2) 응축부하를 구하시오.$[\text{kW}]$

해설

(1) 열관류율 $K = \dfrac{1}{\dfrac{1}{\alpha_r} + m\left(\dfrac{1}{\alpha_w} + f\right)} = \dfrac{1}{\dfrac{1}{3.0} + \dfrac{40}{10}\left(\dfrac{1}{9.0} + 0.15\right)} = 0.726$

(2) 응축부하 $Q_1 = KA\Delta t_m = 0.726 \times 40 \times 5 = 145.2$
  여기서, m은 내외면적비(A_r / A_w)

  답 (1) $0.726[\text{kW/m}^2\cdot\text{K}]$ (2) $145.2[\text{kW}]$

• 공랭식 응축기

$$Q_1 = G \cdot q_1$$

$$Q_1 = Q_2 + W$$

$$Q_1 = C_p \rho V(t_{a2} - t_{a1})$$

$$Q_1 = KA\Delta t_m$$

$$= K \cdot A \left(t_r - \frac{t_{a1} + t_{a2}}{2}\right)$$

Q_1 : 응축부하[kW] $\qquad$ G : 냉매순환량[kg/s]

q_1 : 응축기 방열량[kJ/kg] $\qquad$ C_p : 공기평균 정압비열[kJ/kg·K]

ρ : 공기의 밀도[kg/m³] $\qquad$ V : 공기유량[m³/s]

K : 열관류율[kW/m²K] $\qquad$ A : 전열면적[m²]

Δt_m : 평균온도차[℃] $\qquad$ t_r : 응축온도[℃]

t_{a1} : 냉각공기 입구온도[℃] $\qquad$ t_{a2} : 냉각공기 출구온도[℃]

04 예제문제

R134a를 냉매로 하는 공랭식 응축기에서 압축기의 토출가스의 비엔탈피 $h_2 = 446.5$[kJ/kg], 응축온도 40℃, 응축기 출구 냉매액 비엔탈피 $h_3 = 249.0$[kJ/kg](과냉각도 5℃), 냉매 순환량 $G = 0.060$[kg/s]로 하고, 응축기 공기 입구온도 25[℃], 풍량 2.0[m³/s], 밀도 [1.2kg/m³], 비열 1.0[kJ/kg·K], 평균열관류율 0.020[kW/m²·K]로 할 경우 물음에 답하시오. (단, 냉매와 공기의 온도차는 산술평균온도차로 한다.)

(1) 응축부하를 구하시오.[kW]

(2) 응축기 공기 출구온도를 구하시오.[℃]

(3) 냉매와 공기의 평균온도차를 구하시오.[℃]

(4) 전열면적을 구하시오.[m²]

해설

(1) 응축부하

$$Q_1 = G(h_2 - h_1) = 0.060 \times (446.5 - 249.0) = 11.85$$

(2) 응축기 공기 출구온도

$Q_1 = C_p \rho V(t_{a2} - t_{a1})$ 에서

$$t_{a2} = \frac{Q_1}{C_p \rho V} + t_{a1} = \frac{11.85}{1.0 \times 1.2 \times 2.0} + 25 = 29.94$$

(3) $\Delta t_m = \dfrac{\Delta t_1 + \Delta t_2}{2} = \dfrac{(40-25)+(40-29.94)}{2} = 12.53$

(4) 전열면적

$Q_1 = KA\Delta t_m$ 에서

$$A = \frac{Q_1}{K\Delta t_m} = \frac{11.85}{0.020 \times 12.53} = 47.29$$

답 (1) 11.85[kW] (2) 29.94[℃] (3) 12.53[℃] (4) 47.29[m²]

5. 응축압력(온도)의 상승원인

① 응축기의 냉각수온 및 냉각공기의 온도가 높을 경우

② 냉각수량이 부족할 경우

③ 증발부하가 클 경우

④ 냉각관에 유막 및 스케일이 생성되었을 경우

⑤ 냉매를 너무 과충전 했을 경우

⑥ 응축기의 용량이 너무 작을 경우

⑦ 증발식 응축기에서 대기습구 온도가 높을 경우

⑧ 불응축 가스가 혼입되었을 경우

---

05 예제문제

다음 중 응축압력이 상승하는 원인에 들지 않는 것은?

① 응축기와 수액기 사이의 균압관이 잘 작용하지 못하여 응축기내에 액이 고여 있는 경우

② 증발기의 증발온도가 저하한 경우

③ 과열압축운전이 계속된 경우

④ 증발식 응축기의 사용 중에 비가 내려서 기온은 변하지 않았으나 습구온도가 상승한 경우

해설

①의 경우 균압관이 제 작용을 하지 못하면 응축기내에 액이 고이게 되어 유효전열면적의 감소로 응축압력이 상승한다.

②의 증발온도가 저하하면 냉동능력은 저하하지만 응축압력의 상승은 일어나지 않는다.

답 ②

불응축 가스

불응축 가스란 공기, 염소, 오일의 증기, 수증기 등의 혼합물로 냉매와 같이 냉동장치 내를 순환하다가 응축기 또는 수액기 상부에 모여서 액화되지 않고 남아있는 가스이다. 일반적으로 공기를 말한다.

(1) 발생원인

① 냉매의 충전 시

② 윤활유의 충전 시

③ 진공 시험 시(저압부의 누설)

④ 오일 포밍 현상의 발생 및 오일의 열화, 탄화 시

⑤ 장치의 신설이나 휴지 후 완전 진공을 하지 못하여 남아있는 공기

⑥ 응축기와 수액기 사이의 균압관이 잘 작용하지 못하여 응축기내에 액이 고여 있는 경우

(2) 영향

① 응축 압력 상승

② 토출가스 온도 상승

③ 응축능력 감소

④ 냉매와 냉각관의 열전달의 저해

⑤ 소요동력 증대

⑥ 암모니아 냉매인 경우 폭발위험 초래

PARAT 02　냉동냉장　설비

[15년 2회]

01 수냉식 응축기에 대한 설명 중 옳은 것은?

① 냉각수량이 일정한 경우 냉각수 입구온도가 높을수록 응축기내의 냉매는 액화하기 쉽다.
② 종류에는 입형 셸 튜브식, 7통로식, 지수식 응축기 등이 있다.
③ 이중관식 응축기는 냉매증기와 냉각수를 평행류로 함으로써 냉각수량이 많이 필요하다.
④ 냉각수의 증발잠열을 이용해 냉매가스를 냉각한다.

> ① 냉각수량이 일정한 경우 냉각수 입구온도가 낮을수록 응축기내의 냉매는 액화하기 쉽다.
> ③ 이중관식 응축기는 냉매증기와 냉각수를 대향류로 함으로써 냉각수량이 적게 필요하다.
> ④ 수냉식 응축기는 냉각수의 현열을 이용해 냉매가스를 응축시킨다.

[16년 3회, 12년 3회]

02 냉매가 암모니아일 경우는 주로 소형, 프레온일 경우에는 대용량까지 광범위하게 사용되는 응축기로 전열이 양호하고, 설치면적이 적어도 되나 냉각관이 부식되기 쉬운 응축기는?

① 2중관식 응축기
② 입형 셸 앤드 튜브식 응축기
③ 횡형 셸 앤드 튜브식 응축기
④ 7통로식 횡형 셸 앤드식 응축기

> **횡형 셸 앤드 튜브식 응축기**
> ㉠ 암모니아, 프레온용으로 소형에서 대형까지 많이 사용된다.
> ㉡ 냉각수 소비량이 비교적 적다.(증발식 응축기 다음으로 1RT당 12L가 소비된다.)
> ㉢ 수액기와 겸용으로 사용된다.
> ㉣ 냉각수 소비량이 비교적 적다.(증발식 응축기 다음으로 1RT당 12L가 소비된다)
> ㉤ 일반적으로 쿨링 타워(Cooling tower)를 사용한다.
> ㉥ 전열이 양호하고, 설치면적이 비교적 적다.
> ㉦ 냉각관 청소가 곤란하고 청소 시 운전을 정지해야 한다.
> ㉧ 과부하 운전이 곤란하고 냉각관의 부식이 잘 된다.

[08년 1회]

03 다음 입형 셸 앤드 튜브식 응축기의 설명으로 맞는 것은?

① 설치 면적이 큰데 비해 응축 용량이 적다.
② 냉각수 소비량이 비교적 적고 설치장소가 부족한 경우에 설치한다.
③ 냉각수의 배분이 불균등하고 유량을 많이 함유하므로 과부하를 처리할 수 없다.
④ 설치면적이 작고 운전 중에도 냉각관 청소가 용이하다.

> **입형 셸 앤드 튜브식 응축기**
> ① 입형 셸 튜브 응축기는 설치면적이 작고 전열이 양호하며 운전 중에도 냉각관의 청소가 가능하다.
> ② 충분한 냉각수가 있고 수질이 우수한 곳에서 사용된다.
> ③ 대형 암모니아 냉동기에 사용되며 과부하 처리를 할 수 있다.

[08년 2회]

04 수냉식 응축기를 사용하는 냉동장치에서 응축압력이 표준 압력보다 높게 되는 원인이라고 할 수 없는 것은?

① 공기 또는 불응축가스의 혼입
② 응축수 입구온도의 저하
③ 냉각수량의 부족
④ 응축기의 냉각관계에 스케일이 부착

> 수냉식 응축기에서 응축압력이 표준 압력보다 높게 되는 원인은 어떤 원인으로 응축불량이 되었을 경우이다.
>
> **응축압력(온도)상승 원인**
> ㉠ 응축기의 냉각수온 및 냉각공기의 온도가 높을 경우
> ㉡ 냉각수량이 부족할 경우
> ㉢ 증발부하가 클 경우
> ㉣ 냉각관에 유막 및 스케일이 생성되었을 경우
> ㉤ 냉매를 너무 과충전 했을 경우
> ㉥ 응축기의 용량이 너무 작을 경우
> ㉦ 증발식 응축기에서 대기습구 온도가 높을 경우
> ㉧ 불응축 가스가 혼입되었을 경우

정답 ▶ 01 ② 02 ③ 03 ④ 04 ②

[16년 1회]

05 응축기에서 고온 냉매가스의 열이 제거되는 과정으로 가장 적합한 것은?

① 복사와 전도
② 승화와 증발
③ 복사와 기화
④ 대류와 전도

> 응축기에서 고온 냉매가스의 열이 제거되는 과정은 주로 대류와 전도에 의해 이루어진다.

[16년 3회]

06 응축기에 대한 설명으로 틀린 것은?

① 응축기는 압축기에서 토출한 고온가스를 냉각시킨다.
② 냉매는 응축기에서 냉각수에 의하여 냉각되어 압력이 상승한다.
③ 응축기에는 불응축 가스가 잔류하는 경우가 있다.
④ 응축기 냉각관의 수측에 스케일이 부착되는 경우가 있다.

> ② 냉매는 응축기에서 냉각수에 의하여 냉각되어 압력이 강하한다. 다만 어떤 원인으로 응축 불량이 되었을 경우에는 응축압력은 상승한다.

[08년 3회]

07 응축기에 관한 설명으로 옳은 것은?

① 수냉 응축기의 냉각관의 두께를 1/2로 하면 그 정도 열저항이 감소하므로 두께에 비례하여 좋게 된다.
② 수냉식 응축기의 냉각수량 및 입구수온이 일정하여도 냉각관에 물때가 부착하면 응축압력은 상승한다.
③ 증발식 응축기는 외기의 습구온도 영향을 거의 받지 않는다.
④ 냉매계통 중에서 공기 등 불응축 가스가 혼입되면 응축압력은 저하한다.

> ① 수냉 응축기의 냉각관의 두께를 1/2로 하면 그 정도 열저항이 감소하므로 두께에 반비례하여 좋게 된다.
> ② 수냉식 응축기의 냉각수량 및 입구수온이 일정하여도 냉각관에 물때가 부착하면 전열성능의 저하로 응축압력은 상승한다.
> ③ 증발식 응축기는 물의 증발잠열 및 공기, 물의 현열에 의한 냉각방식으로 외기의 습구온도 영향을 받는다.
> ④ 냉매계통 중에서 공기 등 불응축 가스가 혼입되면 응축압력은 상승한다.

[14년 3회]

08 나선모양의 관으로 냉매증기를 통과시키고 이 나선관을 원형 또는 구형의 수조에 넣어 냉매를 응축시키는 방법을 이용한 응축기는?

① 대기식 응축기(atmospheric condenser)
② 지수식 응축기(submerged coil condenser)
③ 증발식 응축기(evaporative condenser)
④ 공랭식 응축기(air cooled condenser)

> **지수식 응축기(submerged coil condenser)**
> 나선모양의 관으로 냉매증기를 통과시키고 이 나선관을 원형 또는 구형의 수조에 넣어 냉매를 응축시키는 방법을 이용한 응축기로 현재는 거의 사용하지 않는다.

[12년 3회]

09 응축기에서 수액기로 액이 떨어지지 않을 때가 있다. 그 대책에 관한 설명 중 옳지 않은 것은?

① 낙하관의 관경을 크게 한다.
② 균압관을 설치한다.
③ 낙하관에 트랩을 설치한다.
④ 낙하관에 체크밸브를 설치한다.

> 응축기에서 수액기로 냉매액을 원활하게 유입하려고 할 경우에는 다음과 같은 대책이 필요하다.
> ① 낙하관의 관경을 크게 하여 저항을 감소시킨다.
> ② 응축기 상부와 수액기 상부에 균압관을 설치한다.
> ③ 낙하관에 트랩을 설치한다.

[10년 1회]

10 응축기의 냉각 방법에 따른 분류에 속하지 않는 것은?

① 수냉식
② 증발식
③ 증류식
④ 공랭식

> 응축기의 냉각 방법에는 수냉식, 증발식, 공랭식이 있다.

정답 05 ④ 06 ② 07 ② 08 ② 09 ④ 10 ③

[15년 3회]
11 응축기의 냉각 방법에 따른 분류로서 가장 거리가 먼 것은?

① 공랭식
② 노냉식
③ 증발식
④ 수냉식

> 응축기의 냉각 방법에는 수냉식, 증발식, 공랭식이 있다.

[09년 3회]
12 냉동장치에 이용되는 공랭식 및 수냉식 응축기에 관한 설명 중 틀린 것은?

① 수냉식은 설치 유지비가 공랭식에 비해 많이 소요된다.
② 공랭식은 통풍이 잘되고 신선한 곳에 설치해야 한다.
③ 수냉식은 공랭식보다 전열 효과가 작다.
④ 공랭식은 응축온도 및 압력이 높아 동력소비가 크다.

> 수냉식은 공랭식보다 전열 효과가 크다.

[14년 1회]
13 공랭식 응축기에 있어서 냉매가 응축하는 온도는 어떻게 결정하는가?

① 대기의 온도보다 30℃(54°F) 높게 잡는다.
② 대기의 온도보다 19℃(35°F) 높게 잡는다.
③ 대기의 온도보다 10℃(18°F) 높게 잡는다.
④ 증발기 속의 냉매 증기를 과열도에 따라 높인 온도로 잡는다.

> **공랭식 응축기**
> 공랭식 응축기는 소형 냉동기(프레온계)에 사용되면서 냉각 수용 배관 및 배수 설비가 필요하지 않는 응축기로 응축온도가 외기온도보다 15~20℃ 정도 높아 효율이 불량하나 냉각수 사용에 비하여 매우 간편하고 경제적인 이점이 있어 점차 대용량화 되고 있다.

[11년 1회]
14 공랭식 응축기의 특징으로 틀린 것은?

① 수냉식에 비하여 전열작용이 나쁘다.
② 응축온도가 낮아진다.
③ 겨울에 사용할 때는 응축온도를 조절해야 한다.
④ 냉각수 배관설비가 필요 없다.

> **특징**
> ㉠ 냉각수를 사용하지 않으므로 여기에 필요한 냉각수 배관, 펌프, 배수시설 등이 불필요하다.
> ㉡ 설치가 간단하고 부식이 잘 되지 않는다.
> ㉢ 응축기가 옥외에 설치되어 고압 냉매 배관이 길어진다.
> ㉣ 기온에 따라 응축 압력의 변화가 심하므로 응축압력을 제어해야 한다.
> ㉤ 송풍형식에 따라 자연대류식과 강제 대류식으로 구분된다.
> ㉥ 공기는 냉각수에 비해 전열이 불량하여 전열면적을 넓히기 위해 플레이트 핀 튜브(Plate finned tube)를 사용한다.
> ㉦ 최근 소형 프레온 냉동기에서 대형에까지 널리 이용된다.

[11년 2회]
15 소형 냉동기(프레온계)에 사용되면서 냉각수용 배관 및 배수 설비가 필요하지 않는 응축기는?

① 횡형 원통다관식 응축기
② 대기식 응축기
③ 증발식 응축기
④ 공랭식 응축기

> **공랭식 응축기**
> 공랭식 응축기는 소형 냉동기(프레온계)에 사용되면서 냉각 수용 배관 및 배수 설비가 필요하지 않는 응축기로 응축온도가 외기온도보다 15~20℃ 정도 높아 효율이 불량하나 냉각수 사용에 비하여 매우 간편하고 경제적인 이점이 있어 점차 대용량화 되고 있다.

[14년 3회, 08년 2회]
16 핀튜브관을 사용한 공랭식 응축관에 있어서 자연대류식 수평, 수직 및 강제대류식의 전열계수를 비교했을 때 옳은 것은?

① 자연대류 수평형 > 자연대류 수직형 > 강제대류식
② 자연대류 수직형 > 자연대류 수평형 > 강제대류식
③ 강제대류식 > 자연대류 수평형 > 자연대류 수직형
④ 자연대류 수평형 > 강제대류식 > 자연대류 수직형

정답 11 ② 12 ③ 13 ② 14 ② 15 ④ 16 ③

공랭식 응축기의 전열계수 비교
강제대류식 > 자연대류 수평형 > 자연대류 수직형
(1) 강제대류식 : 1/8마력 이상의 냉동기에 사용하며 전열계수는 약 23~29W/m²K 정도이다.
(2) 자연대류식 : 1/8마력 이하의 소형 냉동기에 사용하며 전열계수는 약 6W/m²K 정도이다. 수평형의 경우가 수직형보다 전열효과가 좋다.

[09년 1회]
17 다음의 응축기 중 열통과율이 가장 나쁜 것은?

① 공랭식
② 횡형 셸 앤드 튜브식
③ 증발식
④ 입형 셸 앤드 튜브식

응축기의 열통과율[W/m²K]
① 공랭식 : 23
② 횡형 셸 앤드 튜브식 : 1047
③ 증발식 : 349
④ 입형 셸 앤드 튜브식 : 872

[16년 1회]
18 다음 중 증발식 응축기의 구성요소로서 가장 거리가 먼 것은?

① 송풍기
② 응축용 핀-코일
③ 물분무 펌프 및 분배장치
④ 일리미네이터, 수공급장치

증발식 응축기(Evaporative Condenser)
냉매가스가 흐르는 냉각관 코일의 외면에 냉각수를 노즐(Nozzle)에 의해 분사시킨다. 여기에 송풍기를 이용하여 건조한 공기를 3m/sec의 속도로 보내 공기의 대류작용 및 물의 증발 잠열로 냉각하는 형식이다. 즉, 수냉식응축기와 공랭식응축의 작용을 혼합한 형으로 볼 수 있다.
• 특징
 ㉠ 물의 증발잠열 및 공기, 물의 현열에 의한 냉각방식으로 냉각소비량이 작다.
 ㉡ 상부에 일리미네이터(Eliminator)를 설치한다.
 ㉢ 겨울에는 공랭식으로 사용된다.
 ㉣ 대기 습구온도 및 풍속에 의하여 능력이 좌우된다.
 ㉤ 냉각관 내에서 냉매의 압력강하가 크다.
 ㉥ 냉각탑을 별도로 설치할 필요가 없다.
 ㉦ 팬(Fan), 노즐(Nozzle), 냉각수 펌프 등 부속설비가 많이 든다.

[12년 1회, 09년 2회]
19 다음은 증발식 응축기에 관한 설명이다. 잘못된 것은?

① 구조가 간단하고 압력강하가 작다.
② 일반 수냉식에 비하여 전열 작용이 나쁘다.
③ 대기의 습구온도 영향을 많이 받는다.
④ 물의 증발 잠열을 이용하여 냉각하므로 냉각수가 적게 든다.

18번 해설 참조
구조가 복잡하고 냉각관 내에서 냉매의 압력강하가 크다.

[15년 3회]
20 증발식 응축기에 관한 설명으로 틀린 것은?

① 수냉식응축기와 공랭식응축의 작용을 혼합한 형이다.
② 외형과 설치면적이 작으며 값이 비싸다.
③ 겨울철에는 공랭식으로 사용할 수 있으며 연간운전에 특히 우수하다.
④ 냉매가 흐르는 관에 노즐로부터 물을 분무시키고 송풍기로 공기를 보낸다.

18번 해설 참조
외형과 설치면적이 수냉식에 비해 크다.

[14년 2회]
21 다음 응축기에 대한 설명 중 옳은 것은?

① 증발식 응축기는 주로 물의 증발에 의하여 냉각되는 것이다.
② 횡형 응축기의 관내 유속은 5m/sec가 표준이다.
③ 공랭식 응축기는 공기의 잠열로 냉각된다.
④ 입형 암모니아 응축기는 운전 중에 냉각관의 소제를 할 수 없으므로 불편하다.

② 횡형 응축기의 냉각수 출구와 입구의 온도차는 4~7℃ 이며, 냉각관 내의 냉각수 속도는 1.0~1.5m/sec이다.
③ 공랭식 응축기는 공기의 현열에 의해 냉각된다.
④ 입형 셸 튜브 응축기는 설치면적이 작고 전열이 양호하며 운전 중에도 냉각관의 청소가 가능하다.

[16년 2회]

22 암모니아를 냉매로 사용하는 냉동장치에서 응축압력의 상승원인으로 가장 거리가 먼 것은?

① 냉매가 과냉각 되었을 때
② 불응축가스가 혼입되었을 때
③ 냉매가 과충전되었을 때
④ 응축기 냉각관에 물 때 및 유막이 형성되었을 때

> **응축압력(온도)의 상승원인**
> ㉠ 응축기의 냉각수온 및 냉각공기의 온도가 높을 경우
> ㉡ 냉각수량이 부족할 경우
> ㉢ 증발부하가 클 경우
> ㉣ 냉각관에 유막 및 스케일이 생성되었을 경우
> ㉤ 냉매를 너무 과충전 했을 경우
> ㉥ 응축기의 용량이 너무 작을 경우
> ㉦ 증발식 응축기에서 대기습구 온도가 높을 경우
> ㉧ 불응축 가스가 혼입되었을 경우

[10년 2회]

23 응축압력이 현저하게 상승한 원인으로 옳은 것은?

① 냉각면적이 용량에 비해 크다.
② 응축부하가 크게 감소하였다.
③ 수냉식일 경우 냉각수량이 증가하였다.
④ 유분리기의 기능이 불량하고 응축기에 물때가 많이 부착되어 있다.

> ① 냉각면적이 용량에 비해 적을 때
> ② 응축부하가 크게 증대 했을 때
> ③ 냉각수량이 부족할 때
> ④ 응축기에 유막이나 스케일(물 때)가 많이 부착되었을 때

[12년 2회]

24 냉동장치의 운전 중 냉각수 펌프 이상으로 인하여 응축기 냉각수량이 부족하였다. 이때 발생할 수 있는 현상이 아닌 것은?

① 응축온도의 상승
② 압축일량 증가
③ 압축기 흡입가스 체적증가
④ 고압 상승

> 냉동장치의 운전 중 냉각수 펌프 이상으로 인하여 응축기 냉각수량이 부족할 경우 응축능력 감소로 인하여 응축온도(압력) 상승, 압축일 증가, 토출가스온도 상승, 윤활유 열화 및 탄화, 체적효율 감소, 냉동능력 감소, 성적계수 감소 등의 원인이 된다.

[14년 2회, 11년 3회]

25 압축기 및 응축기에서 과도한 온도 상승을 방지하기 위한 대책으로 부적당한 것은?

① 압력 차단 스위치를 설치한다.
② 온도 조절기를 사용한다.
③ 규정된 냉매량보다 적은 냉매를 충진 한다.
④ 많은 냉각수를 보낸다.

> 규정된 냉매량보다 적은 냉매를 충진하면 냉동능력의 감소와 토출가스 과열에 의한 과도한 온도상승의 우려가 있다.

[12년 3회, 10년 2회]

26 냉동능력 41700kJ/h인 냉동기에서 냉매를 압축할 때 3.2kW의 동력이 소모되었다. 응축기 방열량은 몇 kJ/h 인가?

① 37240   ② 49280
③ 53220   ④ 58640

> **응축기 방열량 Q_1**
> $Q_1 = Q_2 + W = 41700 + 3.2 \times 3600 = 53220$
> 여기서, Q_2 : 냉동능력[kJ/h]
> W : 압축일(소요동력)[kJ/h]

정답   22 ①   23 ④   24 ③   25 ③   26 ③

PARAT 02

냉동냉장 설비

[10년 3회]

27 냉동 능력 1RT이며, 압축할 때 1kW의 동력이 소요되는 냉동장치가 있다. 응축기에서 방출량은 몇 kW인가? (단, 1RT=3.86kW이다)

① 2.64 ② 3.32
③ 4.86 ④ 5.78

응축기 방열량 Q_1

$Q_1 = Q_2 + W = 1 \times 3.86 + 1 = 4.86$

여기서, Q_2 : 냉동능력[kW]

W : 압축일(소요동력)[kW]

[11년 2회]

28 어떤 냉동장치의 냉동능력이 3RT이고 이때의 압축기 소요 동력이 3.7kW이었다면 응축기에서 제거하여야 할 열량은 약 몇 kW인가? (단, 1RT=3.9kW이다)

① 7.5 ② 9.8
③ 12.3 ④ 15.4

응축기 방열량 Q_1

$Q_1 = Q_2 + W = 3 \times 3.9 + 3.7 = 15.4$

여기서, Q_2 : 냉동능력[kW]

W : 압축일(소요동력)[kW]

[13년 1회]

29 다음 조건을 갖는 수냉식 응축기의 전열 면적은 약 얼마인가? (단, 응축기 입구의 냉매가스의 엔탈피는 1890 kJ/kg, 응축기 출구의 냉매액의 엔탈피는 630 kJ/kg, 냉매 순환량은 100 kg/h, 응축온도는 40℃, 냉각수 평균온도는 33℃, 응축기의 열관류율은 930 W/m²K이다.)

① 3.86m² ② 4.56m²
③ 5.38m² ④ 6.76m²

응축기 방열량 Q_1

$Q_1 = G \cdot q_1 = KA\triangle t_m$ 에서

$A = \dfrac{G \cdot q_1}{K\triangle t_m} = \dfrac{\left(\dfrac{100}{3600}\right) \times (1890 - 630)}{0.93 \times (40 - 33)} \fallingdotseq 5.38$

여기서, G : 냉매순환량[kg/s]

q_1 : 응축기 입·출구 엔탈피 차[kJ/kg]

[11년 1회]

30 횡형 수냉응축기의 열통과율이 872W/m²K, 냉각수량 450L/min, 냉각수 입구온도 28℃, 냉각수 출구온도 33℃ 응축온도와 냉각수 온도와의 평균온도차가 5℃일 때, 이 응축기의 전열면적은 얼마인가?

① 46m² ② 40m²
③ 36m² ④ 30m²

응축기 방열량 Q_1

$Q_1 = mc\triangle t60 = KA\triangle t_m$ 에서

$A = \dfrac{mc\triangle t60}{K\triangle t_m} = \dfrac{\left(\dfrac{450}{60}\right) \times 4.2 \times (33 - 28)}{0.872 \times 5} = 36$

여기서, m : 냉각수량[L/min]

c : 냉각수 비열 4.2[kJ/kgK]

$\triangle t$: 냉각수 입·출구 온도차[℃]

K : 열통과율[kW/m²K]

A : 전열면적[m²]

$\triangle t_m$: 응축온도와 냉각수 온도와의 평균온도차[℃]

[17년 1회, 11년 3회]

31 어떤 냉동장치에 있어서 냉동부하는 63000kJ/h, 냉매 증기 압축에 필요한 동력은 4kW, 응축기 입구에 있어서 냉각수 온도 32℃, 냉각수량 62L/min일 때 응축기 출구에 있어서 냉각수 온도는 약 몇 도가 되는가? (단, 냉각수 비열은 4.2kJ/kg·K로 한다)

① 35℃ ② 36℃
③ 37℃ ④ 38.5℃

응축기 방열량 Q_1

$Q_1 = mc(t_{w2} - t_{w1}) = Q_2 + W$ 에서

응축기 출구온도 $t_{w2} = t_{w1} + \dfrac{Q_2 + W}{mc}$

$= 32 + \dfrac{\left(\dfrac{63000}{3600}\right) + 4}{\left(\dfrac{62}{60}\right) \times 4.2} \fallingdotseq 37$

정답 27 ③ 28 ④ 29 ③ 30 ③ 31 ③

[12년 1회]

32 1RT 냉동기의 수냉식 응축기에 있어서 냉각수 입구 및 출구 온도를 10℃, 20℃로 하기 위하여 약 얼마의 냉각수가 필요한가? (단, 공기조화용이며 응축기방열량은 20% 추가하고, 1RT=3.86kW로 한다)

① 5.5L/min
② 6.6L/min
③ 332L/min
④ 400L/min

응축기 방열량 Q_1

$Q_1 = mc(t_{w2} - t_{w1})60 = C \cdot Q_2$에서

냉각수량 $m = \dfrac{C \cdot Q_2}{c(t_{w2} - t_{w1})} = \dfrac{1.2 \times 3.86 \times 60}{4.2 \times (20 - 10)} = 6.62$

여기서, C : 방열계수(Q_1/Q_2)

[16년 2회]

33 냉동능력 20 RT, 축동력 12.6 kW인 냉동장치에 사용되는 수냉식 응축기의 열통과율 786 W/m²K 전열량의 외표면적 15 m², 냉각수량 279 L/min, 냉각수 입구온도 30℃일 때, 응축온도는? (단, 냉매와 물의 온도차는 산술평균 온도차를 사용하고, 냉각수비열은 4.2kJ/kg·K 1RT=3.86kW를 사용한다.)

① 35℃
② 40℃
③ 45℃
④ 50℃

응축기 방열량 Q_1

$Q_1 = mc(t_{w2} - t_{w1})60 = Q_2 + W$에서
응축기 출구온도

$t_{w2} = t_{w1} + \dfrac{Q_2 + W}{mc} = 30 + \dfrac{20 \times 3.86 + 12.6}{\left(\dfrac{279}{60}\right) \times 4.2} ≒ 34.6℃$

$Q_1 = KA\left(t_c - \dfrac{t_{w1} + t_{w2}}{2}\right) = Q_2 + W$에서

∴ 응축온도

$t_c = \dfrac{Q_2 + W}{KA} + \dfrac{t_{w1} + t_{w2}}{2}$

$= \dfrac{20 \times 3.86 + 12.6}{0.786 \times 15} + \dfrac{30 + 34.6}{2} ≒ 40℃$

[12년 3회]

34 냉매의 응축온도 50℃, 응축기 냉각수 입구온도 25℃, 출구온도 35℃일 때 대수평균 온도차는 약 얼마인가?

① 22.6℃
② 19.6℃
③ 16.6℃
④ 12.6℃

$\Delta m = \dfrac{\Delta_1 - \Delta_2}{\ln \dfrac{\Delta_1}{\Delta_2}} = \dfrac{(50 - 25) - (50 - 35)}{\ln \dfrac{50 - 25}{50 - 35}} = 19.6℃$

[10년 3회]

35 역카르노 사이클로 작동하는 냉동기가 35마력의 일을 받아서 저온체로부터 105 kJ/s의 일을 흡수한다면 고온체로 방출하는 열량은 약 얼마인가?
(단, 1마력은 0.735 kW로 한다.)

① 87kW
② 131kW
③ 141kW
④ 152kW

$Q_1 = Q_2 + W = 105 + 35 \times 0.735 ≒ 131 kW$

[11년 1회]

36 냉각탑의 능력산정 중 쿨링 레인지의 설명으로 맞는 것은?

① 냉각수 입구수온 × 냉각수 출구수온
② 냉각수 입구수온 − 냉각수 출구수온
③ 냉각수 출구온도 × 입구공기 습구온도
④ 냉각수 출구온도 − 입구공기 습구온도

냉각탑의 냉각능력
(1) 쿨링 레인지(Cooling range)
 = 냉각수 입구온도(℃)−냉각수 출구온도(℃)
(2) 쿨링 어프로치(Cooling approach)
 = 냉각수 출구온도(℃)−입구공기의 습구온도(℃)

03 냉동장치 구성 기기 1 증발기

1 증발기

1. 증발기의 작용

팽창밸브를 통해서 오는 저온저압의 냉매액이 피 냉동물체 또는 특정 공간으로부터 열을 흡수하여 냉동목적을 달성하는 열흡수장치이다.

2. 증발기의 분류

(1) 용도에 의한 분류

① 액체 냉각용

② 공기 냉각용

③ 고체 냉각용

(2) 증발기 내의 냉매상태에 따른 분류

① 건식 증발기 (Dry expansion type evaporator)

팽창 밸브로부터 냉매가 직접 증발기로 들어가 증발관을 순환하는 사이에 전부 증기로 되어 압축기로 흡입 된다.

■ 특징

• 증발기 내의 냉매액 25%, 냉매가스가 75%인 상태이다.

• 전열작용이 없는 냉매가스가 많아(75%) 전열이 불량하다.

• 유의 회수가 용이하다.

• 냉매량이 적게 소요된다.

• 부하(負荷)조절이 용이하다.

• 냉각관에 핀(Pin)을 붙여 주로 공기 냉각용으로 사용한다.

• 암모니아일 경우 하부로 냉매를 공급하는데 이와 같이 냉매를 하부로 공급하는 방식을 반만액식 증발기(semi-flooded expansion type evaporator)라 하며 증발기 내에 냉매액이 50%, 가스가 50% 정도이다.

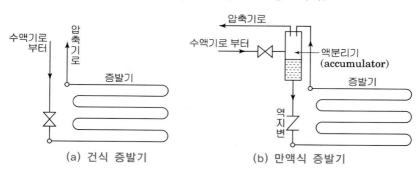

(a) 건식 증발기   (b) 만액식 증발기

② 만액식 증발기 (Flooded expansion type evaporator)

　팽창 밸브가 증발기 사이에 어큐뮬레이터(Accumulator)를 설치하여, 팽창 밸브를 나온 습증기 중에서 냉매액과 가스를 분리시켜 액만을 증발기로 흐르게 하는 형식이다.

　▪ 특징

　• 증발기내 냉매액이 75%, 냉매가스가 25% 정도 이다.

　• 증발기내에 항상 일정한 액이 충만되어 전열작용이 양호하다.

　• 건식에 비하여 냉매량이 많이 소요된다.

　• 프레온 냉매일 경우에는 유회수 장치가 필요하다.

　　(오일이 증발기 내에 고일 우려가 있다.)

　• 주로 액체 냉각용으로 사용된다.

　• 증발기 입구에 역지변을 설치하여 가스의 역류를 막는다.

　　cf) 어큐뮬레이터(액분리기)의 설치위치는 증발기보다 높은 위치에 설치해야 하고 그 용량은 증발기 용량의 20% 정도여야 한다.

③ 액순환식 증발기 (Liquid circulating type evaporator)

　냉매액을 펌프를 사용하여 강제적으로 냉각관 내를 순환시키는 방법으로 냉각관 벽은 전부 냉매액으로 차있어 전열이 양호하다.

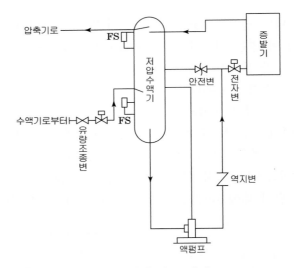

그림. 액순환식 증발기

▪ 특징

- 증발기에서 증발하는 냉매량의 4~6배의 냉매액이 펌프로 순환된다.
- 증발기 출구에는 냉매액 80%, 가스가 20% 존재한다.
- 증발기 내에 오일이 고이는 염려가 없어 전열이 양호하다.
- 액펌프는 저압수액기와 증발기 입구 사이에 설치한다.
- 많은 냉매가 필요하며 펌프, 수액기 등 부속설비가 필요하다.
- 주로 대용량에 많이 사용되며 저온 및 급속동결용으로 쓰인다.
- 하나의 팽창변으로 여러 대의 증발기를 사용할 수 있다.(고압수액기 및 저압 수액기의 설치로 인하여 고압수액기에서의 액은 팽창변을 통하여 저압수액기로 유입됨으로 증발기마다 팽창변을 설치할 필요가 없다.)

※ 액순환방식의 이점

- 액백(Liquid back)이 일어나지 않는다.
- 제상(Defrost)의 자동화가 가능하다.
- 열전달률이 크다.
- 대용량에서 효율이 좋다.

※ 액펌프의 설치 시 유의점

- 액펌프는 저압 수액기의 하부에 설치한다.
- 흡입배관의 저항을 줄이기 위하여 직경이 큰 관을 사용한다.
- 흡입배관 중 녹, 먼지 등 이물의 침입을 막아야 한다.
- 저압 수액기와 1.2m~1.5m 정도의 낙차를 유지시킨다.

> **액순환식 증발기**
> - 액순환식 증발기는 대형 냉동장치에 사용된다.
> - 액순환식 증발기는 저온 및 급속 동결용을 사용된다.
> - 액순환식 증발기는 저압수액기가 설치된다.
> - 액순환식 증발기는 액펌프에 의해서 증발량의 4~6배의 냉매액을 순환시킨다.
> - 액순환식 증발기는 건식 증발기에 비하여 냉매 순환량이 많다.

(3) 증발기의 구조에 의한 분류

① 관 코일식 증발기(coil type evaporator)

강, 또는 동으로 만든 지름 1/2″~2″의 긴관을 각종 코일(Coil) 모양으로 하여 냉장고, 냉동, 냉장용 진열대의 냉각관 등에 많이 이용된다.

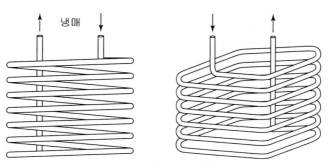

냉매

그림. 관 코일식 증발기

- **특징**
  - 냉각관에는 나관이 사용된다.
  - 암모니아는 만액식에도 사용되나 프레온이나 메틸클로라이드는 주로 건식이다.
  - 제상(除霜)이 쉽고 구조가 간단하다.
  - 공기 냉각용에서는 표면적이 적기 때문에 관이 길어져 압력강하를 유발시킨다.
  - 열전달률이 나쁘다.

② 판형 증발기(plate type evaporator)

관 코일식 증발기의 변형으로 2매의 금속판을 압접하여 만들었다.

판 사이의 공간으로 냉매액이 흐르고 그 외면에 접촉하는 공기, 물, 브라인 등을 냉각하는 증발기이다.

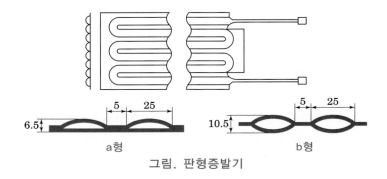

그림. 판형증발기

- **특징**
  - 주로 프레온용 건식 증발기로 사용된다.
  - 알루미늄판 등을 이용하므로 전열성능은 좋으나 재질이 약하다.
  - 알루미늄판의 경우 누설 시 에폭시 등 화학 접착제로 밀봉한다.

③ 핀-튜브식 증발기(fin-tube type evaporator)

나관의 증발관 표면에 핀(fin)을 부착시켜 그 표면적을 증가시키고 전열량을 증대시킨 증발기이다.

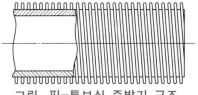

그림. 핀-튜브식 증발기 구조

■ 특징

· 건식으로 사용된다.

· 소형 냉장고, 냉장용 진열장, 공기 조화용에 사용된다.

· 사용하는 핀은 암모니아는 강 또는 알루미늄, 플루오르마본(프레온)은 동 또는 알루미늄을 사용한다.

· 자연 대류식과 강제 대류식이 있다.

· 소형으로 냉동능력이 크다.

· 저온에서 제상이 곤란하다.

④ 캐스케이드 증발기(cascade evaporator)

액헤더와 가스헤더를 설치하고 여기에 냉각관 코일을 연결하여 액냉매를 액헤더로 공급한다. 증발관 내에서 발생한 가스는 가스헤더에서 액을 분리한 후 어큐뮬레이터를 통하여 압축기 흡입관에 흡입되는 형식이다.

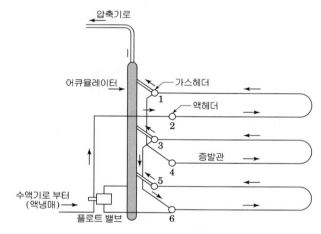

그림. 캐스케이드 증발기

■ 특징

· 암모니아용으로 벽코일 및 동결선반에 이용한다.

· 액냉매를 공급하고 가스를 분리하는 형식이다.

· 최하부 냉각관의 액 레벨(Level)을 일정하게 유지하기 위해서 플로트 변(Float valve)을 사용 한다.

· 액냉매의 순환과정 2→1→4→3→6→5

· 증발관에 냉매가 균일하게 분배되어 전열이 양호하다.

· 구조가 복잡하고 다량의 냉매액이 필요하며 헤더에서 액이 되돌아오기 쉽다.

⑤ 멀티피드 멀티석션 증발기(multi feed multi suction evaporator)

캐스케이드 증발기와 동일한 형식으로 암모니아를 냉매로 사용하며 공기 동결실의 동결선반에 이용된다.

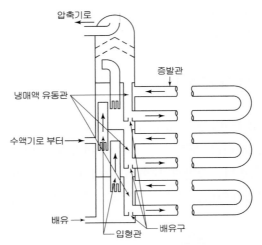

그림. 멀티피드 멀티석션 증발기

⑥ 원통 코일식 증발기(shell and coil type evaporator)

원통(Shell) 내부의 1 또는 2중의 코일관 내로 냉매가 흐르고 관외면에 접촉하는 물 또는 브라인을 냉각하는 형식이다.

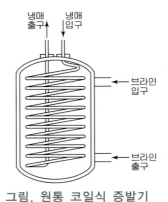

그림. 원통 코일식 증발기

■ 특징

• 주로 음료수 냉각장치로 많이 이용된다.
• 플루오르카본(프레온)용으로 건식 증발기이다.
• 냉매량이 적고 자동팽창밸브를 사용할 수 있다.
• 열전달률은 만액식의 경우보다 나쁘다.

⑦ 만액식 원통 다관식 증발기(Flooded type shell and tube evaporator)
횡형 셸 앤드 튜브식 응축기와 거의 같은 구조이며 냉각관 내에 물 또는
브라인을 흐르게 한다. 냉매는 냉각관 외부에서 증발하여 브라인을 냉각
시키는 형식이다.

만액식 증발기
·만액식 shell and tube식 증발기는
 관외면에 냉매가 관내에 냉수 또는
 브라인이 흐른다.
·만액식 증발기는 대형 냉동장치에
 서 사용한다.
·만액식 증발기의 액면제어는 플로
 트(float) 밸브가 사용된다.
·만액식 증발기는 냉매 충전량이
 많다.
·만액식 증발기는 건식 증발기에 비
 하여 전열작용이 크고 압력강하는
 적다.
·만액식 증발기는 유회수장치가 필
 요하다.
·암모니아 냉매의 오일은 하부 오일
 배출구를 통하여 장치 밖으로 배출
 한다.

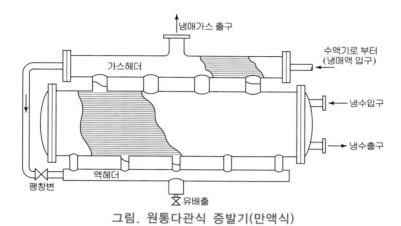

그림. 원통다관식 증발기(만액식)

※ 암모니아 냉각기의 특징
• 냉각용, 제빙용, 화학 공업용의 브라인 냉각, 냉방의 냉수용에 사
  용된다.
• 열전달률이 양호하다.
• 냉각액의 동결로 냉각관 파손의 우려가 있다.

※ 플루오르카본(프레온) 냉각기의 특징
• 공기조화장치, 화학공업, 식품공업 등에서 물, 브라인의 냉각기로
  사용된다.
• 냉매측에 핀(Fin)을 부착하여 전열률을 상승시켰다.
• 열교환기를 설치하여 냉매의 과냉각 및 리퀴드 백(Liquid back)
  을 방지한다.
• 유회수장치가 필요하다.

⑧ 건식 원통 다관식 증발기(Dry type shell and tube evaporator)
원통(Shell) 내에 다수의 냉각관을 U형으로 하여 입구와 출구를 같은 방
향으로 하고 원통 내에 물 또는 브라인이 순환하며 열교환하는 형식이다.

그림. 원통 다관식 증발기(건식)

▪특징

• 오일이 장치 내에 고이는 일이 없어 유회수장치 및 유분리기의 설치 필요성이 없다.

• 만액식에 비해 소요 냉매량이 적다. (2~5kg/RT)

• 원통 내에 물 또는 브라인이 순환됨으로 동파의 우려가 적다.

• 온도 조절식 자동팽창밸브가 사용된다.

• 배플 플레이트(Baffle plate)를 설치하여 열교환이 잘 이루어지도록 한다.

• 브라인과 냉매의 온도차는 5~6℃로 한다.

⑨ 탱크형 증발기(tank type evaporator)

일명 헤링본식 증발기라고도 하며 상하의 헤더 사이에 〉자형의 $1\frac{1}{4}''$관 (길이 1.5~2.0m)을 다수 설치했다. 한쪽에는 어큐뮬레이터가 부착되어 있다. 이 장치를 제빙조의 구획된 트렁크 내에 설치하고, 여기에 브라인을 0.3~0.75m/sec의 속도로 흐르게 한다.

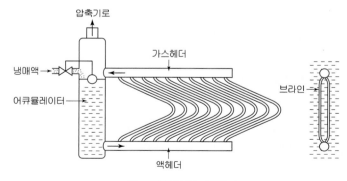

그림. 헤링본식 증발기

■특징

• 주로 암모니아용 제빙장치에 사용한다.

• 만액식이다.

• 액순환이 용이하고 기액의 분리가 쉬워 전열이 양호하다.

• 브라인이 동결하여도 파손되지 않는다.

• 브라인의 유속이 떨어지면 냉동능력이 급감한다.

⑩ 보데로 증발기(Baudelot evaporator)

대기식 응축기와 동일한 구조를 갖는 증발기로 그 작용은 반대이다.
횡형으로 설치된 냉각관 상부 통에서 냉각액이 들어오고 냉매는 횡형으로
설치된 냉각관 내를 흐른다.

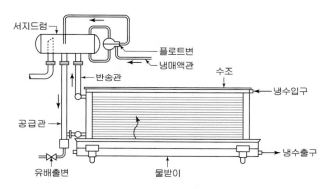

그림. 보데로 증발기

■특징

• 물, 우유 등의 냉각에 사용된다.

• 냉각액이 동결되어도 장치가 파손되지 않는다.

• 용량에 비하여 그 구조가 크다.

• 냉각관의 청소가 쉽다.

• 주로 만액식이나 건식에도 사용된다.

01 예제문제

다음 증발기에 대한 설명 가운데 가장 옳지 않은 것은?

① 액관 중에 플래시가스가 발생하면 증발기의 냉동능력이 감소한다.

② 증발관에서 냉매가 과열하고 있는 부분의 열관류율은 냉매액이 있는 곳보다 적다.

③ 수냉각기로써 플루오르카본 건식증발기를 이용하면 물이 동결할 우려가 없으므로 적당하다.

④ 증발기의 표면에 적상이 형성되면 열관류율이 적게 되어 증발온도가 상승한다.

해설
④ 증발기의 표면에 서리가 많이 쌓이면 열관류율이 적게 되어 증발온도가 저하되어 소비동력이 증가한다.

답 ④

3. 집접팽창식과 브라인식(간접팽창식)

(1) 직접팽창식(Direct expansion system)

냉각해야 할 장소 즉, 냉동 공간에 냉각관을 설치하여 여기에 냉매를 직접 흐르게 하고 그 잠열로 열을 흡수하여 냉각하는 냉동방식이다.

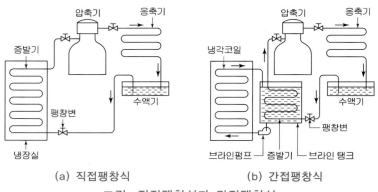

(a) 직접팽창식 (b) 간접팽창식
그림. 직접팽창식과 간접팽창식

① 장점
- 동일한 냉동효과를 유지하기 위한 냉매의 증발 온도가 높다.
- 시설이 간편하다.
- 소요동력이 적게 든다.

② 단점
- 냉매 누설에 의한 냉장품의 손상을 가져온다.
- 냉장실이 여러 개인 경우 팽창밸브의 설치개수가 많아진다.
 (능률적인 냉동기 운전이 곤란하다.)
- 압축기 정지와 동시에 냉장실 온도가 상승한다.

(2) 간접팽창식(Indirect system)

냉매에 의하여 냉각된 브라인이 다시 피 냉동물체로부터 감열 형태로 열을 흡수하는 냉동방식으로 브라인식이라고도 한다. 이때 냉각된 브라인이 통하는 냉각코일을 냉각기라고 하며 증발기 속의 냉매를 1차 냉매, 냉각기 속의 냉매를 2차 냉매라 한다.

① 장점
- 냉매 누설에 의한 냉장품 손실이 적다.
- 냉장실이 여러 개일 경우에도 효율적인 운전이 가능하다.
- 운전이 정지되더라도 온도상승이 느리다.

② 단점
- 설비가 복잡하고 설치비가 많이 든다.
- 소요동력이 크다.
- 유지비가 많이 든다.

표. 직접 팽창식과 간접 팽창식의 비교

동일한 냉동효과를 얻을 경우	직접 팽창식	간접 팽창식
증발 온도	고	저
냉동 능력	소	대
소요 능력	소	대
냉매 순환량	소	대
설치비	소	대
냉매 충진량	대	소

4. C.A 냉장고(Controlled atmosphere storage room)

냉장고 내의 산소농도를 3~5% 감소시키거나 탄소가스(CO_2)의 농도를 3~5% 증가시켜 냉장고 내의 청과물의 호흡을 억제하면서 냉장하는 방법이다.

5. 제상장치(除霜裝置)

증발기는 코일의 표면 온도가 0℃ 이하가 되면 공기 중의 습기가 서리로 되어 냉각관 표면에 부착된다. 이 현상을 적상(Frosting)이라 한다. 이것이 축적되면 장치에 미치는 영향이 크므로 정한시간을 두고 제거해야하는데, 이 작업을 제상(Defrost)라 한다.

(1) 적상시 증발기에 미치는 영향
① 공기의 흐름이 저해된다.
② 전열작용이 불량해진다.
③ 냉동효과가 감소된다.
④ 소요동력이 증대된다.
⑤ 습압축의 우려가 있다.

(2) 제상시기
① 핀코일식(Fin coil type) : 적상의 두께 : 10~15mm
② 벽코일식(Wall coil type) : 적상의 두께 : 15~20mm
③ 헤어 핀 코일식 (Hairpin coil type) : 적상의 두께 : 25~30mm

(3) 제상방법
제상은 설비비, 경상비, 보수 등을 고려해야 하고 또한 액백(Liquid back),
응축기의 동결현상, 방열제의 수분침입, 제상 중 냉장실 온도상승, 열손실
기타 여러 가지 상황을 고려하여 가능한 한 단시간 내에 소요의 제상을 할
수 있는 방법을 선택한다.
① 고압가스 제상(Hot gas defrost)
건식 증발기와 같이 냉매 공급량이 적은 증발기에 많이 사용하는 방법으
로 고온 고압의 토출 가스를 증발기에 보내어 응축시킴으로써 그 응축열
을 이용하여 제상하는 방법이다. 이 경우 제상 중 증발기에 응축액화한
냉매를 처리하는 방법이 고려되어야 한다.
• 증발기가 1대인 경우

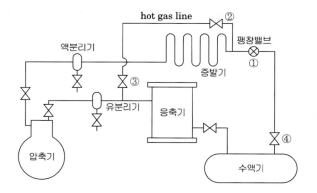

그림. 핫가스 제상(Hot Gas Defrost) : 증발기가 1대의 경우

ㄱ 수액기 출구 ④를 닫아 액관 중의 액을 회수한 후

ㄴ 팽창밸브 ①을 닫아 증발기 내의 냉매를 압축기로 흡입시킨다.

ㄷ 고압가스 제상지변 ② 및 ③을 서서히 열어 고온가스를 증발기로 보낸다.

ㄹ 제상이 시작되면 고온 가스는 열을 방출하고 응축액화 한다.

ㅁ 제상이 완료되면 제상지면 ③ 및 ②를 닫고

ㅂ 수액기 출구지변 ④ 및 팽창밸브 ①을 열어 정상운전에 들어간다.

ㅅ 이때 증발기에서 제상을 완료한 고압액 냉매는 액분리기에서 분리되어 액회수장치를 통해 수액기로 회수된다.

• 증발기가 2대인 경우
  역시 1대의 경우와 그 원리는 같다.

ㄱ 팽창밸브 ① 및 증발기 출구 밸브 ②를 닫는다.

ㄴ 고압가스 제상지면 ③ 및 ④를 열어 증발기 중에 고온 가스를 유입하여 이곳에서 액화시킨다.

ㄷ 제상이 시작되어 액화된 냉매가 냉각관에 충만할 때 수액기 출구지변 ⑤를 닫고 지변 ⑥을 열면 냉각관 중의 응축액화 한 냉매는 증발기[Ⅱ]로 유입된다.

ㄹ 제상이 완료되면 ④ 및 ③을 닫고 ⑥을 닫은 후 ⑤를 열고 ②를 연후 팽창밸브 ①을 조정하여 정상운전을 행한다.

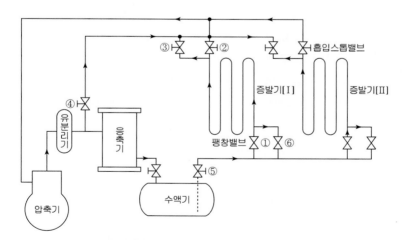

그림. Hot Gas Defrost(고압가스제상)
(증발기가 2대인 경우)

03 증발기

• 제상용 수액기가 설치된 경우

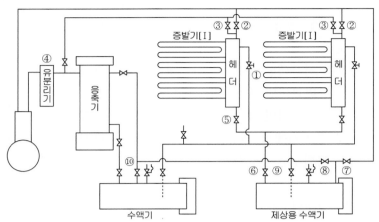

그림. Hot Gas Defrost(고압가스제상)
(제상용수액기가 설치된 경우)

증발기 중의 액화 냉매를 제상용 수액기에 저장하는 방법으로 정상 운전 중 열려있는 밸브 ①,②,③이다.

먼저 증발기 [I]의 제상을 하는 경우

㉠ 팽창밸브 ① 및 증발기 출구 밸브 ②를 닫는다.

㉡ 고압가스 제상지변 ③ 및 ④를 열어 증발기 중에 고온가스를 유입시켜 제상을 시작한다.

㉢ 지변 ⑤,⑥,⑦을 연다. 이때 제상용 수액기로 액이 유입하게 되며 동시에 제상 중에 응축액화 한 액화냉매도 유입한다.

㉣ 제상이 완료되면 ③,④,⑤,⑥,⑦밸브를 닫는다.

㉤ 증발기 출구밸브 ② 및 팽창밸브 ①을 연다.

㉥ 지변 ⑧을 열어 제상용 수액기를 고압으로 만든다.

㉦ 액이 출구밸브 ⑨를 열어 제상용 수액기의 액냉매를 각 증발기로 유입시킨다.

㉧ 액이 모두 유입되면 지면 ⑧ 및 ⑨를 닫는다.

• 가역(可逆) 사이클 고온가스 제상

열펌프(Heat pump)의 원리를 이용하여 가역 사이클(Reverse cycle)을 채용함으로서 제상 중 증발기 내의 액화냉매를 재증발 시키기 위하여 응축기를 사용하고 있는 예이다. 이때 응축기 측의 액의 공급을 위하여 정압 팽창밸브가 사용되고 있다.

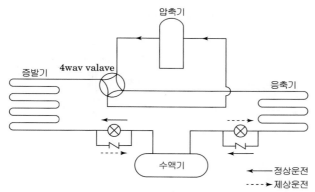

그림. 가역사이클에 의한 고압가스제상

• 재증발 코일을 사용한 고압가스 제상

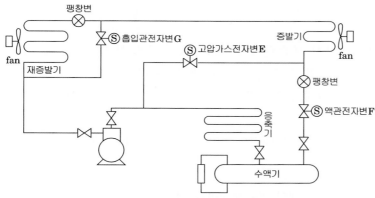

그림. 재증발 코일을 이용한 고압가스제상

㉠ 제상시기가 되면 제상용 타이머(Timer)가 작동하여 전자밸브 Ⓔ가 열리고 Ⓕ,Ⓖ가 닫혀 제상에 들어간다.

㉡ 동시에 증발기 팬(Fan)이 멈추고 재증발기의 팬(Fan)이 작동된다.

㉢ 제상 중 응축액화한 냉매는 재증발기에서 증발하여 압축기로 흡입된다.

㉣ 제상이 완료되면 증발기의 온도가 상승하여 온도 스위치에 의해 정상운전이 된다. 이때 전자밸브 Ⓔ가 닫히고 Ⓖ,Ⓕ가 열리면서 증발기의 팬은 다시 작동하고 재증발기의 팬은 정지하게 된다.

• 서모 뱅크(thermo-bank)를 이용한 제상

그림. 서모뱅크(Thermo bank)를 이용한 재상

압축기에서 토출된 고압가스를 응축기에 보내는 도중에 서모 뱅크 내의 히팅 코일을 통과시켜 뱅크 내의 수온을 상승시켜 두었다가 제상 운전 중 증발기에 응축액화한 냉매액의 이 열을 이용하며 재증발시키는 방법 이다.

정상 운전 중 : 배압밸브(Hold back valve) Ⓗ 및 고압가스 제상지변 Ⓖ는 닫혀 있다.

② 살수(撒水)식 제상(Water defrost)

증발기 냉각관 표면에 온수(10~25℃)를 다량 일시에 살포하여 온수에 의하여 서리를 녹이는 방법이다. 고압가스 제상장치와 함께 사용된다. 제상 시에는 팬(Fan), 냉동기는 정지하고 가능한 공기의 출입구도 막는 것이 좋다.

③ 전열(電熱)식 제상(Electric defrost)

증발기 냉각관에 전열기(Heater)를 삽입하여 공기를 가열하여 제상하는 방법으로 응결수 배관도 상수의 동결을 방지하기 위해 가열된다. 자동제 어가 용이하나 열손실 및 제상의 불균형을 초래하는 경우가 많다.

④ 브라인 분무제상(Brine spray defrost)

브라인 및 부동액을 증발기 냉각관 표면에 분무하여 제상하는 방법으로 저온용 분무 코일과 거의 같은 형식이다. 연속 분무 시 그 비말(飛沫)이 실내에 누입되어 해로울 때 사용한다. 열의 보급, 농축기, 부식의 고려 에 의한 선택이 필요하다.

⑤ 온 브라인 제상(Hot brine defrost)

브라인식 냉각관에 한하여 사용하는 방식으로 순환하고 있는 냉 브라인을 주기적으로 온 브라인으로 교환하여 제상하는 방법이다. 조작이 쉽고 효율적이나 온 브라인 탱크(Tank) 등 설비비가 많이 들고 열손실량이 크다. 브라인은 20℃ 이상으로 한다.

⑥ 온공기 제상 (Warm air defrost)

냉동기의 운전시간 1일 16~18시간인 경우 나머지 시간을 기계를 정지하고 팬을 돌려 코일을 통과는 공기로 제상하는 방법이다. 이 장치는 냉장실온이 +2℃ 이상이고 제상 중 온도 상승이 3℃ 정도까지 되어도 지장이 없는 경우에 사용한다.

⑦ 냉동기를 정지하는 제상방법

냉장실 내의 온도가 0℃ 이상인 경우에는 냉동기를 정지시키면 자동적으로 냉각관 표면의 서리가 녹게 된다. 일종의 온 공기제상법이다.

· hot gas제상은 압축기에서 토출된 고온의 냉매가스의 잠열 및 현열을 이용하여 제상한다.
· 살수제상방식은 서리가 부착된 증발기 냉각관 표면에 10~25℃정도의 온수를 살수하여 제상하는 방식이다.
· 살수제상의 경우에는 송풍기를 정지 시킨다.
· 브라인분무제상의 경우에는 브라인의 농도가 저하하므로 농도조정이 필요하다.

02 예제문제

증발기에 관한 다음 설명 가운데 가장 옳지 않은 것은?

① 증발기에서 제상을 한 후의 냉매순환량은 증가한다.
② 증발기가 2대 이상인 경우 핫가스 제상은 제상하려고 하는 증발기에 압축기의 토출가스를 보내서 제상한다.
③ 살수식 제상 시에는 증발기의 송풍기를 운전하면서 제상을 행한다.
④ 건식 공기냉각기의 제상방식에는 오프사이클 방식은 송풍기를 운전하며 제상하고, 전기히터방식과 핫가스 제상방식은 송풍기를 정지하고 작업한다.

해설
③ 살수식 제상운전에는 송풍기를 정지한다.　　　　　　답 ③

6. 증발기의 운전

증발기의 상태가 정상이 아닌 경우에는 증발압력(온도)의 저하나 냉매액이 압축기로 흡입되어 액압축이 되는 경우가 있다.

(1) 증발온도 저하의 원인

① 증발기에 적상 및 유막 형성
② 냉매 충전량 감소
③ 팽창변 개도 과소
④ 증발기 핀(fin)의 오염

⑤ 액관에 플래시가스(flash gas) 발생

⑥ 공기냉각 증발기 등에서 필터의 오염

⑦ 송풍기 고장

  냉동기에서 증발압력이 저하하면 냉매의 비체적이 커지기 때문에 냉매순환량이 감소하여 냉동능력이 떨어진다.

(2) 압축기로의 액복귀 원인

① 온도자동팽창변의 용량이 클 경우

② 증발기 핀(fin)에 적상이 형성된 경우

③ 온도자동팽창변의 감온통이 배관에 완전 밀착되지 않은 경우

④ 증발기 부하가 급격히 증가한 경우

⑤ 증발기에 다량의 액이 채류 한 그대로 냉동장치의 운전을 정지한 상태에서 재기동시

⑥ 증발기 팬(fan)의 풍량감소 또는 정지한 경우

7. 증발기 계산문제

(1) 증발기의 전열작용

  증발기에 있어서 전열량(냉동능력) Q_2[kW]는 다음 식으로 나타낸다.

$$Q_2 = K \cdot A \cdot \Delta t_m$$

  K : 열관류율[kW/m^{2}K]

  A : 전열면적[m^2]

  Δt_m : 평균온도차[℃]

(2) 건식 플레이트 핀 증발기의 전열

  건식 플레이트 핀 증발기의 열관류율은 핀을 포함한 냉각관 외표면적의 공기측 전열면을 기준으로 서리 등의 전열저항을 고려하여 다음 식으로 나타낸다.

$$K = \cfrac{1}{\cfrac{1}{\alpha_a} + \cfrac{d}{\lambda} + \cfrac{1}{\alpha_r}} \, [\text{kW/m}^2\text{K}]$$

  K : 열관류율[kW/m^{2}K]

  α_a : 공기측 열전달률[kW/m^{2}K]

  λ : 서리의 열전도율[kW/mK]

  d : 서리의 두께[m]

  α_r : 냉매측 열전달률[kW/m^{2}K]

(3) 건식 셸 앤드 튜브식 증발기의 전열

건식 셸 앤드 튜브식 증발기는 냉각관 내면에 핀을 부착한 inner fin tube를 사용하는 것이 많으므로 관외표면을 기준으로 열관류율 $K[\mathrm{kW/m^2 \cdot K}]$는 다음과 같이 나타낸다.

$$K = \cfrac{1}{\cfrac{1}{m\alpha_r} + f + \cfrac{1}{\alpha_w}}$$

m : inner fin tube의 유효 내외면적비(m=2.2~3.4)

α_r : 내측(냉매측) 열전달률$[\mathrm{kW/m^2 \cdot K}]$

α_w : 피냉각물(브라인, 물)측 열전달률$[\mathrm{kW/m^2 \cdot K}]$

f : 피냉각물측의 오염계수$[\mathrm{m^2 \cdot K/kW}]$

[15년 2회]

01 건식 증발기의 종류에 해당되지 않는 것은?

① 셀 코일식 냉각기　　② 핀 코일식 냉각기
③ 보델로 냉각기　　　　④ 플레이트 냉각기

> **보델로(Baudelot)형 증발기**
> 대기식 응축기와 비슷한 구조로 냉각관 상부에 피냉각액(물, 우유 등)의 저장조를 설치하여 피냉각액을 관의 외측에 흐르게 하여 관내에서 증발하는 냉매에 의해 냉각하는 형식의 냉각기로 만액식 증발기의 일종이다.

[08년 2회]

02 만액식 증발기의 특징을 설명한 것으로 맞지 않는 것은?

① 전열작용이 건식보다 나쁘다.
② 냉매순환량이 건식에 비해 많아진다.
③ 암모니아의 경우 액분리기를 설치한다.
④ 증발기 내에 오일이 고일 염려가 있으므로 프레온의 경우 유회수장치가 필요하다.

> **만액식 증발기**
> • 특징
> ㉠ 증발기내 냉매액이 75%, 냉매가스가 25% 정도 이다.
> ㉡ 증발기내에 항상 일정한 액이 충만되어 전열작용이 양호하다.
> ㉢ 건식에 비하여 냉매량이 많이 소요된다.
> ㉣ 프레온 냉매일 경우에는 유회수 장치가 필요하다. (오일이 증발기 내에 고일 우려가 있다.)
> ㉤ 주로 액체 냉각용으로 사용된다.
> ㉥ 증발기 입구에 역지변을 설치하여 가스의 역류를 막는다.
> cf) 어큐뮬레이터(액분리기)의 설치위치는 증발기보다 높은 위치에 설치해야 하고 그 용량은 증발기용량의 20% 정도여야 한다.

[15년 2회]

03 만액식 증발기의 특징으로 가장 거리가 먼 것은?

① 전열작용이 건식보다 나쁘다.
② 증발기 내에 액을 가득 채우기 위해 액면제어 장치가 필요하다.
③ 액과 증기를 분리시키기 위해 액분리기를 설치한다.
④ 증발기 내에 오일이 고일 염려가 있으므로 프레온의 경우 유회수장치가 필요하다.

> 만액식 증발기는 증발기 내에 냉매액과 가스의 비율이 75:25로 냉매 순환량이 건식 증발기보다 많아 전열이 양호하다.

[09년 2회]

04 대용량의 저온 냉장실이나 급속동결장치에 사용하기에 가장 적당한 것은?

① 건식 증발기　　　　② 반만액식 증발기
③ 만액식 증발기　　　④ 액순환식 증발기

> 액순환식 증발기는 냉매액을 펌프를 사용하여 강제적으로 냉각관 안을 순환시키는 방법으로 냉각관 벽은 전부 냉매액으로 차있어 전열이 양호하여 대용량의 저온 냉장실이나 급속동결장치에 많이 사용한다.

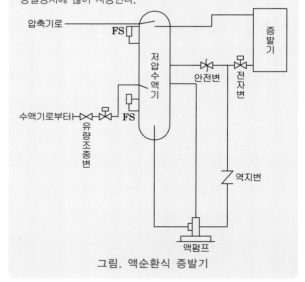

그림. 액순환식 증발기

[12년 1회]

05 원통다관식 암모니아 만액식 증발기의 원통(셀)내의 냉매액은 어느 정도 차도록 하는 것이 적당한가?

① 원통높이의 1/4~1/2 ② 원통길이의 1/4~1/2
③ 원통높이의 1/2~3/4 ④ 원통길이의 1/2~3/4

횡형 원통다관식 암모니아 만액식 증발기
셀(shell)내부에 냉매가 튜브(냉각관)에 순환하는 브라인을 냉각하는 공업용 브라인 냉각장치의 표준형으로 원통(셀)내의 냉매액은 원통높이의 1/2~3/4까지 차도록 하는 것이 일반적이다.

[12년 2회]

06 증발기의 종류와 그 용도가 적정하지 않은 것은?

① 나관코일식 : 공기냉각용
② 헤링본식 : 음료수 냉각용
③ 셀튜브식 : 브라인 냉각용
④ 보넬로 : 유류, 우유 등의 냉각용

헤링본 증발기
일명 탱크식 증발기라고도 하며 상하의 헤드 사이에 〉자형의 $1\frac{1}{4}''$ 관 (길이 1.5~2.0m)을 다수 설치했다. 한 쪽에는 어큐뮬레이터가 부착되어 있다. 이 장치를 제빙조의 구획된 트렁크 내에 설치하고, 여기에 브라인을 0.3~0.75m/sec의 속도로 흐르게 한다.
• 특징
㉠ 주로 암모니아용 제빙장치에 사용한다.
㉡ 만액식이다.
㉢ 액순환이 용이하고 기액의 분리가 쉬워 전열이 양호하다.
㉣ 브라인이 동결하여도 파손되지 않는다.
㉤ 브라인의 유속이 떨어지면 냉동능력이 급감한다.

[15년 1회, 10년 3회]

07 다음 증발기의 종류 중 전열효과가 가장 좋은 것은? (단, 동일 용량의 증발기로 가정한다.)

① 플레이트형 증발기   ② 팬 코일식 증발기
③ 나관 코일식 증발기   ④ 셀 튜브식 증발기

증발기 열통과율[W/m²K]
① 플레이트형 증발기 : 11.5~14
② 팬 코일식 증발기(자연대류 : 5.8, 강제대류 : 15~20)
③ 나관 코일식 증발기 : 8~15
④ 셀 튜브식 증발기 : 465~580

[09년 3회, 08년 1회]

08 냉각관 상부에 피냉각액의 저장조를 설치하여 피냉각액을 작은 구멍을 통해 흘러내리게 하면 피냉각액이 냉각관 외벽에 막상을 이루며 냉매와 열교환을 하는 증발기는?

① 냉매살포식 증발기   ② 원통코일형 증발기
③ 보넬로 증발기   ④ 이중관식 증발기

보넬로(Baudelot)형 증발기
대기식 응축기와 비슷한 구조로 냉각관 상부에 피냉각액(물, 우유 등)의 저장조를 설치하여 피냉각액을 관의 외측에 흐르게 하여 관내에서 증발하는 냉매에 의해 냉각하는 형식의 냉각기로 만액식 증발기의 일종이다.

[08년 3회]

09 다음은 증발기의 구조와 작용에 대해 설명한 것이다. 이 중 옳지 않은 것은?

① 만액식 증발기는 리키드백을 방지하기 위해 액분리기를 설치한다.
② 액순환식 증발기는 액펌프에 의해 액을 순환시키므로 타 증발기에 비해 전열이 양호하다.
③ 공기의 흐름과 냉매의 흐름은 직교류보다 평행류일 때 전열작용이 좋다.
④ 건식 증발기가 만액식 증발기에 비해 충전냉매량이 적다.

응축기나 증발기와 같은 열교환기의 열교환 능력을 증대시키기 위해서는 평행류보다는 직교류형이나 향류형이 전열작용이 좋다.
향류형 〉 직교류형 〉 평행류(병류)형

[16년 2회]

10 증발기의 분류 중 액체 냉각용 증발기로 가장 거리가 먼 것은?

① 탱크형 증발기
② 보데로형 증발기
③ 나관코일식 증발기
④ 만액식 셸 앤드 튜브식 증발기

공기냉각용 증발기
㉠ 나관코일 증발기 ㉡ 판형 증발기 ㉢ 핀 튜브식 증발기
㉣ 캐스케이드 증발기 ㉤ 멀티피드 멀티섹션 증발기

정답 05 ③   06 ②   07 ④   08 ③   09 ③   10 ③

[09년 1회]

11 다음 중 공기 냉각용 증발기에 속하는 것은?

① 보데로 증발기
② 탱크형 증발기
③ 캐스케이드 증발기
④ 셀 앤 코일 증발기

공기냉각용 증발기
㉠ 나관코일 증발기 ㉡ 판형 증발기 ㉢ 핀 튜브식 증발기
㉣ 캐스케이드(cascade) 증발기
㉤ 멀티피드 멀티석션(multi feed multi suction) 증발기

[16년 1회, 11년 2회]

12 냉동장치의 증발압력이 너무 낮은 원인으로 적당하지 않은 것은?

① 수액기 및 응축기내에 냉매가 충만해 있다.
② 팽창밸브가 너무 조여 있다.
③ 여과기가 막혀있다.
④ 증발기의 풍량이 부족하다.

증발압력(온도)의 저하 원인
㉠ 냉매 충전량이 부족할 때
㉡ 팽창밸브가 너무 조여 있을 때
㉢ 여과기가 막혀질 때
㉣ 증발기의 풍량이 부족할 때
㉤ 증발기 냉각관에 유막이나 적상(積霜 : 서리)이 형성되어 있을 때
㉥ 액관에서 플래시 가스가 발생하였을 때

[16년 1회]

13 증발온도(압력)하강의 경우 장치에 발생되는 현상으로 가장 거리가 먼 것은?

① 성적계수(COP) 감소
② 토출가스 온도상승
③ 냉매 순환량 증가
④ 냉동 효과 감소

증발압력(온도)강하 시 발생되는 현상
㉠ 압축비의 증대   ㉡ 토출가스 온도 상승
㉢ 체적 효율 감소   ㉣ 냉매 순환량 감소
㉤ 냉동효과 감소   ㉥ 성적계수 감소
㉦ 흡입가스 비체적 증가 ㉧ 실린더 과열
㉨ 윤활유 열화 및 탄화 ㉩ 소요 동력 증대

[16년 3회]

14 냉동장치의 운전 중에 저압이 낮아질 때 일어나는 현상이 아닌 것은?

① 흡입가스 과열 및 압축비 증대
② 증발온도 저하 및 냉동능력 증대
③ 흡입가스의 비체적 증가
④ 성적계수 저하 및 냉매순환량 감소

증발압력(온도)강하 = 저압이 낮아질 때
㉠ 압축비의 증대   ㉡ 토출가스 온도 상승
㉢ 체적 효율 감소   ㉣ 냉매 순환량 감소
㉤ 냉동 효과 감소   ㉥ 성적계수 감소
㉦ 흡입가스 비체적 증가 ㉧ 실린더 과열
㉨ 윤활유 열화 및 탄화 ㉩ 소요 동력 증대

[08년 3회]

15 증발압력이 저하되면 증발잠열과 비체적은 어떻게 되는가?

① 증발잠열은 커지고 비체적은 작아진다.
② 증발잠열은 작아지고 비체적은 커진다.
③ 증발잠열과 비체적 모두 커진다.
④ 증발잠열과 비체적 모두 작아진다.

증발압력이 저하되면 증발잠열과 비체적이 모두 커진다.

[14년 2회]

16 증발기에 서리가 생기면 나타나는 현상은?

① 압축비 감소
② 소요동력 감소
③ 증발압력 감소
④ 냉장고 내부온도 감소

증발기에 서리가 생기면 전열저항이 증대되어 증발기 능력이 감소된다. 따라서 냉동기 내의 증발압력은 감소한다.

정답 ▶ 11 ③ 12 ① 13 ③ 14 ② 15 ③ 16 ③

[10년 2회]

17 증발기의 제상법으로 제상시간이 짧고 용이하게 설비할 수 있어 소형의 전기냉장고, 쇼 케이스 등에 많이 사용하는 방식은?

① 고압가스 제상
② 압축기 정지 제상
③ 온수 브라인 제상
④ 살수식 제상

> **고압가스 제상(Hot gas defrost)**
> 건식 증발기(소형 전기냉장고, 쇼 케이스 등)와 같이 냉매 공급량이 적은 증발기에 많이 사용하는 방법으로 고온 고압의 토출 가스를 증발기에 보내어 응축시킴으로써 그 응축열을 이용하여 제상하는 방법이다. 이 경우 제상 중 증발기에 응축액화한 냉매를 처리하는 방법이 고려되어야 한다.

[11년 2회]

18 저온의 냉장실에서 운전 중 냉각기에 적상(성애)이 생길 경우 이것을 살수로 제상(defrost)하고자 할 때 주의할 사항으로 옳지 않은 것은?

① 냉각기용 송풍기는 정지 후 살수 제상을 행한다.
② 제상수의 온도는 30~40℃정도의 물을 사용한다.
③ 살수하기 전에 냉각(증발)기로 유입되는 냉매액을 차단한다.
④ 분사 노즐은 항상 깨끗이 청소한다.

> **살수(撒水)식 제상(Water defrost)**
> 증발기 냉각관 표면에 온수(10~25℃)를 다량 일시에 살포하여 온수에 의하여 서리를 녹이는 방법이다. 고압가스 제상장치와 함께 사용된다. 제상시에는 팬(Fan), 냉동기는 정지하고 가능한 공기의 출입구도 막는 것이 좋다.

[14년 1회]

19 매분 염화칼슘 용액 350ℓ/min를 −5℃에서 −10℃까지 냉각시키는 데 필요한 냉동능력[kW]은 얼마인가? (단, 염화칼슘 용액의 비중은 1.2, 비열은 2.5kJ/kgK이다.)

① 75.8
② 87.5
③ 92.3
④ 102

> **냉동부하**
> $$Q_2 = mc\Delta t = \left(\frac{350}{60}\right) \times 1.2 \times 2.5 \times \{-5 - (-10)\}$$
> $$= 87.5[\text{kW}]$$

[12년 1회]

20 팽창밸브 직전 냉매의 온도가 낮아짐에 따라 증발기의 능력은 어떻게 되는가?

① 냉매의 온도가 낮아지면 냉매 조절장치가 동작할 것이므로 증발기의 능력에 변화가 없다.
② 냉매의 온도가 낮아지면 증발기의 능력도 감소한다.
③ 냉매온도가 낮아짐에 따라 증발기의 능력은 증가한다.
④ 증발기의 능력은 크기와 과열도 등에 관계되므로 증발기의 능력에는 변화가 없다.

> **냉매의 과냉각도**
> 팽창밸브 직전 냉매의 온도가 낮아짐에 따라 냉매의 과냉각도가 커져서 플래시 가스 발생량이 감소되어 증발기 능력(냉동효과)이 증대된다.

[13년 3회, 08년 1회]

21 30℃의 원수 5ton을 3시간에 2℃까지 냉각하는 수냉각장치의 냉동 능력은 약 얼마인가?

① 8RT
② 11RT
③ 14RT
④ 26RT

> **냉동 능력 RT**
> $$RT = \frac{냉동부하[\text{kW}]}{3.86} = \frac{\left(\frac{5 \times 10^3}{3 \times 3600}\right) \times 4.2 \times (30 - 2)}{3.86} ≒ 14RT$$
> 여기서, 냉동부하 $Q_2 = mc\Delta t \, [\text{kW}]$

[14년 3회, 11년 1회]

22 유량 100L/min의 물을 15℃에서 9℃로 냉각하는 수냉각기가 있다. 이 냉동장치의 냉동효과가 168kJ/kg일 때 필요냉매 순환량은 몇 kg/h인가?(단, 물의 비열은 4.2kJ/kgK로 한다.)

① 700kg/h
② 800kg/h
③ 900kg/h
④ 1000kg/h

> $Q_2 = G \times q_2 = mc\Delta t$ 에서
> 냉매순환량
> $$G = \frac{mc\Delta t}{q_2} = \frac{100 \times 60 \times 4.2 \times (15 - 9)}{168} = 900[\text{kg/h}]$$

정답 17 ① 18 ② 19 ② 20 ③ 21 ③ 22 ③

[13년 3회]

23 유량 100L/min의 물을 15℃에서 10℃로 냉각하는 수 냉각기가 있다. 이 냉동 장치의 냉동효과가 125kJ/kg일 경우에 냉매 순환량은 얼마인가? (단, 물의 비열은 4.18kJ/kg·K이다.)

① 16.7kg/h   ② 1000kg/h

③ 450kg/h   ④ 960kg/h

SI단위

$Q_2 = G \times q_2 = mc\Delta t$ 에서

냉매순환량

$G = \dfrac{mc\Delta t}{q_2} = \dfrac{100 \times 60 \times 4.18 \times (15-10)}{125}$

$= 1003.2 \fallingdotseq 1000[\text{kg/h}]$

[12년 3회]

24 냉매 1kg당 냉동량이 1260kJ인 어떤 냉동장치가 냉동능력 18RT를 내기 위해서 냉매 순환량은 약 얼마이어야 하는가? (단, 1RT=3.9kW로 한다)

① 200kg/h   ② 250kg/h

③ 300kg/h   ④ 350kg/h

$Q_2 = G \times q_2$ 에서

냉매순환량 $G = \dfrac{Q_2}{q_2} = \dfrac{18 \times 3.9 \times 3600}{1260} \fallingdotseq 200[\text{kg/h}]$

[14년 2회]

25 프레온 냉동기의 냉동능력이 79380kJ/h이고, 성적계수가 4, 압축일량이 189kJ/kg일 때 냉매순환량은 얼마인가?

① 96kg/h   ② 105kg/h

③ 108kg/h   ④ 116kg/h

(1) 성적계수 COP

$\text{COP} = \dfrac{q_2}{w}$ 에서,

냉동효과 $q_2 = \text{COP} \times w = 4 \times 189 = 756[\text{kJ/kg}]$

(2) 냉매순환량

냉매순환량 $G = \dfrac{Q_2}{q_2} = \dfrac{79380}{756} = 105[\text{kg/h}]$

[14년 3회]

26 냉동부하가 50냉동톤인 냉동기의 압축기 출구 엔탈피가 1920kJ/kg, 증발기 출구 엔탈피가 1550kJ/kg, 증발기 입구 엔탈피가 538kJ/kg일 때, 냉매 순환량은? (단, 1냉동톤 = 3.9kW이다.)

① 약 694kg/h   ② 약 504kg/h

③ 약 325kg/h   ④ 약 178kg/h

$Q_2 = G \times q_2$ 에서

냉매순환량 $G = \dfrac{Q_2}{q_2} = \dfrac{50 \times 3.9 \times 3600}{1550-538} \fallingdotseq 694[\text{kg/h}]$

[14년 2회]

27 냉동장치의 증발기 냉각능력이 18900kJ/h, 증발관의 열통과율이 814W/m²K, 유체의 입·출구 평균온도와 냉매의 증발온도와의 차가 6℃인 증발기의 전열면적은 약 얼마인가?

① 1.07m²   ② 3.07m²

③ 5.18m²   ④ 7.18m²

$Q_2 = KA\Delta t$ 에서

전열면적 $A = \dfrac{Q_2}{K\Delta t} = \dfrac{\left(\dfrac{18900}{3600}\right)}{0.814 \times 6} \fallingdotseq 1.07[\text{m}^2]$

[13년 1회]

28 50RT의 브라인 쿨러에서 입구온도 −15℃일 때 브라인의 유량이 0.5m³/min이라면 출구의 온도는 약 몇 ℃인가? (단, 브라인의 비중은 1.27, 비열은 2.77kJ/kgK, 1RT는 3.86kW이다.)

① −20.3℃   ② −21.6℃

③ −11℃   ④ −18.3℃

정답   23 ②   24 ①   25 ②   26 ①   27 ①   28 ②

$Q_2 = BSC(t_{b1} - t_{b2})$ 에서

$$t_{b2} = t_{b1} - \frac{Q_2}{BSC} = -15 - \frac{50 \times 3.86}{\left(\dfrac{0.5}{60}\right) \times 10^3 \times 1.27 \times 2.77}$$

$$= -21.6[°C]$$

여기서, Q_2 : 냉동부하[kW]

B : 브라인 순환량[L/s]

S : 브라인 비중

C : 브라인 비열[kJ/kgK]

t_{b1} : 브라인 쿨러 입구온도

t_{b2} : 브라인 쿨러 출구온도

[13년 2회]

29 냉장고를 보냉하고자 한다. 냉장고의 온도는 −5℃, 냉장고 외부의 온도가 30℃일 때 냉장고 벽 1m²당 42kJ/h의 열손실을 유지하려면 열통과율[W/m²K]을 약 얼마로 하여야 되는가?

① 0.23 ② 0.4

③ 0.333 ④ 0.5

$Q_2 = KA \triangle t_m$ 에서

열통과율

$$K = \frac{Q_2}{A \triangle t_m} = \frac{42 \times 10^3 / 3600}{1 \times \{30 - (-5)\}} = 0.333 \text{W/m}^2\text{K}$$

PARAT 02

냉동냉장 설비

04 냉동장치 구성 기기 ☐1 팽창밸브

☐1 팽창밸브

1. 팽창밸브의 작용

팽창(膨脹) 밸브는 수액기 또는 응축기로부터 보내진 고온·고압의 액냉매를 교축작용(Throttling)에 의하여 저온·저압의 상태로 단열 팽창시켜 증발기로 유입시키고 동시에 증발기의 부하에 따라 유량을 적절하게 조절한다.

(1) 팽창밸브의 교축작용

냉매액이 팽창밸브를 통과할 때에 마찰저항 및 흐름의 변형으로 온도 및 압력이 강하하게 되는데 이와 같이 좁혀진 부분에서의 압력강하를 교축작용이라 한다. 이러한 변화는 흐름의 세기에 의해서 일어나는 것으로 외부와의 열이나 일의 수수(授受)가 없는 단열팽창 현상이다. 따라서 냉매는 팽창밸브 전후에 있어서, 엔탈피의 변화가 없고 압력 및 온도의 강하 현상만이 발생하게 된다.

(2) 팽창밸브의 유량제어

① 팽창밸브의 개도가 적합할 경우

그림과 같이 증발기의 부하에 대하여 팽창밸브의 개도가 적합할 경우에는 증발기 내에서 냉매가 완전 증발하여 건조포화증기가 압축기에 흡입되어 이상적인 토출가스 온도를 얻을 수 있다.

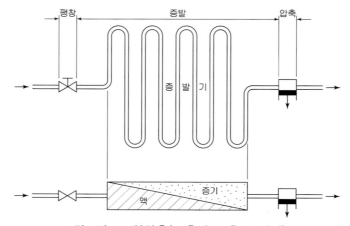

그림. 건조포화압축(토출가스 온도 적정)

② 팽창밸브의 개도가 과대한 경우

그림과 같이 팽창밸브의 개도가 너무 과대하거나 증발기의 냉각부하가 감소하게 되면, 냉매가 증발기 내에서 완전히 증발하지 못하고 액이 그대로 압축기에 흡입되어 액백(liquid back) 및 액압축(liquid hammer)을 일으켜 흡입배관 및 실린더의 적상 현상이 발생하고 압축기 밸브의 손상 및 압축기 파손의 우려가 있다.

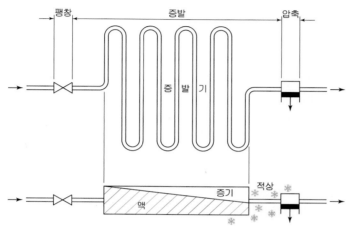

그림. 습압축(토출가스온도 저하)

③ 팽창밸브의 개도가 과소한 경우

아래 그림은 팽창밸브의 개도가 너무 적거나 증발기의 냉각부하가 너무 증대된 현상을 나타내는데, 액냉매는 증발기 출구에 이르기 전에 완전히 증발하여 냉매증기는 주위로부터 더 많은 열을 흡수하여 압축기로의 흡입증기 상태는 과열증기가 된다. 이 과열의 정도(과열도)가 너무 커지면 압축기의 토출가스 온도 상승, 실린더의 과열 및 윤활유의 열화, 탄화 소요동력 증대, 냉동력 감소 등의 영향이 나타난다.

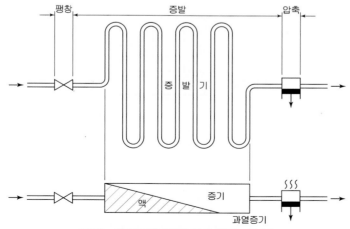

그림. 과열압축(토출가스온도 상승)

2. 팽창 밸브의 종류

(1) 수동 팽창밸브 (Manual expansion valve)

수동 팽창밸브는 수동으로 냉매유량을 조절하는 밸브로 부하변동이 큰 NH_3 냉동기의 바이패스(by-pass)용 보조 팽창밸브 등으로 고장에 대비한 예비용이다. 자동 팽창 밸브와 병용되어 많이 사용된다. 수동에 의해 유량이 제어되는 밸브로 일반 스톱 밸브(stop valve)와 다른, 니들 밸브(Needle valve)가 사용된다.

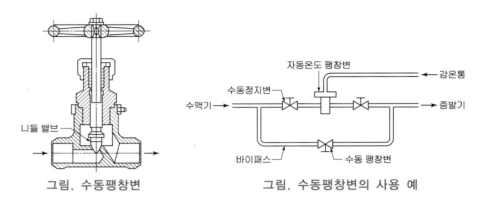

그림. 수동팽창변   그림. 수동팽창변의 사용 예

(2) 모세관 (Capillary tube)

고압과 저압의 압력차를 모세관에 의해 형성시킨다. 가정용 전기냉장고, 소형룸 에어컨 또는 쇼 케이스 등 소형 밀폐형 냉장고와 같이 항상 일정량의 냉매가 통과하는 경우, 지름 0.7~2.5mm, 길이 0.6~6m(보통 1m 내외) 정도의 관으로 응축기와 증발기를 연결하여 냉매를 감압 팽창시킨다. 이 관을 모세관(毛細管)이라 한다.

모세관(Capillary tube)
· 모세관(Capillary tube)은 유량조절기능이 없다.
· 모세관 (Capillary tube)은 소형냉동 및 공조장치에 이용된다.
· 모세관의 압력강하는 길이에 비례하고 지름에 반비례 한다.

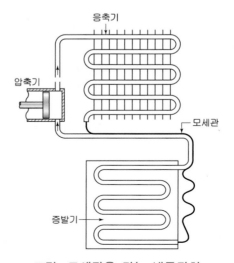

그림. 모세관을 갖는 냉동장치

■특징

① 수액기를 설치하지 않는다. (냉동기 정지 중 수액기의 냉매액이 증발기에 유입되어 액백(Liquid Back)의 우려가 있다)

② 냉동부하 증발온도, 응축온도가 일정한 경우에 적합하다.

③ 모세관 내부에 먼지 등 이물질의 혼입에 의한 폐쇄 및 변형을 방지하도록 취급에 유의해야 한다.

④ 냉매 충진량은 될 수 있는 한 소량으로 한다.

⑤ 저압부의 냉매량은 압축기 정지 시 최대량이며, 정상 운전 시 최소량이 된다.

⑥ 고압이 상승하면 냉매량이 많아져서 습운전이 된다.

⑦ 모세관은 고저압이 압력차에 의해 유량이 변화하므로 냉동장치에 적합한 것을 선정(選定)하여 사용해야 한다.

※ • 내경이 크거나 길이가 짧을 경우 : 냉매의 과량 순환 및 액백(Liquid Back)을 일으킨다.

　• 내경이 작거나 길이가 길 경우 : 냉동능력 감소 및 토출가스 온도 상승

(3) 정압(定壓) 팽창밸브(Constant pressure expansion valve)

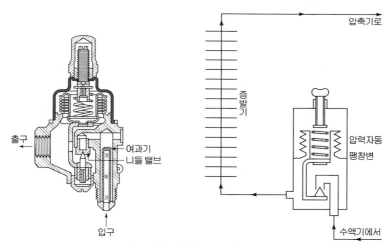

그림. 정압식(압력자동) 팽창변

> • 정압팽창밸브는 증발기내의 압력을 일정하게 유지한다.
> • 정압팽창밸브는 증발기내의 온도를 일정하게 유지한다.
> • 정압팽창밸브는 과열도 제어는 할 수 없다.
> • 정압팽창밸브는 내부 균압형과 외부 균압형이 있다.

정압팽창밸브는 증발기의 압력으로 작동하여 증발기내의 압력(온도)을 항상 일정하게 유지한다.

증발압력이 상승하면 밸브가 닫히고 저하하면 변이 열려서 유량이 증가하여 증발압력(온도)을 일정하게 한다.

① 증발기내의 압력(온도)을 항상 일정하게 유지한다.

PARAT 02

냉동냉장 설비

② 부하변동에 따른 냉매제어가 불가능하다.

③ 부하변동이 적은 소용량 냉동장치에 적합하다.

④ 냉수 및 브라인의 동결 방지용으로 사용된다.

⑤ 정압 팽창밸브는 과열도 제어는 할 수 없다.

　(과열도를 제어할 수 있는 것은 온도자동팽창변이다.)

⑥ 내부 균압형과 외부 균압형이 있다.

(4) 온도식 자동 팽창밸브(TEV: Thermostatic Expansion Valve)

온도식 자동 팽창밸브는 건식 증발기에 사용하여 증발기 출구에 부착한 감온통에 의하여 증발기에서 부하변동이 있을 때 감온통의 부착위치에서 과열도(過熱度)가 일정하게 되도록 항상 적정(適正)한 밸브의 개도를 유지하여 일정한 냉매액의 유량을 제어하는 작용을 한다.

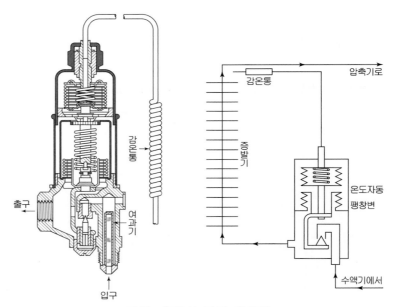

그림. 온도식 자동 팽창변

온도 자동 팽창 밸브에는 위 그림과 같이 내부 균압형과 외부 균압형의 두 가지가 있다. 내부 균압형은 증발기 출구에서의 압력이 입구 압력과 대체로 같은 것이다. 그래서 일정한 과열도를 얻도록 조정되어 있다. 그러나 냉매가 증발기를 통과할 때 유동저항에 의한 압력 강하가 심할 때는 증발기 출구의 압력에 대응시키는 편이 과열도를 일정하게 하기 쉽기 때문에 외부 균압형이 쓰인다.

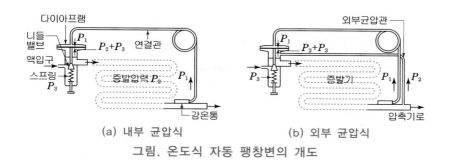

(a) 내부 균압식　　　　(b) 외부 균압식

그림. 온도식 자동 팽창변의 개도

① 특성
- 주로 건식 증발기(플루오르 카본(프레온)냉매)에 사용한다.
- 증발기 출구 냉매의 과열도를 일정하게 하고 부하변동에 따라 냉매 유량을 제어한다.
- 감온통의 냉매 충전방식에 따라 액충전 방식, 가스충전 방식, 크로스 충전방식이 있다.
- 본체구조에 따라 다이어프램식과 벨로스식이 있다.
- 감온 팽창밸브는 다음 세 가지 힘의 평형상태(平衡常態)에 의해서 작동된다.
  - ㉠ 감온통에 봉입(封入)된 가스압력 : P_1
  - ㉡ 증발기 내의 냉매의 증발 압력 : P_2
  - ㉢ 과열도 조절나사에 의한 스프링 압력 : P_3

$$P_1 = P_2 + P_3$$

$$P_1 > P_2 + P_3 \ : \ 밸브의 \ 개도가 \ 커지는 \ 상태 \ (과열도 \ 증가)$$

$$P_1 < P_2 + P_3 \ : \ 밸브의 \ 개도가 \ 작아지는 \ 상태 \ (과열도 \ 감소)$$

- 이 밸브에서의 과열도란 증발온도와 흡입가스 온도와의 차를 말한다. 일반적인 과열도는 3~8℃ 정도를 유지한다.
- 증발기 코일 내의 압력강하가 0.14kg/cm^2 이상일 때에는 외부 균압식을 채택한다.

② 감온통 내의 냉매 충전 방식
- 액체 충전 방식 (Liquid charge type)
  - ㉠ 감온통 냉매는 장치 내의 냉매와 동일하다.
  - ㉡ 밸브 본체의 온도에 관계없이 감온통 내에는 어떠한 경우에도 액체 상태의 냉매가 남아 있도록 감온통의 내용적이 커야하고 충분한 액을 충전해야 한다.
  - ㉢ 부하변동이 심해도 항상 일정한 과열도를 유지하도록 되어 있다.

ⓔ 감온통과 밸브 본체의 온도 고저에 관계없이 사용될 수 있다.

ⓜ 과열도에 민감하므로 압축기 기동 시에 장시간 부하가 걸린다.

ⓗ 압축기 정지 시 밸브가 열린 채로 정지되므로 액관에 전자밸브를 설치하여 냉매공급을 차단해야 한다.

• 가스 충전 방식(Gas charge type)

ⓐ 냉동장치의 냉매와 동일한 가스를 소량으로 충전한다.

ⓑ 밸브본체의 온도는 감온통 부착위치의 온도보다 높다.

ⓒ 어느 온도에 달하면 감온통 내의 액이 완전히 증발한다. 이때의 압력을 최대작동압력 (Maximum operating pressure M.O.P)라 한다.

ⓓ M.O.P를 제한함으로써 전동기의 과부하 및 액백(liquid back)을 방지한다.

• 크로스 충전 방식(Cross charge type)

ⓐ 감온통 내에는 냉동장치에서 사용하는 냉매와 다른 액 또는 가스가 충전 된다.

ⓑ 전동기의 과부하 및 액백(liquid back)을 방지할 수 있다.

ⓒ 저온 냉동장치에 잘 이용된다.

ⓓ 압축기 기동, 정지 시 즉시 밸브도 차단된다.

③ 팽창 밸브의 설치

• 될 수 있는 한 증발기 가까이에 설치한다.

• 팽창밸브 직전에 여과기(Strainer)를 설치하여 먼지 등을 제거한다.

• 정지 시 감온통 설치위치의 온도보다 밸브 본체의 설치위치 온도가 높아야 한다. (가스 충전 방식)

• 외부 균압관 설치

ⓐ 감온통을 지나 압축기 가까이에 배관한다.

ⓑ 관은 흡입관 상부에 연락한다. (오일 침입 방지)

ⓒ 냉매 분배기(Distributor)가 쓰이는 경우에는 외부 균압관을 설치한다.

ⓓ 외부 균압관은 냉매분배기 중의 한 증발기 입구에 연결한다.

ⓔ 균압관은 공통관에 설치하면 안 된다.

ⓗ 외부 균압형 설치가 불필요할 경우에는 내부 균압형으로 바꾸어 준다.

④ 분배기(Distributer)

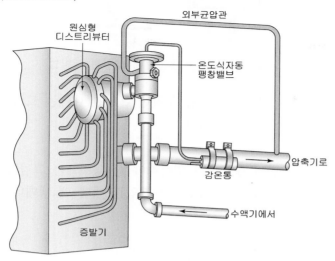

• 직접 팽창 증발기에 사용한다.

• 각 냉각관에 냉매를 균등하게 흐르도록 분배해 준다.

• 종류에는 벤투리 형(Venturi type), 압력강하형, 원심형이 있다.

⑤ 감온통의 설치

• 증발기 출구의 흡입관의 수평부분에 밀착시킨다.

• 감온통과 관의 접촉부분은 잘 닦아내고 요철이 없는 위치에 밴드, 동대 (銅帶), 동선 등으로 확실하게 접촉시킨다.

• 흡입관의 직경이 7/8″(20mm) 이하인 경우에는 흡입관 상부에 부착시 키고 7/8″(20mm) 이상인 경우에는 수평에서 45° 아래에 장착시킨다.

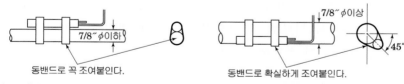

(a) 7/8″ (20mm) 이하의 흡입관의 경우   (b) 7/8″ (20mm)를 넘는 흡입관의 경우

• 감온통이 공기의 흐름이나 주위 온도에 의한 영향이 있는 경우에는 흡 습성이 없는 방열제로 보온해야 한다.

• 흡입관 내에 포켓(Pocket)을 만들어 감온통을 삽입하여 보다 정확한 감지를 하는 경우도 있다.(내경 50mm 이상의 흡입관에는 대부분 설치 한다)

그림. 감온통을 흡입관에 삽입하는 방법

※ 어떤 경우라도 감온통을 부착한 흡입관 내에는 트랩(Trap)이 될 것 같은 곳에는 부적당하다.

• 흡입관이 증발기 출구에서 입상해야 할 경우에는 그림과 같이 액 트랩을 설치하여 감온통 부착부분의 흡입관 내에 액 냉매나 오일이 고이지 않도록 한다.

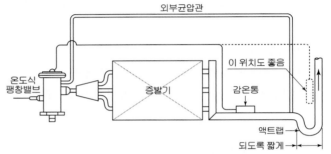

그림. 흡입관 입상시 감온통 부착

(주) 감온통을 점선과 같이 설치할 경우에는 캐필러리 튜브의 접속부가
위쪽을 향하도록 한다.

• 증발기에 공기 분배가 일정하지 않으면 그림에서와 같이 냉매액이 충분히 증발하지 못하고 통과할 경우 증발기의 헤더 상부에 감온통을 부착시키면 증발기를 나온 소량의 가스와 냉매액은 감온통에 영향을 주지 못하게 되므로 액백의 우려가 있다. 따라서 감온통의 설치 위치를 실선과 같이 설치해야 한다.

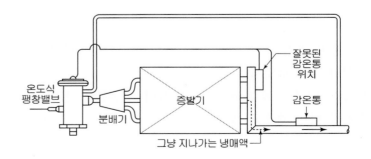

- 각각의 온도식 자동 팽창 밸브를 사용한 2대 이상의 증발기의 경우에 는 하나의 증발기의 냉매가스가 다른 증발기의 팽창밸브의 감온통에 영향이 미치지 않도록 설치해야 한다.

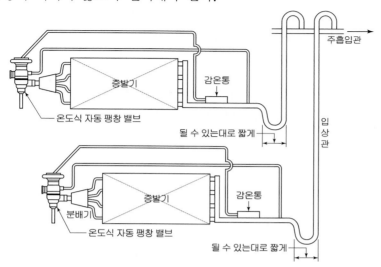

PARAT 02 냉동냉장 설비

온도자동 팽창밸브
- 온도자동 팽창밸브는 건식증발기 에 사용한다.
- 온도자동 팽창밸브는 증발기출구 냉매의 과열도를 일정하게 한다.
- 감온통 방식에는 내부 균압형과 외부 균압형이 있다.
- 외부 균압형은 증발기 내의 압력 강하가 큰 경우에 사용한다.
- 냉매분배기(distributor)가 설치 된 경우에는 외부 균압형 TEV을 사용한다.
- 감온통에는 액 충전방식, 가스충 전방식, 크로스충전방식이 있다.
- 가스충전방식은 밸브본체(수압부) 의 온도를 감온통 온도보다 높게 한다.
- 감온통이 배관에 완전 밀착하지 않으면 액복귀의 우려가 있다.
- 감온통내의 냉매가 누설하면 냉동 작용을 할 수 없다.
- 외부 균압형 TEV의 균압관은 감온 통보다 아래(압축기 쪽)에 부착한다.
- 감온통의 부착은 흡입관의 직경이 20mm 이하인 경우에는 흡입관 상부에 부착시키고 20mm 이상인 경우에는 수평에서 45° 아래에 장착시킨다.

- 액이 고이기 쉬운 부분을 피하여 설치한다. 액이 고이기 쉬운 곳에 감 온통을 위치시키면 감온통 부근이 급랭되어 팽창밸브의 동작이 불안정 하게 되고 액백의 위험성이 있다.
- 액체 냉각기의 흡입관에 액가스 열교환기가 설치된 경우에는 감온통을 열교환기 출구에 설치한다.

(5) 파일럿(Pilot)식 온도자동 팽창 밸브

대형 냉동장치에서는 보통의 온도식 자동팽창밸브의 단독 용량에는 한계가 있어 냉동능력이 100~270RT 정도의 대용량에 사용되는 밸브이다. 이 팽창 밸브를 주 팽창밸브와 파일럿으로서 사용되는 소형 온도 팽창밸브의 조합 으로 구성된다. 증발기에서 나오는 냉매의 온도와 압력에 의해 작동된다.

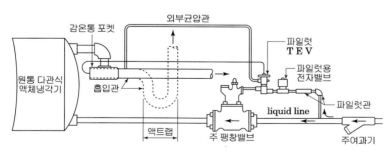

그림. 파일럿식 온도자동 팽창변

■ 작동원리

증발기 출구의 냉매가스의 과열도가 상승하면 감온통 내의 가스가 팽창하여 파일럿 밸브가 열린다. 이때 파일럿으로부터 많은 양의 냉매가 들어와 주 팽창밸브의 피스톤의 상부에 압력이 가해져 주 팽창밸브의 개도가 커지고 냉매 공급량이 증가한다.

(6) 플로트 밸브 (Float valve)

만액식 증발기, 저압 수액기 등의 액면제어에 쓰이며, 증발기와 통해 있는 플로트 실내의 부자(Float)의 위치에 의해 만액식 증발기 또는 수액 내의 냉매 액면을 검지하여 부하에 알맞은 공급 냉매의 유량을 제어한다.

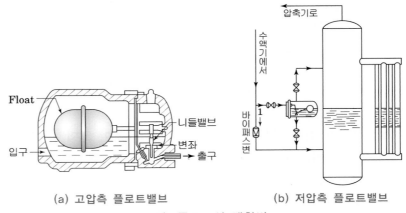

(a) 고압측 플로트밸브   (b) 저압측 플로트밸브

그림. 플로트식 팽창변

플로트 밸브
· 저압 측 플로트 밸브는 만액식 증발기의 액면을 제어한다. · 고압 측 플로트 밸브는 터보냉동기(원심냉동기)에서 사용한다.

① 저압 측 플로트 밸브

• 용도 : 부하 변동에 대응하여 증발기 속에서 일정한 액면을 유지하는 일을 하며, 주로 만액식 증발기 또는 액펌프 방식의 저압수액기에 사용한다.

• 작동원리 : 플로트의 상하 운동에 따라서 니들 밸브를 개폐하여 조절한다.

• 제어방법 : 증발기 내에 플로트를 직접 띄우는 방법과 별도로 플로트 실을 설치하는 방법이 있다. 그러나 증발기 내에서의 증발로 인해 액면이 동요되어 불안정하므로 직접식보다는 플로트 실이 많이 사용된다.

② 고압 측 플로트 밸브

• 용도 : 이 밸브는 증발기에 걸리는 부하변동에 관계없이 플로트가 작동하는 것으로 냉동기의 고압냉매 액관에 설치되어 고압 측 냉매 액면에 의하여 작동된다. 증발기 부하변동에 민감하지 못하므로 만액식 증발기와 같이 냉매가 충만하게 흐르는 곳에 적당하다.

- 작동원리 : 응축기 또는 수액기로부터 유입된 액냉매가 일정한 위치까지 되면 부자는 떠오르고 연결된 플로트를 들어올려 밸브가 개방되고 노즐(Nozzle)을 통과하여 증발기에 유입된다.

■ 특징

ㄱ 고압 측(응축기, 수액기) 액면에 의해서 작동한다.

ㄴ 증발기 부하변동에 대하여 유량을 변동시킬 수 없다.

ㄷ 플로트 실의 상부에는 불응축 가스를 배출시키기 위해 벤트(Vent)를 설치한다.

ㄹ 부하변동에 의한 액백(Liquid back)을 방지하기 위해 액분리기는 증발기 용량의 25% 정도의 크기여야 한다.

ㅁ 밸브는 항상 액냉매 안에 잠겨 있다.

③ 플로트 스위치와 전자밸브

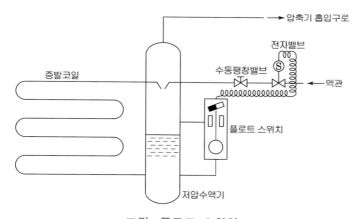

그림. 플로트 스위치

플로트실 내의 냉매 액면에 따라 플로트가 상하로 움직여 전기회로를 개폐하는 스위치로 냉동기의 전기적 액면제어 장치로 많이 이용된다.

전자밸브(Solenoid valve)를 개폐시켜 액냉매를 제어하면서 증발기 내의 액면을 일정하게 유지시킨다.

플로트 스위치는 밀폐된 용기 내에 하부는 플로트 실로 상부는 수은스위치, 영구자석, 릴레이 등이 내장되어 있는 구조이다.

④ 파일럿 플로트 밸브(Pilot float valve)

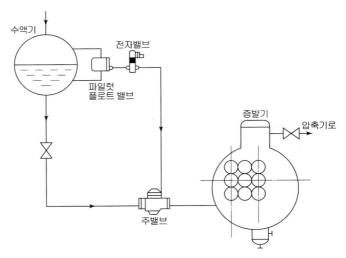

그림. 파일럿 플로트 밸브

대용량의 만액식 증발기에는 플로트 밸브의 단독 용량에 한계가 있어 그 자체로는 제어가 곤란하다. 따라서 그림과 같이 파일럿 주 팽창밸브를 작동시켜 조절하여 용량제어를 용이하게 한다.

⑤ 온도식 액면제어

약 15W 정도의 저용량 전열 히터(Heater)를 감온통에 감아 만든 액면 감지통에 의하여 밸브를 개폐하는 방식이다. 액면이 저하되면 팽창밸브가 열려 액이 공급되고 액이 액면 감지통에 접촉하면 감온통 내의 냉매가 냉각되어 닫히게 된다. 이 액면 감지통의 히터는 감온통에 인공적인 과열도를 주기 위한 수단으로 사용된다.

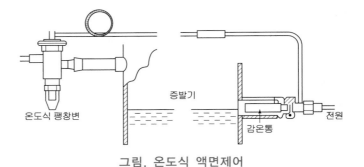

그림. 온도식 액면제어

⑥ 전자팽창밸브(Solenoid expansion valve)

전자(電磁)팽창 밸브는 온도센서로 검출된 증발기출입구 냉매의 온도차 (과열도)의 전기신호를 조절기로 연산 처리하여 밸브의 개도를 폭넓게 제어하는 방식이다.

■ 특징

• 전기적인 조작에 의해서 밸브를 자동적으로 조정한다.

• 조절기에 의해서 폭넓은 제어가 가능하다.

• 전자 밸브 앞에는 여과기를 설치한다.

• 압력 스위치, 온도 스위치 등과 결합시켜 원격조작이 가능하다.

• 온도센서로 검출된 과열도의 신호를 조절기에서 처리하여 밸브의 개폐를 한다.

전자팽창밸브
• 전자팽창밸브는 온도자동팽창밸브에 비하여 조절기에 의해서 폭넓은 제어성이 있다.
• 전자팽창밸브는 온도센서로 검출한 증발기출입구 냉매의 과열도의 전기신호를 조절기로 처리하여 밸브의 개폐를 행한다.

PARAT 02
냉동냉장 설비

---

01 예제문제

냉동장치의 자동제어기기에 관한 다음 설명 중 옳은 것은?

① 캐필러리 튜브는 팽창밸브와 같이 고압냉매액을 교축 팽창시키는 기구의 일종으로 용량이 큰 냉동장치나 부하변동이 큰 냉동장치에 이용되고 있다.

② 온도자동팽창밸브의 감온통의 충전방식 중에 가스충전방식은 냉동장치의 시동시 리퀴드백 방지나 압축기 구동용전동기의 과부하방지에 유용하다.

③ 외부 균압형 온도자동팽창밸브의 냉매 유량제어는 증발기 입구의 냉매증기 과열도에 의해서 행한다.

④ 정압자동팽창밸브는 압력센서에서 전기적신호를 조절기로 처리하여 전기적 구동력에 의해 밸브의 개폐조작을 하기 때문에 폭넓은 제어가 가능하다.

해설

① Capillary Tube는 내경0.6~2mm의 가는 동관으로 고압 냉매액을 교축 팽창시킨다. 주로 소용량의 가정용 냉장고나 룸 에어컨 등의 열부하변동이 적은 냉동장치에 이용된다.

③ 외부 균압형 온도자동팽창밸브의 냉매유량 제어는 증발기 출구의 냉매증기 과열도에 의해서 행한다.

④의 경우는 전자팽창변에 대한 설명이다.

답 ②

[08년 1회]

01 냉동사이클에서 등엔탈피 과정이 이루어지는 곳은?

① 압축기
② 증발기
③ 수액기
④ 팽창밸브

> **냉동사이클의 각 과정**
> ㉠ 압축기 : 등엔트로피 과정
> ㉡ 응축기(수액기 포함) : 등압 과정
> ㉢ 팽창밸브 : 등엔탈피 과정
> ㉣ 증발기 : 등압과정(표준냉동사이클의 경우에는 등온, 등압 과정)

[14년 1회]

02 교축작용과 관계가 적은 것은?

① 등엔탈피 변화
② 팽창밸브에서의 변화
③ 엔트로피의 증가
④ 등적 변화

> 팽창밸브에서는 냉매의 교축작용에 의해 압력과 온도는 저하되고 에탈피가 일정한 등엔탈피작용을 하며 엔트로피는 증가한다.

[16년 3회]

03 냉매액이 팽창밸브를 지날 때 냉매의 온도, 압력, 엔탈피의 상태변화를 순서대로 올바르게 나타낸 것은?

① 일정, 감소, 일정
② 일정, 감소, 감소
③ 감소, 일정, 일정
④ 감소, 감소, 일정

> 팽창밸브에서는 냉매의 교축작용에 의해 압력과 온도는 저하되고 에탈피가 일정한 등엔탈피작용을 한다.

[13년 2회, 08년 1회]

04 다음 설명 중 옳은 것은?

① 냉동능력을 크게 하려면 압축비를 높게 운전하여야 한다.
② 팽창밸브 통과 전후의 냉매 엔탈피는 변하지 않는다.
③ 암모니아 압축기용 냉동유는 암모니아보다 가볍다.
④ 암모니아는 수분이 있어도 아연을 침식시키지 않는다.

> ① 냉동장치에서 압축비가 높게 운전되면 압축일량의 증가로 냉동능력은 감소한다.
> ③ 암모니아 압축기용 냉동유는 암모니아보다 무거워 저부에 체류한다.
> ④ 암모니아 냉동장치에 수분이 있으면 아연 및 구리 등과 반응하여 착이온의 형성으로 침식 이 진행된다.

[13년 3회]

05 감압장치에 관한 내용 중 틀린 것은?

① 감압장치에는 교축밸브를 사용하는데 냉동기에서는 이것을 보통 팽창밸브라고 한다.
② 플로트 밸브식 팽창밸브를 일명 정압식 팽창밸브라고 한다.
③ 자동식 팽창밸브는 증발기내의 압력을 항상 일정하게 유지해 준다.
④ 온도조절식 팽창밸브는 주로 직접팽창식 증발기에 쓰이는데, 종류는 내부 균압관형과 외부 균압관형이 있다.

> **플로트(float) 팽창밸브**
> 플로트 팽창밸브는 액면에 의해 작동되는 부자식 자동팽창밸브로 저압 측(증발기)냉매액면에 따라 작동하는 저압 측 플로트 팽창밸브와 고압 측(응축기) 냉매액면에 따라서 작동하는 고압 측 플로트 팽창밸브가 있다.

정답 01 ④   02 ④   03 ④   04 ②   05 ②

[09년 3회]

06 팽창밸브 선정시 고려해야 할 사항 중 관계가 없는 것은?

① 냉동능력
② 응축온도
③ 사용냉매 종류
④ 증발기의 형식 및 크기

팽창밸브 선정 시 고려해야 할 사항
㉠ 냉동능력
㉡ 사용냉매 종류
㉢ 증발기의 형식 및 크기

[10년 3회]

07 다음 중 모세관 사용 시 주의점으로 틀린 것은?

① 가능한 고압측 액부분에 설치할 것
② 수냉식 콘덴싱 유니트에는 사용하지 말 것
③ 규격은 장치에 적합한 것을 사용할 것
④ 냉매 충전량을 가능한 적게 할 것

모세관(capillary tube)사용 시 주의점
㉠ 수액기를 설치하지 않는다. (냉동기 정지 중 수액기의 냉매액이 증발기에 유입되어 액백의 우려가 있다)
㉡ 냉동부하 증발온도, 응축온도가 일정한 경우에 적합하다.
㉢ 모세관 내부에 먼지 등 이물질의 혼입에 의한 폐쇄 및 변형을 방지하도록 취급에 유의해야 한다.
㉣ 냉매 충진량은 될 수 있는 한 소량으로 한다.
㉤ 모세관은 고저압이 압력차에 의해 유량이 변화하므로 냉동장치에 적합한 것을 선정(選定)하여 사용해야 한다.
㉥ 수냉식 콘덴싱 유닛에는 사용하지 않는다.

[10년 2회, 08년 3회]

08 정압식 팽창밸브에 대한 설명 중 옳은 것은?

① 증발 압력을 일정하게 유지하기 위해 사용한다.
② 부하 변동에 따른 유량제어를 용이하게 할 수 있다.
③ 주로 대용량에 사용되며 증발부하가 큰 곳에 사용한다.
④ 증발기내 압력이 높아지면 밸브가 열리고 낮아지면 닫힌다.

정압식 팽창밸브
증발압력을 항상 일정하게 하는 작용을 하는 팽창 밸브로 증발온도가 일정한 냉장고와 같은 부하변동이 적은 소용량의 것에 적합하다.

[14년 1회, 06년 3회]

09 팽창기구 중 모세관의 특징에 대한 설명으로 맞는 것은?

① 모세관 저항이 설계치보다 작게 되면 증발기의 열교환 효율이 증가한다.
② 냉동부하에 따른 냉매의 유량조절이 쉽다.
③ 압축기를 가동할 때 기동동력이 적게 소요된다.
④ 냉동부하가 큰 경우 증발기 출구 과열도가 낮게 된다.

모세관 팽창변
㉠ 모세관 저항이 설계치보다 작게 되면 증발기의 열교환 효율이 감소한다.
㉡ 모세관은 조절장치가 없어 냉동부하에 따른 냉매의 유량 조절이 어렵다.
㉢ 모세관을 사용하는 냉동장치는 정지 시 고·저압이 균압(均壓)을 이루므로 압축기를 가동할 때 기동동력이 적게 소요된다.
㉣ 냉동부하가 큰 경우 증발기 출구 과열도가 크게 된다.

[15년 2회]

10 팽창밸브로 모세관을 사용하는 냉동장치에 관한 설명 중 틀린 것은?

① 교축 정도가 일정하므로 증발부하 변동에 따라 유량조절이 불가능하다.
② 밀폐형으로 제작되는 소형 냉동장치에 적합하다.
③ 내경이 크거나 길이가 짧을수록 유체저항의 감소로 냉동능력은 증가한다.
④ 감압정도가 크면 냉매 순환량이 적어 냉동능력을 감소시킨다.

모세관 팽창밸브
모세관은 고저압이 압력차에 의해 유량이 변화하므로 냉동장치에 적합한 것을 선정(選定)하여 사용해야 한다.
※ ㉠ 내경이 크거나 길이가 짧을 경우 : 냉매의 과량 순환 및 액백을 일으킨다.
㉡ 내경이 작거나 길이가 길 경우 : 냉동능력 감소 및 토출 가스 온도 상승
즉, 모세관 팽창밸브는 내경이 크거나 길이가 짧다고 해서 냉동능력은 증가하지 않는다.

정답 06 ② 07 ① 08 ① 09 ③ 10 ③

[13년 2회]

11 증발기 내의 압력을 일정하게 유지할 목적으로 사용되는 팽창밸브는?

① 정압식 팽창밸브
② 유량 제어 팽창밸브
③ 응축압력 제어 팽창밸브
④ 유압 제어 팽창밸브

> **정압식 팽창밸브**
> 증발압력을 항상 일정하게 하는 작용을 하는 팽창 밸브로 증발온도가 일정한 냉장고와 같은 부하변동이 적은 소용량의 것에 적합하다.

[14년 3회]

12 증발온도와 압축기 흡입가스의 온도차를 적정 값으로 유지하는 것은?

① 온도조절식 팽창밸브
② 수동식 팽창밸브
③ 플로트 타입 팽창밸브
④ 정압식 자동 팽창밸브

> **온도식 자동 팽창밸브**
> 온도식 자동 팽창밸브는 건식 증발기에 사용하여 증발기 출구에 부착한 감온통에 의하여 증발기에서 부하변동이 있을 때 감온통의 부착위치에서 과열도(過熱度)가 일정하게 되도록 항상 적정(適正)한 밸브의 개도를 유지하여 일정한 냉매액의 유량을 제어하는 작용을 한다.
> ※ 과열도 = 압축기 흡입가스온도 − 증발온도

[15년 3회, 08년 1회]

13 증발기에서 나오는 냉매가스의 과열도를 일정하게 유지하기 위해 설치하는 밸브는?

① 모세관
② 플로트형 밸브
③ 정압식 팽창 밸브
④ 온도식 자동팽창 밸브

> 12번 해설 참조

[10년 3회]

14 다음의 팽창밸브 중 냉매증기의 과열도가 원인이 되어 작동되는 것은?

① 정압식 팽창밸브
② 온도식 자동팽창밸브
③ 부자식 팽창밸브
④ 모세관

> 12번 해설 참조

[13년 1회, 09년 2회]

15 온도식 팽창밸브(thermostatic expansion valve)에 있어서 과열도란 무엇인가?

① 고압측 압력이 너무 높아져서 액냉매의 온도가 충분히 낮아지지 못할 때 정상시와의 온도차
② 팽창밸브가 너무 오랫동안 작동하면 밸브 시이트가 뜨겁게 되어 오동작 할 때 정상시와 의 온도차
③ 흡입관내의 냉매가스 온도와 증발기내의 포화온도와의 온도차
④ 압축기와 증발기속의 온도보다 1℃ 정도 높게 설정되어 있는 온도와의 온도차

> **온도식 팽창밸브(thermostatic expansion valve)에 있어서 과열도**
> 과열도 = 압축기 흡입가스온도 − 증발(포화)온도

[15년 1회]

16 감온식 팽창밸브의 작동에 영향을 미치는 것으로만 짝지어진 것은?

① 증발기의 압력, 스프링 압력, 흡입관의 압력
② 증발기의 압력, 응축기의 압력, 감온통의 압력
③ 스프링 압력, 흡입관의 압력, 압축기 토출 압력
④ 증발기의 압력, 스프링 압력, 감온통의 압력

> 감온 팽창 밸브는 다음 세 가지 힘의 평형상태(平衡常態)에 의해서 작동된다.
> ㉠ 감온통에 봉입(封入)된 가스압력 : Pf
> ㉡ 증발기 내의 냉매의 증발 압력 : PO
> ㉢ 과열도 조절나사에 의한 스프링 압력 : PS
> Pf = PO + PS
> Pf > PO + PS : 밸브의 개도가 커지는 상태 (과열도 감소)
> Pf < PO + PS : 밸브의 개도가 작아지는 상태 (과열도 증가)

정답 11 ① 12 ① 13 ④ 14 ② 15 ③ 16 ④

[14년 3회, 08년 2회]

17 온도식 팽창밸브(TEV)의 작동과 관계없는 압력은?

① 증발기 압력
② 스프링의 압력
③ 감온통의 압력
④ 응축 압력

16번 해설 참조

[15년 1회, 09년 1회]

18 팽창밸브를 너무 닫았을 때에 일어나는 현상이 아닌 것은?

① 증발압력이 높아지고 증발기 온도가 상승한다.
② 압축기의 흡입가스가 과열된다.
③ 능력당 소요동력이 증가한다.
④ 압축기의 토출가스 온도가 높아진다.

냉동장치 운전 중 팽창밸브의 열림이 적을 때 발생하는 현상
㉠ 증발압력(온도) 저하   ㉡ 압축비 상승
㉢ 토출가스온도 상승   ㉣ 실린더 과열
㉤ 체적효율 감소   ㉥ 냉매 순환량 감소
㉦ 냉동능력당 소요동력증대 ㉧ 성적계수 감소

[14년 1회]

19 팽창밸브가 과도하게 닫혔을 때 생기는 현상이 아닌 것은?

① 증발기의 성능 저하
② 흡입가스의 과열
③ 냉동능력 증가
④ 토출가스의 온도 상승

18번 해설 참조

[15년 3회]

20 팽창밸브 개도가 냉동 부하에 비하여 너무 작을 때 일어나는 현상으로 가장 거리가 먼 것은?

① 토출가스 온도상승
② 압축기 소비동력 감소
③ 냉매순환량 감소
④ 압축기 실린더 과열

18번 해설 참조

[13년 1회]

21 온도식 자동팽창밸브 감온통의 냉매충전 방법이 아닌 것은?

① 액충전
② 벨로스충전
③ 가스충전
④ 크로스충전

온도식 자동팽창밸브 감온통의 냉매충전 방법
㉠ 액 충전 방식(Liquid charge type)
㉡ 가스 충전 방식(Gas charge type)
㉢ 크로스 충전 방식(Cross charge type)

[14년 1회]

22 온도식 팽창밸브에서 흐르는 냉매의 유량에 영향을 미치는 요인이 아닌 것은?

① 오리피스 구경의 크기
② 고·저압 측간의 압력차
③ 고압측 액상 냉매의 냉매온도
④ 감온통의 크기

온도식 자동팽창밸브(TEV:thermostatic expansion valve)
온도식 자동팽창밸브의 냉매 유량에 영향을 미치는 요인은 오리피스 구경의 크기, 고·저압 측간의 압력차 고압측 액상 냉매의 온도에 의해 영향을 받으며 감온통의 크기에는 영향을 받지 않는다.

[10년 1회]

23 온도식 팽창밸브에 관한 설명 중 잘못된 것은?

① 사용용도에 따라 내부 균압형과 외부 균압형이 있다.
② 증발기 출구의 냉매온도에 대하여 자동적으로 밸브의 개폐도를 조절한다.
③ 감온통은 트랩부의 수평 또는 수직배관에 설치한다.
④ 과열도를 설정하는 스프링 압력을 강하게 하면 작동 최고압력이 증가한다.

> **감온통 설치 위치**
> 온도식 팽창밸브에서 감온통 설치 위치는 액이 고이기 쉬운 부분(trap)을 피하여 설치한다. 액이 고이기 쉬운 곳에 감온통을 위치시키면 감온통 부근이 급냉되어 팽창밸브의 동작이 불안정하게 되고 액백(liquid back)의 위험성이 있다.

[14년 2회]

24 감온 팽창밸브에 대한 설명 중 옳은 것은?

① 팽창밸브의 감온부는 냉각되는 물체의 온도를 감지한다.
② 강관에 감온통을 사용할 때는 부식 및 열전도율의 불량을 막기 위해 알루미늄 칠을 한다.
③ 암모니아 냉동장치 수분이 있으면 냉매에서 수분이 분리되어 팽창밸브를 폐쇄시킨다.
④ R-12를 사용하는 냉동장치에서 R-22용의 팽창밸브를 사용할 수 있다.

> ① 팽창밸브의 감온부(감온통)는 증발기 출구의 냉매의 과열도 상태를 감지한다.
> ③ 암모니아는 수분과 잘 용해하므로 팽창변 동결폐쇄현상이 발생하지 않는다. 플루오르 카본(프레온)냉매는 수분과의 용해력이 적어서 팽창변 동결폐쇄현상이 발생의 우려가 있으므로 건조기를 설치하여 수분을 제거해야 한다.
> ④ R-12를 사용하는 냉동장치에서 R-22용의 팽창밸브를 사용할 수 없다.

[15년 1회]

25 전자식 팽창밸브에 관한 설명으로 틀린 것은?

① 응축압력의 변화에 따른 영향을 직접적으로 받지 않는다.
② 온도식 팽창밸브에 비해 초기투자비용이 비싸고 내구성이 떨어진다.
③ 일반적으로 슈퍼마켓, 쇼케이스 등과 같이 운전시간이 길고 부하변동이 비교적 큰 경우 사용하기 적합하다.
④ 전자식 팽창밸브는 응축기의 냉매유량을 전자제어장치에 의해 조절하는 밸브이다.

> 전자식 팽창밸브는 온도센서로 검출한 증발기 입·출구의 냉매의 온도차를 2개의 온도센서로 검출한 전기신호를 조절기의 컴퓨터로 연산하여 변의 개도를 폭넓게 제어를 할 수 있다.
> • 특징
> ㉠ 전자식 팽창밸브는 온도자동팽창밸브에 비해 조절기에 의해서 폭넓은 제어특성을 갖는다.
> ㉡ 전자식 팽창밸브는 온도센서로 검출한 과열도의 신호를 조절기로 처리하여 밸브의 개폐를 행한다.

정답 23 ③   24 ②   25 ④

05 냉동장치 구성 기기   **1** 장치 부속기기

1 장치 부속기기

1. **고압 수액기**(High Pressure Liquid receiver)

수액기는 응축기에서 응축한 냉매액을 일시 저장하는 용기로 증발기의 부하변동에 대응할 수 있도록 필요한 냉매를 팽창밸브로 공급한다.

> • 고압 수액기는 부하변동이 발생할 경우 수액기에서 대응한다.
> • 수액기로 회수하는 냉매액은 내용적의 75% 이내로 한다.

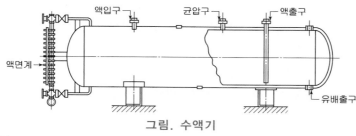

그림. 수액기

■ 구비조건

• 수액기가 2개 이상으로 그 직경이 서로 다를 때는 수액기의 상단에 일치시킨다.

• 액면계의 파손을 방지하기 위하여 금속제 커버(Cover)를 사용하며 수액기와 접속하는 배관에는 볼밸브(Ball valve)를 설치한다.

※ 볼밸브 : 액면계가 파손 되었을 경우 수액기의 액이 볼(Ball)을 밀어내어 액면계의 관을 막아 액의 누설을 막는다.

• 균압관은 충분한 직경의 관을 사용하여야 하며 관의 상부에 에어 퍼저(Air purger)를 설치한다.

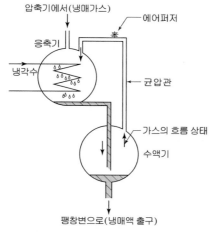

그림. 균압관(응축기와 수액기)

※ 균압관 : 응축기에서 액화된 냉매액은 자연적으로 수액기에 흘러 내려 가게 되어있다. 만약 어떤 원인에 의해서 수액기 내의 압력이 높아지면 응축기의 액이 수액기에 유입하지 못하므로 수액기 상부와 응축기 상부를 관으로 연결하여 수액기 내의 압력이 상승하여도 응축기와 압력이 상등(相等)하게 하여 수액기로의 액유입을 원활하게 하는 역할을 한다.

• 냉매가 암모니아일 경우 1RT당 냉매액량이 15kg 소요되는 것으로 하고 수액기는 이 량의 약 1/2를 저장하도록 규정하는 것이 보통이다.
특히 냉동장치를 수리할 때에는 장치 내의 냉매를 수액기에 저장 할 수 있는 크기로 고려해야 한다.

• 수액기의 위치는 응축기보다 낮은 곳에 설치한다.

■ 주의사항
• 수액기에 직사광선(直射光線)은 닿지 않게 할 것
• 수액기의 냉매량은 3/4(75%) 이상 만액시키지 말 것
• 화기의 접근을 피할 것
• 안전밸브의 원변은 항상 열어둘 것
• 용접 계수(繼受) 부분에는 배관 및 기타 기기를 접속하지 말 것
• 인접한 용접부의 상호거리는 판 두께의 10배 이상 떨어져 있을 것

2. 저압 수액기

액순환식 증발기를 갖는 냉동장치에서 팽창변을 나온 냉매액을 받는 기능과 액펌프가 각 증발기로 이송하는(증발량의 3~5배) 미증발 냉매액을 받는 용기로 액분리 기능이 있다. 또한 제상 시 증발기 내에는 저온 저압의 냉매액을 일시적으로 저압수액기로 회수하고 일시 저장하여 제상 시간을 짧게 하기 위하여 사용되기도 한다.

저압 수액기
• 저압 수액기는 액순환식의 증발기에서 사용한다.
• 저압 수액기는 플로트 밸브 또는 플로트 스위치로 액면제어를 한다.
• 저압 수액기는 액회수의 기능도 있다.
• 저압 수액기에서 증발기로는 증발량의 3~5배의 냉매가 순환한다.
• 저압 수액기는 액분리기의 기능도 병행한다.

그림. 저압 수액기를 갖는 냉동장치

그림과 같이 저압 수액기는 응축기 또는 고압수액기로부터 냉매액을 유입하고 각 증발기에서 되돌아온 냉매액과 같이 플로트 밸브 등에 의해 용기내의 액면을 일정하게 유지한다. 용기내의 냉매액은 흡입관을 통하여 압축기로 흡입되고 액면을 유지하면서 증발되며, 또한 자기(自己) 냉각하면서 저온 저압의 상태를 유지한다.

3. 유분리기(Oil separator)

압축기의 윤활유가 미세한 입자로 되어 토출가스 중에 함유되어 응축기에 유입되면 전열을 나쁘게 하고 냉매가 암모니아일 경우에는 이 오일이 팽창변에서 동결(凍結)할 우려가 있다. 또한 증발기에 유입되어 유막을 형성하고 냉매의 순환을 나쁘게 한다. 그러므로 토출가스 중의 유입자를 분리하기 위하여 유분리기를 설치한다.

(1) 설치위치

유분리기는 압축기와 응축기 사이에 설치한다. (NH₃의 경우 압축기에서의 토출가스 온도는 낮을수록 오일의 점도가 커져서 분리가 용이함으로 분리기는 가능한 한 응축기 입구에 접근시키는 것이 좋다.
프레온은 압축기에서 토출된 냉매가스가 응축이 안 되고 윤활유를 쉽게 분리할 수 있는 곳에 설치한다.)

(2) 유분리기 설치의 경우
① 암모니아 냉동장치
② 만액식 증발기를 사용하는 경우
③ 다량의 유를 포함한 냉매가 토출되는 경우
④ 토출 배관이 긴 경우
⑤ 저온용 냉동기의 경우(프레온계 냉매는 오일을 용해하므로 증발기에 운반된 오일도 압축기에 용이하게 흡입시키므로 소형일 경우에는 유분리기를 설치하지 않는다. 그러나 저온도(-18℃ 이하)일 경우에는 용해도가 적어져서 압축기로 흡입시키기 어려우므로 저온 대형 냉동기에서는 유분리기를 설치한다.)

(3) 분리된 오일의 처리
① 프레온 : 유분리기의 저부(低部)에 플로트 변(Float valve)을 부착시켜 자동적으로 압축기 크랭크실내에 유입하도록 배관한다.
② 암모니아 : 암모니아는 토출가스가 고온임으로 오일이 탄화(炭火)하기 때문에 외부로 배유시킨다.

(4) 작동원리

① 냉매가스의 속도 변화(1m/sec 이하로 한다.)

② 냉매가스의 방향 전환

③ 표면장력(表面張力) 이용

(5) 종류

① 관성력(慣性力)식 : 오일을 동반한 냉매가 용기 내의 방해판에 충돌하여 급격한 방향 전환을 일으켜 입자의 관성력에 의하여 분리하는 형식이다.

② 배플(Baffle)식 : 용기 내에 다수의 소공(小孔)이 있는 배플 판을 부착하고 냉매가 이 판에 의하여 흐름의 방향을 급변시켜 유속을 느리게 하며 그 중력에 의하여 가스에서 분리되어 저면에 고이게 된다.

③ 금망(金網)식 : 용기 내에 금속망판을 조합하여 설치한 것으로 냉매가스가 이 금망을 통과 시 표면장력에 의해 오일과 분리된다.

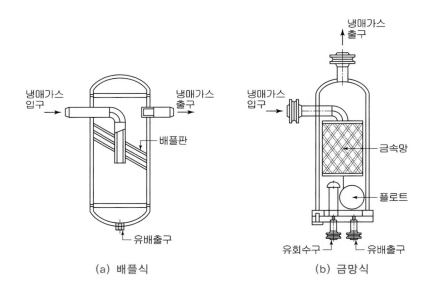

(a) 배플식   (b) 금망식

4. 유회수 장치(Oil return system)

암모니아는 오일보다 비중이 크기 때문에 증발기 밑 부분에 고이게 된다. 따라서 증발기 내부의 압력이 대기압보다 높아지면 수동으로 외부로 유출할 수가 있다. 프레온은 오일보다 비중이 작아 냉매 상부에 고이게 되고 또한 오일과 잘 용해하므로 오일 리턴(Oil return) 장치를 설치하여 자동 운전을 할 수 있게 한다.

(1) 소형 냉동기

① 증발기에서 흡입관에 가는 액관으로 연결하고 액관에 흐르는 오일의 혼합액은 흡입관에 들어가 액은 증발하고 가스와 함께 유를 압축기로 회수한다.

② 압축기 정지와 동시에 액관이 차단되도록 전자변을 부착한다.

(2) 대형 냉동기

① 대형에서는 흡입관만으로 액과 오일의 분리가 어려우므로 열교환의 원리를 이용한 유회수기를 설치하여 가열함으로 냉매액을 가스 상태의 압축기로 흡입시키고 오일은 액상 그대로 별도로 압축기 크랭크 케이스로 돌려보낸다.

 ※ 가열 방법
  • 토출가스를 이용하는 방법
  • 전열기를 사용하는 방법
  • 온수 또는 증기를 이용하는 방법
  • 열교환기를 사용하는 방법

② 압축기 정지와 동시에 유회수를 위한 액관이 닫히게 전자변을 설치한다.

5. 유류(油留 : Oil receiver)

(1) 암모니아 냉동장치에서 고압부에 고인 오일을 정기적으로 장치 외부로 유출시킬 경우에 오일과 같이 냉매가 배출되어 위험하다. 이때 유류를 설치하여 오일을 우선 유류에 이송시킨 후에 유류기의 냉매를 흡입관으로 보내고 유류에 설치된 유면계를 주시하면서 외부로 배출시킨 다.

(2) 동절기에 유류 내의 냉매가 증발이 어려울 경우에 용기를 가열한다.

 ※ 가열방법
  • 암모니아 : 산수(散水)식
  • 프레온 : 전기가열식

 ※ 유회수 장치가 있는 경우나 복잡한 배관으로 오일의 회수가 어려운 경우를 제외하고 일반적으로 잘 설치하지 않는다.

6. 열교환기(Heat exchange)

(1) 설치목적

① 프레온 냉동장치에서 흡입가스의 과열과 증발기에 공급하는 액의 과냉으로 냉동사이클의 효율 을 상승시킨다.

② 증발기에 공급되는 액을 과냉각시켜 플래시 가스의 발생을 방지한다.

③ 흡입가스의 과열로 액압축을 방지한다.

④ 액의 리턴(Return)이 있을 경우에 액분리기의 역할과 여기서 액을 증발하는 목적이 있다.

⑤ 만액식 증발기나 저압수액기로부터 유회수장치 역할을 한다.

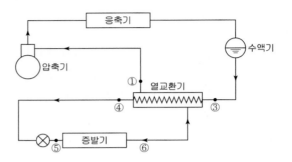

그림. 열교환기가 설치된 냉동장치도

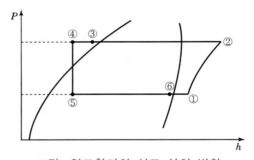

그림. 열교환기의 선도 상의 변화

(2) 열교환기는 종류

① 관접촉식

② 2중관식

③ 셸 앤드 튜브식 (Shell and tube type)

④ 액체의 흡입가스의 열교환기

7. 액분리기(Accumulator)

압축기에 액화냉매가 흡입되면 습압축을 함으로 체적효율이 저하되어 효율이 떨어지고 냉매액이 급격히 흡입되면 액해머(Liquid hammer)를 일으켜 토출밸브 및 실린더 헤더 등 손상시킬 우려가 있다. 따라서 액분리기는 흡입가스 중의 냉매액을 분리하여 압축기에 액이 흡입되는 것을 방지한다.

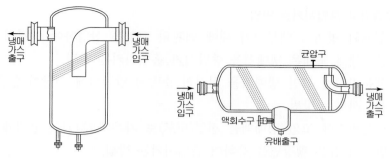

(a) 입형 액분리기   (b) 횡형 액분리기

그림. 암모니아용 액분리기

그림. 프레온용 액분리기

(1) 설치위치

증발기와 압축기 사이의 흡입관(모든 액분리기는 증발기보다 상부에 위치한다.)

(2) 설치용량

증발기 내용적의 20~25% 이상의 크기

(3) 설치의 경우

만액식 증발기를 갖는 냉동장치 및 부하변동이 심한 장치

(4) 액분리기 내에서의 가스의 유속

1m/sec 정도

8. 액회수장치(Liquid return system, 분리된 액냉매 처리방법)

(1) 증발기로 재순환 시키는 방법

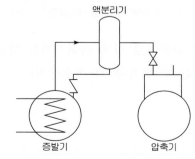

그림. 증발기로 재순환시키는 방법(중력식 액회수 장치)

(2) 압축기로 흡입시키는 방법
  ① 열교환 방법 : 액분리기 내에 액관의 코일을 삽입하여 액관의 열로 증발기에서 보내온 냉매액을 증발시켜 흡입시키는 방법.
  ② 액분리기에 고인 냉매액을 서서히 소량씩 압축기에 지장이 없을 정도로 흡입시키는 방법
  ③ 액분리기에 고인 냉매액을 전열(電熱)로 가온(加溫)되는 용기에 넣어 증발시켜 감온 팽창변을 통하여 흡입시키는 방법.

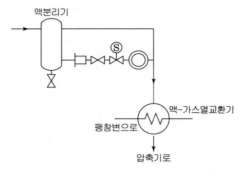

그림. 압축기로 회수하는 방식

(3) 수액기에 복귀(復歸)시키는 방법

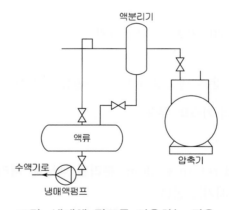

그림. 냉매액 펌프를 이용하는 경우

① 액펌프를 사용하여 수액기로 강제 복귀시키는 방법
② 고압가스를 사용하는 방법(자동 액 회수장치)

액분리기
· 액분리기는 증발기와 압축기 사이의 흡입배관에 설치하여 냉매액과 냉매가스를 분리한다.
· 액분리기는 냉동장치의 부하변동이 있을 경우나 언로더 작동시 압축기 흡입증기 속에 혼입되어 있는 냉매액을 분리한다.
· 소형 플루오르카본 냉동장치에서는 조금씩 압축기로 회수하는 방식을 쓰고 있다.
· 암모니아냉매의 액분리는 증기속도를 1m/s 이하로 하여 액과 가스를 분리한다.
· 분리된 냉매액을 회수하는 방식에는 고압수액기로 회수하는 방법, 증발기로 회수하는 방법, 압축기로 소량씩 회수하는 방법이 있다.

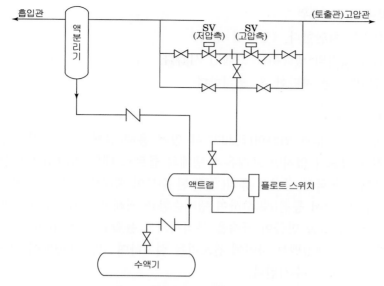

그림. 고압가스를 이용하는 방법

※ 액복귀(液復歸) : Liquid back

■ 원인

• 팽창 밸브의 개도를 크게 했을 경우
• 증발부하의 급격한 변동이 있을 경우
• 증발기에 적상 및 유막이 과대 형성이 되었을 경우
• 액분리기의 기능이 불량한 경우
• 증발기 용량이 작을 경우
• 감온식 팽창밸브 사용 시 감온통의 부착위치가 부적합한 경우
• 기동 조작에 잘못이 있을 경우

■ 영향

• 흡입관 및 실린더에 서리(霜)가 붙는다.
• 토출밸브 및 실린더 헤더의 손상우려가 있다.
• 토출가스 온도가 저하된다.
• 압축기 이상음이 발생한다.
• 소요동력 증대
• 냉동능력 감소

■ 대책

• 현상이 미세할 경우
  – 흡입밸브를 조인다.
  – 팽창밸브를 조인다.
  – 흡입밸브를 서서히 연다.

- 현상이 심할 경우
  - 전원을 차단한다. (압축기 정지)
  - 워터 재킷의 냉각수를 드레인 시킨다.
  - 흡입밸브를 차단한 후 조치한다.

9. 건조기(Drier)

NH$_3$ 냉매는 수분과 친화력(親和力)이 있어 용해(溶解)됨으로 건조기(乾燥期)를 설치할 필요가 없지만 프레온계 냉매와 클로르 메틸(CH$_3$Cl) 냉매는 수분에 대한 용해도가 극히 적어서 유리(遊離)된 수분이 팽창밸브의 니들 밸브(Needle valve) 공(孔)에서 동결(凍結)하여 냉매순환을 저해하고 가수분해(加水分解)에 의하여 산성물질을 만들어 금속을 부식시키고 윤활유를 열화(劣化)시킨다. 따라서 수액기와 팽창밸브 사이에 건조기를 설치하여 고압 냉매액이 건조기를 통과할 때 수분을 흡수시킨다.

> **건조기(Drier)**
> · 드라이어는 냉매 액관에 설치한다.
> · 암모니아 냉매에는 사용하지 않는다.
> · 드라이어나 필터의 입구와 출구에 온도차가 있는 경우는 장치가 이물질로 막혀있다.(온도차는 압력강하가 있기 때문)
> · 드라이어나 필터드라이어 속에 건조제(실리카겔, 제올라이트)가 봉입되어 있다.

(1) 건조재의 종류
① 실리카겔(Silica gel)
② 활성(活性) 알루미나(Activated alumina)
③ S/V 소바비이드
④ 제올라이트
⑤ 리튬 브로마이드(Lithium bromide)

(2) 건조재의 구비조건
① 건조효율이 좋을 것
② 냉매 및 오일과의 화학반응이 없을 것
③ 다량의 수분 및 오일을 함유해도 분말화 되지 않을 것
④ 냉매 통과 시 저항이 적을 것
⑤ 취급이 편리하고 가격이 저렴할 것

(3) 건조기의 설치위치
액관에서 응축기나 수액기 가까운 곳에 설치한다.
설치의 예
수액기 → 투시경(Sight glass) → 건조기(Drier) → 전자밸브(Solenoid valve) → 팽창밸브

(4) 건조기의 종류
① 오픈타입 (Open type)
② 밀폐형
※ 일반적으로 건조기는 여과기와 겸용하는 형식이 많다.

(5) 수분 침입의 원인

① 흡입 압력이 진공상태일 때 누설부분에서의 외기의 침입

② 냉매 및 오일 중에 수분이 함유될 경우

③ 누설 시험 시, 공기압축기를 사용할 경우

④ 냉매 및 오일 충전 시 부주의로 공기와 함께 혼입될 경우

⑤ 정비작업시 부주의로 인한 경우

(6) 수분 침입 시 장치에 미치는 영향

① 프레온계 냉매

- 팽창 밸브의 동결폐쇄 현상
- 산의 생성으로 인한 장치 부식
- 동부착현상 촉진
- 흡입 압력 저하

② 암모니아 냉매

- 장치의 부식
- 유탁액 현상
- 증발온도 상승
- 흡입압력 저하

표. 건조재의 종류 및 성상(性狀)

성분		실리카겔 SiO_2nH_2O	알루미나겔 $Al_2O_3nH_2O$	S/V 소바비이드	물리쿨러시이브
외관	흡착전	무색반투명 가스질	백색	반투명 구상	미립결정체
	흡착후	변화 없음	변화 없음	변화 없음	변화 없음
독성, 연소성, 위험성		없음	없음	없음	없음
미각		무미/무취	동좌	동좌	동좌
건조강도 (공기 중의 성분)		A형 0.3mg/L당 B형은 A형보다 약함	실리카겔과 같음	실리카겔과 대략 같음	실리카겔보다 큼
포화 흡온량		A형 약 40% B형 약 80%	실리카겔보다 적음	실리카겔과 대략 같음	실리카겔보다 큼
건조제 충진용기		용기의 재질에 제한 없음	동좌	동좌	동좌
재생		약 150~200℃로 1~2시간 가열해서 재생한다. 재생 후, 성질의 변화 없음	대체적으로 실리카겔과 같음	200℃로 8시간 이내에 재생할 것	가열에 의하여 재생 용이 약 200~250℃
수명		반영구적	동좌	반영구적 액장 수에 접촉하면 파괴된다.	반영구적
잘못하여 제품과 섞은 경우		제품과 작용치 않음 분리가능	동좌	동좌	동좌

10. 여과기

냉동장치 내에 먼지, 모래, 금속편(金屬片) 등 이물질이 존재하면 팽창 밸브, 전자 밸브 및 압축기, 기타 밸브 등의 작동에 장해(障害)를 초래함으로 그 기기들의 전방에 여과기를 설치한다.

(1) 여과기의 구조

① Y형 : 가스 및 액관에 사용

② L형(Angle type) : 곡관에 사용

③ T형

④ ─형(Finger type) : 팽창밸브 및 압축기 흡입관 등에 사용

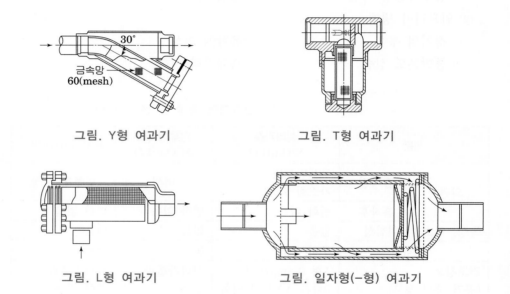

그림. Y형 여과기   그림. T형 여과기

그림. L형 여과기   그림. 일자형(─형) 여과기

(2) 여과재의 종류

금망(金網), 펠트(Felt), 글라스 울(Glass wool) 등을 사용한다.

(3) 규격

액관 : 80~100 메시(Mesh)

가스관 : 40 메시(Mesh)

※ 팽창 밸브, 플로트 밸브, 전자 밸브 등은 특히 이 물질에 의한 영향이 크므로 120~200mesh 정도의 여과제를 사용한다.

※ Mesh(메시) : 1 in^2(Square inch) 당의 눈금 수

(4) 여과기 및 건조기가 막혔을 경우 장치에 미치는 영향

① 저압이 저하된다.(그 정도가 클 경우에는 LPS(저압차단 스위치)의 작용으로 모터가 정지된다.)
② 흡입가스 과열
③ 토출가스 온도 상승
④ 실린더 과열
⑤ 피스톤 마모
⑥ 윤활유 열화 및 탄화로 인한 윤활불량 초래

11. 사이트 글라스(Sight glass)

액관 중에 사이트 글라스를 설치하여 액의 상태를 눈으로 볼 수 있도록 하면 냉매 부족 등을 판단할 수 있다. 압축기를 기동하면 처음에 기포가 보이다가 점차로 기포가 적어지고 점차로 기포가 소멸되어 액만으로 된다.
이때가 냉동사이클에 적당한 냉매량을 표시한다. 또한 사이트 글라스는 수분지시기(인디케이터)가 부착되어 액 중의 수분함량을 식별할 수 있도록 한 것도 있는데 이러한 사이트 글라스를 드라이 아이(Dry eye)라 한다.

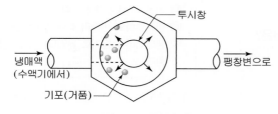

냉매액
(수액기에서)

투시창

팽창변으로

기포(거품)

그림. Sight Glass

[10년 1회]
01 수액기의 안전관리상 주의할 점으로 틀린 것은?

① 안전 밸브의 원 밸브는 항상 열어 둘 것
② 직사광선을 피할 것
③ 액이 완전히 차도록 할 것
④ 화기를 엄금가고 충격을 가하지 말 것

> **수액기 설치 시 주의사항**
> ㉠ 수액기에 직사광선(直射光線)은 닫지 않게 할 것
> ㉡ 수액기의 냉매량은 3/4(75%) 이상 만액시키지 말 것
> ㉢ 화기의 접근을 피할 것
> ㉣ 안전밸브의 원변은 항상 열어둘 것
> ㉤ 용접 부분에는 배관 및 기타 기기를 접속하지 말 것
> ㉥ 인접한 용접부의 상호거리는 판 두께의 10배 이상 떨어져 있을 것

[12년 3회, 10년 2회, 09년 1회]
02 액분리기(Accumulator)의 설명이 잘못된 것은?

① 압축기에 액이 흡입되지 않게 한다.
② 응축기와 압축기 사이에 설치한다.
③ 압축기의 파손을 방지한다.
④ 장치 기동 시 증발기 내에서의 냉매의 교란을 방지한다.

> **액분리기(Accumulator)**
> 액분리기는 흡입가스 중의 냉매액을 분리하여 압축기에 액이 흡입되는 것을 방지한다.
> (1) 설치위치
>   증발기와 압축기 사이의 흡입관(모든 액분리기는 증발기보다 상부에 위치한다.)
> (2) 설치용량
>   증발기 내용적의 20~25% 이상의 크기
> (3) 설치의 경우
>   만액식 증발기를 갖는 냉동장치 및 부하변동이 심한 장치
> (4) 액분리기 내에서의 가스의 유속
>   1m/sec 정도

[13년 3회]
03 액 흡입으로 인해 발생하는 압축기 소손을 방지하기 위한 부속장치는?

① 저압차단 스위치   ② 고압차단 스위치
③ 어큐뮬레이터   ④ 유압보호 스위치

> **액분리기(Accumulator)**
> 액분리기는 흡입가스 중의 냉매액을 분리하여 압축기에 액이 흡입되는 것을 방지하는 것으로 액 흡입으로 인해 발생하는 압축기 소손을 방지하기 위한 부속장치이다.

[13년 1회]
04 냉동장치의 액분리기에 대한 설명 중 맞는 것으로만 짝지어진 것은?

> ㉠ 증발기와 압축기의 흡입측 배관 사이에 설치한다.
> ㉡ 기동 시 증발기내의 액이 교란되는 것을 방지한다.
> ㉢ 냉동부하의 변동이 심한 장치에는 사용하지 않는다.
> ㉣ 냉매액이 증발기로 유입되는 것을 방지하기 위해 사용한다.

① ㉠, ㉡   ② ㉢, ㉣
③ ㉠, ㉢   ④ ㉡, ㉢

> **액분리기(Accumulator)**
> ㉢ 냉동부하의 변동이 심한 장치에는 사용하여 압축기로의 liquid back을 방지한다.
> ㉣ 냉매액이 압축기로 유입되는 것을 방지하기 위해 사용한다.

[16년 2회, 10년 1회]
05 냉동장치에서 고압측에 설치하는 장치가 아닌 것은?

① 수액기   ② 팽창밸브
③ 드라이어   ④ 액분리기

> **액분리기(Accumulator)**
> 액분리기는 증발기와 압축기 사이에 설치하는 것으로 냉동장치의 저압부에 설치한다.

[15년 3회]

06 액분리기(Accumulator)에서 분리된 냉매의 처리방법이 아닌 것은?

① 가열시켜 액을 증발 후 응축기로 순환시키는 방법
② 증발기로 재순환시키는 방법
③ 가열시켜 액을 증발 후 압축기로 순환시키는 방법
④ 고압측 수액기로 회수하는 방법

> 액분리기(Accumulator)에서 분리된 냉매의 처리방법
> (1) 증발기로 재순환시키는 방법
> (2) 가열시켜 액을 증발 후 압축기로 순환시키는 방법
> (3) 고압측 수액기로 회수하는 방법

[11년 3회]

07 냉동장치에서 펌프다운의 목적이 아닌 것은?

① 냉동장치의 저압 측을 수리할 때
② 가동 시 액해머 방지 및 경부하 가동을 위하여
③ 프레온 냉동장치에서 오일 포밍(oil foaming)을 방지하기 위하여
④ 저장고내 급격한 온도저하를 위하여

> 펌프다운(pump down) : 냉동기의 저압 측의 수리나 장기간 휴지 때에 냉매를 응축기에 회수하기 위한 운전
> 펌프아웃(pump out) : 냉동설비 고압 측의 이상으로 냉매를 증발기나 용기에 회수할 경우에 행하는 운전

[13년 2회]

08 냉동장치에서 펌프다운을 하는 목적으로 틀린 것은?

① 장치의 저압 측을 수리하기 위하여
② 장시간 정지 시 저압 측으로부터 냉매누설을 방지하기 위하여
③ 응축기나 수액기를 수리하기 위하여
④ 기동시 액해머 방지 및 경부하 기동을 위하여

> ③의 경우는 펌프아웃(pump out)이다.

[08년 1회]

09 다음은 프레온 장치에서 유분리기를 사용해야 될 경우의 설명이다. 옳지 않은 것은?

① 만액식 증발기를 사용하는 경우에 사용한다.
② 다량의 기름이 토출가스에 혼입될 때 사용한다.
③ 증발온도가 높은 경우에 사용한다.
④ 토출가스 배관이 길어지는 경우에 사용한다.

> 유분리기
> 유분리기는 만액식 증발기나 증발온도가 낮은 저온의 냉동장치 등에 설치되어 압축기로부터 토출된 가스로부터 윤활유를 분리하여 응축기나 증발기에서 전열작용이 오일에 의해서 저해되는 것을 방지한다.

[15년 2회]

10 프레온 냉동장치에서 유분리기를 설치하는 경우가 아닌 것은?

① 만액식 증발기를 사용하는 장치의 경우
② 증발온도가 높은 냉동장치의 경우
③ 토출가스 배관이 긴 경우
④ 토출가스에 다량의 오링이 섞여나가는 경우

> 유분리기를 설치하는 경우
> ㉠ 만액식 증발기를 사용하는 경우
> ㉡ 증발온도가 낮은 경우
> ㉢ 토출가스 배관이 길어지는 경우
> ㉣ 토출가스에 다량의 오일이 섞여나가는 경우
> ㉤ 암모니아 냉동장치

[13년 1회]

11 암모니아 냉동기에서 유분리기의 설치위치로 가장 적당한 곳은?

① 압축기와 응축기 사이
② 응축기와 팽창변 사이
③ 증발기와 압축기 사이
④ 팽창변과 증발기 사이

> 유분리기의 설치위치 : 압축기와 응축기 사이

[09년 1회]

12 냉동장치내에 불응축가스가 존재하고 있는 것이 판단되었다. 그 혼입의 원인으로 볼 수 없는 것은?

① 냉매충전 전에 장치내를 진공 건조시키기 위하여 상온에서 진공 750mmHg까지 몇 시간 동안 진공 펌프를 운전하였기 때문이다.
② 냉매와 윤활유의 충전작업이 불량했기 때문이다.
③ 냉매와 윤활유가 분해하기 때문이다.
④ 팽창밸브에서 수분이 동결하고 흡입가스 압력이 대기압 이하가 되기 때문이다.

> **불응축가스 발생원인**
> ㉠ 냉매의 충전 시 부주의
> ㉡ 윤활유의 충전 시 부주의
> ㉢ 진공 시험 시 저압부의 누설
> ㉣ 오일 포밍 현상의 발생 및 오일의 열화, 탄화 시
> ㉤ 장치의 신설이나 휴지 후 완전 진공을 하지 못하여 남아있는 공기

[11년 1회]

13 냉동장치 내에 공기가 침입하였을 때의 현상은?

① 토출압력 저하
② 체적효율 증가
③ 토출온도 저하
④ 냉동능력 감소

> **불응축 가스(공기) 존재 시의 영향**
> ㉠ 응축(토출) 압력 상승
> ㉡ 토출가스 온도 상승
> ㉢ 체적효율 감소
> ㉣ 냉매와 냉각관의 열전달의 저해
> ㉤ 소요동력 증대
> ㉥ 냉동능력 감소

[12년 1회]

14 프레온 냉동장치에 공기가 유입되면 어떠한 현상이 일어나는가?

① 고압이 공기의 분압만큼 낮아진다.
② 고압이 높아지므로 냉매 순환량이 많아지고 냉동능력도 증가한다.
③ 토출가스의 온도가 상승하므로 응축기의 열통과율이 높아지고 방출열량도 증가한다.
④ 냉동톤당 소요동력이 증가한다.

> ① 고압이 공기의 분압 이상으로 높아진다.
> ② 고압이 높아지므로 체적효율이 감소하여 냉동능력도 감소한다.
> ③ 토출가스의 온도가 상승하여도 응축기의 열통과율은 높아지지 않는다.

[15년 1회]

15 냉동장치내의 불응축 가스에 관한 설명으로 옳은 것은?

① 불응축 가스가 많아지면 응축압력이 높아지고 냉동능력은 감소한다.
② 불응축 가스는 응축기에 잔류하므로 압축기의 토출가스온도에는 영향이 없다.
③ 장치에 윤활유를 보충할 때 공기가 흡입되어도 윤활유에 용해되므로 불응축 가스는 생기지 않는다.
④ 불응축 가스가 장치내에 침입해도 냉매와 혼합되므로 응축압력은 불변한다.

> ② 불응축 가스가 응축기에 잔류하면 압축기의 토출가스온도가 상승한다.
> ③ 냉매 및 윤활유 충전 시 부주의로 공기(불응축 가스)가 혼입될 수 있다.
> ④ 불응축 가스가 장치 내에 침입하면 냉매와 응축압력은 상승한다.

[15년 3회]

16 냉동장치 내의 불응축 가스가 혼입되었을 때 냉동장치의 운전에 미치는 영향으로 가장 거리가 먼 것은?

① 열교환 작용을 방해하므로 응축압력이 낮게 된다.
② 냉동능력이 감소한다.
③ 소비전력이 증가한다.
④ 실린더가 과열되고 윤활유가 열화 및 탄화된다.

> 냉동장치 내에 불응축 가스가 혼입하면 불응축 가스는 응축기에 체류하여 응축기내의 유효응축면적을 감소시켜 불응축 가스의 분압 상당 분 이상의 응축압력이 상승한다.

[13년 3회]

17 냉동장치에서 일반적으로 가스퍼지(Gas purger)를 설치할 경우 설치위치로 적당한 곳은?

① 수액기와 팽창밸브의 액관
② 응축기와 수액기의 액관
③ 응축기와 수액기의 균압관
④ 응축기 직전의 토출관

> **가스 퍼저(Gas purger)**
> 가스 퍼저는 불응축 가스 분리기라고도 하며 응축기 및 수액기 상부에 잔류하는 불응축 가스(주로 공기)를 냉매와 분리하여 장치 밖으로 배출하는 장치이다. 설치 장소로는 응축기와 수액기 균압관에 주로 설치한다.

[15년 3회]

18 플래시 가스(flash gas)는 무엇을 말하는가?

① 냉매 조절 오리피스를 통과할 때 즉시 증발하여 기화하는 냉매이다.
② 압축기로부터 응축기에 새로 들어오는 냉매이다.
③ 증발기에서 증발하여 기화하는 새로운 냉매이다.
④ 압축기에서 응축기에 들어오자마자 응축하는 냉매이다.

> **플래시 가스(flash gas)**
> 교축 작용(냉매가 팽창밸브와 같은 오리피스를 통과할 때)시 자체 내에서 증발 잠열에 의해 냉매가 증발되어 발생하는 기체를 말한다. 이는 이미 기화되었으므로 다시 기화되어 냉동 목적을 달성할 수 없다. 따라서 플래시 가스 발생을 억제하기 위하여 팽창밸브 직전의 냉매를 과냉각 시켜준다.

[14년 3회, 08년 3회]

19 냉동장치의 액관 중 발생하는 플래시 가스의 발생 원인으로 가장 거리가 먼 것은?

① 액관의 입상높이가 매우 작을 때
② 냉매 순환량에 비하여 액관의 관경이 너무 작을 때
③ 배관에 설치된 스트레이너, 필터 등이 막혀 있을 때
④ 액관이 직사광선에 노출될 때

> **플래시 가스 발생원인**
> ① 액관의 입상높이가 매우 높을 때
> ② 냉매 순환량에 비하여 액관의 관경이 너무 작을 때
> ③ 배관에 설치된 스트레이너, 필터 등이 막혀 있을 때
> ④ 액관이 직사광선에 노출될 때
> ⑤ 액간이 냉매액 온도보다 높은 장소를 통과할 때

[11년 2회, 09년 1회]

20 냉동장치에서 액관의 어떤 부분에 플래시 가스가 나났을 때 그 원인에 해당되는 것은?

① 액관이 냉매액 온도보다 낮은 장소를 통과하기 때문이다.
② 액가스 열교환기를 설치하여 냉매액을 과냉각 시켰기 때문이다.
③ 냉매의 저항을 적게 하기 위하여 액관을 과도하게 굵게 했기 때문이다.
④ 액관 중의 스트레이너가 오물로 막혔기 때문이다.

> 19번 해설 참조

[16년 3회, 09년 3회]

21 냉동장치의 냉매 액관 일부에서 발생한 플래시 가스가 냉동장치에 미치는 영향으로 옳은 것은?

① 냉매의 일부가 증발하면서 냉동유를 압축기로 재순환시켜 윤활이 잘된다.

② 압축기에 흡입되는 가스에 액체가 혼입되어서 흡입체적효율을 상승시킨다.

③ 팽창밸브를 통과하는 냉매의 일부가 기체이므로 냉매의 순환량이 적어져 냉동능력을 감소시킨다.

④ 냉매의 증발이 왕성해짐으로서 냉동능력을 증가시킨다.

> **플래시 가스**
> 냉동장치의 냉매 액관 일부에서 발생한 플래시 가스는 팽창밸브의 능력을 감퇴시켜 냉매순환량이 줄어들어 냉동능력을 감소시킨다.

[13년 1회]

22 프레온 냉동장치에서 압축기 흡입배관과 응축기 출구배관을 접촉시켜 열교환시킬 때가 있다. 이때 장치에 미치는 영향으로 옳은 것은?

① 압축기 운전 소요동력이 다소 증가한다.

② 냉동 효과가 증가한다.

③ 액백(liquid back)이 일어난다.

④ 성적계수가 다소 감소한다.

> **열교환기(Heat exchange)의 설치 목적**
> ㉠ 증발기에 공급되는 액을 과냉각시켜 플래시 가스의 발생을 방지하여 냉동효과를 증대시킨다.
> ㉡ 흡입가스의 과열로 액백(liquid back)을 방지한다.
> ㉢ 액의 리턴(Return)이 있을 경우에 액분리기의 역할과 여기서 액을 증발하는 목적이 있다.

[14년 3회]

23 다음과 같은 대항류 열교환기의 대수 평균 온도차는? (단, t_1 : 40℃, t_2 : 10℃, t_{w1} : 4℃, t_{w2} : 8℃이다.)

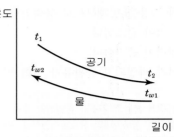

① 약 11.3℃　　　② 약 13.5℃
③ 약 15.5℃　　　④ 약 19.5℃

> **대수 평균 온도차(대향류)**
> $$\Delta m = \frac{\Delta_1 - \Delta_2}{\mathrm{Ln}\frac{\Delta_1}{\Delta_2}} = \frac{(t_1 - t_{w2}) - (t_2 - t_{w1})}{\ln\frac{(t_1 - t_{w2})}{(t_2 - t_{w1})}}$$
> $$= \frac{(40 - 8) - (10 - 4)}{\ln\frac{40 - 8}{10 - 4}} \fallingdotseq 15.5$$

[11년 3회]

24 다음과 같은 대항류열교환기의 대수 평균 온도차는 약 얼마인가? (단, t_1 : 27℃, t_2 : 13℃, t_{w1} : 5℃, t_{w2} : 10℃이다.)

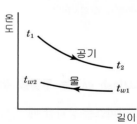

① 9.0℃　　　② 11.9℃
③ 13.7℃　　　④ 15.5℃

> **대수 평균 온도차(대항류)**
> $$\Delta m = \frac{\Delta_1 - \Delta_2}{\mathrm{Ln}\frac{\Delta_1}{\Delta_2}} = \frac{(t_1 - t_{w2}) - (t_2 - t_{w1})}{\ln\frac{(t_1 - t_{w2})}{(t_2 - t_{w1})}}$$
> $$= \frac{(27 - 10) - (13 - 5)}{\ln\frac{27 - 10}{13 - 5}} \fallingdotseq 11.9℃$$

PARAT 02

냉동냉장 설비

[08년 1회]

25 R12 열교환기에서 고압액과 저압증기가 병류로 흐르고 있을 때 고압액은 입구에서 80℃, 출구에서 6.5℃이고 저압증기는 입구에서 −20℃, 출구에서 −13.5℃가 된다면 이때 대수 평균 온도차는 얼마인가?

① −16.7℃
② 13.2℃
③ 49.7℃
④ 60℃

대수 평균 온도차(병류)

$$\Delta m = \frac{\Delta_1 - \Delta_2}{\text{Ln}\frac{\Delta_1}{\Delta_2}} = \frac{(t_1 - t_{w1}) - (t_2 - t_{w2})}{\ln\frac{(t_1 - t_{w1})}{(t_2 - t_{w2})}}$$

$$= \frac{\{80 - (-20)\} - \{6.5 - (-13.5)\}}{\ln\frac{80+20}{6.5+13.5}} \fallingdotseq 49.7℃$$

[09년 3회, 08년 1회]

26 히트 파이프의 특징을 설명한 것으로 틀린 것은?

① 등온성이 풍부하고 온도상승이 빠르다.
② 사용온도 영역에 제한이 없으며 압력손실이 크다.
③ 국부 부하의 변동이 강하고 열 유속의 변동이 가능하다.
④ 적은 온도차에서 장거리 열수송이 가능하다.

히트 파이프(heat pipe)
히트 파이프는 작동유체의 온도범위에 따라 극저온, 상온, 고온의 세 가지로 구분된다.
㉠ 극저온(122K 이하) : 수소, 네온, 질소, 산소, 메탄
㉡ 상온(122K ~ 628K) : 프레온, 메탄올, 암모니아, 물
㉢ 고온(628K 이상) : 수은, 세슘, 칼륨, 나트륨, 리튬, 은

[11년 1회]

27 증기압축식 냉동장치에서 건조기의 설치위치로 올바른 것은?

① 증발기 전
② 응축기 전
③ 압축기 전
④ 팽창밸브 전

프레온 냉동장치에서 건조기(dryer)는 수액기와 팽창밸브사이에 설치한다.
수액기 → 사이트글라스 → 건조기(dryer) → 여과기
→ 전자밸브 → 팽창밸브

[14년 2회]

28 다음 설명 중 옳은 것은?

① 암모니아 냉동장치에서는 토출가스 온도가 높기 때문에 윤활유의 변질이 일어나기 쉽다.
② 프레온 냉동장치에서 사이트글라스는 응축기 전에 설치한다.
③ 액순환식 냉동장치에서 액펌프는 저압수액기 액면보다 높게 설치해야 한다.
④ 액관 증에 플래시 가스가 발생하면 냉매의 증발온도가 낮아지고 압축기 흡입 증기 과열도는 작아진다.

② 프레온 냉동장치에서 사이트글라스는 응축기와 팽창밸브 사이의 냉매 액관에 설치한다.
③ 액순환식 냉동장치에서 액펌프는 저압수액기 액면보다 낮게 설치해야 한다.
④ 액관 증에 플래시 가스가 발생하면 냉매의 증발온도가 낮아지고 압축기 흡입 증기 과열도는 커진다.

[16년 3회]

29 냉동장치의 부속기기에 관한 설명으로 옳은 것은?

① 드라이어 필터는 프레온 냉동장치의 흡입배관에 설치해 흡입증기 중의 수분과 찌꺼기를 제거한다.
② 수액기의 크기는 장치내의 냉매순환량만으로 결정한다.
③ 운전 중 수액기의 액면계에 기포가 발생하는 경우는 다량의 불응축가스가 들어있기 때문이다.
④ 프레온 냉매의 수분 용해도는 작으므로 액 배관 중에 건조기를 부착하면 수분제거에 효과가 있다.

① 드라이어 필터는 프레온 냉동장치의 냉매 액관에 설치해 냉매 중의 수분과 찌꺼기를 제거한다.
② 수액기의 크기는 장치내의 냉매 충전량으로 결정하고 수리할 때에 냉매액의 대부분을 회수할 수 있는 크기로 하고, 회수하는 용량은 내용적의 80% 이내로 한다.
③ 운전 중 수액기의 액면계에 기포가 발생하는 경우는 냉매의 일부의 증발현상 때문이다.

[14년 3회]

30 증발압력 조정밸브(EPR)의 부착위치로 옳은 곳은?

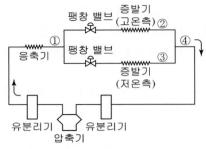

① ①
② ②
③ ③
④ ④

증발압력 조정밸브(EPR)의 부착위치
증발온도가 다른 2대 이상의 증발기가 있을 경우 가장 낮은 증발기를 기준으로 하여 운전하므로 온도가 높은 쪽의 증발기출구에 증발압력 조정밸브를 부착하여 고온 측 증발기의 증발온도를 규정온도 이하가 되지 않도록 한다.

[13년 3회]

31 증발압력 조정밸브(EPR)에 대한 설명 중 틀린 것은?

① 냉수 브라인 냉각 시 동결 방지용으로 설치한다.
② 증발기내의 압력을 일정압력 이하가 되지 않게 한다.
③ 증발기 출구 밸브입구 측의 압력에 의해 작동한다.
④ 한 대의 압축기로 증발온도가 다른 2대 이상의 증발기 사용 시 저온측 증발기에 설치한다.

증발압력 조정밸브(EPR)
㉠ 증발압력이 일정 압력 이하가 되는 것을 방지한다.
㉡ 밸브의 입구 압력에 의해 작동한다.
㉢ 브라인, 수냉각기에서 지나치게 냉각되어 동결되는 것을 방지한다.
㉣ 피냉각 물체(야채, 과일 등)의 동결을 방지하기 위해 증발온도를 높게 유지한다.
㉤ 냉장고 등에서 냉각코일에 의한 과도한 제습(除濕)을 방지하기 위해 증발온도를 높게 유지한다.
㉥ 한 대의 압축기로 증발온도가 다른 2대 이상의 증발기 사용 시 고온 측 증발기출구에 설치한다.

[14년 1회]

32 암모니아 냉동 장치에 대한 설명 중 옳은 것은?

① 압축비가 증가하면 체적효율도 증가한다.
② 표준 냉동 사이클로 운전할 경우 R-12에 비해 토출가스의 온도가 낮다.
③ 기밀시험에 산소가스를 이용하는 것은 폭발의 가능성이 없기 때문이다.
④ 증발압력 조정밸브를 설치하는 것은 냉매의 증발압력을 일정 이상으로 유지하기 위해서이다.

① 압축비가 증가하면 체적 효율이 감소한다.
② 표준 냉동 사이클로 운전할 경우 토출가스의 온도(R-12 : 37.8℃, NH₃ : 98℃)
③ 암모니아는 가연성 가스이므로 기밀시험에 산소가스를 사용하면 폭발의 우려가 커서 사용하지 않는다.

[13년 1회, 10년 1회]

33 냉동장치의 안전장치 중 압축기로의 흡입압력이 소정의 압력 이상이 되었을 경우 과부하에 의한 압축기용 전동기의 위험을 방지하기 위하여 설치되는 기기는?

① 증발압력 조정밸브(EPR)
② 흡입압력 조정밸브(SPR)
③ 고압 스위치
④ 저압 스위치

흡입압력 조절밸브(S.P.R)
S.P.R은 증발기와 압축기 흡입관 도중에 설치되어 압축기의 흡입압력이 일정한 조정압력의 이상이 되는 것을 방지하여 전동기(Motor)의 과부하를 방지한다.

[15년 2회, 09년 3회]

34 다음 중 브라인의 동결방지 목적으로 사용하는 기기가 아닌 것은?

① 온도 스위치
② 단수 릴레이
③ 흡입압력 조절밸브
④ 증발압력 조절밸브

흡입압력 조절밸브는 압축기의 전동기 과부하 방지장치이다.

PARAT 02

냉동냉장 설비

[15년 2회]

35 냉매의 압축, 응축, 팽창, 증발과정으로 구성되어 있는 냉동사이클에서 저압측 압력조정밸브가 아닌 것은?

① 응축압력조정밸브   ② 증발압력조정밸브

③ 흡입압력조정밸브   ④ 정압밸브

응축압력 조절밸브

공랭식 응축기는 동계에 응축압력이 저하되면 고압과 저압의 차가 적게 된다. 따라서 냉매 유량(순환량)이 감소하여 냉동 능력이 떨어지게 된다. 응축압력 조정밸브는 응축압력이 저하되었을 때 밸브를 조여서 밸브를 흐르는 냉매를 제한하여 응축기내의 냉매 액면을 상승시켜 유효응축면적을 감소시키므로 응축압력이 설정압력을 유지하도록 작동하는 조정밸브이다.

㉠ 응축압력 조정밸브는 공랭식응축기에서 사용한다.

㉡ 응축압력 조정밸브는 응축기 출구배관에 설치한다.

㉢ 응축압력이 떨어지면 응축압력 조정밸브는 교축되어 응축압력을 상승시킨다.

[12년 1회, 09년 2회]

36 냉동장치의 안전장치가 아닌 것은?

① 안전밸브

② 가용전, 파열판

③ 고압차단스위치

④ 응축압력 조절밸브

응축압력 조절밸브는 냉동장치의 효율을 증대시키는 장치이지 안전장치는 아니다.

[11년 2회]

37 냉동장치에서 안전밸브의 설치 위치로 적당하지 않은 것은?

① 압축기 토출관

② 수액기

③ 증발기 출구

④ 응축기 출구

안전밸브

안전밸브는 냉동능력이 20톤 이상의 압축기, 내용적 500L 이상의 압력용기(응축기, 수액기 등)에 설치가 의무화 되어있다. 이 안전밸브는 압력이 설정압력 이상으로 상승했을 경우 밸브를 열어 압력을 분출하여 압력초과로 인한 사고를 방지하는 밸브이다.

[13년 3회, 08년 3회]

38 냉동장치의 저압차단 스위치(LPS)에 관한 설명으로 맞는 것은?

① 유압이 저하했을 때 압축기를 정지시킨다.

② 토출압력이 저하했을 때 압축기를 정지시킨다.

③ 장치내 압력이 일정압력 이상이 되면 압력을 저하시켜 장치를 보호한다.

④ 흡입압력이 저하했을 때 압축기를 정지시킨다.

저압 차단 스위치 (LPS)

냉동부하 등의 감소로 인하여 압축기의 흡입압력이 일정 이하가 되면 전기회로를 차단시켜 압축기의 운전을 정지시키거나 전자밸브와 조합시켜 고속 다기통 압축기의 언로드 기구를 작동시키는데 사용된다. 즉 저압이 현저하게 낮아졌을 경우 압축비의 상승으로 인한 압축기 소손을 방지하기 위하여 압축기를 보호하는 안전장치의 일종이다.

[15년 1회, 09년 2회]

39 프레온 냉동장치에서 가용전(Fusible plug)을 주로 어디에 설치하는가?

① 열교환기

② 증발기

③ 수액기

④ 팽창밸브

가용전(Fusible plug)

가용전은 75℃ 이하에서 용융하는 금속을 채운 것으로 내용적 500L 미만의 압력용기(응축기, 수액기)에 설치하여 용기 내의 온도가 이상(異常)상승 하였을 때 금속이 용융하여 내부의 냉매를 분출시켜 압력용기를 보호하는 안전장치이다.

[10년 1회]

40 프레온 냉동장치에서 가용전의 설치위치와 용융온도에 대해 올바르게 나타낸 것은?

① 팽창밸브, 95℃ 이상

② 팽창밸브 75℃ 이하

③ 수액기, 75℃ 이하

④ 수액기, 95℃ 이상

39번 해설 참조

정답   35 ①   36 ④   37 ③   38 ④   39 ③   40 ③

[12년 1회, 09년 2회]

41 제어기기와 안전장치에 대한 설명이다. 옳은 것은?

① 유압보호 스위치는 유압계의 지시가 일정압력보다 내려갔을 때 압축기가 작동하도록 조정한다.
② 압축기에 안전밸브와 고압차단 장치를 설치했을 때 안전밸브의 작동압력은 고압차단 장치의 작동압력보다 높게 조정하는 것이 좋다.
③ 압축기의 토출압력이 올라가면 전동기의 부하도 커짐으로 전동기의 과부하차단장치(오버로드 릴레이)가 있으면 냉매계통의 안전장치는 없어도 된다.
④ 절수밸브는 증발압력을 검지하여 냉각수량을 가감하는 조정밸브이므로 안전장치로 간주한다.

> ① 유압보호 스위치(OPS)는 유압과 저압의 차압에 의하여 작동하는 안전장치로 압축기에서 유압이 일정 압력 이하가 되었을 때 압축기를 정지시켜 압축기를 보호하는 스위치이다.
> ③ 전동기의 과부하차단장치(오버 로드 릴레이)가 있어도 냉매계통의 안전장치는 반드시 필요하다.
> ④ 절수밸브는 응축기 냉각수 입구 측에 설치하여 압축기의 토출압력에 의해서 응축기에 공급하는 냉각수량을 증감시킨다. 따라서 응축기의 응축압력을 안정시키고 응축압력에 대응한 냉각수량의 조절로 소비수량을 절감한다.

[08년 2회]

42 핫가스(Hot gas)제상을 하는 소형 냉동장치에 있어서 핫가스의 흐름을 제어하는 것은?

① 캐필러리 튜브(모세관)
② 자동팽창 밸브(AEV)
③ 솔레노이드 밸브(전자 밸브)
④ 4방향 밸브

> **고온가스 제상(hot gas defrost)**
> 건식 증발기와 같이 냉매 공급량이 적은 증발기에 많이 사용하는 방법으로 고온, 고압의 토출 가스를 증발기에 보내어 응축시킴으로써 그 응축열을 이용하여 제상하는 방법이다.
> 핫가스(Hot gas)제상을 하는 소형 냉동장치에 있어서 핫가스의 흐름을 제어하는 것은 솔레노이드 밸브(전자 밸브)이다.

[16년 3회, 13년 3회]

43 고온가스에 의한 제상 시 고온가스의 흐름을 제어하는 것으로 적당한 것은?

① 모세관
② 자동팽창밸브
③ 전자밸브
④ 사방밸브(4-way 밸브)

> **고온가스 제상(hot gas defrost)**
> 핫가스(Hot gas)제상을 하는 소형 냉동장치에 있어서 핫가스의 흐름을 제어하는 것은 솔레노이드밸브(전자밸브)이다.

[16년 3회]

44 다음 냉동기의 안전장치와 가장 거리가 먼 것은?

① 가용전
② 안전밸브
③ 핫 가스장치
④ 고, 저압 차단스위치

> **고온가스 제상(hot gas defrost)**
> 건식 증발기와 같이 냉매 공급량이 적은 증발기에 많이 사용하는 방법으로 고온, 고압의 토출 가스를 증발기에 보내어 응축시킴으로써 그 응축열을 이용하여 제상하는 방법이다.

[09년 3회]

45 냉동장치의 압력스위치에 대한 설명으로 틀린 것은?

① 고압스위치는 이상고압이 될 때 냉동장치를 정지시키는 안전장치이다.
② 저압스위치는 냉동기의 저압측 압력이 너무 저하하였을 때 전기회로를 차단하는 안전장치이다.
③ 고저압스위치는 고압스위치와 저압스위치를 조합하여 고압측이 일정압력이상이 되거나 저압측이 일정압력보다 낮으면 압축기를 정지시키는 스위치이다.
④ 유압스위치는 윤활유 압력이 어떤 원인으로 일정압력 이상으로 된 경우 압축기의 훼손을 방지하기 위하여 설치하는 보조장치이다.

> **유압(보호)스위치**
> 유압스위치는 윤활유 압력이 어떤 원인으로 일정압력 이하로 된 경우 압축기의 훼손을 방지하기 위하여 설치하는 안전장치이다.

[09년 2회]

46 냉동장치의 운전상태 점검시 중요하지 않은 것은?

① 운전소음 상태
② 윤활유의 상태
③ 냉동장치의 각부의 온도 상태
④ 냉동장치 전원의 주파수 변동 상태

[09년 2회]

47 다음 설명 중 옳지 못한 것은?

① 불응축가스는 응축기에 모이기 쉽다.
② 액압축은 과열도가 클 때 일어나기 쉽다.
③ 불응축가스는 진공건조의 불충분이 원인인 것이 많다.
④ 밀폐형 압축기는 누설의 염려가 적으나 전기 절연도가 좋은 냉매를 사용하여야 한다.

액압축
부하의 감소나 냉매 순환량의 증가로 증발기에서 완전히 증발하지 못한 습증기 상태로 압축기에 흡입되는 것을 의미한다. 그러므로 액압축은 과열도가 없을 때 발생한다.

[11년 2회, 09년 2회]

48 전자밸브를 설치할 때 주의사항으로 틀린 것은?

① 전압과 용량에 맞추어 설치되었는지 확인한다.
② 코일부분이 하부로 오도록 수평하게 설치되었는지 확인한다.
③ 본체의 유체 방향에 맞추어 설치되었는지 확인한다.
④ 밸브 입구에 여과기가 설치되었는지 확인한다.

전자밸브(solenoid valve)
②의 경우 코일부분이 상부로 오도록 하고 수평부분에 설치한다.

[12년 1회, 10년 2회]

49 냉동장치의 온도를 일정하게 유지하기 위하여 사용되는 온도제어기(thermostat)의 방식으로 적당하지 않은 것은?

① 바이메탈식
② 건습구식
③ 증기 압력식
④ 전기 저항식

서모스탯 (Thermostat)
일명 온도제어기라고도 하며 이것에 의하여 전류를 개폐하여 냉각작용을 조절시키는 방법으로 냉동장치에 가장 널리 이용된다. 종류로는 바이메탈식, 증기 압력식, 전기 저항식이 있다.

[16년 2회, 10년 3회]

50 냉동장치에서 사용되는 각종 제어동작에 대한 설명으로 올바르지 않은 것은?

① 2위치 동작은 스위치의 온, 오프 신호에 의한 동작이다.
② 3위치 동작은 상, 중, 하 신호에 따른 동작이다.
③ 비례동작은 입력신호의 양에 대응하여 제어량을 구하는 것이다.
④ 다위치 동작은 여러 대의 제어기기를 단계적으로 운전 또는 정지시키기 위한 것이다.

3위치 동작
자동 제어계에서 동작 신호가 어느 값을 경계로 하여 조작량이 세 값으로 단계적으로 변화하는 제어 동작

[11년 1회]

51 시퀀스제어에 사용되는 제어기기는 전기식과 전자식으로 구분되는데, 이 중 전자식에 관한 설명 중 틀린 것은?

① 다이오드, 트랜지스터, 레지스터 등으로 구성된다.
② 소형이며 신뢰성이 높다.
③ 응답시간이 빠르며 열에 강하다.
④ 약한 전류에도 회로의 접속점에서 장해를 일으키기 쉽다.

전자식은 열(온도 변화)에 약하다.

정답 46 ④ 47 ② 48 ② 49 ② 50 ② 51 ③

[13년 2회]

52 냉동장치를 자동운전하기 위하여 사용되는 자동제어방법 중 먼저 정해진 제어동작의 순서에 따라 진행되는 제어방법은?

① 시퀀스제어   ② 피드백제어

③ 2위치제어   ④ 미분제어

> (1) 시퀀스제어(Sequence Control) : 미리 정해진 순서에 따라서 각 단계가 순차적으로 진행되는 제어방식
> (2) 피드백제어(Feed Back Control) : 피드백제어 시스템은 적응성이 있는 제어를 하기 위하여 제어 시스템의 출력이 기준입력과 일치하는가를 항상 비교하여 일치하도록 하는 기억과 판단기구 및 검출기를 가진 제어방식

[13년 1회]

53 자동제어의 목적이 아닌 것은?

① 냉동장치 운전상태의 안정을 도모한다.

② 냉동장치의 안전을 유지한다.

③ 경제적인 운전을 꾀한다.

④ 냉동장치의 냉매 소비를 절감한다.

> **냉동장치의 자동제어의 목적**
> ① 냉동장치 운전상태의 안정을 도모한다.
> ② 냉동장치의 안전을 유지한다.
> ③ 경제적인 운전을 꾀한다.

[16년 1회]

54 냉동장치에서 흡입배관이 너무 작아서 발생되는 현상으로 가장 거리가 먼 것은?

① 냉동능력 감소

② 흡입가스의 비체적 증가

③ 소비동력 증가

④ 토출가스온도 강하

> 흡입배관이 너무 작으면 저항의 커져서 ①, ②, ③ 이외에 압축비의 증대현상이 발생하여 토출가스온도가 상승한다.

[16년 1회]

55 1단 압축 1단 팽창 냉동장치에서 흡입증기가 어느 상태일 때 성적계수가 제일 큰가?

① 습증기   ② 과열증기

③ 과냉각액   ④ 건포화증기

> 응축압력과 증발압력이 동일한 조건에서는 과열증기의 경우가 성적계수가 제일 크다.

냉동장치 구성 기기 1 제어기기

1 제어기기

1. 압력제어

(1) 증발압력 조정 밸브(Evaporator pressure regulator: EPR)

일반적으로 EPR이라 하며 압축기의 ON-OFF 또는 전자변의 개폐로는 증발압력을 일정하게 유지하기가 어려워서 피냉각물질의 온도를 일정하게 유지할 수 없어 고정도의 제어가 어렵다. 또한 1대의 압축기로 2대 이상의 증발기에 연결하여 사용할 때 각각의 증발온도가 다를 경우 그 압력 이하로 되지 않도록 제어하는 밸브이다.

- **특징**
- 증발압력이 설정압력 이하가 되는 것을 방지한다.
- 밸브의 입구 압력에 의해 작동한다.
- 브라인, 수냉각기에서 지나치게 냉각되어 동결되는 것을 방지한다.
- 피냉각 물체(야채, 과일 등)의 동결을 방지하기 위해 증발온도를 높게 유지한다.
- 냉장고 등에서 냉각코일에 의한 과도한 제습(除濕)을 방지하기 위해 증발온도를 높게 유지 한다.
- 증발온도가 다른 2대 이상의 증발기가 있을 경우 가장 낮은 증발기를 기준으로 하여 운전하므로 온도가 높은 쪽의 증발기를 규정온도 이하가 되지 않도록 한다.

> **증발압력 조정 밸브(EPR)**
> · EPR은 증발압력이 설정압력 이하가 되는 것을 방지한다.
> · EPR은 증발기 입구압력에 의해서 작동된다.
> · EPR은 증발온도가 다른 2대 이상의 증발기를 1대의 압축기로 운전할 수 있다.
> · EPR은 온도가 높은 증발기의 출구 배관에 부착한다.
> · EPR의 압력조정 스프링을 조이면 증발압력이 높게 된다.
> · EPR은 팽창밸브의 감온통, 균압관보다 아래에 부착한다.

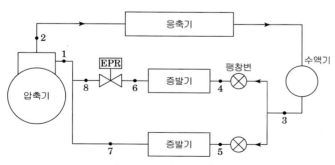

그림. 증발압력조정변의 사용 예

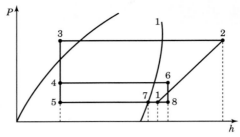

그림. EPR 사용시 P-h 선도상의 변화

■ 종류
• 직동식 증발압력 조정 밸브
• 파일럿식 증발압력 조정밸브

(2) 흡입압력 조정 밸브(Suction pressure regulator : SPR)

압축기의 흡입압력이 설정압력 이상이 되면 전동기는 과부하로 되고 경우에 따라서 소손이 된다. 특히 저온용의 경우나 핫가스 제상 또는 장기 정지 후 시동 시에 이러한 위험이 있다. 이와 같은 현상은 냉동부하가 급격하게 과대해져서 저압이 상승하는 경우에도 일어난다.

이런 경우에 SPR은 증발기와 압축기 흡입관 도중에 설치되어 압축기의 흡입압력이 일정한 조정압력의 이상이 되는 것을 방지하여 전동기(Motor)의 과부하를 방지한다.

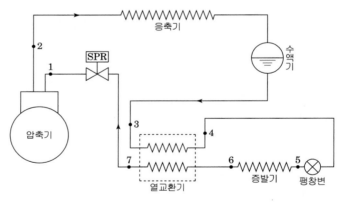

그림. 흡입압력 조정변의 사용 예

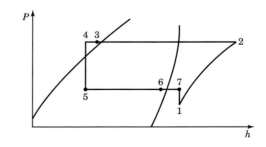

■ 설치의 경우
• 높은 흡입 압력으로 기동할 경우
• 고압가스 제상(Hot gas defrost)으로 흡입압력이 상승하는 경우
• 높은 흡입압력으로 장시간 운전되는 경우
• 압축기로의 액백(Liquid back)을 방지하기 위해
• 흡입압력의 변동이 심한 경우
• 낮은 전압에서 높은 기동 압력으로 기동할 경우

표. EPR과 SPR의 비교

구분 비교사항	EPR	SPR
역할	증방압력의 일정 이하 방지	흡입압력의 일정 이상 방지
설치위치	흡입관(증발기 출구측)	흡입관(압축기 입구측)
작동압력(밸브기준)	입구압력(밸브 전 압력)	출구압력(밸브 후 압력)
작동원리	증발압력 상승 → 열림	흡입압력 상승 → 닫힘
	저하 → 닫힘	저하 → 열림
보호대상	냉각관 동파 방지	전동기 소손 방지

(3) 응축압력 조정밸브(고압 압력 조정변)

이 밸브는 공랭식 응축기의 겨울철 운전에 있어서 압력강하를 방지하여 냉동장치의 정상운전을 행하기 위한 밸브이다. 고압 저하를 방지하기 위한 방법에는 팬의 회전수제어, 팬의 대수제어, 응축기의 대수제어 등이 있다.
그림에서 ①의 응축압력 조정밸브를 응축기 출구에 설치하여 외기온도가 낮아져 고압이 저하하면 밸브가 닫혀서 응축기 냉각관내에 냉매액이 체류하여 응축면적이 감소하여 고압이 높아지고 설정압력 이상이 되면 밸브가 열려서 수액기로 송액 된다.

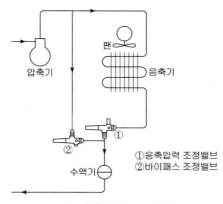

그림. 응축압력 조정밸브

(4) 압력 스위치

압력 스위치는 규정된 압력에 변화가 생기면 전기회로를 차단하여 압축기의 운전을 정지하거나, 또는 압축기 언 로드(Un-load)의 작동 및 압축기의 유압 확보 등을 목적으로 냉동장치에서 중요한 안전장치로 많이 사용된다.

① 종류
- 고압 차단 스위치(High pressure cut out switch : HPS)
- 저압 차단 스위치(Low pressure cut out switch : LPS)
- 고저압 차단 스위치(Dual pressure cut out switch : DPS)
- 유압보호 스위치(Oil protection switch : OPS)

② 특성
- 고압 차단 스위치(HPS)

  고압측 압력의 이상 상승 시 전기적인 접점을 차단하여 압축기를 정지시키는 안전장치로 고압차단 장치라고도 한다. 이 장치의 작동압력은 안전밸브의 작동압력 이하를 취하여 2중의 안전보호 역할을 행하도록 한다.
  - ㉠ 작동압력=정상고압+0.4MPa

    (안전밸브의 작동압력=정상고압+0.5MPa)
  - ㉡ 압력 인출위치

    압축기가 1대일 경우 : 토출변판과 토출지변사이

    압축기가 2대 이상일 경우 : 고압가스 헤더
  - ㉢ 압력조정범위

    프레온용 : 0.6~3MPa(차압 0.15~0.8MPa)

    NH_3용 : 0.6~2.2MPa(차압 0.2~0.8MPa)
- 저압 차단 스위치 (LPS)

  냉동부하 등의 감소로 인하여 압축기의 흡입 압력이 일정 이하가 되면 전기회로를 차단시켜 압축기의 운전을 정지시키거나 전자밸브와 조합시켜 고속 다기통 압축기의 언로드 기구를 작동시키는 데 사용된다.

  즉 저압이 현저하게 낮아졌을 경우 압축비의 상승으로 인한 압축기 소손을 방지하기 위하여 압축기를 보호하는 안전장치의 일종이다.
  - ㉠ 압력범위

    프레온용 : 10cmHg~0.5MPa(차압0.03~0.04MPa)

    NH_3용 : 30cmHg~0.7MPa

    ※ 차압이 적을수록 동력소비가 적어진다.

HPS, LPS
- HPS는 고압압력이 설정압력이 되면 압축기를 정지시킨다.
- HPS는 안전밸브가 작동하기 전에 압축기를 정지시킨다.
- HPS는 수동복귀형이다.(단, 플루오르카본냉매는 10톤 미만의 유닛형의 경우 자동복귀로 할 수 있다.)
- HPS는 설정압력보다 고압이 되면 압축기를 정지한다.
- LPS는 설정압력보다 저압이 되면 압축기를 정지한다.
- LPS는 자동복귀형이다.

- 고저압차단 스위치(DPS)

   고압 차단 스위치와 저압차단 스위치를 조합시킨 것으로 냉동기의 고압이 설정치 이상이 되거나 저압이 소정압력 이하로 내려간 경우, 전기 회로가 차단되어 압축기를 정지시킨다.

   저압측은 압력상승에 의하여 자동적으로 재기동 되나 고압측의 경우에는 일반적으로 압력이 강하해도 수동으로 리셋(Reset)하여야 압축기가 재기동 된다.

- 유압보호 스위치(OPS)

   유압보호 스위치는 압축기의 활동부분에 오일(Oil) 공급(供給)이 부족하거나 급유장치의 고장으로 인하여 압축기의 손상을 방지하는 보호장치로서 주로 고속압축기에 사용한다. 흡입압력과 오일펌프출구의 유압과의 차가 일정시간(60~90초) 이하가 되면 이 유압보호 스위치가 작동하여 압축기의 운전을 정지시킨다.

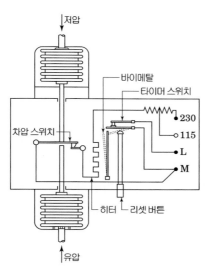

유압보호 스위치
· OPS는 작동할 때 60~90초의 지연시간(time lag)으로 압축기를 정지 시킨다.
· OPS는 수동복귀형이다.
· 급유압력은 0.15~0.4MPa이다.

그림. 유압보호 스위치

2. 온도제어 (Temperature control) : T.C

냉장실 내의 브라인 냉수의 온도를 일정한 온도로 유지하기 위한 제어용 장치가 필요하며, 이에 의하여 압축기의 발정(發停 : ON-OFF), 팽창밸브 앞의 전자밸브를 개폐시킨다.

(1) 서모스탯 (Thermostat)

일명 항온기라고도 하며 이것에 의하여 전류를 개폐하여 냉각작용을 ON-OFF 시키는 것으로 냉동장치에 가장 널리 이용된다.

▪ 종류

① 바이메탈식

열팽창 계수가 다른 2종의 금속(니켈 + 황동) 박판(薄板)을 접합시킨 것으로 온도 변화에 의해 금속의 신축 변위(變位)를 이용하여 스위치를 개폐한다.

② 증기 압력식

일반적으로 가장 널리 사용되는 방법으로 감온통에 냉매를 봉입(封入)시켜 온도에 의한 포화압력의 변화를 이용해 스위치를 개폐시킨다.

③ 전기 저항식

온도 변화에 따라 전기 저항의 변화가 큰 금속을 이용한 것으로 온도가 상승하면 저항이 커져 전류가 적게 흐르고 저항이 작아지면 전류의 흐름이 커진다. 주로 터보 냉동기의 온도제어용으로 많이 이용된다.

3. 습도(濕度)제어 (Humidity control)

냉동실 내의 온도의 유지와 함께 습도의 유지가 요구되는 일이 있다. 이것은 공기조화 장치에서 항상 요구된다.

(1) 습도조절기(Humidistat)

▪ 종류

① 모발식

이것은 모발(毛髮)이 습도에 따라 신축(伸縮)하는 현상을 이용한 것이다. 습도가 증가하면 모발이 늘어나 전기 접점이 연결되어 이에 의하여 전자 밸브 등을 작동시켜 감습장치를 작동시킨다. 일반적으로 공기조화장치에 사용되며, 냉장실에서의 사용은 불가능하다.

② 듀셀(Dewcel) 식

듀셀은 염화리튬(LiCl)의 흡수성을 응용한 노점계로 염화리튬 포화수용액의 온도와 증기압이 일정한 관계가 있는 것을 이용한다.

포화 수용액의 증기압과 주위공기의 수증기압 등과 같이 될 때의 포화 수용액의 온도에서 노점을 구한다. 가열용 전극선은 교류(交流)전기를 이용하며 결선하여 수은스위치를 달면 노점(Dew point)에 의한 습도 조정기로 사용할 수 있다.

③ 전기 저항식

서로 절연(絶緣)된 2개의 전극 간에 흡수성이며 전도성인 얇은 막을 붙여 놓으면 주위의 기체의 습도가 증가되면서 습기를 흡수하여 전기 저항이 감소되는 것을 이용한 것이다. 0℃ 이하의 냉장실에서의 사용은 불가능하다.

4. 냉각수 및 냉수량 제어

(1) 압력자동 급수밸브(Water Regulating valve) : 절수변, 냉각수 조정밸브

수냉응축기 냉각수 입구 측에 설치하여 압축기의 토출압력에 의해서 응축기에 공급하는 냉각수량을 증감시킨다. 따라서 응축기의 응축압력을 안정시키고 응축압력에 대응한 냉각수량의 조절로 소비수량을 절감한다.

냉동기 정지 시 냉각수 공급도 정지된다.

- 설치해서는 안 되는 경우
  - 수압이 낮을 경우
  - 냉각수 펌프로 왕복식 펌프를 사용할 경우
  - 사용 냉매가 NH_3인 장치
  - 대형 에어컨디션 및 Heat pump식 에어컨디션

(2) 온도 자동수량 조정 밸브

냉수(브라인) 냉각기의 냉수면 또는 브라인 출구에 감온통을 설치하여 냉수, 브라인의 출구온도 (냉각온도)에 따라 밸브의 개도를 변화시켜 수량을 조절한다. 전폐(全閉)와 전개(全開)의 온도차는 8℃이다.

(3) 단수 릴레이

수냉각기에서 수량의 감소로 인한 동파방지 및 수냉응축기, 증발식 응축기의 냉각수량의 부족이나 냉각수 펌프의 정지로 인한 응축압력의 이상상승을 방지하는 역할을 한다. 단수 릴레이의 작동과 동시에 경보가 발생하며 압축기의 기동도 정지한다.

① 단압식 릴레이

냉수 또는 냉각수 출입구의 어느 한쪽의 압력을 감지함으로써 작동하는 것으로 출입구 압력차가 발생하여 잘 사용하지 않는다.

② 차압식 단수 릴레이

냉수 또는 냉각수 출입구의 양쪽 압력을 감지하여 작동한다.

즉 양쪽의 압력차에 의해 작동한다.

③ 수류식(유량식) 단수 릴레이(Flow switch)

냉수 또는 냉각수 배관 내에 설치하여 물이 흐르는 저항에 의해서 작동한다.

> **단수릴레이**
> · 단수릴레이는 수냉응축기나 증발식 응축기에서 냉각수가 부족하거나 펌프 정지시 압축기를 정지 시킨다.
> · 단수릴레이에는 압력식과 수류식이 있다.
> · 수류식 단수릴레이에는 플로스위치(Flow switch)를 이용한다.
> · 수냉각기에는 단수에 의한 동결의 우려가 크므로 반듯이 단수릴레이가 필요하다.

01 예제문제

다음 자동제어기기에 대한 설명 중 가장 옳지 않은 것은?

① 흡입압력조정밸브는 압축기 흡입압력이 상승하면 밸브의 개도는 축소된다.
② 증발압력조정밸브는 증발압력이 설정압력 이하가 되는 것을 방지한다.
③ 온도자동팽창밸브는 건식증발기출구의 냉매의 과열도가 크게 되면 밸브의 개도는 크게 된다.
④ 냉각수조정밸브(절수변)는 응축압력이 저하하면 냉각수 유량을 적게 하므로 냉각탑을 이용하는 응축기에는 사용할 수 없다.

해설
① 흡입압력조정밸브는 흡입압력이 높게 되어 압축기가 과부하로 인한 전동기의 소손을 방지하기 위한 밸브로 흡입압력이 상승하면 밸브의 개도가 축소된다.
③ 온도자동팽창밸브는 증발기출구의 과열도를 일정하게 유지할 수 있도록 조정하는 밸브로 과열도가 크게 되면 밸브의 개도를 확대시켜 냉매순환량을 많게 하여 과열도를 감소시킨다.
④ 냉각수조정변은 냉각탑을 이용하는 응축기에도 사용할 수 있다.

답 ④

02 예제문제

다음의 자동제어기기의 작용에 관한 설명 중 가장 옳지 않은 것은?

① 고압차단스위치는 고압측 압력이 설정값 이상으로 되면 전기회로를 차단하여 안전장치로서의 기능을 한다. 이 설정값은 안전밸브의 작동압력이하로 한다.
② 유압보호스위치는 압축기의 토출압력과 유압의 차압에 의해서 작동한다.
③ 수냉응축기의 냉각수조정밸브(절수변)은 압축기의 고압측 압력을 검지하여 그 압력에 의해서 냉각수량을 조절하여 절수를 행한다.
④ 전자변은 전류가 흐르면 열리고 차단되면 닫히는 작용을 한다.

해설
② 유압보호스위치(OPS)는 유압이 저하하였을 때 이 상태에서 설정시간(60~90초) 내에 회복하지 않을 경우 압축기를 정지시켜서 압축기를 보호하는 장치로 압축기 흡입압력과 유압과의 차압에 의해서 작동한다.

답 ②

[14년 3회]

01 냉동장치의 제어기기 중 전기식 액면제어기에 대한 설명으로 틀린 것은?

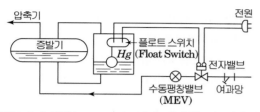

① 플로트 스위치(Float Switch)와 전자밸브를 사용한다.
② 만액식 증발기의 액면 제어에 사용한다.
③ 부하 변동에 의한 유면 제어가 불가능하다.
④ 증발기 내 액면 유동을 방지하기 위해 수동팽창밸브(MEV)를 설치한다.

전기식 액면제어기는 부하 변동에 의한 액면 제어가 가능하다.

[11년 1회]

02 냉동장치의 제어기기에 관한 설명 중 올바르게 서술된 것은?

① 만액식 증발기에 저압 측 프로트식 팽창밸브를 설치하여 증발온도를 거의 일정하게 제어할 수 있다.
② 냉장고용 냉동장치에서 겨울철에 응축온도가 낮아지면 팽창밸브 전후의 압력차가 커지기 때문에 팽창밸브가 작동하지 않는다.
③ 일반적인 증발압력조정밸브는 증발기 입구 측에 설치하여 냉매의 유량을 조절하고 증발기 내 냉매의 압력을 일정하게 유지하는 조정밸브이다.
④ R-22를 냉매로 하는 냉방기에서 증발기 출구의 과열도가 커지면 감온통 내의 가스압력이 높아져 온도식 자동팽창밸브가 닫힌다.

② 냉장고용 냉동장치에서 겨울철에 응축온도가 낮아지면 팽창밸브 전후의 압력차가 작아지기 때문에 팽창밸브가 작동하지 않는다.
③ 증발압력조정밸브는 증발기 출구 측에 설치하여 증발기압력이 설정압력 이하가 되지 않도록 하는 조정밸브이다.
④ R-22를 냉매로 하는 냉방기에서 증발기 출구의 과열도가 커지면 감온통 내의 가스압력이 높아져 온도식 자동팽창밸브가 열린다.

[07년 1회]

03 다음 중 제어기기에 대한 설명으로 올바른 것은?

① 증발압력 조정밸브는 증발기 내의 압력이 설정치보다 감소하면 밸브는 열리고 밸브에 흐르는 냉매가스량은 증가한다.
② 증발압력 조정밸브는 피냉각물의 온도를 검출해서 밸브의 개도를 증감하고 밸브에 흐르는 냉매 가스량을 조정한다.
③ 흡입압력 조정밸브는 압축기의 흡입 측에 설치해서 시동시 압축기의 과부하 운전을 방지한다.
④ 흡입압력 조정밸브는 입구 측 압력에 의해 작동한다.

증발압력조정밸브(EPR)와 흡입압력조절밸브(SPR)의 비교		
	증발압력조정밸브 (EPR)	흡입압력조정밸브 (SPR)
역 할	증발압력의 설정압력이하 방지	흡입압력의 설정압력이상 방지
설치위치	흡입관 (증발기 출구측)	흡입관 (압축기 입구측)
작동압력 (밸브기준)	입구압력 (밸브전의 압력)	출구압력 (밸브후의 압력)
작동원리	증발압력 상승 → 열림 저하 → 닫힘	흡입압력 상승 → 닫힘 저하 → 열림
보호대상	냉각관 동파방지	전동기 소손 방지

[08년 1회]

04 다음 중 고압차단스위치가 하는 역할은?

① 유압의 이상고압을 자동으로 감소시킨다.
② 수액기 내의 이상고압을 자동으로 감소시킨다.
③ 증발기 내의 이상고압을 자동으로 감소시킨다.
④ 압력이 이상고압이 되었을 때 압축기를 정지시킨다.

> 고압차단스위치는 고압압력이 설정된 압력이 되면 압축기를 정지시켜서 압력상승을 방지한다. 또한 고압차단스위치는 안전밸브의 작동압력보다 낮은 압력에서 작동하도록 설정하며 고압차단스위치는 원칙적으로 수동복귀형을 사용한다.

[12년 1회, 08년 2회]

07 다음은 냉동장치에 사용되는 자동제어기기에 대하여 설명한 것이다. 이 중 옳은 것은?

① 고압차단스위치는 토출압력이 이상 저압이 되었을 때 작동하는 스위치이다.
② 온도조절스위치는 냉장고 등의 온도가 일정범위가 되도록 작용하는 스위치이다.
③ 저압차단스위치(정지용)는 냉동기의 고압측 압력이 너무 저하하였을 때 차단하는 스위치이다.
④ 유압보호스위치는 유압이 올라간 경우에 유압을 내리기 위한 스위치이다.

> ① 고압차단스위치는 토출압력(고압압력)이 설정압력보다 높게 되면 작동하는 스위치이다.
> ③ 저압차단스위치(정지용)는 냉동기의 저압측 압력이 설정압력보다 낮게 되면 차단하는 스위치이다.
> ④ 유압보호스위치는 압축기의 급유압력이 설정압력 이하로 저하하면 압축기를 정지시켜 압축기를 보호하는 스위치이다.

[06년 1회]

05 냉장고 내 유지온도에 따라 저압압력이 낮아지는 원인이 아닌 것은?

① 고내 공기가 냉각되므로 증발기에 서리가 두껍게 부착한다.
② 냉매가 장치에 과충전되어 있다.
③ 냉장고의 부하가 작다.
④ 냉매 액관 중에 플래시 가스(Flash Gas)가 발생하고 있다.

> 냉매가 장치에 과충전되어 있으면 고압측 압력이 상승한다.

[06년 1회]

06 다음 압력 스위치 중 연결부위의 압력이 소정의 압력 이하가 되었을 때 작동되는 것은?

① 고압 스위치
② 플로트 스위치
③ 저압 스위치
④ 고액면 스위치

> 저압차단스위치는 냉동부하 등의 감소로 인하여 압축기의 흡입압력이 일정 이하가 되면 전기회로를 차단하여 압축기를 정지시켜 압력저하를 방지하는 장치로 자동복귀식이다.

[12년 2회, 10년 1회]

08 냉동장치의 제어에 관한 설명 중 올바른 것은?

① 온도식 자동팽창밸브는 증발기 입구의 냉매가스온도가 일정한 과열도로 유지되도록 냉매유량을 조절하는 팽창밸브이다.
② 증발온도가 다른 2대의 증발기를 1대의 압축기로 운전할 때 증발압력조정밸브는 증발온도가 높은 쪽의 증발기 출구 측에 설치한다.
③ 흡입압력조정밸브는 증발기 입구 측에 설치하여 기동 시 과부하 등으로 인해 압축기용 전동기가 손상되기 쉬운 것을 방지한다.
④ 저압 측 플로트식 팽창밸브는 주로 건식증발기의 액면 높이에 따라 냉매의 유량을 조절하는 것이다.

> ① 온도식 자동팽창밸브는 증발기 출구의 냉매가스온도가 일정한 과열도로 유지되도록 냉매유량을 조절하는 팽창밸브이다.
> ③ 흡입압력조정밸브는 증발기 출구(압축기 입구) 측에 설치하여 기동 시 과부하 등으로 인해 압축기용 전동기가 손상되기 쉬운 것을 방지한다.
> ④ 저압 측 플로트식 팽창밸브는 주로 만액식증발기의 액면 높이에 따라 냉매의 유량을 조절하는 것이다.

정답 ▶ 04 ④ 05 ② 06 ③ 07 ② 08 ②

PARAT 02 냉동냉장 설비

[15년 1회]

09 냉수나 브라인의 동결방지용으로 사용하는 것은?

① 고압차단장치
② 차압제어장치
③ 증발압력제어장치
④ 유압보호스위치

> 증발압력 조정밸브는 증발압력이 설정압력 이하로 저하되는 것을 방지하여 냉수나 브라인의 동결방지용으로 사용된다.

[09년 1회]

10 다음 냉동기기에 관한 설명 중 옳은 것은?

① 온도 자동 팽창밸브는 증발기의 온도를 일정하게 유지 제어한다.
② 흡입압력 조정밸브는 압축기의 흡입압력이 설정치 이상이 되지 않도록 제어한다.
③ 전자밸브를 설치할 경우 흐름방향을 생각할 필요는 없다.
④ 고압측 플로트(Float) 밸브는 냉매액의 속도로써 제어한다.

> ① 온도 자동 팽창밸브는 증발기출구의 냉매가스 과열도를 일정하게 유지 제어한다.
> ③ 전자밸브를 설치할 경우 흐름방향에 주의하여 설치하여야 한다.
> ④ 고압측 플로트(Float) 밸브는 응축기나 수액기의 고압측에 설치하여 고압측의 액면위치에 의해 제어하며 주로 터보(원심식)냉동기에 사용한다.

[06년 1회]

11 플로트 스위치를 설치할 장소로 옳은 것은?

① LPS와 조합하여 Unloder용으로 설치
② 수액기 출구 스톱밸브와 팽창밸브 사이의 액관
③ 냉매유량 확보를 위한 응축기에 설치
④ 액분리기에 설치

> 플로트 스위치는 액회수장치의 액분리기나 액류기, 유회수장치의 유분리기, 유류기 등에 설치한다.

[11년 3회]

12 암모니아 냉동기의 배관재료로서 부적절한 것은 어느 것인가?

① 배관용 탄소강 강관
② 동합금관
③ 압력배관용 탄소강 강관
④ 스테인리스 강관

> 암모니아가 수분과 결합하여 생성된 암모니아수는 동 및 동합금을 부식하므로 배관재료로 부적절하다.

[13년 1회]

13 프레온 냉매의 경우 흡입배관에 이중 입상관을 설치하는 목적으로 적합한 것은?

① 오일의 회수를 용이하게 하기 위하여
② 흡입가스의 과열을 방지하기 위하여
③ 냉매액의 흡입을 방지하기 위하여
④ 흡입관에서의 압력강하를 줄이기 위하여

> 프레온 냉매의 경우 흡입배관에 이중 입상관을 설치하는 목적은 오일의 회수를 용이하게 하기 위해서 이다.

[13년 3회, 11년 1회]

14 용량조절장치가 있는 프레온 냉동장치에서 무부하(Unload) 운전 시 냉동유 반송을 위한 압축기의 흡입관 배관방법은?

① 압축기를 증발기 밑에 설치한다.
② 2중 수직 상승관을 사용한다.
③ 수평관에 트랩을 설치한다.
④ 흡입관을 가능한 길게 배관한다.

> 프레온 냉동장치에서 무부하(Unload) 운전 시(용량제어장치) 냉동유 반송을 위한 압축기의 흡입관 배관방법은 2중 수직 상승관을 설치하여 사용한다.

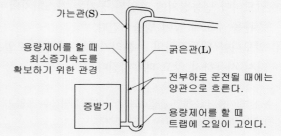

[08년 1회]

15 프레온 냉동장치에 배관공사 중에 수분이 장치 내에 잔류했을 경우 이 수분에 의한 문제점으로 옳지 않은 것은?

① 프레온 냉매와 수분은 거의 융합되지 않으므로 냉동장치 내가 0℃ 이하가 되면 수분은 빙결한다.
② 수분은 냉동장치 내에서 철재 재료 등을 부식시킨다.
③ 증발기 전열기능을 저하시키고 흡입관 내 냉매 흐름을 방해한다.
④ 프레온 냉매와 수분은 화합 반응하여 알칼리를 생성시킨다.

> 프레온 냉매의 구성원소인 염소(Cl), 불소(F)가 수분과 화합 반응을 하면 염산(HCl), 불화수소산(HF) 등 산을 생성시킨다.

[09년 2회]

16 흡입배관에서 냉매가스 중에 섞여 있는 오일이 확실하게 운반될 수 있는 유속으로 적합한 것은?

① 수평관 : 3.5 m/s 이상, 입상관 : 3.5 m/s 이상
② 수평관 : 3.5 m/s 이상, 입상관 : 6 m/s 이상
③ 수평관 : 6 m/s 이상, 입상관 : 3.5 m/s 이상
④ 수평관 : 6 m/s 이상, 입상관 : 6 m/s 이상

> 흡입배관에서는 배관의 압력강하는 될 수 있는 한 적게한다. 그러나 프레온 냉동장치에서는 증발기에서 오일을 압축기로 확실하게 회수될 수 있도록 다음과 같은 증기속도를 확보해야 한다.
> 수평관 : 3.5m/s 이상, 입상관 : 6.0m/s 이상

[06년 3회]

17 냉동장치의 보수관리에 대한 설명 중 옳지 않은 것은?

① 수냉, 응축기를 청소하면 냉각수 출입구의 온도차가 작아지고, 고압측 압력도 내려간다.
② 증발기를 제상하면 압축기의 저압측 압력은 상승한다.
③ 암모니아 냉동장치에 혼입된 공기는 가스퍼지의 방출관을 수조에 넣어 방출시킨다.
④ 암모니아 냉동장치의 유분리기에서 분리된 오일은 다시 사용하지 않고 폐유시킨다.

> 수냉응축기를 청소하면 전열효과가 좋아져서 냉각수 출입구의 온도차가 커지고 고압측 압력도 내려간다.

[14년 2회]

18 냉매배관의 토출관경 결정 시 주의사항이 아닌 것은?

① 토출관에 의해 발생하는 전 마찰손실은 $0.2\,\mathrm{kgf/cm^2}$를 넘지 않도록 할 것
② 지나친 압력손실 및 소음이 발생하지 않을 정도로 속도를 억제할 것(25 m/s 이하)
③ 압축기와 응축기가 같은 높이에 있을 경우에는 일단 수평관으로 설치하고 상향구배를 할 것
④ 냉매가스 중에 녹아 있는 냉동기유가 확실하게 운반될만한 속도(수평관 3.5 m/s 이상, 상승관 6 m/s 이상)가 확보될 것

> 압축기와 응축기가 같은 높이에 있을 경우 또는 압축기가 응축기보다 아래에 있을 경우에는 그림과 같이 일단 수평관으로 설치하고 하향구배를 한다.

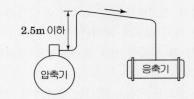

그림. 압축기와 응축기가 같은 높이에 설치된 경우

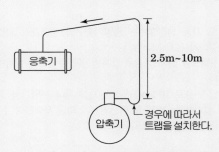

그림. 압축기가 응축기보다 아래에 설치된 경우

정답 ▶ 15 ④ 16 ② 17 ① 18 ③

제3장

냉동장치의 응용과 안전관리

냉동장치의 응용　☑ 제빙 및 동결장치

☑ 제빙 및 동결장치

1. 제빙(製氷 : Ice making)

제빙이란 청수(淸水 : 원료수)를 냉각시켜 얼음을 제조하는 것으로 얼음은 주로 135kgf의 빙괴(氷塊)를 생산하여 목적에 따라 쇄빙(碎氷)하여 수개의 블록으로 나누어 이용되고 있다. 얼음은 형상에 따라 플래이크(flake), 플레이트(plate), 튜브(tube), 셸(shell) 등으로 다양하다. 근래에는 자동제빙이 근로인력의 부족, 인건비 절감, 자동화, 에너지절약 등의 여건으로 신장되고 있다. 제빙장치는 제빙관(ice can) 및 저온 브라인조(제빙조 : ice tank)를 이용한 각빙(角氷) 제조장치와 결빙면에 유수(流水) 또는 살수(撒水)하여 그 표면을 냉매로 직접 냉각하는 자동제빙장치로 나눈다.

(1) 각빙 제조장치

현제 제빙설비의 주류로서 제빙조(ice tank)내에 청수를 충만 시킨 제빙관(ice can)을 나란히 넣어서 빙결시키는 것으로 그 제조장치 및 공정은 아래 그림과 같다.

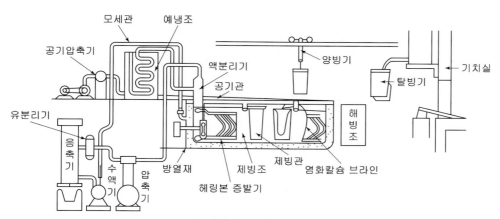

그림. 각빙 제조장치

제빙조에는 브라인이 채워져 있고, 이 브라인을 제빙조 중에 설치된 브라인 냉각기로 −8 ~ −12℃ 정도까지 냉각하고 교반기를 사용하여 제빙조 내를 순환시킨다. 그리고 제빙관 내의 공기나 불순물을 제거하기 위해 제빙관 속에 세관(drop tube)을 삽입하여 공기 거품을 수중으로 방출한다.

① 제빙에 필요한 냉동능력

제빙에 필요한 냉동능력은 원료수의 온도 및 브라인온도, 기타 조건에 따라서 다르나 다음의 4가지 항목으로 되어있다.

- 온도 t_w℃의 원료수를 0℃까지 냉각하는 데 필요한 열량
- 물의 빙결잠열 [333.6kJ/kg]
- 브라인 온도 t_b℃ 가까이 까지 냉각하는 데 필요한 열량
- 제빙장치의 외부에서 침입하는 열량

얼음 1kg을 제조할 때 냉각해야 할 정미의 냉동부하 q_o

$$q_o = c_w(t_w - 0) + r + c_i(0 - t_i)[\text{kJ/kg}]$$

여기서, c_w(물 비열) : 4.2[kJ/kgK]

　　　　r(얼음 응고 잠열) : 333.6[kJ/kg]

　　　　c_i(얼음 비열) : 2.1[kJ/kgK]

이므로

$$q_o = 4.2t_w + 333.6 - 2.1t_i[\text{kJ/kg}]$$

여기서 20%의 열손실을 감안하면

$$q_o = 1.2(4.2t_w + 333.6 - 2.1t_i)[\text{kJ/kg}]$$

따라서 1일 제빙 1톤당의 소요 냉동능력 Q

$$Q = 1.2(4.2t_w + 333.6 - 2.1t_i) \times 1000/24[\text{kJ/h}]$$

② 결빙시간

결빙에 필요한 시간은 브라인의 온도, 순환속도 등에 따라 다르고 여러 가지 실험식이 있으나 대표적으로 사용하는 식은 다음과 같다.

$$결빙시간 \ h = \frac{(0.53 \sim 0.6)t^2}{-(tb)}$$

여기서, t : 얼음의 두께(cm)

　　　　t_b : 브라인 온도(℃)

(2) 자동제빙기

이 장치는 특정 시즌에만 사용하는 것이 아닌 식품제조, 우유 유통, 화학, 의료, 레스토랑, 호텔, 가정용 등으로 이용되는 제빙 설비로 다음과 같은 것이 있다.

① 플래이크 아이스 제빙기(flake ice machine)

이 제빙장치는 두께 0.5∼3mm 정도의 판유리를 냇듯한 얼음을 생산하는 장치로 그림에서와 같이 금속의 박판(薄板)으로 만들어진 원통 내에 저온의 브라인을 회전시켜 그 외면에 접촉하는 원료수를 냉각하여 결빙시킨다. 이때 원통이 회전하므로 얼음은 원통표면에 막상으로 결빙한다.

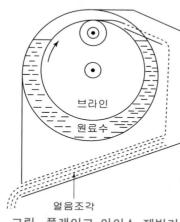

그림. 플래이크 아이스 제빙기

② 튜브 아이스 제빙기(tube ice machine)

입형 원통관내에 결빙용의 직경 50mm 정도의 튜브를 다수 내장시켜 관내에 냉매를 공급하여 튜브 내의 원료수를 냉각하면 봉상의 얼음층이 형성된다. 얼음층이 10∼15mm가 되었을 때 외면을 냉각하는 냉매액을 제거하고 핫 가스를 보내어 탈빙시키고 이것을 하부에 설치 된 절단기로 절단하여 소형의 얼음을 만든다.

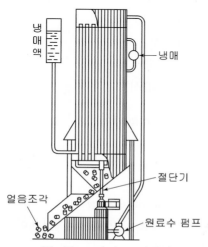

그림. 튜브 아이스 제빙기

③ 플레이트 아이스 제빙기(plate ice machine)

이 제빙장치는 가장 보급이 많이 된 기종으로 결빙판(plate ice)을 다수 경사로 설치하여 상부에서 양면 또는 한쪽 면에 원료수를 흐르게 하여 결빙시킨 후 예정 두께가 되었을 때 냉매의 핫 가스 또는 응축기의 순환수를 이용하여 탈빙시키고 떨어진 얼음을 쇄빙기로 절단하는 형식이다. 이 외에도 팩 아이스(pack ice) 제빙기, 쉘 아이스(shell ice) 제빙기, 스케일 아이스(scale ice)제빙기 및 래피드 아이스(rapid ice) 제빙기 등이 개발되어 있다.

2. 동결장치

(1) 동결방법

① 냉각방식에 의한 분류

- 공기식 { 자연 대류식 / 강제 대류식(반송풍식 포함)

- 접촉식 { 수평식 / 버티컬식

- 브라인식 { 침지식 / 스프레이식

② 피동결물의 반송방법에 의한 분류

- 배치(batch)식 { 급속동결식 / 브라인 침지식 / 접촉식

- 연속터널식 { 부동식 / 랙(rack)식 / 컨베이어식 / 네트(net)식 / 나선(spiral)식

- 1회전 드럼식 - 행어(hanger)식

(2) 동결에 관한 용어

① IQF(Individually Quick Freezing)

개체(個體)동결의 약칭으로 일반적으로 컨베이어(conveyor)식의 연속동결법 등이 여기에 속한다.

② 동결점, 공정점, 동결률
- 동결점(凍結点) : 물질 내에 존재하는 수분이 동결을 시작하는 온도
- 공정점(共晶点) : 액상의 물질이 동결에 의해서 완전이 고체로 될 때의 온도
- 동결률(凍結率) : 동결점에서 공정점에 이르기까지 수분 또는 액체의 동결비율로 다음과 같은 식으로 나타낸다.

$$\text{동결률 } r = 1 - (t_f / t_b)$$

여기서, t_f : 동결점(℃)
t_b : 제품의 온도(공정점과 동결점사이 ℃)

③ 동결시간, 동결속도
- 동결시간 : 동결에 걸리는 시간
- 동결속도 : 단위시간에 동결이 진행하는 거리(cm/h)

일반적으로 사용되고 있는 동결장치의 동결속도는 다음과 같다.
- 송풍식 대량동결 : 0.1cm/h(slow freezing)
- 송풍식 또는 플레이트식에 의한 소포장물의 동결 : 3cm/h(quick freezing)
- 유동층에서 소형물을 개체동결하는 경우 : 5~10cm/h(rapid freezing)
- 액화가스침지 또는 스프레이 동결 : 10~100cm/h(cryogenic freezing)

④ 최대빙결정생성대(最大氷結晶生成帶)
동결하는 경우 가장 많은 얼음결정이 생성되는 제품의 온도범위를 말한다. 예전에는 $-1 \sim -5$℃까지의 사이를 말하였으나 현재는 $0 \sim -15$℃ 사이로 하는 경우가 많다. 이 온도범위는 식품 중에 수분이 얼음으로 상태변화를 하는 구간이므로 부하가 최대로 되는 한편 품질 면에서도 동해(凍害)가 가장 발생하기 쉬운 구간이기도 하다.

⑤ 급속(急速)동결, 완만(緩慢)동결
- 급속동결(quick freezing) : 동결속도가 0.6~2.5cm/h이상일 때, 최대빙결정 생성대의 통과시간이 25~35분 이내이거나 결빙층의 이동속도 $(v) \geq 5 \sim 20$cm/h일 때
- 중속동결(semi freezing) : $v = 1 \sim 5$cm/h
- 완만동결(slow freezing) : 최대빙결정생성대의 통과시간이 25~35분을 초과하거나 $v = 0.1 \sim 1$cm/h일 때

(3) 동결장치의 종류

① 공기식 동결장치

• 공기식(자연 대류식) 동결장치(sharp freezer)
방열(放熱)한 실내의 천정이나 벽에 설치된 증발관에 의해서 식품을 동결시키는 장치로 동결속도가 매우 완만하고 오래전부터 사용되어온 동결장치이다. 동결시간은 최종온도 −30℃ 까지 식품을 동결시키는 데 약 20~24시간의 장시간이 소요되며, 냉각관으로부터 공기로의 열전달계수는 11.6~14W/m²K (10~12kcal/m²h℃) 정도이다.

• 반송풍식 동결장치(semi-air blast freezer)
자연 대류식의 천정 또는 선반 끝에 송풍기를 부착하여 강제적으로 공기를 순환 또는 교반시킨다. 풍속이 2~3m/s 인 공기를 사용하므로 열전달률이 자연 대류식에 비해서 20% 정도 상승하여 동결시간이 15~16시간으로 단축된다.

• 송풍식 동결장치(air blast freezer)
아래 그림과 같이 방열(放熱)한 실내벽에 증발기를 설치하여 2.5~5m/s의 냉풍을 순환시켜 대차(臺車) 또는 팰릿(pallet)에 놓인 물체를 동결하는 방식이다. 핀코일의 경우 열전달률은 15~19kJ/m²K로 동결시간은 제품의 종류에 따라 다르나 −45℃ 이하에서 약 5~15시간 정도이다. 제품의 입출고가 용이하고 제상이 간단하여 가장 널리 사용되고 있는 동결장치이다.

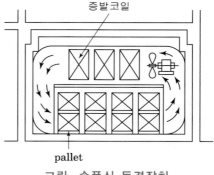

그림. 송풍식 동결장치

• 유동식 동결장치(fluidized bed freezer)
작은 입자(완두콩 등)의 식품동결에 사용되며 트레이(Tray)의 아래쪽에 부착된 팬을 사용하여 −35℃ 이하의 냉풍을 윗방향으로 순환시키면서 동결을 행하는 방식이다.

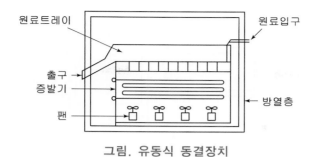

그림. 유동식 동결장치

• 컨베이어식 연속동결장치(air blast conveyer freezer)

정형(整形)한 식품을 컨베이어나 벨트를 사용하여 연속적으로 동결 처리할 수 있는 장치로 종류에는 네트 컨베이어식(net conveyer type), 슬롯 컨베이어식(slot conveyer type), 벨트 컨베이어식(belt conveyer type), 유니버설 컨베이어식(universal conveyer type) 등이 있으며 컨베이어의 조립형상에 따라 평면식, 계단식, 회전계단식으로 송풍방식에 따라 통기식(식품의 진행방향과 평행), 투기식(식품의 진행방향과 수직)으로 분류되며 일반적으로 널리 사용되는 동결장치이다. 냉각온도는 일반식품의 경우 −40℃ 전후 아이스크림의 경화에는 −25℃ 정도이다.

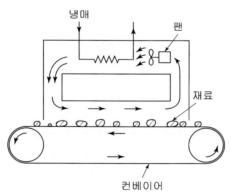

그림. 컨베이어식 연속동결장치

② 액체 침지식 동결장치(liquid immersion freezer)

주로 어류의 동결에 사용되며 그림과 같이 염화칼슘브라인 중에 식품을 직접 침지(浸漬)시켜 동결하는 방법으로 공기동결에 비해 전열작용이 우수하고 장치가 간단하여 대량동결에 적합하다.

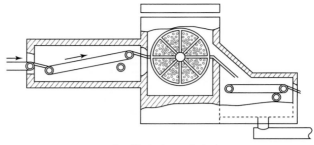

그림. 침지식 동결장치

③ 접촉식 동결장치(contact plate freezer)

동결판을 상하 또는 수직으로 배열하여 판 사이에 피 동결물을 접촉·압착시킴으로써 동결 시간을 단축시키는 방식이다.

동결판의 배치방법에 따라서 수직식과 수평식으로, 금속판을 냉각시키는 방법에 따라서 직접식과 간접식으로 나누어 진다.

④ 초저온 동결장치(cryogenic freezer)

초저온 동결은 $-77.33\,^{\circ}\mathrm{C}\,(-100\,^{\circ}\mathrm{F})$ 이하의 동결매체를 사용하는 방식으로 동결매체로는 액화질소(LN_2)와 액화탄산가스(LCO_2)가 사용된다. 액화질소동결법은 액화질소 속에 식품을 넣어서 동결하는 방법과 식품에 액화질소를 분무하는 방법으로 나눌 수 있는데 후자가 많이 사용되며, 그 장치도는 그림과 같다. 식품을 컨베이어를 통하여 터널을 통과시키면서 액화질소를 분무하여 발생시킨 초저온 가스에 의해 식품을 동결시킨다. 이때 교반용 팬을 이용하여 동결효율을 높인다. 액화탄산가스 동결법은 동결 중에 건조가 일어나지 않으므로 우수한 품질의 제품을 얻을 수 있다. 그러나 제품을 동결할 때 CO_2가 많이 소비되어 동결원가가 높아지나 햄버거, 빵, 과자 등과같이 취급 중에 형태가 변하면 안 되는 제품을 연속적으로 개체동결(IQF)하는 데 적합하다.

액화질소(LN_2)에 의한 초저온 동결
· 동결시간이 단축되어 연속작업이 가능하다.
· 증발온도가 낮아서 급속동결이 가능하다.
· 화학적으로 안정한 질소가스 중에서 동결되므로 산화에 의한 품질 변화를 억제할 수 있다.
· 동일능력의 냉동설비에 비하여 설비비가 적게 들고 보수관리가 냉동기에 비해 간편하다.
· 식품의 온도가 순식간에 낮아지므로 동결건조(凍結乾燥)가 일어나지 않는다.
· 발생되는 질소가스를 다시 사용할 수 없으므로 액체질소의 소모량이 많아 냉동기 전력비에 비해 운전경비가 많이 들게 되며 제품에 균열이 생긴다.

그림. 초저온 동결장치(LN₂ 사용)

(4) 동결부하

동결부하 Q의 계산식은 다음과 같다.

$$Q = mc_1(t_1 - t_o) + mr + mc_2(t_o - t_2)$$

여기서, m : 동결물질의 질량[kg]

c_1, c_2 : 동결전후의 동결물질의 비열[kJ/kgK]

r : 동결잠열[kJ/kg]

t_1 : 동결물질의 초기온도[℃]

t_2 : 과냉각된 온도[℃]

t_o : 동결온도[℃]

---

01 예제문제

쇠고기 10ton을 아래의 조건에서 동결하여 −21℃로 유지하기 위해서 필요한 냉각열량(kJ)을 구하시오. (단, 쇠고기의 조건은 다음과 같다.(SI 단위))

【조 건】

초기온도 = 19[℃]
비열(동결전) = 2.85[kJ/kg·K]
동결잠열 = 200[kJ/kg]

비열(동결후) = 1.59[kJ/kg·K]
동결온도 = −1[℃]

해설

$$Q = mc_1(t_1 - t_o) + mr + mc_2(t_o - t_2) = m\{c_1(t_1 - t_0) + r + c_2(t_0 - t_2)\}$$
$$= 10 \times 10^3 \times \{2.85 \times (19 + 1) + 200 + 1.59 \times (-1 + 21)\}$$
$$= 2888000[kJ]$$

답 2888000[kJ]

---

02 예제문제

어느 냉장고에 사과 200상자(1상자 18kg)를 저장하려고 한다. 24시간 동안에 0℃까지 냉각시키기 위해서 필요한 냉동기의 용량을 구하시오. 단, 냉장고의 벽에서 침입하는 열량과 사과를 냉각시키는 열량외의 열부하는 무시하는 것으로 한다.
(단, 창고의 표면적 = 200m² 평균 열관류율 = 0.35[W/m²·K] 외기온도 = 15℃
사과의 비열 = 3.64[kJ/kg·K]로 한다.)

해설

(1) 벽을 통하여 침입하는 열량 Q_1[W]

$$Q_1 = KA\triangle t = 0.35 \times 200 \times (15 - 0) = 1050[W]$$

(2) 사과를 냉각하기 위하여 제거해야 할 열량 Q_2

$$Q_2 = mc\triangle t = 200 \times 18 \times 3.64 \times (15 - 0)/24 = 8190[kJ/h] = 2275[W]$$

따라서 필요한 냉각열량 Q

$$Q = Q_1 + Q_2 = 1050 + 2275 = 3325[W]$$

답 3325[W]

[08년 2회]

01 제빙장치에서 저빙고의 수용 능력 기준을 $1m^3$당 0.75 톤으로 하고 있다. 이때 온도는 얼마로 유지하는가?

① 0~5℃

② -2~-7℃

③ -15~-25℃

④ -40~-50℃

[10년 2회]

02 제빙장치 중 용빙조의 역할로 맞는 것은?

① 제빙조에 빙관을 넣고 꺼내는 장치

② 결빙된 얼음을 빙관에서 떼어내기 쉽도록 하는 장치

③ 결빙된 얼음을 빙관에서 꺼내는 장치

④ 꺼낸 얼음을 부수는 장치

> **용빙조(용수조, 용빙탱크)**
> 빙관과 얼음의 접촉면을 녹이는 장치로 결빙된 얼음을 빙관에서 떼어내기 쉽도록 하는 역할을 하는 탱크

[12년 2회, 09년 1회]

03 제빙장치의 설명으로 틀린 것은?

① 용빙탱크 : 빙관과 얼음의 접촉면을 녹이는 장치

② 주수탱크 : 결빙시간을 단축하기 위한 장치

③ 탈빙기 : 얼음과 빙관을 분리시키는 장치

④ 양빙기 : 결빙된 얼음을 빙관에 든 채로 이동시키는 장치

> ② 주수탱크 : 빙관에 원류수를 일정하게 공급하는 장치

[12년 3회]

04 제빙장치에서 깨끗한 얼음을 만들기 위해 빙관내로 공기를 송입하여 물을 교반시킨다. 이때 어떤 종류의 송풍기가 많이 사용되는가?

① 프로펠러식 송풍기

② 임펠러식 송풍기

③ 로터리식 송풍기

④ 스크루식 송풍기

> **제빙관내의 공기 교반(攪拌)**
> 제빙관(製氷罐)속의 물을 정지한 상태로 빙결하면 물속에 용해된 불순물이나 공기가 얼음속에 포함되기 때문에 얼음이 불투명하게 된다. 따라서 제빙관속에 세관(細管 : drop tube)을 삽입하여 공기 거품을 수중으로 방출하고 계속해서 공기로서 교반시켜 유동상태에서 빙결시킨다.
> 이때에 공기를 불어넣는 송풍기로 로터리식이 많이 사용된다.

[08년 3회]

05 투명한 얼음을 만들기 위해 빙관내로 공기를 송입하는 공기 교반장치의 송풍압력(kPa)은 어느 정도인가?

① 2.5~8.5

② 14.7~24.5

③ 34.0~46.8

④ 57.8~76.7

[13년 2회]

06 제빙공장에서는 어획량이나 계절에 따라 얼음의 수요가 갑자기 증가하기도 하는데, 이런 경우 설비의 확장이나 생산비를 높이지 않고 일정 기간만 얼음을 증산할 수 있는 방법으로 적당하지 않은 것은?

① 빙관에 있는 모든 물이 완전히 얼음으로 될 때까지 동결하는 방법

② 빙관을 일정 두께까지 동결시킨 후 공간을 둔 채 동결을 중지하는 방법

③ 빙관을 일정 두께까지 동결시킨 후 중앙부의 공간에 얼음조각과 물을 넣어서 완전동결하는 방법

④ 빙관을 일정 두께까지 동결시킨 후 중앙부의 공간에 설빙을 넣어서 완전동결하는 방법

> ①의 방법은 설비의 확장이나 생산비를 높이지 않고 일정 기간만 얼음을 증산할 수 있는 방법으로 적당하지 않다.

[11년 3회, 09년 3회]

07 제빙 장치에서 브라인의 온도가 –10℃이고, 얼음의 두께가 20 ㎝인 관빙의 결빙 소요시간은 얼마인가? (단, 결빙계수는 0.56이다.)

① 25.4시간
② 22.4시간
③ 20.4시간
④ 18.4시간

결빙시간

결빙시간$(h) = \dfrac{0.56t^2}{-(t_b)}$

여기서, t : 얼음의 두께 (cm)
t_b : 브라인 온도 (℃)

$\therefore \ h = \dfrac{0.56 \times 20^2}{-(-10)} = 22.4$시간

[16년 3회]

08 하루에 10 ton의 얼음을 만드는 제빙장치의 냉동부하는? (단, 물의 온도는 20℃, 생산되는 얼음의 온도는 –5℃이며, 이 때 제빙장치의 효율은 0.8이다.)

① 180572 kJ/h
② 200482 kJ/h
③ 222969 kJ/h
④ 283009 kJ/h

---

(1) 20℃ 물 10ton을 0℃의 물로 만드는데 제거해야할 열량
$q_s = mc\triangle t = 10 \times 10^3 \times 4.2 \times (20-0) = 840000$ [kJ]

(2) 0℃ 얼음 10ton을 0℃의 얼음으로 만드는데 제거해야할 열량
$q_L = mr = 10 \times 10^3 \times 333.6 = 3336000$ [kJ]

(3) 0℃ 얼음 10ton을 –5℃의 얼음으로 만드는데 제거해야 할 열량
$q_s = mc\triangle t = 10 \times 10^3 \times 2.1 \times \{0-(-5)\} = 105000$ [kJ]

$\therefore$ 냉동부하 $= \dfrac{(840000 + 3336000 + 105000)/24}{0.8}$
$\fallingdotseq 222969$[kJ/h]

[15년 2회]

09 제빙능력기 50ton/day, 제빙원수 온도가 5℃, 제빙된 얼음의 평균온도가 –6℃일 때, 제빙조에 설치된 증발기의 냉동부하[kW]는? (단, 물의 비열은 4.2kJ/kgK, 얼음의 비열은 2.1kJ/kg·K, 물의 응고잠열은 334kJ/kg이다.)

① 162
② 213
③ 245
④ 272

---

(1) 5℃ 물 50ton을 0℃의 물로 만드는 데 제거해야할 열량
$q_s = mc\triangle t = 50 \times 10^3 \times 4.2 \times (5-0) = 1050000$ [kJ/24h]

(2) 0℃ 얼음 50ton을 0℃의 얼음으로 만드는 데 제거해야 할 열량
$q_L = mr = 50 \times 10^3 \times 334 = 16700000$ [kJ/24h]

(3) 0℃ 얼음 50ton을 –6℃의 얼음으로 만드는 데 제거해야 할 열량
$q_s = mc\triangle t = 50 \times 10^3 \times 2.1 \times \{0-(-6)\}$
$= 630000$ [kJ/24h]

$\therefore$ 냉동부하 $= \dfrac{1050000 + 16700000 + 630000}{24 \times 3600} = 213$[kW]

[15년 3회]

10 어떤 냉동기로 1시간당 얼음 1ton을 제조하는데 50PS의 동력을 필요로 한다. 이때 사용하는 물의 온도는 10℃이며 얼음은 –10℃이었다. 이 냉동기의 성적계수는? (단, 융해열은 335kJ/kg이고, 물의 비열은 4.2kJ/kg·K, 얼음의 비열은 2.09kJ/kg·K이다.

① 2.0
② 3.0
③ 4.0
④ 5.0

냉동기 성적계수 COP

$COP = \dfrac{Q_2}{W}$

$= \dfrac{1 \times 10^3 \{4.2 \times (10-0) + 335 + 2.09 \times (0-(-10))\}}{50 \times 0.735 \times 3600}$

$\fallingdotseq 3.0$

여기서, $1PS = 0.735 \,\text{kW}[= \text{kJ/S}]$

[11년 3회, 10년 1회]

11 저온장치 중 얇은 금속판에 브라인이나 냉매를 통하게 하여 금속판의 외면에 식품을 부착시켜 동결하는 장치는 무엇인가?

① 반 송풍 동결장치
② 접촉식 동결장치
③ 송풍 동결장치
④ 터널식 공기 동결장치

> (1) 반 송풍 동결장치 : 자연 대류식의 천정 또는 선반 끝에 송풍기를 부착하여 강제적으로 공기를 순환 또는 교반시켜 동결하는 방식
> (2) 송풍 동결장치 : 방열(放熱)한 실내벽에 증발기를 설치하여 2.5~5m/s의 냉풍을 순환시켜 대차(臺車) 또는 팰릿(pallet)에 놓인 물체를 동결하는 방식
> (3) 터널식 공기 동결장치 : 방열(放熱)한 터널형의 동결실에 냉각된 공기를 송풍하여 동결하는 방식

[11년 3회]

12 냉동 운송설비 중 냉동자동차를 냉각장치 및 냉각방법에 따라 분류할 때 종류에 해당되지 않는 것은?

① 기계식 냉동차
② 액체질소식 냉동차
③ 헬륨냉동식 냉동차
④ 축냉식 냉동차

> 냉동자동차
> 종류 : 기계식, 액체질소식, 축냉식

[12년 2회]

13 초저온 동결에 액체질소를 사용할 때의 장점으로 적당하지 않은 것은?

① 산화에 의한 품질변화를 억제할 수 있다.
② 동일능력의 냉동설비에 비해 설비비가 적게 든다.
③ 식품의 온도가 순식간에 낮아진다.
④ 식품에 직접 분사하므로 제품표면에 손상이 없다.

> 액화질소(LN_2)에 의한 초저온동결
> ㉠ 동결시간이 단축되어 연속작업이 가능하다.
> ㉡ 증발온도가 낮아서 급속동결이 가능하다.
> ㉢ 화학적으로 안정한 질소가스 중에서 동결되므로 산화에 의한 품질 변화를 억제할 수 있다.
> ㉣ 동일능력의 냉동설비에 비하여 설비비가 적게 들고 보수관리가 냉동기에 비해 간편하다
> ㉤ 식품의 온도가 순식간에 낮아지므로 동결건조(凍結乾燥)가 일어나지 않는다.
> ㉥ 발생되는 질소가스를 다시 사용할 수 없으므로 액체질소의 소모량이 많아 냉동기 전력비에 비해 운전경비가 많이 들게 되며 제품에 균열이 생긴다.

[11년 3회]

14 동결속도에 따라 동결방법을 구분하면 급속동결과 완만동결로 구분할 수 있는 기준은 무엇인가?

① 동결두께
② 동결온도
③ 최대 빙결정 생성대의 통과시간
④ 동결장치의 구조

> 급속(急速)동결, 완만(緩慢)동결
> (1) 급속동결(quick freezing) : 동결속도가 0.6~2.5cm/h 이상일 때, 최대빙결정생성대의 통과시간이 25~35분 이내이거나 결빙층의 이동속도(v) $\geq$ 5~20cm/h일 때
> (2) 완만동결(slow freezing) : 최대빙결정생성대의 통과시간이 25~35분을 초과하거나 동결속도 v = 0.1~1cm/h일 때

[13년 3회]

15 냉동식품의 생산공장에 많이 설치되는 동결장치로 설치면적이 작고 출입구의 레이아웃을 비교적 자유롭게 하여 생산공정의 연속화, 라인화에 쉽게 연결할 수 있는 방식은?

① 스파이럴식 동결장치   ② 송풍 동결장치
③ 공기 동결장치   ④ 액체질소 동결장치

> 나선(spiral)식 동결장치
> 연속 터널식 동결장치로 송풍식 동결장치의 대표적인 방식이다. 설치면적이 작고 출입구의 레이아웃이 비교적 자유로워 생산공정의 연속화, 라인화에 쉽게 연결할 수 있는 방식이다.

정답 ▶ 11 ② 12 ③ 13 ④ 14 ③ 15 ①

02 냉동장치의 응용 　1 열펌프 및 축열장치

1 열펌프 및 축열장치

1. 열펌프(Heat Pump)

(1) 개요

외부에서 일이이나 열을 가하여 저온열원에서 고온열원으로 열을 이동하는 장치를 열펌프라 한다. 엄밀히 말하면 냉동기도 열펌프라고 할 수 있다. 다만 사용목적에 따라서 저온부에서 열을 빼앗는 것을 목적으로 하는 장치를 냉동기, 고온측에 열을 공급하는 장치를 열펌프라 한다.

(2) 열펌프의 사이클

① 열펌프 사이클(Heat Pump Cycle)

히트펌프 사이클을 p-h 선도상에 나타낸 것이 그림과 같다.

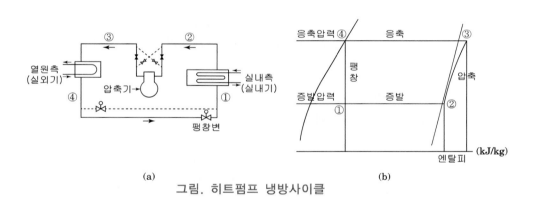

그림. 히트펌프 냉방사이클

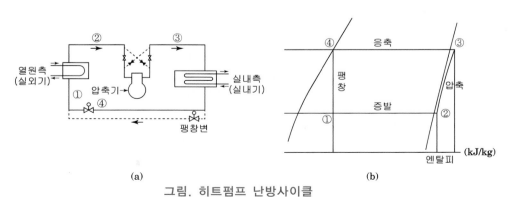

그림. 히트펌프 난방사이클

② 열펌프의 성능계수(COP_H ; Coefficient of Performance)

히트펌프의 성능은 응축기에서의 방열량과 압축기에서의 압축일의 비로 나타낸다.

• 냉동기 성적계수 $COP = \dfrac{q_2}{w} = \dfrac{h_2 - h_1}{h_3 - h_2}$

• 히트펌프 성적계수 $COP_H = \dfrac{h_3 - h_4}{h_3 - h_2} = \dfrac{q_1}{w} = \dfrac{q_2 + w}{w} = COP + 1$

(3) 히트펌프의 열원(heat source)

열펌프는 응축기의 방열을 이용하는 것으로 증발기에서는 채열(採熱)하기 위한 열원이 필요하다. 열원으로서 일반적으로 사용하고 있는 것은 공기, 물, 지열, 태양열, 미이용 에너지 활용(하천수, 해수), 도시 여열이나 배열이용(하수열, 변전소 배열, 지하철 배열)등이 이용되고 있다.

※ 열원의 구비조건

① 구입이 용이할 것

② 온도가 높을 것

③ 양이 풍부할 것

④ 시간적으로 온도 및 양이 변화가 없을 것

⑤ 여름철에는 응축기로 부터의 방열을 제거하는 냉각원(heat sink)으로서 사용할 수 있을 것

(4) 히트펌프 방식

① 열원 열매의 종류에 따른 분류

• 공기 – 공기방식

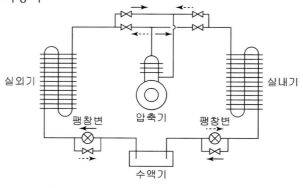

그림. 공기-공기방식(냉매회로 전환방식)

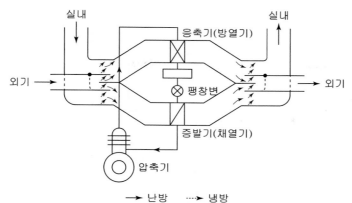

그림. 공기-공기 방식(공기회로 전환방식)

• 공기-수 방식

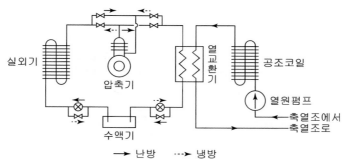

그림. 공기-수방식(냉매회로 전환방식)

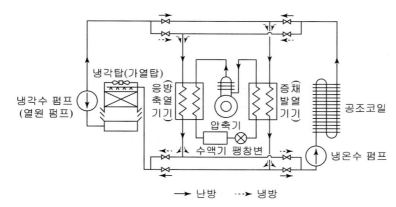

그림. 공기-수방식(수회로 전환방식)

• 수-공기방식

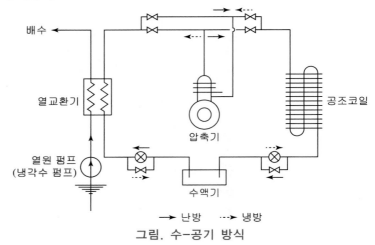

그림. 수-공기 방식

• 수-수방식

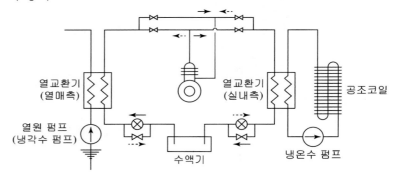

그림. 수-수 방식(냉매회로 전환방식)

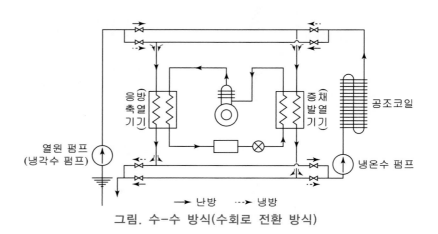

그림. 수-수 방식(수회로 전환 방식)

② 축열방식에 의한 분류

물 등의 축열체에 미리 야간에 냉열이나 온열을 저장하여 놓고 주간 등의 냉난방이 필요할 때 그 열을 취출하여 사용하는 시스템이다.

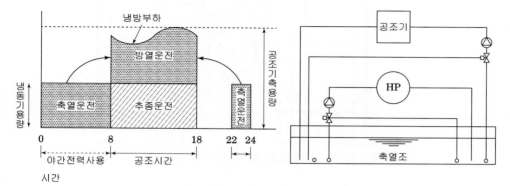

그림. 축열식 히트펌프 방식(개방식의 예)

※ **축열식 히트펌프 방식의 이점**
- 피크 컷(peak-cut)에 의한 열원기기용량을 크게 감소시킬 수 있다.
- 안정된 운전이 가능하다.
- 고효율 운전이 가능하다.(효율이 극단적으로 나쁜 극 저부하 운전을 하지 않는다.)
- 심야운전에 의한 전력비가 저렴하다.
- 전력부하의 평준화에 기여한다.
  - 수축열 방식
  - 빙축열 방식
  - 잠열축열 방식

③ 열회수 방식에 의한 분류
- 열회수 히트펌프 방식

  냉동기의 운전에 따른 응축열은 일반적으로 대기 등의 히트싱크(heat sink)에 버리는데 이것을 버리지 않고 난방이나 급탕의 열원으로서 유효하게 이용하는 방식이 열회수 히트펌프 방식이다.

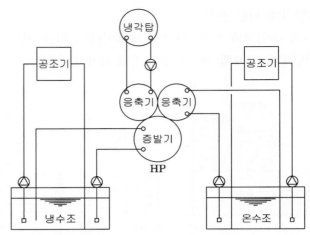

그림. 열회수 히트펌프 방식(double bundle system)

- 가스엔진 히트펌프(GHP : Gas Engine Heat Pump)방식
  히트펌프의 구동원으로 전동기(motor)대신에 엔진의 축출력에 의해 히트펌프를 구동하는 시스템을 가스엔진 히트펌프 방식이라 한다. 이 방식은 엔진의 구동에 따른 냉각수나 배기가스의 배열을 회수하여 난방이나 급탕, 풀(pool)가열 등의 가열원으로 이용하여 종합열효율을 향상시킬 수 있는 방식이다.

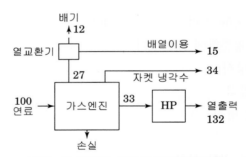

그림. 가스엔진 히트펌프(GHP)방식

- ■ 특징
  - 전력소비의 절감
    GHP의 소비전력은 같은 능력의 EHP의 약 1/10정도이다.
    따라서 수전설비용량을 저감시킬 수 있다.
  - 운전비 절감
    GHP는 상대적으로 가격이 싼 가스를 주 에너지원으로 하기 때문에 같은 능력의 EHP에 대하여 운전비를 20~30%저감할 수 있다.

- 난방 시 예열운전시간 단축

  난방시 GHP는 가스엔진의 배열을 이용하기 때문에 외기온도의 영
  향을 적게 받아 정격운전에 도달하는데 시간이 적게 걸린다.
- 제상운전을 할 필요가 없어 연속운전이 가능하다.
- 초기 설비비가 높다.

④ 특수방식

- 태양열 이용방식

  열원으로서 태양에너지를 이용하는 방식으로 태양열집열기, 집열펌프,
  집열탱크 등으로 구성되어 집열기로 집열한 태양열을 히트펌프로 승온
  시켜 급탕이나 냉난방을 한다. 급탕이나 난방에는 비교적 저온의 온수
  가 사용되나 냉방에는 고온의 온수가 필요하여 집열온도가 낮을 경우
  에는 냉방용으로는 사용할 수가 없다.

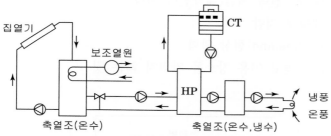

그림. 태양열이용 히트펌프 시스템

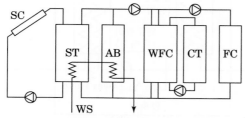

그림. 태양열 이용 냉난방 시스템의 예

- 지열 이용방식

  지열 히트펌프(GSHP : Ground Source Heat Pump System)란 지중
  또는 호수에 설치된 열교환기를 이용한 간접형(Closed type)과 지하수,
  호수 등의 표층수를 열원으로 이용하는 직접형(Open type)을 포함하여
  부르는 명칭이다.

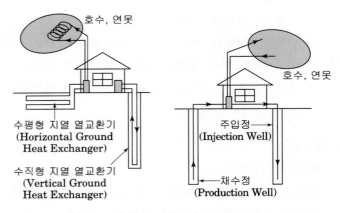

그림. 지열 히트펌프(GSHP)

※ **지열 히트펌프의 특징**
- 운전비(running cost) 절감
- 피크(peak) 전력 저감(계약전력 저감)
- CO_2 배출량 저감
- 열섬(heat island)현상 완화
- 안정성이 높고 이용 장소를 가리지 않는 것

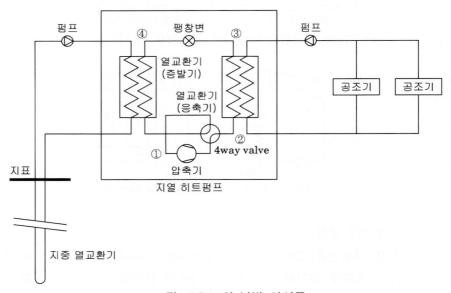

그림. GSHP의 난방 사이클

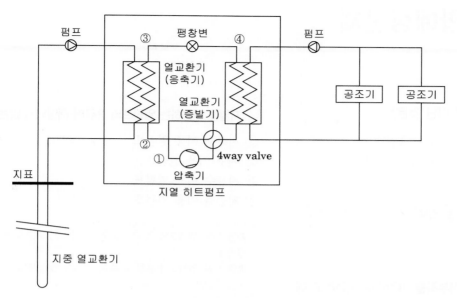

그림. GSHP의 냉방 사이클

• 하수열 이용방식

저열원으로 안정된 공급량을 갖는 하수처리수 (온도차 에너지)를 이용하여 난방기간에는 난방열원으로 회수하고 히트펌프로 승온하여 난방과 급탕에 이용한다. 이 시스템은 여과장치-세척장치-열펌프-축열조로 구성되는데 운전모드 변경시마다 응축기와 증발기의 열교환부의 세척문제가 야기되므로 응축부와 증발기를 냉·난방모드 전용으로 사용할 수 있는 특별한 구조로 설계한다.

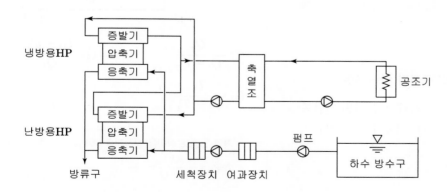

그림. 하수열 이용 히트펌프 시스템 계통도

[10년 1회]

01 축열 시스템의 종류가 아닌 것은?

① 가스축열방식　　　② 수축열 방식
③ 빙축열 방식　　　④ 잠열축열 방식

> **축열 방식**
> 축열 방식에는 수축열, 빙축열, 잠열축열 방식이 있다.

[12년 3회]

02 최근 여름철 주간 전력부하를 야간으로 이전하고 에너지를 효율적으로 사용하자는 측면에서 빙축열시스템이 보급되고 있다. 다음 중 빙축열시스템의 분류에 대한 조합으로 적당하지 않은 것은?

① 정적형 : 관내착빙형
② 정적형 : 캡슐형
③ 동적형 : 관외착빙형
④ 동적형 : 과냉각아이스형

> **빙축열 시스템**
> 정적형 : 관외착빙(ice on coil)형, 관내착빙(ice in coil)형, 캡슐(capsule)형
> 동적형 : 빙 박리(Harvester)형, 아이스슬러리(ice slurry)형

[14년 1회]

03 열원에 따른 열펌프의 종류가 아닌 것은?

① 물-공기 열펌프　　② 태양열 이용 열펌프
③ 현열 이용 열펌프　　④ 지중열 이용 열펌프

> **열원에 따른 열펌프의 종류**
> ㉠ 물-공기 열펌프
> ㉡ 태양열 이용 열펌프
> ㉢ 하천수 이용 열펌프
> ㉣ 지중열 이용 열펌프
> ㉤ 폐열 이용 열펌프
> ㉥ GHP(가스엔진 히트펌프): 배열 이용 열펌프 등

[14년 2회]

04 지열을 이용하는 열펌프의 종류에 해당되지 않는 것은?

① 지하수 이용 열펌프
② 폐수 이용 열펌프
③ 지표수 이용 열펌프
④ 지중열 이용 열펌프

> 지열 이용 열펌프의 종류 : 지중열, 지하수, 지표수 이용의 열펌프
> 폐열 이용 열펌프의 종류 : 폐수, 기계실 및 변전실의 배열 이용 열펌프

[11년 3회]

05 그림과 같은 이론냉동사이클에서 열펌프의 성적계수를 나타낸 것으로 올바른 것은?

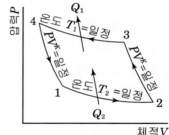

① $\dfrac{Q_2}{Q_1 - Q_2}$　　　② $\dfrac{Q_1 - Q_2}{Q_2}$

③ $\dfrac{T_1}{T_1 - T_2}$　　　④ $\dfrac{T_1 - T_2}{T_1}$

> **가역 열펌프 사이클 성적계수 COP_H**
> $$COP_H = \frac{Q_1}{Q_1 - Q_2} = \frac{T_1}{T_1 - T_2}$$

[16년 3회]

06 역카르노 사이클에서 고열원을 T_H, 저열원을 T_L이라 할 때 성능계수를 나타내는 식으로 옳은 것은?

① $\dfrac{T_H}{T_H - T_L}$
② $\dfrac{T_L}{T_H - T_L}$
③ $\dfrac{T_H - T_L}{T_H}$
④ $\dfrac{T_H - T_L}{T_L}$

> **가역 냉동사이클 성적계수 COP**
> $$COP = \frac{Q_L}{Q_H - Q_L} = \frac{T_L}{T_H - T_L}$$
> 여기서 역카르노 사이클에서 열펌프라는 조건이 없으면 가역 냉동사이클로 풀이해야 합니다.

[15년 1회]

07 열펌프(heat pump)의 성적계수를 높이기 위한 방법으로 적당하지 못한 것은?

① 응축온도를 높인다.
② 증발온도를 높인다.
③ 응축온도와 증발온도와의 차를 줄인다.
④ 압축기 소요동력을 감소시킨다.

> 열펌프(heat pump)에서 응축온도를 높이면 압축일량(소요동력)이 증대하므로 성적계수가 감소한다.

[11년 1회, 09년 1회]

08 축열장치의 장점이 아닌 것은?

① 축열조 및 단열공사비 축소
② 냉동장치의 용량감소 효과
③ 수전설비 축소로 기본전력비 감소
④ 부하 변동시도 안정적 열 공급

> **축열시스템**
> • 장점
> ㉠ 전부하 연속운전에 의한 고효율 정격운전 가능
> ㉡ 냉동장치의 용량감소 효과
> ㉢ 수전설비 축소로 기본전력비 감소
> ㉣ 부하 변동시도 안정적 열 공급
> ㉤ 열공급의 신뢰성 향상
> ㉥ 심야전력 이용으로 운전전력비 절감
> ㉦ 전력부하 균형에 기여
> ㉧ 열 회수 시스템 채용 가능

> • 단점
> ㉠ 축열조 및 단열공사로 인한 추가비용 소요
> ㉡ 열손실 증가
> ㉢ 배관설비 및 반송 동력비 증가
> ㉣ 수처리 필요
> ㉤ 자동화 장치가 없을 경우에 추가 인건비 발생
> ㉥ 제어 및 감시장치 필요

[14년 3회, 11년 1회]

09 축열 장치의 장점으로 거리가 먼 것은?

① 수처리가 필요 없고 단열공사비 감소
② 용량 감소 등으로 부속 설비를 축소 가능
③ 수전설비 축소로 기본전력비 감소
④ 부하 변동이 큰 경우에도 안정적인 열 공급 가능

> 축열장치의 단점으로 수처리가 필요하고 단열공사비로 인한 추가비용이 소요된다.
> 기타 08번 해설 참조

[09년 2회]

10 냉방용 축열장치의 종류가 아닌 것은?

① 수축열 방식
② 빙축열 방식
③ 잠열 축열 방식
④ 유 축열 방식

> **냉방용 축열방식**
> 냉방용 축열방식에는 수축열 방식, 빙축열 방식, 잠열 축열 방식, 토양 축열 방식 등이 있다.

[10년 3회]

11 축열시스템에 대한 설명이 잘못된 것은?

① 수축열방식 : 열용량이 큰 물을 축열제로 이용하는 방식
② 빙축열방식 : 냉열을 얼음에 저장하여 작은 체적에 효율적으로 냉열을 저장하는 방식
③ 잠열축열방식 : 물질의 융해, 응고시 상변화에 따른 잠열을 이용하는 방식
④ 토양축열방식 : 심해의 해수온도 및 해양의 축열성을 이용하는 방식

토양축열방식
현열축열의 한 방식으로 물체의 온도변화를 이용하여 열량을 저장하는 것으로 일반적으로 모래, 자갈, 쇄석, 콘크리트블록, 벽돌 등 고체의 토양이 이용되기도 한다. 지중열 교환온실은 토양을 이용한 것이다.

[15년 1회]

12 축열장치에서 축열재가 갖추어야 할 조건으로 가장 거리가 먼 것은?

① 열의 저장은 쉬워야 하나 열의 방출은 어려워야 한다.
② 취급하기 쉽고 가격이 저렴해야 한다.
③ 화학적으로 안정해야 한다.
④ 단위체적당 축열량이 많아야 한다.

축열재의 구비조건
① 축열재는 열의 저장 및 방출이 용이해야 한다.
② 취급하기 쉽고 가격이 저렴해야 한다.
③ 화학적으로 안정해야 한다.
④ 단위체적당 축열량이 많아야 한다.

[11년 2회]

13 수축열 방식에서 축열재의 구비조건으로 잘못된 것은?

① 단위체적당 축열량이 많을 것
② 취급이 용이하고 가격이 낮을 것
③ 화학적으로 안정되고 열 출입이 용이할 것
④ 축열조에서 열손실 및 반송동력(펌프)이 클 것

축열조에서 열손실이 적고 반송동력이 작아야 경제적이다.

[12년 2회]

14 빙축열방식에 대한 설명 중 잘못된 것은?

① 제빙을 위한 냉동기 운전은 냉수 취출을 위한 운전보다 증발온도가 낮기 때문에 성능계수(COP)가 높아 20~30% 정도의 소비동력이 감소한다.
② 냉매를 직접 제빙부에 공급하는 직접 팽창식과 냉동기에서 냉각된 브라인을 제빙부에 공급하는 브라인 방식으로 나눈다.

③ 제빙방식은 정적제빙방식과 동적제빙방식으로 나눈다.
④ 주로 심야전력을 이용하는 잠열축열 방식이다.

빙축열 방식
①의 경우 빙축열 방식은 수축열 방식에 비해 증발온도가 낮기 때문에 소비동력이 증가하고 냉동기 성능계수가 낮아진다.

[13년 2회]

15 아래 그림은 브라인 순환식 빙축열 시스템의 개략도를 나타내는 것이다. (A)의 기기 명칭과 (B)의 매체의 명칭으로 맞는 것은?

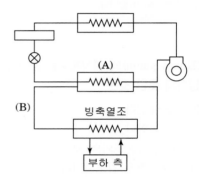

① (A) 증발기, (B) 냉매
② (A) 축냉기, (B) 냉매
③ (A) 증발기, (B) 브라인
④ (A) 축냉기, (B) 냉수

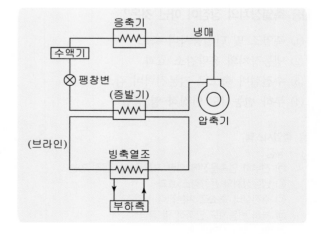

03 냉동장치의 응용 ❶ 흡수식 냉동장치

❶ 흡수식 냉동장치

흡수식 냉동기는 증기압축식 냉동기와 마찬가지로 저열원의 열을 고열원에 열을 방출하는 냉동기의 원리 면에서는 동일하나 다만 저열원에서 고열원으로 열을 이동시키는 데 있어 압축식 냉동기는 기계적에너지를 사용하나, 흡수식 냉동기는 열에너지를 사용한다.

현제 실용화 되고 있는 냉매와 흡수제의 조합은 물-LiBr, 암모니아-물의 2종류이다. 전자는 냉수제조용, 후자는 냉동용에 사용되고 있다.

1. 단효용 흡수식 냉동기

저압증기(0.1MPa 정도) 또는 80~90℃의 온수로 구동되는 흡수식 냉동기의 기본형으로 그림은 작동 설명도이다. 증발기, 흡수기, 재생기, 응축기 및 용액 열교환기로 구성되어 있다. 흡수기 중에 산포된 진한 흡수용액(LiBr 수용액)의 강한 흡습성이 증발기에서 산포된 냉매의 증발을 촉진시켜 그때의 증발잠열로 전열관 내의 냉수를 냉각시킨다. 흡수기에서 냉매 증기를 흡수하여 희석된 흡수용액은 재생기에서 가열되어 농축된다.

재생기에서 흡수용액으로부터 증발 분리한 증기는 응축기에서 냉각되어 응축한 후 다시 증발기에서 산포된다. 또한 재생기에서 농축된 흡수용액은 다시 흡수기내에 산포되어 냉동사이클을 계속하게 된다.

> **흡수식 냉동기의 특징**
> ① 구동부분이 없어 소음, 진동이 적다.
> ② 물을 냉매로 사용하면 CFC와 같은 오존을 파괴 문제가 없다.
> ③ 증기나 가스를 구동원으로 사용하기 때문에 전력설비가 적게 된다.
> ④ 자동제어가 용이하고 운전비가 절감된다.
> ⑤ 결정사고의 우려가 있다.
> ⑥ 증기 압축에 비하여 설치 면적, 높이, 중량이 크다.
> ⑦ 배출열량이 커서 냉각탑 및 그 부속 설비의 용량이 증기 압축식의 2배 전후의 용량이 필요하다.
> ⑧ 증기 압축식에 비하여 예냉 시간이 길다.
> ⑨ 용량제어 범위가 넓고 부분 부하에 운전 특성이 우수하다.

그림. 단효용 흡수식 냉동기

2. 2중효용 흡수식 냉동기

고압증기(0.8MPa 정도) 또는 가스 직화 구동하는 2중효용 흡수식 냉동기의 작동원리는 그림과 같다. 냉매증기를 흡수하여 희석된 흡수용액은 고온재생기에서 제1단 농축이 되고 저온재생기에서 다시 제2단의 농축된 후 흡수기에 산포된다. 한편 고온재생기에서 흡수용용액으로부터 증발 분리된 증기는 저온재생기의 가열원으로 이용된다. 제1단의 고온재생기의 가열에너지는 고온재생기와 저온재생기의 2단으로 이용되므로 가열원의 소비량은 큰 폭으로 절감된다.

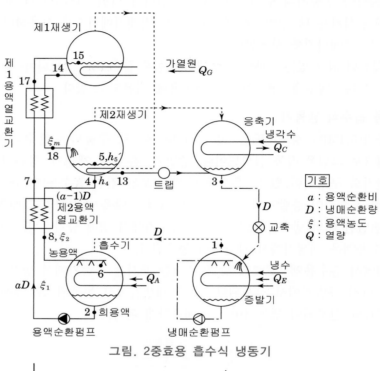

그림. 2중효용 흡수식 냉동기

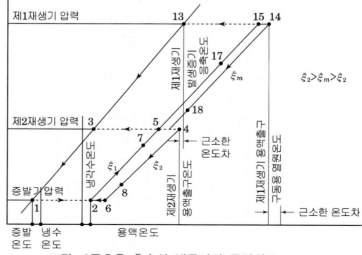

그림. 2중효용 흡수식 냉동기의 듀링선도

3. 3중효용 흡수식 냉동기

아래 그림은 3중효용 흡수식 냉동기의 작동 설명도이다. 제1단의 고온재생기의 가열에너지를 고온, 중온, 저온의 3단의 재생기로 효율적으로 이용한다. 3중효용 흡수식 냉동기가 실용화되어 흡수냉동기의 성적계수가 크게 향상되었다. (고위발열량기준 COP1.6)

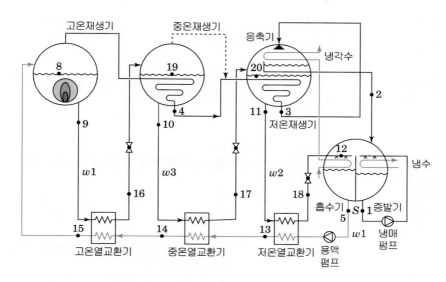

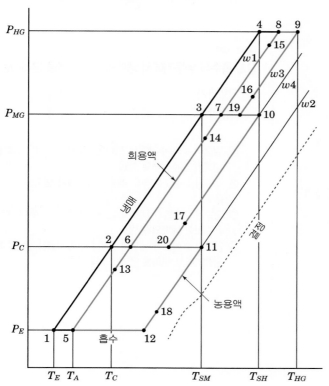

[12년 1회]

01 흡수식 냉동시스템에서 냉매의 순환방향으로 올바른 것은?

① 압축기 → 응축기 → 증발기 → 열교환기 → 압축기
② 증발기 → 흡수기 → 발생기(재생기) → 응축기 → 증발기
③ 압축기 → 응축기 → 팽창장치 → 증발기 → 압축기
④ 증발기 → 열교환기 → 발생기(재생기) → 흡수기 → 증발기

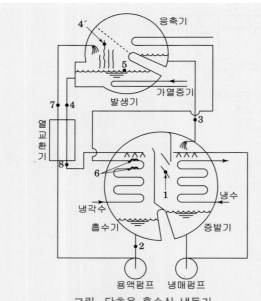

그림. 단효용 흡수식 냉동기

(1) 냉매의 순환
 증발기 → 흡수기 → 발생기(재생기) → 응축기 → 증발기
(2) 흡수제의 순환
 흡수기 → 발생기→ 흡수기

[13년 1회]

02 흡수식냉동기의 구성품 중 왕복동 냉동기의 압축기와 같은 역할을 하는 것은?

① 발생기   ② 증발기
③ 응축기   ④ 순환펌프

> 왕복동 냉동기의 압축기와 같은 역할을 하는 장치는 흡수기와 발생기(재생기)이다.

[10년 2회]

03 흡수식 냉동기의 주요부품이 아닌 것은?

① 흡수기   ② 압축기
③ 발생기   ④ 증발기

> 흡수식 냉동기의 구성요소는 증발기, 흡수기, 재생기, 응축기, 열교환기 등이다.
> 압축기는 증기압축식 냉동장치의 구성요소이다.

[13년 3회]

04 흡수식 냉동기에서 냉매와 흡수용액을 분리하는 기기는?

① 발생기   ② 흡수기
③ 증발기   ④ 응축기

> ① 발생기 : 흡수기에서 넘어온 희용액을 외부가열에 의해 냉매와 흡수용액의 분리
> ② 흡수기 : 흡수용액에 의해 증발기에서 넘어온 냉매증기를 흡수
> ③ 증발기 : 증발기 내부의 냉각관에 흐르는 냉수로부터 열을 흡수하여 냉매의 증발
> ④ 응축기 : 응축기 내부의 냉각수관에 흐르는 냉각수에 의해 발생기에서 넘어온 냉매가스의 응축

[14년 2회]

05 작동물질로 H_2O-LiBr을 사용하는 흡수식 냉동사이클에 관한 설명 중 틀린 것은?

① 열교환기는 흡수기와 발생기 사이에 설치
② 발생기에서는 냉매 LiBr이 증발
③ 흡수기의 압력은 저압이며 발생기는 고압임
④ 응축기 내에서는 수증기가 응축됨

> 발생기에서는 냉매인 물(H_2O)이 증발한다.

[14년 3회, 08년 2회]

06 흡수식 냉동기에 사용하는 흡수제로써 요구 조건으로 가장 거리가 먼 것은?

① 용액의 증발압력이 높을 것
② 농도의 변화에 의한 증기압의 변화가 적을 것
③ 재생에 많은 열량을 필요로 하지 않을 것
④ 점도가 낮을 것

> **흡수제의 구비조건**
> ㉠ 냉매와의 비등점차가 클 것
> ㉡ 냉매의 용해도가 높을 것
> ㉢ 발생기와 흡수기에서의 용해도 차가 클 것
> ㉣ 재생에 많은 열량을 필요로 하지 않을 것
> ㉤ 농도 변화에 의한 증기압의 변화가 작을 것
> ㉥ 용액의 증기압이 낮을 것
> ㉦ 점성이 적을 것
> ㉧ 열전도율이 높을 것
> ㉨ 결정이 생성되기 어려울 것
> ㉠ 가격이 싸고 구입이 용이할 것 등

[12년 3회]

07 흡수식 냉동기용 흡수제의 구비조건으로 틀린 것은?

① 재생에 많은 열량을 필요로 하지 않을 것
② 점도가 높지 않을 것
③ 부식성이 없을 것
④ 용액의 증기압이 높을 것

> 용액의 증기압이 낮을 것
> 06번 해설 참조

[15년 1회]

08 흡수식 냉동기의 특징에 대한 설명으로 틀린 것은?

① 부분 부하에 대한 대응성이 좋다.
② 용량제어의 범위가 넓어 폭넓은 용량제어가 가능하다.
③ 초기 운전 시 정격 성능을 발휘할 때까지 도달 속도가 느리다.
④ 압축식 냉동기에 비해 소음과 진동이 크다.

> **흡수식 냉동기의 특징**
> ㉠ 부분 부하 시의 운전 특성이 우수하다.
> ㉡ 용량제어의 범위가 넓어 폭넓은 용량 제어가 가능하다.
> ㉢ 초기 운전 시 정격 성능을 발휘할 때까지 도달 속도가 느리다.
> ㉣ 압축식이나 터보식 냉동기에 비하여 소음과 진동이 적다.
> ㉤ 자동제어가 용이하고 운전경비가 적게 소요 된다
> ㉥ 4℃ 이하의 낮은 냉수 출구온도를 얻기 어렵다.
> ㉦ 용액의 부식성이 크므로 기밀성 관리와 부식 억제제의 보충에 엄격한 주의가 필요하다.
> ㉧ 대기압 이하에서 작동하므로 취급에 위험성이 완화된다.

[08년 1회]

09 다음은 흡수식 냉동장치에 관한 설명이다. 옳지 않은 것은 어느 것인가?

① 흡수식 냉동기에서는 증기압축식 냉동기에서의 압축기 역할을 흡수기와 발생기가 대신하고 있다.
② 흡수식 냉동기는 가열원으로 천연가스, LPG 등을 사용할 수 있으나 효율이 나쁘므로 고온의 폐열을 얻을 수 있는 곳에 적합하다.
③ 흡수식 냉동기의 냉매로는 LiBr, 흡수제로서는 물로 사용하는 흡수식 냉동기가 현재 많이 사용되고 있다.
④ 흡수식 냉동기는 용량제어의 범위가 넓어 폭 넓은 용량 제어가 가능하다.

> 흡수식 냉동기는 냉매로 물(H_2O), 흡수제로 LiBr을 사용하는 냉동기가 대부분이다.

[12년 2회, 09년 3회]

10 흡수식 냉동기의 특징이 아닌 것은?

① 부분 부하에 대한 대응성이 좋다.
② 용량제어의 범위가 넓어 폭넓은 용량제어가 가능하다.
③ 초기 운전시 정격 성능을 발휘할 때까지의 도달 속도가 느리다.
④ 냉동기의 성능계수(COP)가 높다.

> 흡수식 냉동기는 증기압축식에 비해 열효율(성능계수)이 나쁘며 설치면적을 많이 차지한다.

[13년 1회]

11 흡수식 냉동기에 관한 설명 중 옳은 것은?

① 초저온용으로 사용된다.
② 비교적 소용량 보다는 대용량에 적합하다.
③ 열 교환기를 설치하여도 효율은 변함없다.
④ 물–LiBr식에서는 물이 흡수제가 된다.

> ① 흡수식 냉동기는 냉매로 주로 물을 사용하므로 $0℃$ 이하에서는 사용할 수 없다. 암모니아(NH_3)를 냉매로 사용하는 공업용 흡수식 냉동기도 암모니아의 대기압에서의 비등점이 $-33.3℃$로 초저온용으로는 사용할 수 없다.
> ③ 흡수식 냉동기는 효율이 낮은 냉동기로 효율을 높이기 위해 각종 열교환기를 이용하고 있다.
> ④ 물–LiBr식에서는 물이 냉매, LiBr(취화리튬)이 흡수제이다.

[12년 1회]

12 흡수식 냉온수기에서 기내로 유입된 공기와 기내에서 발생한 불응축가스를 기외로 방출하는 장치는?

① 흡수장치   ② 재생장치
③ 압축장치   ④ 추기장치

> **추기회수장치**
> 흡수식 냉온수기(or 냉동기)에서는 장치 내를 항상 고진공으로 유지해야 하기 때문에 진공을 방해하는 불응축 가스(공기, 부식억제제 분해가스 등)를 추기회수장치를 이용하여 기외로 방출해야 한다.

[16년 1회]

13 흡수식 냉동기에 사용되는 냉매와 흡수제의 연결이 잘못된 것은?

① 물(냉매) – 황산(흡수제)
② 암모니아(냉매) – 물(흡수제)
③ 물(냉매) – 가성소다(흡수제)
④ 염화에틸(냉매) – 취화리튬(흡수제)

> **흡수식 냉동기의 냉매와 흡수제의 조합**
>
> | 냉매 | 흡수제 |
> | --- | --- |
> | 암모니아(NH_3) | 물 |
> | 물 | 취화리튬(LiBr)
염화리튬(LiCl)
가성소다(NaOH)
황산(H_2SO_4) |

[09년 1회]

14 흡수식 냉동기의 냉매와 흡수제 조합으로 적당하지 않은 것은?

① 냉매–암모니아, 흡수제–물
② 냉매–암모니아, 흡수제–프레온
③ 냉매–물, 흡수제–염화리튬
④ 냉매–물, 흡수제–취화리튬

> 13번 해설 참조

[11년 2회]

15 암모니아(NH_3)를 냉매로 사용하는 흡수식 냉동기의 흡수제는 어느 것인가?

① 질소   ② 프레온
③ 염화나트륨   ④ 물

> 암모니아(NH_3)를 냉매로 사용하는 흡수식 냉동기의 흡수제는 물이다.

정답 10 ④   11 ②   12 ④   13 ④   14 ②   15 ④

[13년 3회]

16 흡수식 냉동기에서 재생기에서의 열량을 Q_G, 응축기에서의 열량을 Q_C, 증발기에서의 열량을 Q_E, 흡수기에서의 열량을 Q_A 라고 할 때 전체의 열평형식으로 옳은 것은?

① $Q_G = G_E + Q_C + Q_A$

② $Q_G + G_C = Q_E + Q_A$

③ $Q_G + G_A = Q_C + Q_E$

④ $Q_G + G_E = Q_C + Q_A$

> **흡수식 냉동기의 열평형식**
> 재생기 가열량 + 증발기 흡수열량(냉동능력)
> = 흡수기 냉각열량 + 응축기 방열량
> $Q_G + G_E = Q_C + Q_A$ 이다.

[14년 1회]

17 흡수식 냉동기에 대한 설명 중 옳은 것은?

① H_2O+LiBr계에서는 응축측에서 비체적이 커지므로 대용량은 공랭식화가 곤란하다.

② 압축기는 없으나 발생기 등에서 사용되는 전력량은 압축식 냉동기보다 많다.

③ H_2O+LiBr계나 H_2O+NH_3 계에서는 흡수제가 H_2O이다.

④ 공기조화용으로 많이 사용되나, H_2O+LiBr계는 0℃ 이하의 저온은 얻을 수 있다.

> ② 흡수식 냉동기는 열에너지를 이용하여 냉동작용을 하는 냉동기로 사용전력은 냉매순환 펌프나 용액순환 펌프에 사용하는 정도로 증기 압축식 냉동기보다 사용전력량이 적다.
> ③ H_2O+LiBr계에서는 물(H_2O)이 냉매, LiBr이 흡수제이고, H_2O+NH_3 계에서는 NH_3 냉매, 흡수제가 H_2O이다.
> ④ 공기조화용으로 많이 사용되나, H_2O+LiBr계는 물이 냉매로 대기압 하에서 빙점(어는점) 0℃로 0℃ 이하의 저온은 얻을 수 없다.

[08년 2회]

18 태양열을 이용하여 냉방을 하고자 할 때 적당한 냉동기는?

① 터보 냉동기   ② 공기 냉동기

③ 흡수식 냉동기   ④ 고속 다기통 냉동기

압축식 냉동기인 터보냉동기, 공기 냉동기, 고속 다기통 냉동기는 모두 압축기 기동에 전력을 이용한 냉동기로 태양열을 이용할 수 없으나 흡수식 냉동기는 열에너지를 이용하는 냉동기이므로 발생기 가열원으로 태양열을 이용하여 냉방할 수 있다.

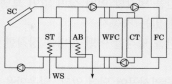

SC : 태양집열기
ST : 축열조
WFC : 온수분흡수식 냉온수기
WS : 급수
FC : 공조기
AB : 보조 보일러
CT : 쿨링 타워

그림. 태양열 이용 냉난방 시스템의 예

[08년 3회]

19 이중 효용 흡수식 냉동기에 대한 설명 중 옳지 않은 것은?

① 일중 효용 흡수식 냉동기에 비해 효율이 높다.

② 2개의 재생기를 갖고 있다.

③ 2개의 증발기를 갖고 있다.

④ 이중 효용 흡수식 냉동기에서 일중 효용 흡수식 냉동기와 같은 양의 냉매액을 얻기 위해서는 가열량이 일중 효용보다 작다.

> **이중 효용 흡수식 냉동기**
> 이중 효용 흡수식 냉동기는 2개의 재생기를 갖고 제1단의 고온재생기의 가열에너지는 고온재생기와 저온재생기의 2단으로 이용되므로 가열원의 소비량이 큰 폭으로 절감할 수 있어 일중 효용 흡수식 냉동기에 비해 효율이 높다.

[11년 2회]

20 이중 효용 흡수식 냉동기에 대한 설명 중 옳지 않은 것은?

① 일중 효용 흡수식 냉동기에 비해 효율이 높다.

② 2개의 재생기를 갖고 있다.

③ 2개의 증발기를 갖고 있다.

④ 2개의 열교환기를 갖고 있다.

> **이중 효용 흡수식 냉동기**
> 이중 효용 흡수식 냉동기는 2개의 재생기를 갖고 2개의 열교환기(저온열교환기, 고온열교환기)을 갖는다. 재생기 가열원으로 고온의 증기를 이용하는 경우에는 드레인 열교환기가 더 추가되기도 한다.

정답 16 ④   17 ①   18 ③   19 ③   20 ③

[08년 3회]

21 냉동용 운송설비 중 냉동차에 대한 설명으로 적당하지 않은 것은?

① 보냉동차 : 차체에 단열시공이 되어 있는 자동차
② 보냉차 : 내부공간을 냉각할 어떤 장비 없이 보냉하고자 하는 자체만 있는 자동차
③ 냉동차 : 내부공간을 냉각할 어떤 설비를 장착한 자동차
④ 냉장차 : 차체에 단열시공이 되어 있고, 얼음만을 운반하기 위한 자동차

④ 냉장차 : 차체에 단열시공이 되어 있고, 얼음만을 운반하기 위한 자동차는 아니다.

[09년 1회]

22 식품동결용으로 사용되는 저온액화가스로 가장 적당한 것은?

① 액화수소, 액화이산화탄소
② 액화산소, 액화천연가스
③ 액화질소, 액화이산화탄소
④ 액화질소, 액화암모니아

초저온 동결장치(cryogenic freezer)
초저온 동결은 −77.33℃(−100℉) 이하의 동결매체를 사용하는 방식으로 동결매체로는 액화질소(LN₂)와 액화탄산가스(LCO₂)가 사용된다.
(1) 액화질소동결법 : 액화질소속에 식품을 넣어서 동결하는 방법과 식품에 액화질소를 분무하는 방법으로 나눌 수 있는데 후자가 많이 사용된다.
(2) 액화탄산가스 동결법 : 동결 중에 건조가 일어나지 않으므로 우수한 품질의 제품을 얻을 수 있다. 그러나 제품을 동결할 때 CO₂가 많이 소비되어 동결원가가 높아지나 햄버거, 빵, 과자 등과같이 취급 중에 형태가 변하면 안되는 제품을 연속적으로 개체동결(IQF)하는 데 적합하다.

[16년 3회]

23 일반적으로 냉동 운송설비 중 냉동자동차를 냉각장치 및 냉각방법에 따라 분류할 때 그 종류로 가장 거리가 먼 것은?

① 기계식 냉동차
② 액체질소식 냉동차
③ 헬륨냉동식 냉동차
④ 축냉식 냉동차

[11년 2회]

24 냉장수송장치에서 수송온도에 따라 분류한 것 중 올바르지 못한 것은?

① 냉동수송 : −18℃
② 저온수송 : −5∼−8℃
③ 냉장수송 : 0℃
④ 상온수송 :10∼20℃

수송온도에 따른 분류
① 냉동수송 : −18℃
③ 냉장수송 : 상온 이하의 수송(10℃∼0℃)
④ 상온수송 : 10℃∼20℃

[09년 2회]

25 식품냉동에서의 T.T.T란 무엇인가?

① 시간(Time), 내성(Tolerance), 맛(Taste)
② 시간(Time), 온도(Temperature), 내성(Tolerance)
③ 온도(Temperature), 내성(Tolerance), 맛(Taste)
④ 온도(Temperature), 맛(Taste), 기간(Term)

정답 ► 21 ④ 22 ③ 23 ③ 24 ② 25 ②

[10년 1회]

26 식품의 동결부하에 해당되지 않는 것은?

① 기초온도에서 동결점까지 냉각하는데 필요한 열량
② 식품을 동결하는 데 필요한 열량
③ 동결식품을 동결 최종온도까지 내리는데 필요한 열량
④ 냉동장치의 안정상태 도달까지의 필요열량

동결부하
동결부하 Q의 계산식은 다음과 같다.
$Q = mc_1(t_1 - t_o) + mr + mc_2(t_o - t_2)$
여기서, m : 동결물질의 질량[kg]
c_1, c_2 : 동결전후의 동결물질의 비열
　　　　[kg/kgK(kJ/kg K)]
　　r : 동결잠열[kJ/kg]
　　t_1 : 동결물질의 초기온도[℃]
　　t_2 : 과냉각된 온도[℃]
　　t_o : 동결온도[℃]

[16년 2회]

27 LNG(액화천연가스) 냉열이용 방법 중 직접이용방식에 속하지 않는 것은?

① 공기액화분리
② 염소액화장치
③ 냉열발전
④ 액체탄산가스 제조

LNG(액화천연가스) 냉열이용 방법
LNG(액화천연가스) 냉열 직접이용에는 냉열발전, 공기액화분리(심냉 분리에 의한 산소, 질소제조), 액화탄산/드라이아이스제조, 냉동 창고이용 등이 있다.

[12년 1회]

28 냉장고 중 쇼 케이스(show case)의 종류에 해당되지 않는 것은?

① 리칭(reach)형 쇼 케이스
② 밀폐형 쇼 케이스
③ 개방형 쇼 케이스
④ 유닛소형 쇼 케이스

쇼 케이스(show case)의 종류
(1) 냉동기 내장형
(2) 냉동기 별치형 : 개방형 쇼 케이스, 밀폐형 쇼 케이스, 리칭(reach)형 쇼 케이스

[11년 1회]

29 냉장 쇼 케이스는 수용품을 적정 온도와 습도로 유지하면서 최종 수요자에게 직접 판매하기 위한 장치로 이 쇼 케이스가 만족해야 할 조건이라 할 수 없는 것은?

① 수용물의 품질을 가장 효과적으로 유지할 수 있는 것이 좋다.
② 소비자가 구매의욕을 느낄 수 있는 구조인 것이 좋다.
③ 점포의 구조 및 판매양식에 적합한 것이 좋다.
④ 최적의 온도를 유지할 수 있도록 하기 위하여 운전조작은 복잡한 것이 좋다.

④의 경우 최적의 온도를 유지할 수 있도록 하기 위하여 운전조작은 간단한 것이 좋다.

[13년 2회]

30 CA(Controled Atmosphere)냉장고에서 청과물 저장 시 보다 좋은 저장성을 얻기 위하여 냉장고의 산소를 몇 % 탄산가스로 치환하는가?

① 3~5%
② 5~8%
③ 8~10%
④ 10~12%

CA 냉장고(controlled atmosphere storage)
청과물을 냉장 및 저장하는 데 있어 저장성을 증진하기 위하여 냉장고 내의 공기를 치환하는 데, 산소를 3~5% 감소하고 탄산가스를 3~5% 증가시켜 냉장고 내의 청과물의 호흡 작용을 억제하면서 냉장하는 냉장고이다.

[14년 1회, 08년 2회]

31 CA 냉장고(Controlled Atmosphere storage room)의 용도로 가장 적당한 것은?

① 가정용 냉장고로 쓰인다.
② 제빙용으로 주로 쓰인다.
③ 청과물 저장에 쓰인다.
④ 공조용으로 철도, 항공에 주로 쓰인다.

30번 해설 참조

정답 　26 ④　27 ②　28 ④　29 ④　30 ①　31 ③

32 냉동장치의 내압시험에 사용하는 것으로 가장 적합한 것은?

① 물
② 질소
③ 알곤
④ 산소

내압시험
고압가스 안전관리법에 의해 배관이외의 부분 즉, 압축기, 냉매펌프(흡수식 냉동기에서는 흡수용액펌프), 윤활유펌프, 압력용기 등은 조립품 또는 부품마다 내압시험을 해야 한다. 내압시험은 원칙적으로 액(물이나 오일 등)압으로 시험한다. 액체로 행하는 이유는 고압을 얻기 쉽고, 피시험품이 파손하여도 위험성이 적은 이유이다. 다만 액체를 사용하기 어려운 경우에는 공기(140℃ 이하), 질소, 이산화탄소(암모니아 냉동설비에는 사용할 수 없음) 등을 사용할 수 있다.

[13년 2회]

33 냉동장치 운전 중 주의해야 할 사항으로 옳지 않은 것은?

① 액을 흡입하지 않도록 주의한다.
② 압력계 및 전류계 지시를 점검한다.
③ 이상음 및 진동 유, 무를 점검한다.
④ 오일의 오염 및 냉각수 통수상태를 점검한다.

④의 경우는 냉동장치 운전 전에 주의해야 할 사항이다.

[14년 2회]

34 일반적으로 초저온냉동장치(super chilling unit)로 적당하지 않은 냉동장치는 어느 것인가?

① 다단압축식(multi-stage)
② 다원압축식(multi-stage cascade)
③ 2원압축식(cascade system)
④ 단단압축식(single-stage)

④ 단단압축식(single-stage)은 초저온용으로는 접합하지 않다.

[15년 2회]

35 12kW 펌프의 회전수가 800rpm, 토출량 $1.5\text{m}^3/\text{min}$인 경우 펌프의 토출량을 $1.8\text{m}^3/\text{min}$으로 하기 위하여 회전수를 얼마로 변화하면 되는가?

① 850rpm
② 960rpm
③ 1025rpm
④ 1365rpm

펌프의 상사법칙
$$\frac{Q_2}{Q_1} = \frac{N_2}{N_1} \text{ 에서 } N_2 = N_1 \frac{Q_2}{Q_1} = 800 \times \frac{1.8}{1.5} = 960[\text{rpm}]$$

[11년 2회, 10년 1회, 08년 1회]

36 항공기 재료의 내한(耐寒)성능을 시험하기 위한 냉동장치를 설치하려고 한다. 가장 적합한 냉동기는?

① 왕복동 압축식 냉동기
② 원심 압축식 냉동기
③ 축류 압축식 냉동기
④ 흡수식 냉동기

항공기 재료의 내한(耐寒)성능을 시험하기 위한 냉동장치로는 왕복동 압축식 냉동기가 가장적합하다.

제4장

냉동냉장부하 계산

01 동결부하 인자와 동결부하계산

01 냉동냉장부하 계산

1 동결부하 인자와 동결부하계산

1. 냉각저장과 동결저장

(1) **냉각저장(cold storage)** : 식품의 경우 동결로 인하여 상품의 가치를 잃어버리는 식품 등의 저장방법으로 식품을 동결점 이상에서 얼리지 않는 범위의 저온, 즉 빙결점 부근($-2\sim-3℃$)의 온도 대에서 미 동결상태로 저장하는 것을 말한다. 즉, 식품의 온도를 동결점보다 높은 온도로 저장하는 비교적 단기간의 저장법이다. 이에는 저장목적, 기간 및 저장 후의 용도 등에 따라 빙장, 빙온저장 등의 방법이 있다.

(2) **동결저장(frozen storage)** : 식품을 냉각저장의 경우보다 더욱 장기간 안정하게 저장하기 위해서는 식품의 온도를 동결점 이하(일반적으로 $-18℃$ 이하)로 내려서 동결상태로 저장하여야 한다. 식품의 온도를 $-18℃$ 또는 그 이하로 유지하여 식품의 품질을 유지할 수 있는 동결상태로 저장하는 것을 동결저장이라 한다. 동결저장에 있어서는 단순히 저장온도가 냉각저장의 경우보다 낮다는 것뿐만 아니고, 식품 중의 수분이 대부분 빙결정으로 석출되고 남은 수분에는 수용성성분이 농축되어 수분활성이 저하하기 때문에 미생물은 더욱 발육하기 어렵게 되고, 효소반응이나 화학반응의 속도도 현저히 떨어지게 되어 장기저장이 가능한 것이다.

2. 동결부하

초기온도가 t_1인 제품을 냉각하여 제품온도를 동결온도 t_f까지 내리고 이어서 동결시켜 제품온도를 최종온도인 t_3까지 내리는 경우 제품으로부터 제거해야 할 열량을 동결부하라고 한다.

동결부하의 계산식

(1) 식품을 동결온도까지 냉각하는데 필요한 열량 q_1[W]

$$q_1 = G C_1(t_1 - t_f)$$

여기서,

G : 식품의 질량 [kg]

C_1 : 식품의 동결전 비열[J/kg℃]

t_1 : 식품의 초기온도[℃]

t_f : 식품의 동결온도[℃]

(2) 식품을 동결하는데 필요한 열량 q_2[W]

$$q_2 = G \cdot r$$

r : 동결잠열[kJ/kg]

(3) 동결한 식품을 동결 최종온도까지 내리는데 필요한 열량 q_3[W]

$$q_3 = G\,C_2(t_f - t_3)$$

t_3 : 식품의 최종온도

즉, 총제거해야 할 열량 $q = q_1 + q_2 + q_3$

$$q = G\,C_1(t_1 - t_f) + G \cdot r + G\,C_2(t_f - t_3) \text{이다.}$$

3. 냉각부하

생리대사열로 볼 수 있는 호흡열(vital heat or respiration energy)은 생채식품의 호흡에 의해 방출되는 열로써 저장고내의 온도에 의해 조절되는 열요인의 하나이다. 호흡열은 생채식품의 호흡에 의해 지속적으로 발생하는 열량으로 저장 시 지속적으로 제거해야 저장고의 온도를 일정하게 유지할 수 있다. 과일이나 야채와 같은 생체식품의 냉각부하의 계산에서는 비생채식품에서는 고려하지 않아도 좋은 호흡열을 계산해야 하며, 비생체식품의 냉각부하에서 호흡열이 합쳐진 것이 생채식품의 냉각부하가 된다.

(1) 냉각부하(식품을 동결온도까지 냉각하는데 필요한 열량) q_1[W]

$$q_1 = G\,C_1(t_1 - t_2)$$

여기서, G : 식품의 질량 [kg]

C_1 : 식품의 동결전 비열[J/kg℃]

t_1 : 식품의 초기온도[℃]

t_2 : 식품의 최종냉각온도[℃]

(2) 호흡열 q_4[W]

$$q_4 = G \cdot n \cdot q$$

여기서, G : 1회 입고량(kg)

n : 입고 횟수

q : 주요 농산물의 호흡열량(W/kg)

4. 냉동냉장의 부하인자와 냉동냉장의 부하계산

(1) 냉동냉장의 부하인자

① 주위의 구조체(벽체)로부터의 침입열량

② 입고품의 냉각열량

③ 환기에 의한 침입열량

④ 청과물의 호흡열에 의한 열량

⑤ 저장고내 발생열량

　　㉠ 팬 발생열량

　　㉡ 작업원에 의한 발생열량

　　㉢ 조명부하

　　㉣ 지게차에 의한 발생열량

(2) 냉동냉장의 부하계산

① 주위의 구조체(벽체)로부터의 침입열량 q_1[W]

$$q_1 = KA(t_1 - t_2)$$

여기서, K : 주위 벽체의 열통과율[W/m²K]

　　　　A : 주위 벽체의 면적[m²]

　　　　t_1 : 외기 또는 인접실 온도[℃]

　　　　t_2 : 저장실 온도[℃]

② 입고품의 냉각열량 q_2[W]

$$q_2 = G C_P(t_3 - t_4) \times 10^3 / (24 \times 3600) \text{ (저장시)}$$

$$q_2 = G C_P(t_3 - t_4) \times 10^3 / (t \times 3600) \text{ (냉각시)}$$

여기서, G(입고량) = 냉장고(저장실) 내부 전체용적(m³)×유효용적비(0.9)

　　　　　　　　　　×1m³당 수용량[kg]

　　　　C_P : 저장품의 비열[kJ/kg℃]

　　　　t_3 : 저장품의 초기온도[℃]

　　　　t_4 : 저장품의 목표온도[℃]

　　　　t : 냉각시간[h], 저장 시 : 24시간

③ 환기에 의한 침입열량 q_3[W]

$$q_3 = \rho(nV)(h_a - h_r) \times 10^3 / (t \times 3600) \text{ (냉각시)}$$

$$q_3 = \rho(nV)(h_a - h_r) \times 10^3 / (24 \times 3600) \text{ (저장시)}$$

여기서, ρ : 공기의 밀도[1.2kg/m³]

　　　　n : 환기횟수

　　　　V : 저장실의 유효용적[m³]

　　　　h_a : 외기의 엔탈피[kJ/kg]

　　　　h_r : 저장실의 공기엔탈피[kJ/kg]

　　　　t : 냉각시간[h], 저장 시 : 24h

④ 청과물의 호흡열에 의한 열량 q_4[W]

$q_4 = G \cdot n \cdot q$

여기서, G : 1회 입고량(kg)

n : 입고 횟수

q : 주요 농산물의 호흡열량(W/kg)

⑤ 저장고내 발생열량 q_5[W]

㉠ 송풍기(fan)에 의한 발생열량

$q_f = P \cdot n \cdot t_f / t$ (냉각시)

$q_f = P \cdot n \cdot t_f / 24$ (저장시)

P : 팬의 정격출력[W]

n : 팬의 수량

t_f : 팬의 가동시간[h]

t : 냉각시간[h], 저장 시 24시간

㉡ 작업원에 의한 발생열량 q_H[W]

$q_H = H \cdot N \cdot t_h / t$ (냉각시)

$q_H = H \cdot N \cdot t_h / 24$ (저장시)

여기서, H : 인체에서 발생하는 열량[W/인]

N : 작업인원 수[인]

t_h : 1일 작업시간[h]

t : 냉각시간[h], 저장 시 : 24

㉢ 조명부하(전등) q_E[W]

$q_E = W \cdot n \cdot t_e / t$

여기서, W : 전등 1대당 발생열량[W]

n : 전등의 대수

t_e : 1일 전등 사용시간[h]

t : 냉각시간[h], 저장 시 : 24

㉣ 하역기(지게차 등)에 의한 발생열량 q_P[W]

$q_P = P \cdot n \cdot t_p / t$

P : 하역기의 1대당 동력 [W]

n : 하역기의 대수

t_p : 1일 동안 하역기의 사용시간[h]

t : 냉각시간[h], 저장 시 : 24

⑥ 안전율을 고려한 총 부하

　일반적으로 안전율을 10%라 할 때, 안전율을 대한 부하 q_6는 다음과 같다.

　$q_6 = (q_1 + q_2 + q_3 + q_4 + q_5) \times 0.1$

　따라서 저장고 내 총부하 q는 아래의 식과 같다.

　　　$q = q_1 + q_2 + q_3 + q_4 + q_5 + q_6$

01 쇠고기(지방이 없는 부분) 10ton을 10시간 동안 35℃에서 2℃까지 냉각할 때의 냉동능력으로 옳은 것은? (단, 쇠고기의 동결전 비열(지방이 없는 부분)은 3.25kJ /(kg·K)로 한다.)

① 30kW
② 35kW
③ 37kW
④ 42kW

> $Q_2 = m \cdot C \cdot \triangle t = 10\,000 \times 3.25 \times (35-2)/(10\times3600)$
> $≒ 30\text{kW}$
> (10시간 동안 냉각능력을 kJ/s로 계산한다.)

02 1kg의 쇠고기(지방이 없는 부분)를 20℃에서 −15℃까지 동결시킬 경우 동결부하[kJ]를 구한 것으로 옳은 것은? (단, 쇠고기(지방이 없는 부분)의 동결전 비열은 3.25kJ/(kg·K), 동결후 비열은 1.76kJ/(kg·K), 동결 잠열은 234.5kJ/kg으로 쇠고기의 동결점은 −2℃로 한다.)

① 285.5
② 315.4
③ 328.9
④ 376.3

> • 20℃에서 −2℃까지 냉각부하 :
> $1 \times 3.25 \times \{20-(-2)\} = 71.5\text{kJ}$
> • 동결 시 잠열부하 : $1 \times 234.5 = 234.5\text{kJ}$
> • −2℃에서 −15℃까지 동결시킬 경우 동결부하 :
> $1 \times 1.76 \times \{-2-(-15)\} = 22.88\text{kJ}$
> 따라서 1kg에 대한 전동결부하(냉동능력)는
> $71.5 + 234.5 + 22.8 = 328.88\text{kJ}$

03 외기온도 32.5℃, 고내온도 −25℃일 때 아래와 같은 구조의 방열재를 사용한 방열벽의 침입열량[W]을 구하시오. (단, 방열벽의 면적은 150m², 각 벽 재료의 열전도율은 아래 표와 같고 방열벽 외측 열전달율은 23.26W/(m²·K), 내측 열전달율은 8.14W/(m²·K)로 한다.)

재료	열전도율[W/(m·K)]	두께[m]
철근콘크리트	1.4	0.2
폴리스틸렌 폼	0.045	0.2
방수 몰탈	1.3	0.01
라스 몰탈	1.3	0.02

① 1803 W
② 2090 W
③ 3134 W
④ 3568 W

> • 방열벽의 열통과율 K
>
> $$K = \cfrac{1}{\cfrac{1}{8.14} + \cfrac{0.02}{1.3} + \cfrac{0.01}{1.3} + \cfrac{0.2}{0.045} + \cfrac{0.2}{1.4} + \cfrac{1}{23.26}}$$
>
> $≒ 0.209\text{W}/(\text{m}^2 \cdot \text{K})$
> ∴ 방열벽을 통한 침입열량
> $Q = KA(t_1 - t_2) = 0.209 \times 150 \times \{32.5 - (-25)\} ≒ 1802.63\text{W}$

정답 01 ① 02 ③ 03 ①

제5장
냉동설비의 설치

01 기기의 기초
02 기기의 설치

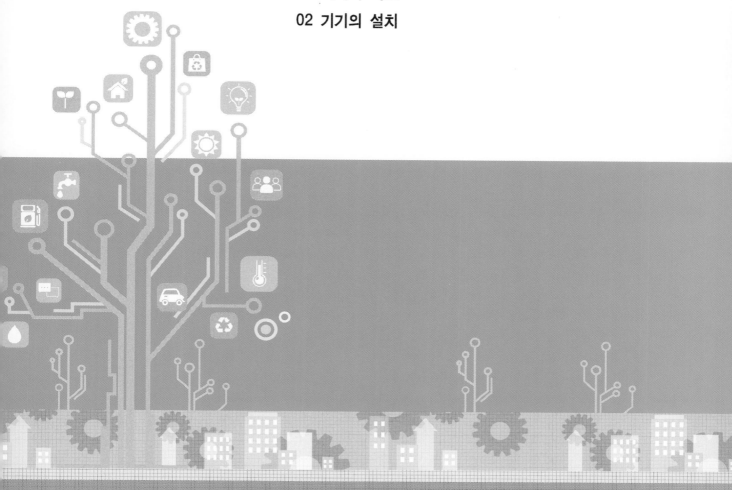

01 냉동설비의 설치

1 기기의 기초

기초와 기계와의 공진을 방지하기 위해 기초의 고유진동수와 기계가 발생하는 진동수가 20% 이상의 차이가 나도록 할 필요가 있다. 그 방법으로 일반적으로 기초의 질량은 그 위에 올려지는 기기의 질량보다 크게 한다. 예를 들면 다기통압축기를 설치하는 콘크리트기초의 질량은 압축기 질량의 2~3배정도로 한다.

2 기기의 설치

① 압축기나 콘덴싱 유닛을 설치할 경우 콘크리트기초에 고정할 때나 방진 지지를 할 때에는 수평으로 설치한다.
   ※ 콘덴싱 유닛(condensing unit) : 압축기, 응축기 등을 동일한 가대(구조물)에 설치한 유닛을 말한다.
② 방진가대의 기초위에 설치된 압축기는 운전개시 또는 정지할 때 크게 흔들릴 수가 있으므로 압축기 가까이에 있는 배관은 가요성 배관(flexible tube)으로 하여 배관의 파손을 방지 한다.
③ 응축기, 수액기 등은 수평으로 설치한다. 옥외에 설치하는 공랭식 응축기와 증발식 응축기는 무겁고 중심이 비교적 높으므로 지진에 의해서 영향을 받을 수 있다. 따라서 옥외에 설치하는 기초 철근을 강고하게 하고 옥상 바닥의 철근에 견고하게 설치한다.
④ 천정형 유닛 쿨러는 팬의 회전에 의해 진동하지 않도록 하고, 유닛쿨러지지용 앙카볼트는 충분한 크기로 철근 또는 철골에 용접한다.
⑤ 저온 때문에 냉장실 바닥의 토양이 빙결하여 바닥면이 솟아오를 수가 있다. 이러한 동상(凍上 : 바닥솟아오름)을 피하기 위해 특히 바닥 면적이 넓은 저온냉장고에서는 동상방지계획을 실시한다.

제6장
냉방설비의 설치

01 냉방설비의 설치

1 냉방설비의 설치

냉방설비의 설치대상 및 설비규모 건축물의 설비기준 등에 관한 규정에 의거 다음 각호에 해당하는 건축물에 중앙집중냉방설비를 설치할 때에는 해당 건축물에 소요되는 주간최대냉방부하의 60% 이상을 수용할 수 있는 용량의 축냉식 또는 가스를 이용한 중앙집중냉방방식으로 설치하여야 한다.

① 연면적의 합계가 3천제곱미터 이상인 업무시설·판매시설 또는 연구소
② 연면적의 합계가 2천제곱미터 이상인 숙박시설·기숙사·유스호스텔 또는 병원
③ 연면적의 합계가 1천제곱미터 이상인 일반목욕장·특수목욕장 또는 실내수영장
④ 연면적의 합계가 1만제곱미터 이상인 건축물로서 중앙집중식 공기조화설비 또는 냉·난방설비를 설치하는 건축물

2 냉방설비의 축열율

축냉식 전기냉방으로 설치할 때에는 전체축냉방식 또는 40% 이상인 부분축냉방식으로 설치하여야 한다.

1. 축냉식 전기냉방설비

축냉식 전기냉방설비란 심야시간에 전기를 이용하여 축냉재(물, 얼음 또는 포접화합물과 공용염등의 상변화물질)에 냉열을 저장하였다가 이를 심야시간이외의 시간(이하 "기타시간"이라 한다)에 냉방에 이용하는 설비로서 이러한 냉열을 저장하는 설비(이하 "축열조"라 한다), 냉동기·브라인펌프·냉각수펌프 또는 냉각탑등의 부대설비(축열조 2차측 설비는 제외한다)를 포함하며, 다음 각목과 같이 구분한다.

(1) 빙축열식 냉방설비
심야시간에 얼음을 제조(제빙)하여 축열조에 저장하였다가 기타시간에 이를 녹여(해빙) 냉방에 이용하는 잠열이용 냉방설비

(2) 수축열식 냉방설비
심야시간에 물을 냉각시켜 축열조에 저장하였다가 기타시간에 이를 냉방에 이용하는 현열이용 냉방설비

(3) 잠열축열식 냉방설비

포접화합물(Clathrate)이나 공융염(Eutectic Salt) 등의 상변화물질을 심야시간에 냉각시켜 동결한 후 기타시간에 이를 녹여 냉방에 이용하는 잠열이용 냉방설비 여기서

- "심야시간"이라 함은 22:00부터 익일 08:00까지를 말한다.
- "2차측설비"라 함은 저장된 냉열을 냉방에 이용할 경우에만 가동되는 냉수순환펌프, 공조용순환펌프등의 설비를 말한다.
- "전체축냉방식"이라 함은 기타시간에 필요한 냉방열량의 전부를 심야시간에 생산하여 축열조에 저장하였다가 이를 이용하는 냉방방식을 말한다.
- "부분축냉방식"이라 함은 기타시간에 필요한 냉방열량의 일부를 심야시간에 생산하여 축열조에 저장하였다가 이를 이용하는 냉방방식을 말한다.
- "축열율"이라 함은 통계적으로 년중 최대냉방부하를 갖는 날을 기준으로 기타시간에 필요한 냉방열량중에서 이용이 가능한 냉열량이 차지하는 비율을 말하며 백분율(%)로 표시한다.

$$축열율(\%) = \frac{이용\,가능한\,냉열량(kW)}{기타\,시간에\,필요한\,냉방열량(kW)} \times 100$$

여기서 "이용이 가능한 냉열량"이라 함은 축열조에 저장된 냉열량중에서 열손실등 차감하고 실제로 냉방에 이용할 수 있는 열량을 말한다.

2. 가스를 이용한 냉방방식

가스(유류포함)를 사용하는 냉방방식으로 GHP, 흡수식 냉동기 및 냉·온수기를 말한다.